EL ESPAÑOL COLOQUIAL

BIBLIOTECA ROMÁNICA HISPÁNICA

Dirigida por Dámaso Alonso

II. ESTUDIOS Y ENSAYOS, 72

WERNER BEINHAUER

EL ESPAÑOL COLOQUIAL

PRÓLOGO DE DÁMASO ALONSO

VERSIÓN ESPAÑOLA DE
FERNANDO HUARTE MORTON

TERCERA EDICIÓN AUMENTADA Y ACTUALIZADA

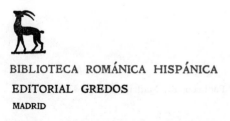

BIBLIOTECA ROMÁNICA HISPÁNICA

EDITORIAL GREDOS

MADRID

195493

© **EDITORIAL GREDOS, S. A.,** Sánchez Pacheco, 81, Madrid, 1978, para la versión española.

Título original: *SPANISCHE UMGANGSSPRACHE.* Zweite, vermehrte und verbesserte Auflage, FERD. DÜMMLERS VERLAG, Bonn, 1958.

PRIMERA EDICIÓN, diciembre de 1964.
SEGUNDA EDICIÓN, mayo de 1968.
 1.ª reimpresión, noviembre de 1973.
TERCERA EDICIÓN, junio de 1978.

Depósito Legal: M. 18060-1978.

ISBN 84-249-0765-5 Rústica.
ISBN 84-249-0766-3 Tela.

Gráficas Cóndor, S. A., Sánchez Pacheco, 81, Madrid, 1978. — 4718.

UNAS PALABRAS

Quiere el Dr. Beinhauer que yo escriba unas palabras al frente de esta obra. Lo cumplo con mucho gusto, y éstos son los motivos:

El presente libro me deja admirado y casi asustado: me revela un mundo que está dentro de mí, y que a la par me rodea. Siempre me ha preocupado esta maravilla diaria, el lenguaje, enraizado en nuestras vidas, nuestra marca de hombres. Y, claro está, más que ninguna otra lengua la que hablo; no la castellana de tiempos antiguos o la de la literatura, sino la que hablamos todos los días. Y así casi no pasa uno en que por algunos momentos no me detenga a pensar sobre algunos de esos curiosos giros que oímos y empleamos, troquelaciones que a veces parecen del todo inexplicables. Y henos, ahora, ante el libro de Beinhauer. Yo lo había consultado, aquí y allá, en la edición alemana; pero no lo había leído de un tirón, como lo he hecho antes de escribir estas palabras. Me quedo asombrado, casi como el portugués de la décima: Qué portentosa variedad, abundancia, fértil complicación, esto que hablamos u oímos todos los días: qué extraordinario mecanismo llevamos dentro, qué fino en la captación de los matices, qué rápido y certero en las reacciones, cómo y con qué fidelidad refleja el carácter de los hombres de España. Y qué desconocido nos es. Por eso nos asombra encontrarlo —y casi encontrarnos— en el libro de Beinhauer: la lengua española viva, corriente y moliente, que

en su mayor parte no está registrada en ningún sitio, y que en
vano buscaremos en diccionarios y gramáticas. El autor la ha
extraído de la vida misma, de su experiencia directa en medios
españoles; y cuando no, de autores contemporáneos (de teatro
o de novela) que usan abundantemente los modos coloquiales.
Cierto es que éstos algunas veces inventan, es decir, crean estilísticamente nuevos giros o frases; pero, cuando así ocurre,
lo creado está en la línea del genio idiomático, y suele reducirse
a mera variante intensificadora de una troquelación ya existente. Todos los ejemplos de Beinhauer pueden considerarse español vivo contemporáneo.

De la maravilla ante el tesoro reunido, paso a la admiración
hacia quien lo ha juntado. ¿Qué inmensas cantidades de ciencia,
perseverancia, experiencia vital y talento analítico ha necesitado
Werner Beinhauer para dar cima a su trabajo? El acervo acu-
mulado me asombra, pero más aún la finura de los análisis e
interpretaciones (que casi siempre suscitan mi inmediata adhesión): se han juntado para ello talento y rigurosa prepara-
ción lingüística e instinto escudriñador de recónditos sentidos
o alusiones, y de las vías por donde han cuajado expresiones
ante las que el normal análisis sintáctico parece condenado a
fracasar. Nada de esto hubiera sido suficiente, sin embargo, sin
un profundo conocimiento del carácter español y mucho amor
a nuestro país y a sus habitantes. Puede V. estar satisfecho,
querido y admirado Dr. Beinhauer: a fuerza de ciencia de amor
y de vida vivida, ha hecho V. un libro estupendo. ¡Qué buena
lección para tanto filólogo friático y desamorado!

El libro nos descubre y explica a los españoles el complejí-
simo tesoro de nuestra habla diaria. Podemos, pues, imaginarnos
su irremplazable valor para tantos extranjeros que en alemán
—lengua difícil— no podían disfrutarlo y que hoy lo leerán en
el transparente castellano de la traducción de Fernando Huarte,
en esta edición que enriquecida y puesta al día —con muchos
nuevos modismos de estos últimos años— tanto supera a las
anteriores, todas en lengua alemana.

Dámaso Alonso

DEL PREFACIO A LA PRIMERA EDICIÓN ALEMANA

El presente libro pretende familiarizar a los usuarios alemanes con los más importantes medios expresivos del español coloquial. Entendemos por lenguaje coloquial el habla tal como brota, natural y espontáneamente en la conversación diaria, a diferencia de las manifestaciones lingüísticas conscientemente formuladas, y por tanto más cerebrales, de oradores, predicadores, abogados, conferenciantes, etc., o las artísticamente moldeadas y engalanadas de escritores, periodistas o poetas. Casi todos los métodos, incluso los mejor hechos, que para el estudio del español han venido publicándose en Alemania, aspiran poco menos que exclusivamente a enseñar la lengua literaria, en tanto que las particularidades del lenguaje hablado, salvo algunos estudios y artículos desperdigados por revistas y periódicos, quedan limitadas a esporádicas observaciones marginales o anotaciones al pie de página. Es error muy común confundir el lenguaje cotidiano que se habla, con la lengua también cotidiana, pero escrita o impresa, de comerciantes o periodistas, la utilidad de cuyo conocimiento no pretendemos negar. Sin embargo, al tratar de lenguaje coloquial nos referimos únicamente a la lengua viva conversacional. Por cuanto sus medios expresivos no constan tan sólo de elementos sintáctico-estilísticos por un lado, y de vocablos y giros, o sea de elementos lexicológicos, por el otro; a todos ellos se agregan los medios dinámicos de entonación, gesto y mímica. Confieso que a este último aspecto de la lengua conversacional, tan importante, no

le he dedicado espacio suficiente en el presente libro. Merecería
la pena de un estudio más detenido *.

No faltará quien me pregunte: el conocimiento del lenguaje
coloquial, de evidente utilidad para la práctica del idioma hablado, ¿qué valor podrá tener para el teórico o el erudito interesado preferentemente en estudiar obras literarias? Y yo contesto: quien niegue la trascendental importancia de dicha
materia precisamente también para el estudio de la literatura,
olvida que la lengua —incluso de poetas y literatos y aun de
eruditos, sobre todo los de habla española— arraiga profundamente en el subsuelo del lenguaje familiar y popular, del que
se nutre a diario. Por tanto, sólo será capaz de sentir, captar
y apreciar las últimas intenciones y exquisiteces incluso de un
lenguaje artístico, quien conozca también la materia prima de
que éste está amasado, o sea, la lengua del pueblo, del ambiente
en que vive el artista, la que este mismo habla a diario. Es
más: no me recato en afirmar que quien no está debidamente
familiarizado con el lenguaje coloquial, tampoco puede dominar
realmente la lengua escrita. Podrá si acaso, a fuerza de estudiar
gramática, llegar a expresarse con alguna corrección, pero esto
no equivale, ni muchísimo menos, a lo que yo entiendo por
dominio verdadero del idioma **. Y es que el a r t e —insisto
en el vocablo— de manejar bien una lengua, no se desenvuelve
bien en los eriales de lo puramente teórico —por lo demás,
también necesario, ¡qué duda cabe!—, pues rebasa con mucho
los límites de lo meramente captable y registrable por la inteligencia y la memoria. Este arte, cimentado sobre esa base del
saber intelectual, necesita, para que merezca el calificativo, algo
superior a todo entendimiento: tiene que ser s e n t i d o; quiero
decir que todos esos «conocimientos» tan útiles y necesarios
tienen que ser vivificados por el aura o espíritu particular del
respectivo idioma y sus hablantes. Si las reglas gramaticales

---

* A raíz de publicarse la primera edición de mi libro, apareció un
primer intento, bien logrado, de un antiguo alumno mío, Ludwig Flachskampf (véase la Bibliografía).

** «...entre la lengua hablada, p r e s e n t e c a d a d í a m á s e n
l a e s c r i t a, y las descripciones de las gramáticas tradicionales hay un
abismo» (E. Lorenzo, «El español de hoy», pág. 38).

de una lengua necesitan ser c o m p r e n d i d a s, sus particularidades estilísticas e idiomáticas, a más de ser comprendidas,
tienen que ser i n t u i d a s y s e n t i d a s. Comprendo que esta
capacidad intuitiva para la captación de los imponderables de
una comunidad lingüística varíe de individuo a individuo. Creo,
sin embargo, que a todos les podrá ser útil también una siquiera
provisional comprensión intelectual de los múltiples fenómenos
estilísticos y el mecanismo de su mutua interdependencia que
integran un idioma. Y éste es el objeto del presente libro:
agudizar la vista y el oído de quienes deseen profundizar en la
esencia íntima de la lengua para que la comprendan (en un
principio), la sientan (más tarde), se compenetren de ella (más
adelante) y, por fin, aprendan a manejarla con espontaneidad
idiomática.

En cuanto al material de los ejemplos, proceden en parte de
observaciones propias hechas a lo largo de muchos años de
estancia en España (en diferentes sitios y ambientes pura y
exclusivamente españoles), y en parte de un minucioso análisis
de diversas obras, sobre todo teatrales, y en particular de comedias y sainetes del llamado «género chico», convencido como
estoy de que, entre todos los géneros literarios, son las que
mejor se prestan para el estudio de la lengua hablada. Al es-
cogerlas, no lo hice guiado por un criterio puramente literario,
sino por el exclusivo interés que me merecían desde el punto
de vista lingüístico. Por ello he traído a colación con mayor
frecuencia obras de Arniches que, por ejemplo, de Benavente,
muy superiores y de más categoría por su contenido, pero menos
populares y «realistas» que las de aquél por su l e n g u a j e.
En principio he citado exclusivamente producciones modernas,
por la sencilla razón de que me interesaba examinar la lengua
de hoy; sólo en ocasiones he citado algún ejemplo del «Quijote»,
y aun entonces para hacer patente la antigüedad de algunos
giros que perduran hasta nuestros días, así como el destacado
popularismo del «príncipe de los ingenios» de España *.

---

* No quería dejar de citar aquí la monumental obra de C. FERNÁNDEZ
GONZÁLEZ: «Vocabulario de Cervantes». Prólogo de R. LAPESA. Madrid,
Real Academia Española, 1962, XI + 1.136 páginas.

Cuando se trata de indagar la vida de un idioma, no hay que andarse con escrúpulos en la elección del material analizable. Por tanto, no he reparado en citar vulgarismos y aun algunas procacidades, proscritas por la Academia de la Lengua y vituperadas por gentes excesivamente timoratas; expresiones que, sin embargo, no por calladas dejan de vivir, reflejando espontáneas tendencias lingüísticas, no ya del hombre de tipo corriente y moliente, sino aun de gentes cultas, cuando su habla va impulsada por la afectividad *, o en momentos de expansiva intimidad en las charlas con los «amigotes». En una tal conversación de hombres solos podría colarse —¿por qué callarlo?— incluso alguna obscenidad de las que hacen torcer el gesto a los graves señores académicos. Pero ¡qué le hemos de hacer!: también estos elementos lingüísticos, si bien dormidos, viven al fin en la subsconsciencia de todo varón, y, cuando llega la ocasión, éste difícilmente podrá impedir que se le escapen y exterioricen, velados por el eufemismo o en toda su cruda desnudez.

Para la disposición de la materia, he seguido en parte la pauta que informa la obra titulada «El lenguaje coloquial italiano» («Italienische Umgangssprache») de mi maestro Leo Spitzer **. Sin embargo, media una diferencia fundamental entre su libro y el mío. Y es que, mientras la obra de Spitzer, exclusivamente de tipo científico, tiene por objeto investigar el mecanismo del lenguaje coloquial en general, para lo cual el italiano le sirve únicamente de ejemplo, la mía está orientada por el principio contrario: el español y l o   e s p a ñ o l forman en ella el centro de gravedad, en tanto que el elemento rigurosamente científico (para gran escándalo de algunos filólogos) aparece como relegado a un plano secundario, reduciéndose especialmente a la interpretación psicológica de los diversos fenómenos

---

* Ambrosio Rabanales (véase bibliografía): «...es en el ambiente f a - m i l i a r   y   v u l g a r donde la lengua cumple mejor su función expresiva».

** A quien, con motivo de su 70 cumpleaños (el 7 de febrero de 1957), le dediqué la segunda edición alemana.

lingüísticos, con el fin principal de que estos mismos se les graben mejor en la memoria —y en todo su ser— a los alemanes deseosos de a p r e n d e r (y no ya de conocer teóricamente) este incomparable idioma.

Así, pues, la materia viene ordenada no desde un punto de vista gramatical, sino con miras preferentemente p s i c o l ó g i - c a s. A veces, para encajar los múltiples detalles que integran el idioma me guiaron consideraciones de orden puramente exterior, tratando de lograr un cuadro sinóptico de orientación siquiera relativamente fácil, todo ello encaminado a que estos mismos detalles cobrasen v i d a palpitante también para el estudioso alemán. Él debe comprender que los cuadriculados o encasillados, tan necesarios para captar teorías abstractas, no sirven para penetrar en la sustancia íntima de un idioma. Éste, como toda obra de a r t e (cuya afinidad se impone), no se deja aprisionar por ningún sistema rígido. Para apropiárselo, el estudioso necesita captar con amoroso afán, no ya con la mente sino con todos los sentidos, los innumerables rasgos característicos que constituyen la especial fisonomía de su individualidad. A este fin he sacado, por decirlo así, una serie de «instantáneas» del lenguaje coloquial, ese ser tan vivaracho y revoltoso que, cual niño travieso, a veces parece burlarse descaradamente de los sagrados cánones de la grave señorona Gramática; instantáneas de las más varias posturas en que procuraba *sorprender* al pícaro enredador. Y es lógico que para sacar provecho verdadero de esta colección haga falta que el lector estudioso no escatime esfuerzo para fijarse detenidamente en cada una de las citadas «instantáneas». En otros términos: sólo compenetrándose con todos estos detalles es como logrará esa visión sintética del conjunto que difícilmente conseguirá con una lectura demasiado rápida y superficial.

Teniendo en cuenta que la lengua hablada no es desglosable del pueblo que la habla y que la mentalidad de éste —al menos en sus datos fundamentales— nos suministra la clave de su esencia, me pareció procedente, dondequiera que se ofreciese la oportunidad, hacer alusión a particularidades del carácter español, costumbres, instituciones, en fin, cuantos detalles pudieran ayudar a comprender mejor ciertos fenómenos lingüísticos.

Para terminar, me cumple el grato deber de dar mis más efusivas gracias a cuantas personas me brindaron consejo y ayuda para la confección de este trabajo, especialmente a mi venerado maestro, profesor Leo Spitzer, y al ilustre profesor Fritz Krüger.

W. B.

Colonia (del Rhin), octubre de 1929.

PREFACIO A LA SEGUNDA EDICIÓN ALEMANA

Los treinta años, preñados de graves acontecimientos, que transcurrieron desde la primera aparición de este libro, también han dejado sus huellas en la evolución del idioma español. Los cambios a que aludo son de índole predominantemente lexicológica: neologismos de la terminología científica, médica, técnica, deportiva, política, etc. Lo que ha cambiado poco es la estructuración sintáctico-estilística, o —como diría H. Paul— la «forma interna» («innere Sprachform») tanto de la lengua literaria como del lenguaje coloquial, cuya investigación constituye el objeto del presente trabajo. Ulteriores estancias en España después de la segunda guerra mundial, así como la lectura detenida de novelas y obras teatrales contemporáneas, me han hecho observar que también los cambios experimentados por el lenguaje coloquial se reducen esencialmente a elementos lexicológicos. Incluso la mayor parte de los neologismos y modismos representan variantes de contenidos lexicológicos, pero aprisionados en formas sintácticas fijas e invariables.

Para las enmiendas hechas a la presente edición, he tenido en cuenta principalmente la detallada reseña de M. L. Wagner que va incluida en la relación bibliográfica. Otras rectificaciones, supresiones y añadiduras del libro las debo a mi buen amigo y compañero de cátedra en esta Universidad de Colonia, Dr. Gonzalo Sobejano, que además tuvo la bondad de revisar el manuscrito. Todas sus valiosas observaciones van acompañadas de su nombre entre paréntesis: (Sobejano). La mayor parte de los suplementos proceden de observaciones y reminiscencias propias. Por lo que toca a los ejemplos utilizados en la primera edición, a pesar de lo antiguos, l i n g ü í s t i c a m e n t e, salvo raras excepciones, no resultaron anticuados, sino enteramente aprovechables también para esta nueva edición. En cambio, he ampliado mucho las notas bibliográficas para poner el libro a la altura de la investigación contemporánea.

A más de al Dr. Sobejano, me cumple el grato deber de dar las más cumplidas gracias al Sr. Cónsul Dr. W. Lehmann, dueño de la Editorial Dümmler, por cuantas facilidades me brindó para esta reedición.

W. B.

Colonia, septiembre de 1957.

ADVERTENCIA A LOS LECTORES ESPAÑOLES

El presente libro sobre el español coloquial se escribió para a l e m a n e s deseosos de perfeccionarse en esta lengua. Entonces ¿qué interés puede ofrecer para españoles el estudiar y analizar su lengua materna? Al brindar el autor a los hispanohablantes esta versión española lo hace desde luego con miras distintas a las que le guiaban en la confección del original alemán. Si éste perseguía fines preferentemente didácticos y de información, el interés del texto español queda circunscrito a lo puramente teórico en la más genuina acepción de este vocablo. Veré de explicarme. Nuestra lengua materna, la que hablamos espontáneamente a diario, forma parte tan íntima de nuestro ser que, normalmente, no paramos mientes en ella, como tampoco nos fijamos en nuestro hígado, estómago u otra víscera, ni en todo lo demás inseparablemente vinculado con nuestra personalidad. Ahora bien, si esto es lo natural, no lo es menos el hecho de que la lengua materna, por lo mismo de hablarla inconscientemente, solemos c o n o c e r l a teóricamente menos que cualquier idioma extranjero que hayamos aprendido artificialmente en edad ya adulta. Este es el caso mío con respecto al idioma español, cuyo aprendizaje inicié siendo ya persona mayor (de 23 años), o sea una edad en que el estudio de una lengua extranjera, aun cuando se efectúe en el ambiente donde se habla, requiere continuos esfuerzos *conscientes* de observación atenta. Confieso, sin alardes de falsa modestia, que

un profundo cariño a España, los españoles y lo español en
general me ha hecho permanecer con creciente interés en esta
actitud afectuosamente observadora a lo largo de muchos años
transcurridos desde que aprendí el primer vocablo español.
¿Qué extraño, pues, que acaso haya podido observar y registrar
una serie de detalles inadvertidos de puro sabidos por la inmensa mayoría de los propios hispanohablantes? A ellos quisiera hacerles copartícipes del incomparable goce estético que
he venido experimentando al estudiar su lenguaje coloquial tan
expresivo, ingenioso e inagotablemente rico.

No sé si he logrado acertar siempre al comentar fenómenos
lingüísticos que me llamaban la atención, sea al conversar con
gentes de la más variada condición social, tanto en ambientes
urbanos como en el campo, sea leyendo y analizando toda clase
de piezas teatrales o novelas, buenas, mediocres e incluso literariamente malas por cuanto respecta a su sustancia, pero pese
a ello aprovechables l i n g ü í s t i c a m e n t e.

No se olvide que el libro se escribió hace treinta años, y es
natural que muchos ejemplos en él citados, hoy resulten anticuados. Anticuados por lo que se refiere al c o n t e n i d o,
pero no a la f o r m a, al ropaje lingüístico de que aparecen
revestidos. Unos ejemplos: nadie diría hoy *una cosa más fea
que un sombrero de jipijapa*. Prescindiendo de que se trata de
una creación individual de antaño nunca incorporada al acervo
común de la lengua, al ponerse de moda el sinsombrerismo
en España (como en todas partes), caducó la comparación.
Sin embargo, ha quedado intacta y vigente la forma, el esquema
«*más feo que* + término comparativo», o sea una forma susceptible de ser rellenada de otros contenidos, como, p. e., *Picio,
un dolor, pegar a su padre* y otros por el estilo, antiguos y
modernos. Otro ejemplo: en el párrafo que trata de «comparaciones reforzadas» cito, entre otras, la siguiente, de «El Verdugo
de Sevilla», de Muñoz Seca: ¡¡*La batalla de Sedán fue un juego
de bolos*!! (comparada con un terrible jaleo que se había armado), comparación de sustancia evidentemente anticuada; y,
claro, habría que echar mano hoy de otro contenido más adecuado, sustituyendo «la batalla de Sedán», verbigracia, por «la

guerra atómica» o algo similar para conseguir el mismo efecto hiperbólico. Sin embargo, aquí también persiste la «forma», el tipo de la comparación reforzada, el mismo que empleó un amigo mío al escribirme, días atrás, que se le había quitado «un peso de encima que el Himalaya es una vedija de algodón», otra creación individual, pero aprisionada dentro del mismo esquema preexistente desde antiguo. Los ejemplos podrían multiplicarse a discreción. Creo, sin embargo, que basta con los citados para aclarar mi idea. Ruego, pues, al indulgente lector español no repare en el contenido, a veces anticuado, de los ejemplos, sino únicamente en las formas estereotipadas inalterables de que vienen revestidos. Sustituir todos los contenidos anticuados por otros contemporáneos supondría un trabajo en este momento superior a mis fuerzas (bastante reducidas a raíz de una enfermedad) y, en el fondo, desproporcionado con el eventual resultado científico (que sustancialmente hubiera permanecido igual). Hubiera procurado, si acaso, un mayor goce estético al lector moderno, pero sin enriquecer apenas la sustancia y el valor teóricos del libro.

Al dar éste a la publicidad española, lo hago sin excesivas ilusiones y sólo accediendo al insistente requerimiento de los amigos españoles que me animaron a ello. Sirva de atenuante a mi osadía también el cariño con que redacté sus páginas.

Cumplo un gratísimo deber dando las más efusivas gracias a D. Fernando Huarte Morton, que se encargó de la traducción, así como a D. Agustín del Campo por haber revisado el manuscrito añadiéndole no pocos ejemplos modernos y asumiendo además todos los engorros inherentes a la publicación. Gracias también a la Editorial Gredos, a los linotipistas, cajistas y cuantas personas han intervenido en la confección de este volumen.

W. B.

PRÓLOGO A LA SEGUNDA EDICIÓN ESPAÑOLA «CORREGIDA, AUMENTADA Y ACTUALIZADA»

¡Vaya unos epítetos más pretenciosos que lucen en la portada de este volumen! «Corregida», puede que sí, pero ello no excluye que, en las añadiduras, se me hayan deslizado otros errores, y no sólo erratas, que sería lo de menos. ¿«Aumentada»? Eso está a la vista —por cuanto se refiere al volumen—. Sin embargo, tengo razones fundadas para dudar de que ese aumento de p á g i n a s deje el libro, a más de «redondeado», más completo. La inagotable materia de que trata y cuya índole refleja nada menos que la propia vida que vivimos y que nos rodea a diario, con su polifacética complejidad, le impone al investigador forzosamente una prudente selección —¡quién tuviera esa prudencia!— entre una infinidad de fenómenos de los que nos brinda, a cada instante, el lenguaje hablado, y ninguno más que el español. Lenguaje h a b l a d o , conversacional, coloquial y, más que nada, e s p o n t á n e o , ¿cómo captarlo con sus múltiples matices, no ya de palabras, de giros hechos e improvisados o parafraseados, sino de entonación e incluso de gesto y de mímica, todo ello cambiante a cada momento, pero siempre ceñido a las más variadas situaciones, cada una, en el fondo, única e irrepetible?; sin contar —y es para cortarle la respiración al más pintado— los diferentes estratos sociales que condicionan otras tantas diferencias de expresión lingüística, y ellas, a su vez, sujetas a continuos cambios, también en sentido «h o r i z o n t a l», variando, no sólo de región en región, sino, aun circunscritas a los usos de la capital, de un barrio a otro.

Un estudio i d e a l, según insinúa M. Criado de Val en el capítulo titulado «Metodología para un estudio del coloquio» en su Gramática española (págs. 211-214) requeriría que se tuviesen en cuenta, constante y s i m u l t á n e a m e n t e, en cada diálogo por analizar 1, el texto, 2, la entonación, 3, la situación, 4, el contexto, y 5, el gesto. El medio más importante para conseguir resultados de valor positivo, sería el magnetófono. En este sentido rigurosamente científico, le doy la razón, sin reserva de ningún género, al ilustre filólogo. Tampoco le falta razón al afirmar que «es, probablemente, la tarea más importante que ha de realizar la filología moderna».

El tema, sin duda, es hoy de candente actualidad. Me sirve de prueba el éxito, al menos editorial, que tuvo la primera versión española del presente libro —éxito, sea dicho sin asomo de falsa modestia, que a nadie le ha sorprendido más que al propio autor—. Si, alentado por él, se atreve a dar a la publicidad esta segunda edición, lo hace con no pocas reservas y salvedades, entre otras, las siguientes:

Mi estudio se limita fundamentalmente —si bien con digresiones ocasionales— a la colección, descripción y posible análisis de t e x t o s hablados e impresos y a lo que en ellos de mayor interés me parecía para captar las riquísimas y múltiples posibilidades expresivas del coloquio en general. Mis observaciones —al menos intencionalmente— abarcan todos los estratos sociales, también el lenguaje popular (particularmente expresivo), e incluso el vulgar, sin remilgos de orden estético, sin preocupaciones por el «buen decir», importándoseme únicamente r e g i s t r a r lo que realmente «se dice», sin aventurarme en el resbaladizo y, por lo demás, nada científico terreno de las valoraciones. Por lo que respecta a mi punto de vista selectivo, me ha informado el conocido hecho de que precisamente en la exteriorización lingüística española, más que en la de ningún otro pueblo europeo, se advierten, ya desde los primeros atisbos de la literatura medieval —los ejemplos están a la vista del observador más superficial— interferencias de elementos populares (y a veces aun vulgares) en los textos más sublimes; igual que, al revés, intrusiones de elementos cultos, e incluso eruditos, en el habla popular, sobre todo de Madrid, hasta nuestros días. «Y aun la lengua vulgar tiene su arte y... puede a veces parangonarse con la literaria», dice con razón el gran maestro VICENTE GARCÍA DE DIEGO (en «Presente y futuro de la lengua española», vol. II, pág. 7); y a continuación: «En el habla popular, no todo es plebeyo, sino que hay voces de abolengo que fueron de reyes o de los más altos documentos».

He procurado, en la medida de mis modestos «posibles» (que diría el pueblo), no sólo ampliar sino también a c t u a l i - z a r , poner al dia, esta segunda edición, leyendo, al efecto, buen número de novelas contemporáneas —de las que sólo algunas van incluidas en la bibliografía, donde figura también la obra teatral de LAURO OLMO «La camisa», que puse a contribución para destacar algunos rasgos del lenguaje popular modernísimo—. Tampoco he dejado de consignar observaciones directas de las que he venido haciendo a lo largo de numerosas estancias ulteriores en España (sobre todo, en Madrid y Granada), siempre en un ambiente pura y exclusivamente español.

Antes de ofrecer a mis amables e indulgentes lectores esta segunda edición de «El español coloquial», no quiero dejar de dar mis más rendidas gracias a quienes contribuyeron y a los que hayan de contribuir a hacerla posible: en primer lugar, a mis ilustres colegas, profesora D.ª MARGHERITA MORREALE, profesores D. EMILIO LORENZO, DR. SCHNEIDER (a quien le debo, amén de una reseña, valiosas indicaciones bibliográficas) y a tantos otros hispanistas (cuya enumeración se haría interminable), que con reseñas más cortas me suministraron un material precioso, con el que pude, tanto rectificar errores como enriquecer el libro, incorporándole nuevas aportaciones y sugerencias. ¿Y cómo agradecer en términos suficientes a mi entrañable amigo D. FERNANDO HUARTE MORTON, reiterándole las gracias por su labor de traductor de la primera edición; posteriormente, por el ingente trabajo, exclusivamente suyo, del índice, ejemplar e inmejorable por lo exhaustivo, y anticipándoselas cordialísimas por completarlo para esta nueva edición? Tampoco encuentro palabras para expresar mi más profunda gratitud por la enorme labor y eficacísima ayuda que me brinda nuevamente mi gran amigo D. AGUSTÍN DEL CAMPO de la EDITORIAL GREDOS; y, no en último lugar, a ésta misma por la generosa actitud que ha mostrado conmigo, no ya al asumir la responsabilidad y el no pequeño riesgo (pese a las elogiosas palabras del gran DÁMASO ALONSO) que para ella suponía la primera publicación del libro, sino al darme todas las facilidades para ampliar «a discreción» esta segunda edición, que ¡ojalá! tenga para ella un éxito análogo a la anterior. Gracias, por fin, y no menos efusivas, a los linotipistas, cajistas y cuantas personas hayan de intervenir en la confección de este nuevo volumen.

W. B.

Madrid, fines de mayo de 1967.

PRÓLOGO A ESTA TERCERA EDICIÓN ESPAÑOLA
OTRA VEZ «AUMENTADA Y ACTUALIZADA»

«A la tercera va la vencida», reza el conocido proverbio, de verdad comprobada por secular experiencia, aunque también puesta en entredicho por no pocas excepciones. Así, por ejemplo, esta tercera edición de «El español coloquial», con ser bastante más voluminosa que las dos anteriores, no cabe llamarla «definitiva» sencillamente porque su tema lo excluye. Una «lengua en ebullición», como EMILIO LORENZO llama a la española —lo que vale para todas— evoluciona y seguirá evolucionando, con más o menos rapidez, eso sí, pero sin cuajar jamás en un estado calificable de «definitivo». Es como un río de caudal aparentemente inalterable, pero cuyas aguas cambian continuamente. Todos los idiomas llamados «vivos» se caracterizan precisamente por su *alterabilidad*, adaptándose sin cesar a las exigencias siempre variantes de la vida. Y por lo que se refiere a los llamados «muertos», en rigor, tampoco merecen este convencional apelativo, puesto que siguen viviendo en las lenguas modernas que de ellos se derivan, de evolución más rápida, eso sí, conforme a la mayor mutabilidad de nuestra vida cada vez más vertiginosa, complicada y diferenciada.

Estaba yo dudando si debía eliminar en esta nueva edición cierto número de expresiones más o menos anticuadas. Pero luego decidí prescindir de tales supresiones, porque, al menos en parte, continúan usándose, sea en el campo, sea en boca de ciudadanos ancianos, e incluso, siquiera esporádicamente, por algún autor de novela contemporánea, siendo además de observar que, aun modismos de vida efímera, suelen tardar menos tiempo en surgir y difundirse que en desaparecer, por lo cual en muchos casos resulta difícil, por no decir imposible, determinar su edad. La segunda razón por la que decidí no suprimir expresiones hoy, en parte o totalmente, caídas en desuso es que permiten o ayudan a observar tendencias evolutivas del idioma. Ahí de la sagacidad, intuición y penetración de colegas más jóvenes y competentes que el que escribe estas líneas.

Por lo que toca al nuevo material que viene a engrosar el volumen del libro, se trata en su mayor parte de simples añadiduras, cuya mención me parecía imprescindible. Faltan sin embargo muchos nuevos términos técnicos, políticos, deportivos, etc., que en mi opinión deberían incorporarse en diccionarios especiales *, de poco interés como me parecían para un trabajo dedicado preferentemente al estudio de la forma interior del lenguaje y sus medios de expresión.

Para esta nueva edición del libro vayan en primer lugar mis más rendidas gracias al ex-profesor de la Universidad Complutense de Madrid doctor D. José Polo, que me dedicó una extensa bibliografía utilísima, publicada en números consecutivos por la Revista «Yelmo», con el título de «El español familiar y zonas afines». Y gracias una vez más a mi gran amigo D. Agustín del Campo de la Editorial Gredos, a ella y a cuantos eficaces colaboradores han de contribuir a la confección de este nuevo volumen.

Werner Beinhauer

Colonia (Alemania Fed.).

---

* Véase el interesante artículo de R. Trujillo Carreño, «El lenguaje de la técnica», en «Doce ensayos sobre el lenguaje» (Madrid, 1974, páginas 195-211).

CAPÍTULO PRIMERO

FORMAS DE INICIAR EL DIÁLOGO

Entendemos por «formas de iniciar el diálogo», no sólo los giros con que se entabla una conversación, considerada ésta como un todo, sino cuantas manifestaciones orales, en sentido amplio, preceden de manera inmediata a cualquier comunicación por parte de uno o de otro interlocutor. Como Spitzer advierte, tales manifestaciones no son otra cosa que «excitantes de la atención» destinados a predisponer al interlocutor hacia el verdadero contenido del discurso.

Tal finalidad cumple, por ejemplo, el p r o n o m b r e p e r - s o n a l sujeto correspondiente a la persona a quien se habla, cuando antecede a una pregunta, lo cual ocurre en español con especial frecuencia: EUB 13 *T ú ¿qué cantidad necesitas?* M 33 *¿T ú has visto la campana?* Ibid. *¿T ú qué tienes, Leonardo?* (Propiamente, el signo inicial de interrogación debería ponerse en todos estos casos después de *tú*). Lo mismo puede ocurrir con el pronombre declinado: *¿Pero a u s t é, por qué le llaman Mahoma?* (MUÑOZ SECA, «Trianerías», I, 1). H. OSTER, «Die Hervorhebung», pág. 165, llama a este tipo «pregunta segmentada» («segmentierte Frage»).

EXPRESIONES VOCATIVAS

Son interesantes en múltiples aspectos las diversas especies de expresiones vocativas. Sólo para complemento de lo estudiado para el alemán por Wunderlich y para el italiano por Spitzer, mencionaré el caso de interpelación al interlocutor por medio de su nombre con matices diversos condicionados por la situación correspondiente, fenómeno que igualmente se da en el español y, sustancialmente, en todas las lenguas europeas.

Por lo que concierne al español, nos interesa especialmente la cuestión de los vocativos habituales en el trato.

Si los interlocutores no se conocen, el tratamiento usual entre personas mayores es *caballero* o *señora*. Para preguntar por una calle lo corriente es decir: *Dispense Vd., caballero, ¿voy bien para la calle (de)* [1] *Peligros?* Sin embargo, esta forma de tratamiento (*caballero*) se ha hecho rara en las ciudades entre interlocutores masculinos, mientras que una mujer la utilizará todavía en situación semejante. Va siendo sustituida por *señor*. Por lo demás, omitiendo toda forma de tratamiento, se pregunta también, sencillamente: *Perdón* [2] (o *perdone*), *la calle (de) Peligros, por favor*; o, también: *¿podría usted decirme* (o *indicarme*) *la calle (de) Peligros?* (Sobejano). Para la afirmación y la negación, en cambio, *sí, señor*; *sí, señora*, y *no, señor*; *no, señora* se han convertido en fórmulas fijas. *Sí, señor* y *no, señor* se han consolidado hasta tal punto, que entre *sí* (o *no*) y el vocativo no se produce ninguna pausa, contra lo que indica la puntuación (NAVARRO TOMÁS, «Manual de pronunciación española», § 184), y en el trato familiar y afectivo se emplean también dirigiéndose a mujeres y aun a niños de uno u otro sexo [3]. A los mendigos se les llama común-

---

[1] La preposición *de* en las denominaciones de calles y plazas queda inarticulada en el lenguaje oral por la pérdida de la *d* intervocálica, y se oye *calle Peligros, plaza la Cebada*, etc. Incluso en lo escrito, en novelas modernas (de Zunzunegui, Cela, Sánchez Ferlosio, etc.), este *de* se suprime muy a menudo. Véase más abajo, pág. 387.

[2] Este galicismo ha venido a desplazar, entre la clase media de las ciudades, al más popular *dispense usted* (F. LÓPEZ ESTRADA, «Notas...», pág. 267). Comp. cap. II nota 16.

[3] Incluso maestros que de ordinario tratan a sus escolares de *tú*, emplean con ellos estas formas de afirmación o negación. En el tren observé esta escena: Un niño estaba dando guerra en la ventanilla. *¡Siéntate!*, le había dicho varias veces la madre, y como si no. Pero cuando el niño pisó a un señor, se agotó la paciencia de la mamá, que gritó

mente *herman*(*it*)*o*: *Dios le ampare, h e r m a n (i t) o*. Ya que
nada se le dé, preténdese de este modo despedir al pobre diablo
con la mayor cortesía posible. El ejemplo siguiente demuestra
que el tratamiento de *caballero* se siente en ciertos casos como
algo muy particular: P 4 Camarero: *Cuando usted guste, c a -
b a l l e r o*. —Perecito (un individuo que ha malgastado su
vida): *Hombre, esto consuela.* —Camarero: *¿El qué?* —Perecito: *El que todavía haya personas que le llamen a uno c a b a -
l l e r o*. Las gentes del pueblo reciben por lo general el tratamiento *señor, señora,* que, en ocasiones, se sustituye por el más
familiar de *buen hombre, buena mujer;* por *abuelo, abuela,*
si se trata de ancianos; por *joven* (para ambos sexos) o *buen
mozo, buena moza,* si se trata de personas jóvenes. A los niños,
según su edad y sexo, se les llama *nene, nena* (a los más pequeños), *niño*[4], *niña; chico, chica; muchacho, muchacha,* vocativos
que a veces se aplican también a personas mayores en tono
festivo; pero esto último presupone que los interlocutores ya
se conozcan, por lo cual corresponde a los casos que hemos de
examinar más adelante. Para dirigirse a un camarero, junto a
mozo y *camarero,* se oye a veces *chico* (sobre todo si el aludido
es de poca edad), probablemente a imitación del francés *garçon.*
El maletero (*mozo de cuerda,* o *mozo* a secas, popularmente
soguilla[5], aludiendo a la soga que lleva sobre los hombros),

---

enfadada: *¡ahora se sienta u s t e d!* Dice RAMÓN CARNICER en Nrl, p. 140:
«al hijo o al muchacho que hubiera cometido una acción reprobable,
le daríamos tratamiento de *usted,* en lugar del *tú* habitual, para manifestar nuestro enfado: *¡Q u í t e s e u s t e d de mi vista!*».

En la novela «¡Échate un pulso, Hemingway!» de FRANCISCO CANDEL,
pág. 307, leemos: *El señor maestro me llama Bermúdez y c u a n d o
e s t á m u y e n f a d a d o c o n m i g o y me llama para darme un palmetazo, entonces dice s e ñ o r Bermúdez y m e t r a t a d e u s t e d.*

[4] M. L. WAGNER, en su reseña citada, hace observar que en Andalucía
niño se suele emplear también en el sentido de *señorito;* y en América
Central *niña,* para designar a la señora de la casa, por parte de los criados, incluso cuando se trata de señoras de edad.

[5] Diminutivo de *soga.* La expresión sirve para designar a los que
hacen el transporte de muebles y cosas semejantes *(mozos de cordel)* a
diferencia de los que transportan equipajes *(mozos de cuerda),* que sólo
trabajan en las estaciones de ferrocarril.

los tranviarios (*conductor, cobrador, inspector*), el ferroviario (*revisor*), el chófer (*taxista*) y otros conductores de automóviles, etc., son llamados por su nombre profesional correspondiente en cada caso. Lo mismo ocurre cuando se trata de individuos con título nobiliario como *duque, marqués, archiduque, conde* (con sus correspondientes formas femeninas), o de militares. Dícese, pues, en sociedad: *buenas tardes, m a r q u é s ; buenos días, c o r o n e l ,* etc. En cambio, dentro de la jerarquía militar, los subordinados se dirigen a sus superiores haciendo anteceder a la denominación del grado el pronombre posesivo: *mi teniente,* lo que representa una correspondencia del francés *mon lieutenant* [6].

Sirvientes, camareros, etc., utilizan para dirigirse a sus amos o clientes los tratamientos *señorito, señorita,* o bien *señoritos,* si se trata de varios señores o de una reunión mixta de señores y señoras. *S e ñ o r i t o* [7] (*señorita*), *una limosnita para este pobrecito,* implora el mendigo para despertar la compasión de un transeúnte.

Es curiosa la evolución semántica de *señorito* 'señor joven' (a diferencia de *señor Alonso,* el cabeza de familia, se pregunta, por ejemplo, por el *señorito Alonso,* refiriéndose a un hijo suyo) hacia la significación de 'señor', 'dueño de la casa' por excelencia, e igualmente el de *señorita* 'muchacha joven' al de 'señora', 'ama de casa'. Trátase indudablemente de un modo de «captatio benevolentiae». Véase más abajo, capítulo II, pág. 154.

Además de *señorito, señorita, señoritos, señoritas,* los camareros y sirvientes, y también los vendedores en las tiendas, emplean *el señor, la señora, los señores, las señoras,* en lugar de *usted* y *ustedes.* La pregunta que usualmente se hace a un cliente es: *¿Qué desea e l s e ñ o r ?* EUB 8 Domingo (un lacayo): *Si e l s e ñ o r desea esperar al señor marqués, puede hacerlo desde luego.* En portugués este uso se ha generalizado.

---

[6] El posesivo átono en función vocativa es raro en el español de Madrid, usándose, sin embargo, con mayor frecuencia —según me advierte la profesora M. MORREALE— en Canarias y partes de América latina. (Res., pág. 118).

[7] Cf. más abajo, cap. II, nota 23.

Por lo que hace a l a p e r s o n a g r a m a t i c a l d e l i n -
t e r p e l a d o , lo corriente es *usted* (3.ª persona) siempre que
se trata con desconocidos. El tratamiento que se da a sujetos
conocidos depende en cada caso, como en alemán, del grado
de intimidad, pero hay que tener en cuenta que a los padres,
tíos, tías y parientes políticos se les trata muy a menudo en
tercera persona [8]. «Lances de honor» 48 Miguel (hijo): *¡Oh, no!*
Ha hecho u s t e d muy bien. —Don Fabián: *¿Verdad que sí,*
hijo de mi alma? Ibid. 59 Candelaria: *Alábale, hijo, alábale, que*
cuanto digas será poco. —Miguel: *¡Y u s t e d , madre, y u s t e d!*

E n t r e c o n o c i d o s la forma más frecuente de dirigirse
a una persona es usando su nombre. El español, como el alemán, distingue entre «nombre» (al. «Vorname», fr. «prénom»)
y «apellido» (al. «Zuname», fr. «nom»). *¿Cómo se apellida usted?*
pregunta por el nombre de familia; pero además el español,
oficialmente lleva como «segundo apellido» el apellido primero
de la madre. Este segundo apellido, sin embargo, no suele aparecer en función vocativa, y se utiliza más bien para firmar y
en documentos, trámites o procesos de carácter oficial. Supo-
niendo, pues, que un individuo se llama *Carlos Puga Castellano,*
sus amigos (lo mismo que ocurre, por ejemplo, en alemán) le
llamarán *Carlos* o *Puga.* Pero, a diferencia de lo que ocurre
en alemán, en español es muy frecuente que a conocidos a
quienes no se tutea se les llame o por su nombre solo o por su
apellido solo, y ello lo mismo si se trata de hombres que de
mujeres. AH 38 Tula (a un amigo de su marido): *Hola, C a s -*
t a ñ e d a , buenas tardes. Ibid. Don Clemente (a una amiga de
su mujer): *Muchas gracias, T u l a .* En ambos casos se prescin-
de de *señor* (*señor Castañeda*) y *señorita* (*señorita Tula*). A las

---

[8] Este uso se ha ido perdiendo casi del todo en las ciudades y ya
sólo subsiste entre las gentes del campo (Sobejano). «Actualmente puede
marcar un grado de ruralismo o arcaísmo» (Muñoz Cortés, «Niveles socio-
lógicos en el funcionamiento del español», en «Presente y futuro de la
lengua española», II, pág. 36). Durante la segunda guerra mundial y sobre
todo a raíz de la guerra de España, el *t u t e o* se ha venido difundiendo a tal punto que Dámaso Alonso en su libro «Del siglo de oro a este
siglo de siglas» publicó un artículo titulado «La muerte del 'usted'» (Madrid, Gredos, 1962, págs. 264-67).

mujeres solteras se las llama *señorita* y el apellido correspondiente: por ejemplo: *señorita Sánchez.* Si el grado de conocimiento es mayor, en lugar del apellido se usa el nombre, por ejemplo, *señorita Mercedes,* o bien, como hemos visto, simplemente *Mercedes.* E incluso mujeres de bastante edad suelen ser llamadas por niños pequeños con el nombre de pila. A las mujeres casadas no se las llama nunca, como ocurre en alemán o en francés, con el apellido del esposo, sino por su nombre de bautismo, al que se antepone *doña* y, en los medios populares, *señora* (que en Madrid frecuentemente se reduce a *señá,* como *hubiera* a *hubiá,* en posición proclítica)[9]. EMH 19 Leonor: ¡*Ay, s e ñ o r a Calixta!* Esta mujer del pueblo a quien aquí se habla, llámase, según se nos dice en una de las escenas precedentes, *Calixta Cacho de Ceneque.* Esta forma se explica porque la mujer española no lleva exclusivamente el apellido de su esposo, como ocurre en alemán, sino que conserva su apellido paterno, al que añade el del marido mediante la preposición *de,* indicadora de pertenencia. *Doña Calixta Cacho de Ceneque* se traduciría al alemán por «Frau Calixta Ceneque», y al alemán «Frau Ceneque» correspondería en español *la señora*[10] (*de*) *Ceneque.* Como ex-

---

[9] En uso predicativo, el pueblo emplea el artículo: *me lo ha dicho l a señá Mercedes, e l señor Matías,* etc.; refiriéndose a amigos o conocidos, sin *señor(a),* pero siempre con artículo: *ahí viene l a Dolores.* C 40 *¿Por dónde anda e l Juan?* Supongo que esta particularidad del habla popular no es privativa de Madrid sino general en todo el ámbito hispano-hablante. Así, p. ej., lo ha observado H. L. VAN WIJK en el habla de Honduras (en BFUCh, XX, 1969, «Aspectos morfológicos y sintácticos del habla hondureña», pág. 4).

[10] *Mi señora* llama el hombre del pueblo, en uso predicativo, a su mujer; el ilustrado dice en este caso *mi mujer.* Al referirse a la mujer del interlocutor, sólo la gente humilde (y más en zonas rurales) dice *su señora;* el hombre culto, *su esposa* o, en caso de mayor intimidad, *tu mujer* y únicamente en tono de broma *tu (su) señora.* (E. LORENZO, pág. 143.) En lenguaje jovial se pregunta: *¿qué tal la p a r i e n t a?* (= *¿cómo está tu mujer,* o *su señora?).* La voz *parienta* ocurre ya en el «Libro de buen amor» (cit. por M. MORREALE, en «Presente y futuro de la lengua española», vol. II, pág. 59). Añadimos que, refiriéndose a la propia esposa, son corrientes *mi cara mitad, mi media naranja* y (recordando el relato bíblico de la creación de Eva) *mi costilla,* todos dichos en tono entre irónico y festivo. Las mujeres suelen decir *mi marido;* ocasionalmente,

presión familiar se dice también más simplemente: *la de Ceneque*. Crece la tendencia a suprimir el enlace y decir sin más
la señora Martínez. Véase también: Lemos Ramírez, Gustavo:
«Las abreviaciones de *señá* y *señora* en fórmulas de tratamiento»
(«Humanidades», XXIV, 1934, págs. 417-436).

E n t r e   p a r i e n t e s[11] los vocativos habituales son: *padre,
madre*; familiar *papá, mamá*[12] (diminutivos: *papaíto, papaín*;
mamaíta, mamita); *abuelo, abuela* (diminutivos: *abuelito, abue-
lita*), aplicables estos últimos en lenguaje familiar, según hemos
visto, a viejos y viejas de clase popular, aunque sean desconocidos. NV 59 Antonio (maestro albañil, dirigiéndose a la «señá»
Susana, mujer de edad avanzada): *Y buen pañolón se gasta
usted, a b u e l a.* —Señá Susana: *Hijo, el de siempre.* Otros
vocativos de parentesco: *nieto, sobrino, cuñado, tío, primo* y,
en fin, *padrino* y *madrina*. Lo habitual es que los niños se
dirijan a sus parientes mayores empleando el vocativo de parentesco, mientras que los mayores llaman al niño por su nombre de pila.

Respecto a *tío* y *primo*, han de usarse con alguna cautela.
El primero tiene muchas veces un significado despectivo, que
en Andalucía ha prevalecido tanto sobre la acepción principal,
que allí para designar el grado de parentesco se han hecho
corrientes las formas diminutivas *tiíto, tiíta*. Tienen significado
despectivo *tío, tía* en casos como éste: *¿Quién es ese t í o ?* (o
también *tipo* en lugar de *tío*, conforme al fr. «ce type-là»). A
la salida del circo oí al pasar: *¡Y qué estupendo estuvo el
t í o ese del trapecio!* En el campo, donde es rara la persona
adulta que no tenga apodo, se habla exclusivamente del *t í o*[13]

mi hombre, o *el mío*; y éste, refiriéndose a su compañera, *la mía*. En
caso de conocer el nombre de pila de la esposa del interlocutor, el hablante preguntará, vgr.: *¿Cómo está doña Carmen?*; *recuerdos a doña C.,*
etcétera.

[11] Para esto, véase O. Deutschmann, «La familia en la fraseología hispano-portuguesa», en VKR, XII, 328-400.

[12] Este galicismo (que, por cierto, también ha pasado a otros idiomas), al principio sólo usual entre la burguesía, se ha generalizado tanto
en España que aun el pueblo ya no lo considera afectado.

[13] De aquí se pasa a una extensión de significado en la acepción de

Tijeras, t í o Patascortas, etc. Cabe también, y aun es frecuente, el uso de *tío* con valor elogioso o admirativo, como en el ejemplo del *tío del trapecio*, al que añado: *en mi vida he visto otro tío tan trabajador como él.* ¡Vaya *tío!* puede lo mismo tener sentido admirativo que reprobatorio, según la situación y el tono.

Me adelanto a señalar aquí también el empleo de *tío* con nombres injuriosos (que alterna con *so*, p. e., ¡ *s o estúpido!*), del que trataremos más tarde. EMH 25 ¿*Amenazarle a usted?* ¡*Qué t í o ladrón!* Ibid. *Claro, ese t í o sinvergüenza abusa de que ha encontrado dos personas indefensas.*

Primo tiene el significado accidental de 'tonto, simple, que se deja engañar fácilmente'. EUB 25 *Porque yo soy Primo de nombre, pero en la acepción del imbécil, no.* Es muy corriente la expresión *hacer el primo* [14]; por ejemplo, *estoy harto de*

---

tío = 'palurdo' (al. «Bauerntölpel»): *Yo no voy nunca en tercera, porque va mucho tío.* Se esperaría el plural. Pero el lenguaje coloquial español gusta de transformar lo numerable en masa (singular, pues) cuando se juzga negativamente un número grande de cosas desagradables o (como aquí) de tipos mirados en conjunto con un cierto desdén: *mucho borracho, mucho libraco.* (Véase para esto, JAMES JANUCCI, «Lexical Numbers in Spanish Nouns», Philadelphia, 1952, págs. 23 y 45). Véase también E. LORENZO, pág. 31: «...el español dispone, como otras lenguas, de medios léxicos para expresar la pluralidad que hacen innecesaria la flexión: *había mucho niño, tanta manzana, tantísimo repipi* (A. Iglesia), *cada bronca*» (cf. aquí, pág. 400). Sobre *tío* junto a apodos, véase también FERNANDO LÁZARO CARRETER, «El habla de Magallón», Zaragoza, 1945, pág. 13. RAMON CARNICER en Nrl, págs. 147 y sigs., aduce «en significación plural y colectiva»: *se dijo allí m u c h a t o n t e r í a; nunca habíamos oído t a n t o d i s p a r a t e; hay d e m a s i a d o n i ñ o en aquella casa.*

[14] La significación de *primo* 'tonto', procede de los tiempos de la ocupación francesa al principio del siglo pasado. El usurpador José Bonaparte (popularmente llamado «Pepe Botella») usó en su correspondencia con los altos dignatarios españoles como salutación *querido primo*, entonces usual entre los grandes de España, aun cuando no se diera ese parentesco. Como aquella correspondencia contenía las más veces peticiones cuyas costas tenía que soportar el pueblo, *primo* llegó a usarse en boca de la gente para designar al engañado, explotado, tonto. (J. DE ENTRAMBASAGUAS, «Hacer el primo», en «Estudios dedicados a Menéndez Pidal», Consejo Superior de Investigaciones Científicas, Madrid, 1952.) Mencionemos de paso que, según A. ROSENBLAT, «El castellano en España

h a c e r e l p r i m o. De *primo* en esta acepción deriva *primada* 'tontería que comete el que se deja engañar': ¡*Valiente p r i - m a d a*!

El vocativo *hijo, hija* se usa con y sin pronombre posesivo (pospuesto). No existiendo posesión auténtica, la expresión *hijo mío* supone un modo de «captatio benevolentiae». «Lo que nos pertenece ponémoslo bajo nuestro amparo, nos interesa de un modo singular» (SPITZER). Lo mismo ocurre en aquellos casos en que no se trata de una relación filial verdadera, sino sólo fingida. Entre el pueblo, este empleo de *hijo, hija*, incluso en relación con personas desconocidas, se halla muy difundido. Casi siempre, como es natural, son personas de edad las que se permiten esta confianza con otras más jóvenes. Z 11 Micaela (gitana vieja, hablando a un labrador): *Es verdad, h i j o m í o*. Pero este tratamiento puede darse igualmente aunque no exista diferencia de edad entre los interlocutores. EMH 40 Paquita (mujer de vida alegre, a una compañera del oficio): ¡*Qué fresca eres*! —Sole: ¡¡*Quién habló*!!... ¿*Pues a ver pa qué llevas tú los impertinentes, h i j a*? Ibid. 21 Calixta (a Antonio, todavía desconocido para ella, y de más edad): ¡*Pero usté s'ha dejao los ojos en su pueblo, h i j o*! Resulta muy gracioso que una niña de apenas cinco años diga a su hermanito: ¡*Anda, corre, h i j o m í o, que nos va a regañar papá*! (Véase también SPITZER, IU 16: «al interpelado se le convierte en niño».) Finalmente, este vocativo se encuentra también en uso entre consortes. O. DEUTSCHMANN («Fam.», pág. 332) cita a este propósito un ejemplo de «Los borrachos» (de los QUINTERO), I: *No, h i j o m í o, tú no bebes más*. La edad de los consortes es lo de menos, como se ve por este ejemplo, donde se trata de un matrimonio joven: Elvira: ... ¡*Claro, el señor* (se refiere a su marido, con el que está hablando) *contaba con el suegro*! ¡*Pues el suegro se acabó, h i j o*! (A. BUERO VALLEJO, obra ci-

---

y el castellano en América», pág. 33, a los habitantes de la región venezolana de Zulia los llaman *primos* por el t r a t a m i e n t o a m i s t o s o de *primo*.

tada, pág. 74) [15]. De modo semejante a *hijo, hija,* experimentan también una ampliación en su uso, según ya se ha indicado, *nene, nena; niño, niña; chico, chica.* «Lances de honor» 12 Miguel: *Tu ceguedad y tu petulancia me dan compasión.* —Paulino: *Hola, que ya hace pinitos e l n e n e .* Este ejemplo muestra la aplicación de *nene* a un hombre mayor, si bien no en la forma vocativa que aquí nos interesa especialmente. Como tal se encuentra sobre todo en el lenguaje amoroso, que, en frase de Spitzer, se complace con predilección en dirigir al ser amado toda clase de vejaciones en broma. Citaré a este propósito el vocativo *criatura* [16], que, igual que *niño, chico, chiquillo,* tiende mucho a ensanchar su aplicación a personas mayores. Z 9 Micaela (gitana, a un zagal que ha venido a consultarla): *¡Ay, c r e a t u r a , qué de cosas te van a pasá!* Otro término semejante es *pollo* [17], ampliamente difundido (TALLGREN, «Neuphil.

---

[15] Nótese, en este ejemplo, *el señor* aplicado en momento de enfado a una persona (en este caso, el marido de la hablante) con la que se tiene gran intimidad. En esos momentos de enojo parece como si se quisiese alejar al causante del mismo, de toda relación directa y cordial. Es caso análogo a tratar de *usted* repentinamente a quien de ordinario tuteamos (véase más arriba, nota 3).

[16] *Criatura* es entre el pueblo la denominación afectiva preferida para 'niño'; por ejemplo: *tengo cinco criaturas* (oído a una mendiga). De *criatura* se deriva secundariamente *crío,* a través de la abreviación *cría,* del argot; plural *críos; ¡ay qué crío!,* suspiraba una mujer que trataba en vano de tranquilizar el lloro de su niño de pecho.

[17] De *pollo* ha derivado el pueblo el verbo *pollear* en la significación de 'simpatizar visiblemente con los del otro sexo'. Según advierte E. LORENZO (pág. 143), *pollo* está en decadencia. El preferido diminutivo *pollita* frente a *polla* se explica por la evidente razón de que éste se entiende predominantemente en sentido obsceno = 'miembro viril' (H. SCHNEIDER, Res., pág. 358). En cambio, según AURA GÓMEZ («Lenguaje coloquial venezolano», Universidad Central de Venezuela, Caracas, 1969, págs. 46-47), *pollo* parece no estar en decadencia, ni *polla* se entiende nunca en sentido obsceno. FRANCISCO YNDURAIN, en su trabajo «Sobre 'madrileñismos'» (FM, VII, 1967, págs. 27-28), dice que *pollo* está usado literariamente por Galdós en «Narvaez», pág. 292. Aun hoy no está del todo desusado. En ÁNGEL M.ª DE LERA, «Bochorno», pág. 830, ocurre: —*Ya se marchó el p o l l o , le dijo al pasar.* —*¿Qué p o l l o ? A mí me gustan más los gallos con espolón. ¿Hace?* J. POLO me comunica: *¡qué tío p o l l a s ! ¡qué p o l l a s* (o *coño*) *de tío!*

Mitt.», 1920-21, págs. 147 y sigs.), que alude, a través del significado propio de 'cría de la gallina', a la inexperiencia del «mozo de pocos años» (DA); femenino: *pollita* (más frecuente que *polla* [17]). EMH 45 Jugador 1.º: *A mí no hay quien me eche del local.* —Antonio: *¿Que no? P o l l o , reasumamos: O la calle o la peritonitis* [18] (le apunta con una pistola). Un tratamiento especialmente extendido entre el pueblo, sobre todo en Andalucía, es *compadre, comadre,* que se usa generalmente entre vecinos, pero a veces también con desconocidos en trato familiarmente amable. Z 8 *C o m a d r e , ¿sabe usté que pregunta usté más que el padrón de los perros?* M 36 *¡Barrabás! ¡Señó Barrabás! ¡Escuche usté lo güeno* (= bueno), *c o m p a d r e!* Al concepto de 'compatriota' (al. «Landsmann») corresponde el vocativo *paisano* [19], que sólo formalmente coincide con el fr. «paysan» (= 'labriego') [19].

Réstanos considerar las f ó r m u l a s d e t r a t a m i e n t o y su empleo en castellano, incomparablemente más fáciles para un alemán que lo inverso sería para un español. Es que en España existen muchos menos títulos y, además, algunos de los que hay, sólo raramente se emplean en función vocativa. Un título, en cierto sentido, es ya el tratamiento con *don,* si bien lo que propiamente expresa este *don* no es otra cosa que una estimación subjetiva de respeto a la vez que de intimidad casi familiar, puesto que sólo se emplea unido al nombre de pila al tratar con altos funcionarios, catedráticos, abogados y, en general, con jefes o superiores en la vida civil. Hoy día, sin em-

---

[18] Naturalmente alude al peritoneo *(peritonitis* es 'inflamación del peritoneo'); se trata, pues, de la amenaza de un tiro en el vientre. El lenguaje popular madrileño tiene predilección por las palabras que suenan a doctas («estupendos vocablos» que decía Lope de Vega), aunque en ocasiones estén mal empleadas. Véase más abajo, en este mismo capítulo, la nota 93.

[19] *Paisano* significa, por lo general, 'natural de la misma región'; uno de la misma nación (al. «Landsmann») es un *compatriota.* Aparte de eso, *paisano* equivale a 'civil' (no militar): *en traje de paisano,* frente a *de uniforme.* En Venezuela, «aparte del trato entre gentes de una misma región, se extiende a los amigos en general: *¿Qué hubo, p a i s a n o?* (AURA GÓMEZ, ob. cit., pág. 82).

bargo, carece de carácter oficial, pues lo mismo se aplica al rey que al vasallo, e incluso al mendigo, que, a lo mejor, se deja llamar *don Alfonso,* exactamente lo mismo que el monarca lo hiciera. La generalización del *don* se extendió ya muy tempranamente, según atestigua este pasaje del «Guzmán de Alfarache», II, 2: *Los d o n e s que ruedan por Italia, todo son infamias y desvergüenza, que no hay hijo de remendón español que no le traiga.* Los numerosos títulos que se usan en Alemania, por ejemplo, «Herr Professor», carecen de equivalencia en español y son, por tanto, intraducibles. *Profesor* no significa en español más que 'el que enseña', en general: *profesor de violín, profesor de latín, profesora de mecanografía* [20].

Tampoco el título de *doctor* se emplea como forma de tratamiento, excepto hablando con médicos. EUB 24 *Oiga, d o c t o r , ¿cree usted que una emoción fortísima..., eh?* Pero este *doctor* no es propiamente un título, sino que corresponde a los casos (estudiados en las págs. 28-29) de tratamiento por el respectivo nombre profesional. A artistas, artesanos, y naturalmente a los maestros de escuela, se les suele llamar *maestro,* con lo que tampoco se expresa otra cosa que una familiar estimación subjetiva de respeto. En las señas de sobrescritos no se hacen distinciones de ninguna clase. Si se conoce el nombre del destinatario, se escribe invariablemente *señor don...;* si sólo se conoce su apellido, el *don* queda suprimido, puesto que sólo es posible enlazado al nombre de pila. Exceptúanse los sobrescritos puramente oficiales dirigidos a altos funcionarios o dignatarios eclesiásticos, por ejemplo: *Al Excelentísimo Señor Ministro de Educación Nacional,* o bien *A Su Ilustrísima,* aunque conviene notar que incluso estos títulos altisonantes (abreviados en Excmo., Ilma.) se unen al democrático *señor* antepuesto al apellido del destinatario o a *señor don* si se conoce el nombre de bautismo.

---

[20] Para los catedráticos universitarios extranjeros se adoptó en español a modo de expresión estereotipada el tratamiento de *profesor,* título antes sólo usado predicativamente: *el profesor Meyer-Lübke;* hoy se usa también en función vocativa: *¿cómo está usted, profesor?*

Examinando las diversas formas de dirigirse una persona a
otra, hemos hecho hasta aquí un recorrido a través de todos
los estratos sociales. Nos quedan por considerar aún dos expresiones vocativas, *h o m b r e* y *m u j e r*, que no caben en
ninguna de las categorías fundamentales que hemos distinguido
(interlocutores que se conocen y que no se conocen), ya que en
su campo de aplicación abarcan todo lo hasta aquí expuesto.
El vocativo *hombre* tiene la particularidad de aplicarse en tono
familiar incluso a sujetos femeninos de cualquier edad, y su
significado originario se ha desvanecido de tal forma, que no
sólo se usa para seres humanos, sino en general para toda
especie de seres vivos, por tanto también para animales. Así
ocurre, por ejemplo, que el público entusiasmado de las plazas
anime al toro gritándole ¡*muy bien, h o m b r e* [21], *muy bien!*
A los animales de carga no es raro que se les aguijonee con
exclamaciones como ¡*anda, h o m b r e!* [22]. A un porquero a
quien se le había salido de la piara un cerdo, recuerdo haberle
oído dirigir al animal esta divertida reprimenda: ¡*Anda, h o m -
b r e, qué malas ideas tienes!* En el lenguaje familiar, *hombre*
es el vocativo usado con más frecuencia, sobre todo en situaciones afectivas. El marido dice *hombre* a su mujer casi con la
misma naturalidad que la mujer a su marido. E incluso casos
en que existe una relación de respeto, como ocurre entre hijos
y padres, no excluyen el vocativo *hombre*: EMH 12 Leonor (de
16 años, a su padre): *¿Qué tienes que decir de sus ojos?* (los
de su novio). —Antonio: *Que son chiquitos como aceitunas y
tiene dos niñas como dos perdigones.* —Leonor: *H o m b r e,
no te digo yo que sean unas niñas como para llevarlas con
«mamuasel», pero...* Encontramos el caso inverso en Ibid. 34

---

[21] Dice J. JOAQUÍN MONTES («Nombres apocopados», en BICC, 1966,
pág. 163) que el vocativo *hombre* lo emplean hasta las mujeres hablando
unas con otras, observación confirmada por LUIS FLOREZ (en BACol, XVI,
1966, pág. 241).

[22] Pero junto a eso son llamados con la misma frecuencia por la
designación del animal en cuestión, atendiendo a su sexo: ¡*arre, burra!;
¡arre, mula!; ¡anda, caballo!; ¡anda, yegua!* De la interjección ¡*arre!* deriva
la voz *arrear* e igualmente *arriero*. (Véase COROMINAS, ob. cit., I, 282.)

(llaman a la puerta) Antonio: *¿Quién?* —Leonor (que va a mirar, con terror): *¡El portero!* —Antonio: *¡H o m b r e, el señor Társilo!...* *¡ese bárbaro!* En el *hombre* del primero de estos dos ejemplos late ya un ligero matiz de impaciencia y enojo, matiz mucho más acusado en los casos siguientes: VS 2 Ismael: *¿Qué postre hay?* —Modesta: *Bizcochos borrachos.* —Tressols (contrariadísimo): *¡Vengan, h o m b r e, vengan! ¡Qué se le va a hacer!* EUB 14 Guzmán: *¡Cómo! ¿Teruel, y de Soria?* —Segundo: *Sí, Guzmán.* —Guzmán: *¿Don Ramiro Teruel?* —Segundo: *Sí, h o m b r e.* Aquí *hombre* expresa un ligero malhumor por la repetición de la pregunta. Como en Ibid. 14 Segundo: *¿Y ella te corresponde?* —Guzmán: *No lo sé.* —Segundo: *¿Que no lo sabes?* —Guzmán: *Claro, h o m b r e, ¿no ves que se trata de una amnésica que tengo en tratamiento?* A veces *hombre* es una exclamación que el hablante se dirige a sí mismo: Ibid. 39 Primo (hablando consigo mismo): *Y tengo un hambre canina que es un espanto.* (Viendo a Rodolfo.) *¡H o m b r e, un camarero!* En casos como éste, *hombre* equivale a una interjección [23].

Al igual que *hombre*, también *señor* se usa a veces como expresión con que el hablante se dirige a sí mismo. AH 37 Castañeda (único varón en medio de un agitado enjambre de mujeres y chicas jóvenes): *Pues, s e ñ o r, me he encontrado en pleno foco de noticias.* «Lances de honor» 5 Miguel (solo en la escena): *Pues, s e ñ o r, está visto que la lectura de los periódicos a mí no me divierte.* En ambos casos son posibles otras dos interpretaciones: una, *señor* como vocativo dirigido a un interlocutor imaginario; otra, más probable, como i n v o c a - c i ó n a D i o s o a C r i s t o, caso sobre el que volveremos más adelante.

Finalmente, habría que consignar otro empleo del vocativo *hombre*: como mero recurso en situación de perplejidad o desconcierto, función que, por lo demás, todas las expresiones vocativas pueden adoptar ocasionalmente. EUB 55 Guzmán: *¿Y*

---

[23] Respecto a *hombre*, interjección, véase GARCÍA DE DIEGO, «Lecciones», pág. 45.

piensa usted hacer caso omiso de esa enorme fortuna? —Primo:
H o m b r e , en justicia no me pertenece. Después de *hombre*
o en su lugar, podría imaginarse, conforme a la situación, un
fingido golpe de tos o una leve tosecilla de embarazo.

Como final de este apartado querría señalar aún que el fr.
«oui, mon ami», «oui, mon cher» («mon vieux») tiene su mejor
versión española en *sí, h o m b r e*. *Sí, amigo mío*, es idiomáticamente correcto, pero mucho más raro, mientras que un *sí, mi
amigo*, que puede leerse acá o allá, es galicismo censurable que,
en la lengua hablada, no se emplea (comp. a este propósito
vocativos como *Dios mío, hijo mío, madre mía*, etc.). En cambio,
esp. *querido, querida*, correspondiente al fr. «mon chéri», aparece con frecuencia en el lenguaje amoroso. (Sobejano.) Según
E. LORENZO (pág. 143), es probable calco del francés e inglés y
de uso preferentemente literario.

Frente a *hombre* aplicable a ambos sexos, el vocativo *mujer*
se aplica exclusivamente, como es natural, a interlocutores femeninos. Pero, aparte esta única restricción, el campo de funcionamiento de *mujer* como vocativo es ilimitado, extendiéndo-
se a toda la escala de edades, desde la mujer más anciana hasta
la niña recién nacida. Así, por ejemplo, yendo en el tranvía, oí
a una madre reprender a su niña de pecho que no cesaba de
gritar: *¡Ay, por Dios, no chilles tanto, m u j e r !* Hasta los
pequeñuelos, entre sí, emplean el vocativo *mujer* (u *hombre*).
En el ejemplo mencionado, el vocativo muestra un inequívoco
matiz de enojo, común a la mayor parte de los otros casos.
LP 15 Doña Purificación (yendo en bicicleta con su sobrina
Julia, ha tenido la mala suerte de caer a una cuneta, pero Julia,
al ver que la cosa no ha tenido trascendencia, rompe a reír,
por lo que su tía, indignada, le dice): *Pero, m u j e r , no te
rías de ese modo.* EMH 67 Marcos (a su novia, que empieza a
llorar): *Pero no llores, m u j e r .* —Leonor: *Es preciso que tú
me ayudes.* —Marcos: *Que sí, m u j e r .* El llanto de su amada
pone a Marcos de mal humor, que se traduce ya por el impaciente *que sí.* PL 9 Adela (a su marido): *¡Ocurrencia es!* (con-
tarle al pequeño una historia tan tonta). —Pedro: *M u j e r , ya
la adorné a mi modo.* Ibid. 10 Adela: *¿Pero vas a salir a cuer-*

po [24] *con la noche que hace?* —Pedro: *No, m u j e r , no salgo.*
La explicación de por qué en disposición enojada el hablante
emplea casi exclusivamente las formas vocativas *hombre* o
mujer es obvia. De concederle al interlocutor tratamiento alguno, prefiere dársele, en tal situación de enojo, el más general
e indiferenciado. *Hombre* resulta entonces, indudablemente, el
menos diferenciado, y *mujer,* aunque tenga en cuenta siquiera
el sexo de la persona interpelada, ninguna otra diferenciación
lleva consigo. Lo mismo vale para el uso venezolano (A. GÓMEZ,
ob. cit., pág. 45).

Mujer también funciona a veces como mero recurso. A la
embarazosa pregunta de su hija: *¿Te parece que esto está para
que el niño tome la primera comunión?,* responde Antonio:
M u j e r , yo creo que no le pondrán dificultades (EMH 9). Se
trata de un trajecito de niño, que según se ve más adelante,
le ha salido muy mal hecho a Leonor. Antonio no entiende gran
cosa de labores de sastrería; pero se advierte que la pregunta
de su hija le resulta penosa. La respuesta, por tanto, sale algo
vacilante, introducida por ese tímido *mujer* preparatorio.

VOCATIVOS EXPRESIVOS DE
SIMPATÍA Y ANTIPATÍA

Hasta ahora hemos tratado de expresiones vocativas que
sirven al hablante para asegurarse la atención del interlocutor.
Pasamos ahora a aquellas formas de apelación que denuncian
nuestra simpatía o nuestra antipatía por el interlocutor, como
expresiones afectuosas o injuriosas. Más arriba rozábamos ya
algunos casos que caen dentro de este apartado: recuérdese lo
dicho sobre el uso de vocativos como *niño, chico, criatura,* etc.,
extendido a personas mayores. Sin embargo, en tales casos, se
trata casi siempre de una especie de «captatio benevolentiae»:
el interesado, por decirlo así, hace saber a su mano izquierda

---

[24] Antiguamente se decía, y aún se oye hoy, *a cuerpo gentil,* que
originariamente tal vez debe interpretarse como humorístico: 'con el
cuerpo airoso (pero helado)', o sea 'luciendo el tipo'.

lo que la derecha ejecuta. Este elemento calculador falta por completo en las expresiones afectuosas propiamente tales.

Una especie de situación media ocupan los vocativos i r ó - n i c o s , que no querría dejar sin mencionar, porque desempeñan un papel considerable en el idioma, dado el carácter burlón peculiar de los españoles. Por lo común, son vocativos improvisados, interesantes sobre todo por el humorismo popular que dejan traslucir. EMH 12 (Marcos, futuro yerno de Antonio, ha estado hablando de los éxitos de su sindicato en la última huelga y se despide con un viva al régimen soviético, a lo que contesta Antonio): *Adiós, t e r r o r i s t a .* Ibid. 74 Sole (querida de Antonio, dirigiéndose a un valentón que quería competir con su hombre): *Oiga usté, i l u s o ;* *Don Antonio Jiménez, el Modoso, me ha ofrecido a mí las narices de usté pa un dije.* En «El verdugo de Sevilla», Pedro Luis, disfrazado de centurión romano, tiene que soportar hasta cuatro distintos vocativos burlescos: VS 49 Doña Nieves: *Dígame, e l e g a n t e c e n t u r i ó n ...* Ibid. *Yo soy la madre, d i s t i n g u i d o r o m a n o .* No atestiguan precisamente conocimientos históricos muy profundos del hablante: Ibid. 45 Sinapismo (picador): *¡Chis!* *¡C a r l o m a g n o !* Ibid. *...salió el propio Junquera y me dijo:* *«Adiós, C h i n d a s v i n t o ».* En la misma comedia, Bonilla, dirigiéndose a un guardia, le dice: *¡Ay, b o n d a d o s o m a n - t e n e d o r d e l o r d e n !* (Ibid. 35) [25]. La mayor parte de estos vocativos, especialmente los que llevan adjetivo epíteto reflejan una como imitación paródica del estilo retórico a la antigua.

Pasando ahora a las EXPRESIONES AFECTUOSAS propiamente dichas, éstas surgen siempre de una simpatía real, por lo cual presentan una intensa coloración afectiva. En primer lugar, hay que tener en cuenta que cualquier forma vocativa, incluso si se trata del mero nombre del interlocutor, se convierte en expresión afectuosa con sólo añadirle un sufijo diminutivo. EMH 68 Leonor: *Adiós, p a p a í t o* (le besa). Ibid. 49 Leonor: *¿No te ha pasado nada?* —Antonio: *Nada, h i j i t a , ¿qué me va a*

---

[25] La designación oficial del policía español es, *agente de orden público,* y su misión *mantener el orden;* de aquí el vocativo humorístico ocasional citado en el texto.

pasar? De las innumerables expresiones afectuosas corrientes cuando se habla con niños y en el lenguaje amoroso, mencionaré sólo algunas de las más frecuentes. Es curioso desde el punto de vista semántico *rico*, diminutivo *riquín* [26]. En principio debió decirse únicamente a los niños. EMH 20 Antonio (que al probar un traje al niño le ha pinchado sin querer): *Perdona, r i c o*. Más tarde, como *niño, chico*, etc., el uso de *rico* se habrá extendido a los mayores. EUB 55 Primo (a su presunto sobrino, hombre de unos 40 años): *Adiós, r i c o*. Irónicamente *rico* se aplica a veces incluso a personas especialmente mal parecidas o antipáticas. Así, por ejemplo, oí en cierta ocasión a unos muchachos saludar con un sarcástico *adiós, r i c a*, a una solterona vieja y fea.

Ser *salado* es predicado apetecido por todos los españoles. Una de las peores cosas que cabe decir de una persona es que sea *sosa*, lo contrario de *salada* [27]. Derivado de *sal, salado* se corresponde, en su significación fundamental, con el fr. «salé». En sentido figurado, *sal*, según DL, significa «agudeza, donaire, ingenio, chiste en el habla» [28]. Los muchos sustantivos de esta definición demuestran ya, de un modo puramente externo, que la idea de *sal* en sentido figurado encierra varios ingredientes: entendimiento agudo, gracia natural, fantasía, ingenio. A lo que yo añadiría: prontitud para la réplica; y en los niños: índole ocurrente. Todas estas cualidades juntas dan una idea de lo

---

[26] El sustantivo correspondiente es *ricura*. GARCÍA DE DIEGO, «Lingüística», pág. 340: «Rico, de la idea de la abundancia pasó al sabor: *un postre rico*».

[27] En Andalucía, donde más se aprecia «la sal» de las personas, especialmente de las mujeres bonitas (y aun de las feas, si la tienen) llamándoselas *¡salaa!, ¡salero!*, del que se deriva *¡salerosa!*, se califica a una persona *sosa* (o sea el antónimo de *salaa*), de *esaborío* o de *esaborición* (véase M. MORREALE, Res., pág. 127).

[28] Este sentido figurado de *sal* proviene de los granitos de sal que (tal vez correspondiendo al pasaje «sea vuestro discurso agradable, salpicado de sal», Col., 4, 6) el sacerdote introduce entre los labios del bautizando (RODRÍGUEZ MARÍN, «El alma de Andalucía», pág. 52). De aquí la idea de 'bien dotado', 'agraciado', inherente al adjetivo *salado* (como también a *gracioso*).

que el español entiende por *sal* cuando, al ver pasar a una
muchacha, exclama: ¡*Viva la sal*!, o cuando dice de alguien:
Fulano tiene mucha sal. ¡*Qué rico y qué salado es*!, suele decirse en alabanza de los niños, sobre todo cuando son vivaces,
despiertos y graciosos y tienen, por tanto, muchas y felices *sa-*
lidas ('ocurrencias chistosas'; claro que esta palabra no tiene
nada que ver con *sal*). Para la función vocativa, basten dos
ejemplos: EMH 27 Mariano (a Antonio, su amigo de la juventud, al que no ha visto desde hace tiempo): ¡*Antoñito*!... ¡*A*
mis brazos, s a l a o! Una copla popular, al comienzo de la comedia «La Praviana», dice así:

> *Menéate, buena moza,*
> *menéate, r e s a l a d a²⁹,*
> *que tienes la sal del mundo*
> *y no te meneas nada.*
> *Que la sal del mundo tienes*
> *y menearte no puedes.*

También podría sorprender como expresión afectuosa *sim-*
pático, simpática. Principalmente son los niños los que reciben
este vocativo, pero a veces se aplica también a mujeres mayores
y a chicas jóvenes. En cambio, entre hombres se ha de emplear
con cierta cautela, pues podría interpretarse en sentido homo-
sexual³⁰. Se emplea muy a menudo para saludar: *Hola, s i m -*
p á t i c o, ¿que tal? Adiós, s i m p á t i c o, etc.
   De las expresiones de afecto, muy frecuentes, de que trataremos a continuación, apenas hay alguna susceptible de ser
traducida a otros idiomas y en todas ellas sentimos como un

---

²⁹ Para *re-*, véase la nota 140 de este capítulo y las páginas 285-86.
³⁰ Lo mismo cabe decir, sobre todo, de *simpaticón* y *guapetón*. Hablando de una persona simpática, es muy corriente decir que es una
bella persona, p. ej. (refiriéndose al cliente de una taberna, un camarero
le dice): —*Le tengo simpatía;* y el tabernero contesta («Jarama», pág. 362):
—*Sí que es una bellísima persona*, llamando la atención que aquí el adjetivo (por lo demás literario) denota, en vez de estética, una calificación
m o r a l.

soplo directo del alma popular española [31]. EMH 69 Antonio (a su hija): *Adiós, v i d a*. En el lenguaje amoroso se usa mucho el diminutivo *vidita*. Ibid. 72 Sole: *Hola, v i d i t a, ¿estás solo?* —Antonio: *Solo, c i e l o, pasa*. —Sole: *¿Pero qué tienes tú, g l o r i a?* —Antonio: *¿Por qué, c a r i ñ o?* Y poco más adelante, en el curso del mismo diálogo: —Sole: *¡que no pues* (= puedes) *vivir sin tu morucha!* (comp. cap. IV, nota 33)... *¿A que no?* —Antonio: *No, l o c u r a i n a b a r c a b l e, no*. Esta última interesa como forma improvisada y, naturalmente, provoca un fuerte efecto de hilaridad: Antonio es bajito y flaco; Sole tan corpulenta, que él a duras penas puede abrazarla. Ibid. 73 Antonio (a Sole): *Oye, e n c a n t o, búscame otro animal comparativo. Eso de borrego no me hace* (complétese: *tilín* [32]), *la verdad* [33]. En EDE encontramos la figura de un patrón insincero y codicioso, llamado el Morisco, que pretende explotar a su pupila de la manera más indigna, pero sin proceder nunca con violencia, antes bien, ocultando sus perversos propósitos tras un velo de palabras melosas. Sus expresiones de afecto y lisonja producen en la muchacha, por este motivo, un efecto de mayor repugnancia que las más indecentes caricias de un viejo lascivo. EDE 79: *Contenta te pones, a l o n d r a*. Ibid. 85: *¿Martirisarte yo, g o l o n d r i n a?... Ven acá, t e s o r o, ven acá*. Ibid. 87: *Y dime, p a l o m a s u r i t a (...) Pero esas* (las caricias del duque) *son pa ti... ¿Pero y pa er morisco, p a j a r i t a?* Ibid. 94: *Pero, l u s e r i t o, ¿qué rama de locura te dio?*

Influye mucho en la elección de esta o aquella expresión afectuosa, la respectiva s i t u a c i ó n, según se evidencia muy bien en el siguiente ejemplo. P 3 Mercedes ha dejado olvidado su sombrero en el corredor del hotel y pide a su sirvienta que se lo traiga al cuarto. El camarero, que lo ha oído, se lo entrega

---

[31] A este propósito véase M. CRIADO DE VAL, «Fisonomía del idioma español», págs. 203 y 204.

[32] *Tilín* es la onomatopeya del sonido de la campanilla (para otras voces imitativas, SALVADOR FERNÁNDEZ, ob. cit., págs. 84-89). Para *no me hace tilín* véase la nota 125 de este capítulo.

[33] Originariamente *(hablando) la verdad* 'a decir verdad'.

a la muchacha y le dice: *tómelo usted, p r e n d a*. Prenda significa, entre otras cosas, 'objeto de vestir' pero luego, en sentido
figurado, «lo que se ama intensamente» (DL). Aquí, por tanto,
el sombrero da ocasión a que el galante camarero elija *prenda*,
como expresión afectuosa. En esta función de vocativo cariñoso se usa también en Venezuela (AURA GÓMEZ, ob. cit., página 135). Por el contrario, en Andalucía, *u n prenda* se emplea
en sentido pesimista: *el prenda de Luis* = el sinvergüenza
de L. (J. POLO). Supongo que *prenda* (con género masculino)
se ha de entender (como tantos dichos andaluces) en sentido
irónico.

Son particularmente preferidos *precioso, preciosa*, así como
el abstracto [34] *preciosidad*. EMH 42 Pura (charlando con sus
compañeras de oficio acerca de Antonio, el nuevo vigilante de
la sala de juego): *La otra noche le dirigí cuatro [35] miradas como
pa pasarse el invierno sin cok, pa ver si podía colar un duro
sevillano [36]. Lo único que logré fue que me dijese « p r e c i o s i-
d a d , ese duro cecea»*. Quedan limitados al lenguaje amoroso
los vocativos *rey, reina*, que se explicarían partiendo de fórmulas poéticas como *r e y de mi corazón, r e i n a de mi alma*,
etcétera, o tal vez del lenguaje eclesiástico. Representa una
mezcla genuinamente popular de estilo latino-eclesiástico y profano el vocativo *cacho (cachito) de gloria*; *cacho*, del lenguaje
vulgar, por *pedazo*, contrasta aquí con *gloria*, del latín de la
Iglesia (véase también capítulo III, nota 222). (Las bellezas de
la *Reina de los Cielos* se ensalzan de la misma manera que las

---

[34] Llama la atención el empleo frecuente (extraño en un lenguaje
popular) de vocativos abstractos como palabras cariñosas. Me explico su
popularidad por el extenso y profundo influjo de la mística española.
Todas esas voces, como las mencionadas *gloria, encanto, cariño, embeleso,
arrobo*, y otras, expresan estados del alma provocados en el propio hablante por el objeto amado.

[35] Sobre *cuatro*, véase pág. 369.

[36] *Sevillanos* se llamaban unos duros acuñados clandestinamente.
Aunque tenían algo más de plata que las monedas legales y circulaban
en provincias, era difícil hacerlos pasar en Madrid, sede de la Casa de la
Moneda.

de la amada. Comp. a este propósito expresiones como: *esas* [37] *manos, esos pies, esa boquita de Virgen Santísima,* etc.) Con un *adiós, r e y, adiós, r e i n a,* se separan los novios tras larga plática amorosa. Y las madres llaman también así a sus niños con particular preferencia: *¿Qué quieres, r e i n a m í a? No llores, r e y* (Sobejano). Véase también A. RABANALES, ob. cit., págs. 278 y sigs.

El tipo de vocativo con genitivos atributivos, como *de mi alma, de mi vida, de mi corazón, de mis pecados,* tiene asimismo su modelo en el latín eclesiástico. EMH 18 Leonor: *Cuenta, si quieres.* —Antonio: *Sí, no sea que me hayas sisado... ¿verdad?... ¡H i j a d e m i a l m a!* [38]. Ibid. 22 *¡Ay, p a p a í t o d e m i v i d a, que no sirvo para nada!* Ibid. 24 *¡Ay, M a r c o s d e m i a l m a!* EUB 30 Primo (abrazando a Segundo y llorando): *¡S o b r i n o d e m i a l m a!... ¡S e g u n d o d e m i c o r a z ó n!* M 94 Malvaloca (a su amado): *Verdad, ¡o j o s d e m i c a r a!* (compárese el modismo *costar una cosa un ojo de la cara* 'ser muy cara').

Antes de pasar a examinar las expresiones injuriosas, conviene notar que hay un grupo de vocativos que no pueden considerarse ni como puros nombres afectuosos ni como improperios: los i n s u l t o s f i c t i c i o s. Trátase por lo general de formas tomadas de la abundantísima nomenclatura de los improperios, pero que merced a un sufijo diminutivo cambian de signo y se convierten ocasionalmente en puras expresiones de cariño. (Comp. también SPITZER, «Aufs.», pág. 11: «Injurias fic-

---

[37] El demostrativo *ese, esa* tiene aquí función de pronombre posesivo de segunda persona. Véase BEINHAUER, «Sentido de lugar y dirección y su manifestación lingüística» en «Yelmo», núm. 14, págs. 11-13.

[38] Las madres llaman a sus niños *hijo (hija) de mis entrañas;* también *...de mis pecados,* principalmente cuando les traen preocupaciones. M 28 *Hija de mi arma* (= alma), *sentrañas* (de *mis-entrañas*), *corazón, alegría de su vieja.* Véase además O. DEUTSCHMANN, «Familia», págs. 336 y siguientes. A propósito de *alma* recuerdo el frecuente *ya no puedo (podía) con el a l m a* = 'estoy (estaba) muy cansado, completamente rendido'. A las expresiones de cariño, *hijo, hijo de mi alma, de mi corazón, de mis entrañas,* añado *hijo de mis e n t r e t e l a s* (también citado por PASTOR y MOLINA, «Vocabulario de madrileñismos», en RHi, XVIII, 1908, pág. 59).

ticias al ser amado».) Sólo citaré aquí *tontín, tontuelo, pillín, diablillo* y *bobo, bobito*; este último se usa también en Venezuela con la misma función semántica (AURA GÓMEZ, ob. cit., pág. 51): *Oye, b o b i t o, no te vayas.* Lo mismo vale para *tonto, tontuelo* en ambos países. A. GÓMEZ cita: —*Come, t o n t o* —*me contestó (la dama), al mismo tiempo que me hacía una monada.* De una carta de J. POLO: ¡*P i l l i n a, qué bonica eres!* «menos frecuente que *p i l l í n*, pero cariñoso como éste.» EMH 61 *Pero no se ponga así, f i e r e c i l l a.* MP 46 ¿*Ahora tiembla usted, t r a i d o r z u e l o ?* NV 26 Carmen (a Petrilla, una chiquita muy despierta): *Pasa, d i a b l i l l o, pasa.* Ibid. 39 Antonio (a su esposa): *P i c a r u e l a, no sabía que tú escuchabas.* En todos estos casos se trata de una «injuria ficticia al ser amado». Pero no siempre es necesario el diminutivo. NV 40 Carmen: ...*Me da vergüenza decirlo.* —Antonio: *Dilo, t o n t a.* M 66 Malvaloca (a su amado): *Pero ven acá, m a l a p e r s o n a.* Oído por mí: *Ven acá, r e n a c u a j o.* Los españoles saludan frecuentemente a una muchacha bonita con un *Adiós, f e a*[39]. A veces puede recurrirse al grado aumentativo para disimular o anular el efecto insultante: A una persona que nos visita poco la llamaremos ¡*ingratona!*, siendo este adjetivo en *-ón* menos incisivo que *ingrato*. Huelga advertir que en todo esto juegan un papel determinante la situación y la entonación (M. MORREALE en Res., pág. 127).

Entre el elemento masculino de la gente del pueblo se ha puesto de moda el vocativo *macho*, de matiz bastante incoloro y difícilmente definible. Ocurre con bastante frecuencia en el drama popular «La Camisa»: 57 Lolo (jugando al fútbol, a su amigo Luis): ¡*Gol, m a c h o !* Ibid. 58 Lolo: ...*Lo demás te lo imaginas ¿no?* —Luis: ¡*De maravilla, m a c h o !* Ibid. 85 Tío Maravillas (ordenando en voz alta): ¡*Soltad los globos e inmortalizarme, m a c h o s !* Ibid. 119 Lolo (A los que le llevan en hombros): ¡*Al suelo, m a c h o s, que no tengo acostumbrá la*

---

[39] Como se dice *chata* a una muchacha de nariz preciosa, *gitana* (o *gitanaza)* también puede ser un piropo. Véase M. L. WAGNER, reseña cit., págs. 113-114; LUIS FLÓREZ, obra citada, pág. 48, y F. RESTREPO, ob. cit., pág. 40.

rabadilla! —En todos estos casos, *macho(s)* podría reemplazarse por *muchacho(s)* y éste por la abreviación (procedente del lenguaje infantil) *chacho(s)* [40], forma que supongo habrá influido en la elección de *macho.* —Recordamos también a este propósito que con ¡*arre, macho!* los carreteros arrean a su bestia si ésta es mulo, sinónimo de *macho* (véase n. 22). De la novela de F. DE ÁVALOS (pág. 148) cito: *Ninchi* —llamó Ricardo a o t r o c o m p a ñ e r o que estaba cercano a él—. *¿Qué hora es? —Las seis menos diez. —Gracias, m a c h o.* En Venezuela, según AURA GÓMEZ (ob. cit., pág. 71), también se usa entre amigos de gran confianza *machete: Oye, m a c h e t e, ¿por qué andas tan elegante hoy?* (ibid., pág. 81). El extraño vocativo también le llamó la atención al b o g o t a n o J. MONTES al comentar el habla de Madrid: «Entre amigos se oye el tratamiento de *macho,* p. e. ¡*Anda, m a c h o, sírveme un trago!*; ¡*vaya apartamiento que tienes, m a c h o!*» (ob. cit., pág. 161). En CSA de A. DE LAIGLESIA, pág. 224, una muchacha le dice a su novio: —*Como tu quieras, m a c h o.* Volviendo a *chacho,* AURA GÓMEZ dice que no se emplea tan sólo en el lenguaje infantil, sino, i g u a l a l u s o e s p a ñ o l, en pronunciación rápida y descuidada, en todas las clases sociales (ob. cit., pág. 40).

Por lo que se refiere a las EXPRESIONES INJURIOSAS propiamente dichas, interesa ver en primer lugar de qué áreas léxicas se extraen principalmente [41]. Como en alemán, son en primer término los nombres de ciertos animales los que encuentran aplicación en este sentido. La palabra *animal* es ya de suyo un insulto de grueso calibre. Recuerdo un pasaje de una comedia de VITAL AZA, «Parientes lejanos», que dice más o menos así: *Y fue hasta llamarme a n i m a l en sentido figurado.* DL dice a propósito de *animal* como insulto: «Dícese de la persona incapaz o muy ignorante» [42]. Una mujer herida por el tranvía increpa-

[40] Las criadas son familiarmente *chachas* (apócope infantil de *muchacha*): *Me voy de c h a c h a para tal parte* (L. FLÓREZ, «Apuntes sobre el español en Madrid», en BACol, XVI, pág. 239.)

[41] Véase también A. RABANALES, ob. cit., págs. 280 y sigs.

[42] Definición incompleta, pues sólo recoge una de las muchas significaciones peyorativas. *Animal* niega al insultado absolutamente todas aquellas

ba: ¡*Qué a n i m a l de conductor*! Aquí *animal* designa sobre
todo la insensibilidad del animal irracional. Junto a *animal*,
que por el motivo acabado de aducir en la nota 42, representa
un insulto gordo, tenemos *bestia* y *bruto*, que suelen usarse
también como adjetivos; *acémila, caballería, bicho*, especialmente en la combinación *mal bicho*; *cuadrúpedo*, y, como
creación humorística ocasional, *bípedo casual*.

Entre los n o m b r e s d e a n i m a l e s [43] que encarnan a los
ojos del pueblo determinadas cualidades reprobables —pues
sólo ésos entran en cuenta, naturalmente— muy pocos son los
que encontrarían en alemán una equivalencia exacta: *borrico*;
cerdo, puerco o *cochino* [44], *marrano, guarro, gocho* (este último
en Asturias). *Borrico* [45] tiene asimismo algunas variantes, como
asno y *burro*, las cuales, sin embargo, no significan exclusivamente, en sentido figurado, «hombre necio» (DL), como *borrico*,
sino además «persona ruda y de muy poco entendimiento» (DL).
Aquí ocupa, pues, el primer término la idea de rudeza, no contenida, por ejemplo, en el insulto alemán equivalente «Dumm-
kopf». Con todo, el contenido sentimental de las designaciones injuriosas *asno, burro, borrico* no difiere gran cosa del significado de 'tonto, idiota', único que prevalece en el equivalente
alemán «Esel», y ello queda patente en la explicación que da
SBARBI (DR) de la frase «si todos los asnos trajeran albardas,
qué buen oficio era el de los albarderos»: «como es costumbre
llamar asno o burro a la persona ignorante, necia, infatuada o
sin educación, apliquese el refrán, ya que él se explica por sí
solo, sin necesidad de comentario».

Las restantes expresiones injuriosas tomadas del área zoo-
lógica no tienen equivalencia en alemán o sólo la tienen indirecta.

---

cualidades por las que el hombre aventaja al bruto; de ahí la multiplicidad
de sus significados. (BEINHAUER, «Tier», pág. 12.)

[43] Véase también LUIS FLÓREZ, pág. 47.

[44] *Cochino* se encuentra también en uso atributivo, sobre todo aplicado
al dinero, como, por ejemplo, en EMH 76 *Y por tres cochinos duros*...

[45] *Borrico* se explica como diminutivo rústico de *burro*, pero hoy se
siente como palabra independiente: lo demuestran, indirectamente, el diminutivo *borriquillo* y, directamente, el préstamo fr. «bourricot».

Así, por ejemplo, *loro,* que, como en alemán, designa al «hombre que habla sin entender lo que dice o habla mucho» (DL), posee además otra significación, la de 'mujer fea'[46], siendo, pues, sinónimo de expresiones como *callo, coco,* etc. *Cotorra* significa «mujer habladora» (DL), comparable al alemán «Schwatzliese (Schwätzerin)», pero también se aplica a personas del sexo masculino, si bien la palabra sigue siendo femenina, a diferencia de *gallina* 'cobarde', que figuradamente se masculiniza: *Carlos es u n a cotorra,* pero *u n gallina*[47] (SPITZER, «Beiträge zur rom. Wortbildungslehre», pág. 151). Causa de esta divergencia es que el reproche de locuacidad afecta con más frecuencia a la mujer que al hombre, mientras, contrariamente, sólo se habla de hombres cobardes, nunca o rara vez de una mujer cobarde; por eso, *e l gallina.* Así comprendemos la amenaza del portero dirigida a Marcos, fanfarrón pero cobarde en EMH 26: *Si te llego a encontrar a ti, a estas horas está la habitación llena de plumas de g a l l i n a.* Otro nombre injurioso es *ganso,* distinto del al. «Gans» en el sentido figurado que aquí nos interesa: es un insulto en español aplicado únicamente a hombres. Según DL, significa «persona tarda, perezosa, descuidada», y también «persona rústica, malcriada, torpe»[48]. Al alemán «dumme Gans», aplicable a sujetos femeninos, responde el español *pava*[49] (fr. «dinde»). *Una pavisosa* quiere decir una

---

[46] Según N. E. DONNI DE MIRANDE («Recursos afectivos en el habla de Rosario», pág. 276), con *loro* (igual que en España) se designa también una 'mujer vieja y fea'.

[47] En cambio, *gallo, gallito* significan 'matón', 'camorrista' (sinónimo de *chulo* que a través de 'rufián' ha llegado a esta significación: *ponerse uno chulo* 'ponerse agresivo'). *Gallear* 'decir fanfarronadas', 'alardear', 'dárselas, echárselas de valiente'.

[48] A mi juicio, ambas definiciones reflejan sólo imperfectamente el valor afectivo de *ganso* en su sentido peyorativo (correspondiente al alemán «alberner Mensch») 'tonto, bobo, necio': *mira, no seas ganso* 'no te conduzcas como un tonto'; *una gansada* 'una majadería'. *Hacer el ganso = hacer el indio* 'conducirse como un tonto' (al. «sich albern benehmen»). *Para que aprendas a no h a c e r e l g a n s o* («Jarama», pág. 41).

[49] A este propósito, *pelar la pava* (al. «fensterln»), aún hoy acostumbrado en Andalucía, 'mantener un coloquio amoroso en la reja'. Sobre el origen de este giro, véase JOSÉ M. IRIBARREN, pág. 168. El masculino co-

'muchacha necia y aburrida'. Citemos aún *zorra* con el significado de 'ramera' (RIEGLER, «Das Tier im Spiegel der Sprache», pág. 43), frente a la forma masculina *zorro*[50] 'hombre astuto, pérfido'; *lagarto, lagarta*, en sentido figurado «hombre (mujer) pícaro y taimado»[51] (DM), comp. fr. «filou, roublard»; y los nombres de algunos peces como *atún, besugo, percebe*, con la significación de 'zoquete, estúpido, bruto'. *Casi todos los escritores españoles eran a t u n e s , b e s u g o s o p e r c e b e s* (BLASCO IBÁÑEZ, «La Horda», pág. 62). Añádase *merluzo*, con cambio de *-a* en *-o*.

La mayor parte de las denominaciones injuriosas se componen naturalmente de sustantivos y adjetivos de s i g n i f i c a c i ó n p e y o r a t i v a, significación que no procede del empleo figurado de la palabra, como en los casos hasta ahora examinados, sino que la palabra posee ya de suyo y exclusivamente, por lo que, en este sentido, resultan tales expresiones menos interesantes que las anteriores. Mencionaré las más habituales que encuentro en «Es mi hombre» (comedia singularmente rica en giros populares). EMH 17 *¿Qué te ha dicho ese bruto? ¡Si llego yo antes! ¡ S i n v e r g ü e n z a ! ¡C a n a l l a !* El primero de estos términos, que HANSSEN cita en su «Gramática histórica de la Lengua castellana», pág. 171, en el párrafo dedicado a las «Frases adverbiales substantivadas», es extraordinariamente frecuente en boca del pueblo y también

---

rrespondiente, *pavo*, significa figuradamente 'simple, incauto'; los años de desarrollo de un niño los llama el español *la edad del pavo* (al. «Flegeljahre»). En cambio, con el femenino *pava* se designa a una mujer fría, sosa y sin gracia (PASTOR y MOLINA, ob. cit., pág. 65).

[50] En cambio: *Estoy hecho unos z o r r o s* (= 'estoy descacharrado, rendido'), que, según IRIBARREN, «El porqué de los dichos», Madrid, 1955, pág. 538, se refiere «al rabo u hopo de la zorra, puesto en un cabo de madera para sacudir el polvo de los muebles (...) y que cuelga f l o j o ».

[51] La exclamación *¡lagarto, lagarto!* o *¡lagarta, lagarta!* (que probablemente arranca de una antigua superstición popular) significa algo así como '¡cuidado!'. Se usa con la misma función en Venezuela (AURA GÓMEZ, ob. cit., pág. 245). PASTOR y MOLINA define para Madrid: «Palabras que se dicen cuando se sospecha un engaño».

en función adjetival: *Fulano es m u y s i n v e r g ü e n z a* [52]; *el gran s i n v e r g ü e n z a ; más que s i n v e r g ü e n z a .* Los derivados *sinvergonzón* y, de aquí, *sinvergonzonería,* mucho más usual en Madrid que *sinvergüencería* (recogido por DL) [53], demuestran que *sinvergüenza* [54] no se percibe ya como expresión preposicional, sino como auténtico sustantivo. Calcúlese, pues, la explosión de risa que provocará un pasaje como el siguiente: EUB 25 *...porque es lo que yo he pensado: Sierra Nevada* (es decir, el Marqués de S. N.) *sin familia, sin parientes y sin memoria; yo sin dinero, sin esperanzas de comer y s i n v e r - g ü e n z a .* EMH 44 (durante una pelea en la sala de juego) Voces: *¡Ese señor! ¿Yo? Sí. ¡Fuera! ¡Echarlo! ¡No hay quien!* (complétese: *me eche del local). ¡ G r a n u j a ! ¡ C a n a l l a !* EMH 62 Antonio: *¡Infames! ¡ A s e s i n o s !... ¡Mi hija!... ¡Atropellar a mi hija!... ¡ L a d r o n e s !...* EMH 82 Antonio (gritando): *¡Eh, venga usted aquí, g r a n u j a , b o c ó n , e m b u s - t e r o !* Con el mismo significado de *bocón* se usan más comúnmente *bocazas* y *boceras.* EUB 9 *¡ I m b é c i l ! , ¡nada de ocultaciones!* La expresión más corriente para esta idea de 'imbécil, idiota', es *majadero* y, junto a ella, *estúpido, mastuerzo, memo, melón, botarate, majagranzas, ceporro* y otras muchas. Un tipo así, o sea un *tonto del higo, no sabe hacer la* [o] *con un canuto* (M. MORREALE, Res., pág. 127). Véase el excelente estudio de INGO NAGEL, «Die Bezeichnungen für 'dumm' und 'verrückt' im Spanischen», M. Niemeyer, Tübingen, 1972. Curioso es *arrastrado* (popularmente pronunciado *arrastrao*). Piénsese en el arrastre de los toros muertos en la lidia, o acaso también en los

---

[52] El número de sustantivos fundidos en una unidad con la preposición *sin* (comp. fr. «sansculotte» y aun al. «Herr Ohnesorge») es muy reducido. A los citados por HANSSEN: *sinsabor, sinnúmero, sinrazón,* de la lengua literaria, añadiré *la sinhueso* (DM), expresión popular festiva por *la lengua.*

[53] El distinto trato de las vocales en *sinvergonzón* frente a *sinvergüencería,* se explica por la diferencia de acentuación: la primera [o] en *sinvergonzón* es protónica, y se pronuncia como átona; el *ue* de la otra palabra tiene, en cambio, un acento secundario: *sinvergüèncería.*

[54] En función adjetiva significa 'fresco', 'descarado'. Así se dice a los niños entre burlas y veras: *¡qué sinvergüenza eres!* Retrato moral de un joven calavera: *era muy despreocupado y algo sinvergüenza.*

reptiles *que se arrastran.* Es decir, que el hablante desea ver
al otro muerto, o bien arrastrándose como un 'miserable' (Sobejano). M 66 Leonardo: *Buena memoria.* —Malvaloca: ¡*Mas
buena es la tuya, a r r a s t r a o*! A este mismo tipo corresponde
otro vocablo injurioso que se oye a menudo, *condenao* (*condenado*): *así te veas c o n d e n a o, arrastrao. Arrastra(d)o* me
recuerda la expresión *dejar para el arrastre* = 'matar' (aludiendo al toro muerto en la lidia). Lo menciona LOPE BLANCH también para Méjico, al lado de *condenado,* p. ej.: ¡*este c o n d e n a -
d o reloj que siempre atrasa*!; *ese c o n d e n a d o crío nos va
a dar* (= 'estropear') *la noche.* En lugar de *condena(d)o* se
oye con bastante frecuencia el obsceno *pijotero,* que también
expresa desprecio: *esos p i j o t e r o s automóviles le quitan a
uno el placer del paseo.* Es más vulgar aún *puñetero: no ha
leído un solo libro en su p u ñ e t e r a vida.* Sobre todo en Andalucía se emplea también el eufemismo *pajolero* con función
idéntica, p. ej.: *ese p a j o l e r o pedante nos ha estropeado
todo el placer del viaje.* Frecuentemente hay que entender en
broma el usual ¡*bandido*! y aun ¡*asesino*!; más en serio: C 78
Juan (Levantándose amenazador): *¿Quieres que te arree un
guantazo, m a m a r r a c h o?* Es de proveniencia culta el muy
difundido ¡(*so*) *adocena(d)o*! (originariamente 'hombre insignificante de los que hay a docenas'). Véase también T. SALVA-
DOR, «Diccionario de la Real Calle Española», I, 1969, pág. 183.

EMH 36 ¡*O dice usted que soy un hombre honrado, sin más
excusas, o le parto a usted el corazón, s o c o b a r d e*! Recordemos que *so* es abreviación de *señor* (port. «seu»), a la que se
refiere SPITZER en «Aufs. z. rom. Synt. u. Stil.», pág. 10: «El
título de cortesía y el insulto no se excluyen uno a otro» [55].

---

[55] Según H. MEIER, RF (1950), pág. 167, *so* ante invectivas sería el
mismo pronombre posesivo del español antiguo *so* < *suus,* válido para
ambos géneros (de ahí también ¡*so mentirosa!),* que aún perdura en
dialectos. Por otra parte, J. COROMINAS («Diccion. etim.», IV, pág. 193)
advierte que *señor* «en castellano, como en latín, fue al principio masculino y femenino», lo cual abonaría la explicación de Spitzer. AURA GÓMEZ
(ob. cit., pág. 61) cita (para Venezuela) como abreviación popular de *señor:
Espéreme s o Simón* (*so* junto a *seó, señó* y otras variantes protónicas
ante nombres masculinos). Pero también en Venezuela *so* se usa con la

EMH 36 ¡*S o b l a n c o* ! [56] significa 'usted, cobarde' (blanco o pálido de miedo). Como equivalentes a títulos ficticios de cortesía (SPITZER), mencionemos expresiones como *don Nadie*, parodia y rechifla de individuos presuntuosos. El it. «signor bestia», que SPITZER cita, se usa también en español en la misma forma y significación: *oiga usted, s e ñ o r b e s t i a*. En el Quijote aparece *voto a tal, d o n b e l l a c o* (II, 17). A un conductor de tranvía le oí gritar dirigiéndose a un carretero torpe: ¡*S o b e - s u g o* ! EMH 37 ¡*Fuera de aquí... s o e m b u s t e r o* !

Para completar este apartado mencionaré dos i n s u l t o s o b s c e n o s , pero muy extendidos entre el pueblo, *puta* 'ramera' y *maricón* 'sodomita', 'homosexual'. *Maricón* es aumentativo de *marica* «hombre afeminado y de poco ánimo y esfuerzo» (DL). Este es, por su parte, un diminutivo de *María* (SPITZER, B, págs. 87 y sigs.). Al adquirir *marica* un significado secunda-

misma función injuriosa que en España: ¡ *s o bandido!*, ¡ *s o sinvergüenza!*, etc. Véase también G. LEMOS RAMÍREZ, «Las abreviaciones de *señor señora* en fórmulas de tratamiento» («Humanidades», XXIV, 1934, páginas 416-430): «[...] *ño* (< *señor*) se usa también en frases i n j u r i o s a s o d e s p e c t i v a s : ¡*ñ o ladrón!, ñ o embustero*» (los subrayados son míos).

[56] En relación con esto, mencionaré otros dos adjetivos de color, interesantes desde el punto de vista semántico: *verde* y *negro*. *Verde* significa en primer término, como fr. «vert», 'no maduro', dicho de frutos. *Leña verde* es la que no está bastante seca. A la conocida fábula de la zorra y las uvas se remonta el dicho *están verdes* (las uvas), usado en el siguiente contexto: A.: *Llegará usted a ser un gran maestro.* —B.: *Están verdes;* que quiere decir: '¡ya lo quisiera yo, pero no lo lograré!' Finalmente, a través de 'verde' (color), 'jugoso', 'exuberante', ha pasado a la significación de 'lascivo', 'inmoral' o 'subido de tono'. Por ejemplo: *una poesía algo verde* (fr. «une poésie verte»), *un chiste verde*, etc. Un don Juan senil es un *viejo verde*. (Sobre *ponerle a uno verde*, de otro sentido, véase más abajo, pág. 261.) Véase también el artículo de F. LÁZARO CARRETER, «*Libro verde* en el *Criticón*, de B. Gracián», en RFE, 1953, XXXVII, 216-225. En cuanto a *negro*, tiene el sentido traslaticio de 'turbio, sombrío': *el asunto se pone negro* (o *feo*) 'la cosa presenta mal cariz', 'toma un giro desagradable'; *suerte negra* (también, otras veces, *mala suerte);* además, el elíptico *la negra* 'mala suerte' *(tener la negra* 'salirle a uno todo mal'). *Verse negro* significa 'verse en grandísimas dificultades': *me veo negro para salir de este apuro* (compárese al. «schwarz sehen»). *Estoy negro con este problema* 'estoy desesperado y furioso con él'. En cambio, *ponerle a uno el cuerpo negro* (a golpes) ha de tomarse literalmente.

rio tan feo, se dotó al nombre de persona *María* de un doble
sufijo diminutivo, resultando así la forma cariñosa *Mariquita*
o *Mariquilla*. Agréguese el siguiente pasaje de la novela neorrea-
lista de CELA: ¡ *B e s t i a* ! *¡Que lo que eres es un bestia, y un
r o j o i n d e c e n t e , y un c h u l o ...*! *¡Que en mi café y en
mis propias narices, un m i e r d a d e e n c a r g a d o que es lo
que eres tú...*! (CAMILO JOSÉ CELA, «La Colmena», pág. 173). En
la novela chilena «Coronación», de JOSÉ DONOSO, pág. 185, leo:
¿Quiubo (= ¿qué hubo?), *m i e r d a, qué te pasa?* Está particularmente extendido hoy el insulto ¡*gilipollas*! («idiota que
se comporta como un cobarde y un tonto», Sobejano) con toda
una familia lexical: *gilipollada*[57], *gilipollez, gilipollismo, gilipo-
llear. Gili*[58] significa 'tonto', 'bobo': ¡*No seas g i l í*! (C. 34);
pero este análisis de los componentes no basta naturalmente
para interpretar todo el valor afectivo del vocablo que forman.
Las expresiones insultantes se refuerzan, ya con sólo agregarles
un sufijo aumentativo (o peyorativo), ya anteponiéndoles el
adjetivo *grande*, que con frecuencia es mudado, a su vez, en
grandísimo[59]; también por la anteposición de *muy* —éste, por
cierto, no con vocativo—. Ejemplos: *g r a n d í s i m o t u n a n -
t ó n* (*g r a n* tunante); la expresión alemana correspondiente
«grosser Halunke» sólo es posible en sentido predicativo. *G r a n -
d í s i m o cabronazo* (*cabrón* significa, aparte de fr. «cocu»,
'mala persona'; *una cabronada* 'una villanía'); *el m u y c a -
b r ó n*[60] *le robó mil pesetas.* Otro refuerzo consiste en la pos-

---

[57] P. ej.: F. DE ÁVALOS, ob. cit., pág. 51: *Pues sí, lo que me faltaba,
que me vengas tú también con g i l i p o ...* (= 'gilipolladas').

[58] Del gitano *sil* (C. CLAVERÍA, ob. cit., pág. 249). Véase el sustancioso
gran estudio de INGO NAGEL, «Die Bezeichnungen für 'dumm' und 'verrückt' im Spanischen», pág. 294. El gitanismo *gili* (= 'cándido', 'tonto')
viene comentado y explicado por M. L. WAGNER en su artículo «Sobre
algunas palabras gitano-españolas y otras jergales» en RFE, 1941, págs. 167-
68. El mismo autor vuelve sobre el particular en sus «Apuntaciones sobre
el argot bogotano» en BICC, VI, 1950, pág. 200: *gil* = [...] 'individuo fácil
de engañar'.

[59] M. L. WAGNER, reseña cit., pág. 114, recuerda que *grandísima* se
antepone con predilección a las palabras que designan a la ramera.

[60] Sin embargo, esta invectiva, en sí, de las más ofensivas que hay,
se convierte en una «injuria ficticia» (véase págs. 47-48) al serle agregado un

posición de *indecente, asqueroso,* etc.; compárese el ejemplo antes citado de Cela, y los siguientes: Paca: ... ¡*Y tú, chulo i n d e c e n t e*! (Buero Vallejo, ob. cit., pág. 47); Pepe: ... *El mocoso i n d e c e n t e, que cree que me va a meter miedo a mí* ... (Ibid., pág. 48). Por último puede reiterarse el vocablo injurioso anteponiéndole la segunda vez *más que:* ¡*Golfa, m á s q u e golfa*! (Ibid., pág. 46).

Las expresiones últimamente mencionadas pertenecen ya a las i n v e c t i v a s e n f o r m a d e f r a s e s; son tan diversas, que no cabe enumerarlas ni clasificarlas siquiera. Pero para dar una idea de ellas citemos, al menos, algunas improvisaciones de esta clase particularmente curiosas: Z 14 *Vete ya de mi casa, m a l a s i d e a s* [61]. Ibid. 14 *No te hará daño, c a c h o d e l a- d r ó n* (cf. it. «pezzo di...») 'pedazo de ladrón' (pues ni siquiera se le concede que sea algo entero). Lo mismo pasa en M 12: *p e a s o* (= pedazo) *e p o y i n o, s a y ó n, h e r e j e*; también en SC 42: *p i a z o* (= pedazo) *d e b á r b a r o.* Oído por mí: *p e d a z o d e a t ú n.* Z 15 ¡*a r m a n a q u e antiguo*! ('calendario viejo', luego 'inútil'); ¡*c o l i y a d e p r o b e*! ¡*t a c ó n s i n b o t a*! ('tunante', 'haragán'). Esta última expresión es suficiente para mostrar de qué atrevidas imágenes es capaz la inquieta fantasía de una gitana en plan de insultar.

En relación con esto, digamos algo sobre MALDICIONES y JURAMENTOS [62], ya que son empleados en situaciones semejantes

---

sufijo diminutivo. Con ¡*Hola, cabroncete!,* dicho en tono zumbón, un estudiante, a lo mejor, saluda a su amigo más íntimo (el ejemplo es de H. Schneider). El colombiano José M. Montes, ob. cit., pág. 161, observó ¡*hola, c h u r r o!,* que decía una chica saludando a otra. Yo creo que se trata de otra «injuria ficticia», teniendo en cuenta que *churro,* en lengua familiar y con sentido translaticio t a m b i é n e n E s p a ñ a, significa 'mamarracho' o 'birria', p. ej. *(tal cosa) me ha salido hecha u n c h u r r o* (= 'malísimamente'). Otra invectiva cariñosamente ficticia es *mala persona: Adiós, m a l a p e r s o n a,* dice en broma un cliente, amigo del tabernero, porque éste no quiso cobrarle la consumición («Jarama», pág. 244).

[61] Según J. Polo (andaluz): *es un m a l a i d e a* en singular casi siempre, al menos en Andalucía. Recordamos, sin embargo, que, tratándose de [s] final, en la pronunciación andaluza apenas se percibe.

[62] Para esto, sobre todo Olaf Deutschmann, «Malédictions».

58   *El español coloquial*

a las de los insultos. También aquí se abre un campo vastísimo, casi inabarcable. En Z 14 grita la gitana a Juan que huye de ella: *¡Viruelas te sargan hasta er blanco de los ojos! ¡en manos de la justicia te veas!* Esto último me recuerda una maldición muy original que oí: *¡Pleitos tengas y los ganes!* Ganar una causa parece que en España a veces costaba más de lo que valía la cosa en litigio.

Otros dos tipos característicos quiero destacar: primero el acompañado del adjetivo *malo* pleonástico, en ejemplos como *¡ m a l* [63] *rayo te parta!* (DM), *¡ m a l a centella te parta por los*

---

[63] Este curioso empleo pleonástico de *malo* me ha llamado la atención en otros giros como, por ejemplo, *se ha pasado toda su vida sin un m a l retortijón de tripas* (PEREDA, «Peñas Arriba») 'sin tener el más mínimo dolor'; o también *tener malas pulgas* (DM) 'ser malsufrido e irritable'. Si bien no se trata de uso pleonástico de *malo*, mencionaré aquí el corrientísimo modismo *tener mala sombra*: se basa en la idea supersticiosa de que de la sombra de ciertas personas emanan efectos malignos, y significa en primer lugar «ser desgraciado» (DM). Cuando el interesado no es culpable de su desgracia, hablamos de 'mala suerte', y este significado corresponde al pasaje siguiente de EMH 43: *Oye, métete el pico del pañuelo por lo que más quieras, que me da m a l a s o m b r a.* Pero cuando el interesado es culpable de un mal que se le echa en cara con un *¿qué mala sombra tienes!*, se aplica la segunda significación: «no tener gracia en el hacer ni en el decir». Recuerdo este caso: unos golfillos se habían montado en el tope del tranvía; el cobrador los echó abajo gritándoles: *¡Qué m a l a s o m b r a tenéis!* En fin, se dice *fulano ha tenido la m a l a s o m b r a de contar lo sucedido a su mujer* ('ha tenido la mala idea de...'). Menciono de pasada el antónimo *tener buena sombra*, también sin adjetivo, *tener sombra*, p. ej. (...), *Pero qué fina era esta otra de pantalones; ésa sí que tiene s o m b r a y buen tipo para saber llevarlos* («Jarama»). *Tener mala mano* significa 'obrar con torpeza'; en lugar de *mano*, el pueblo dice *pata: ¡qué m a l a p a t a tienes!* Ese *mala pata* puede significar también 'mala suerte': *Don Jaime Arce es, lo más seguro, un hombre honrado y de mala suerte, de m a l a p a t a en esto del dinero* (CELA, ob. cit., pág. 19). El contrario: *tener buena mano*, significa 'darse maña', también a veces 'tener suerte' (para lo cual también se dice *tener buena pata*). En lugar de *tener buena mano*, es frecuente la variante *tener mano izquierda* (E. LORENZO, pág. 158), originariamente término taurómaco que alude al valor y habilidad que necesita tener el diestro al manejar la muleta con la mano izquierda.

M. MORREALE (IE, págs. 57-58) nos da la explicación del pleonástico *mal (mala)* en maldiciones del tipo *¡mal rayo te parta!, ¡malas puñaladas* *riñones*! (en «Peñas Arriba», de PEREDA), ¡ *m a l a landra te coma*! (DM). *Landra*, anticuado fuera de esa frase, significaba «peste levantina» (DM); ¡ *M a l a rabia te acabe*! (DM). También está muy extendido, sobre todo en Andalucía, ¡ *m a l tiro le den*! (DM), algo así como 'el diablo le lleve'. Z 11 Micaela (al contemplar el retrato chapuceramente pintado por el «Chiquichanca» [64]): *No va pa Moriyo* (= Murillo) *er Chiquichanca*, ¡ *m a r t i r o l e d e n*! M 26 *Pos arguna conozco yo que paese* (= parece) *una sigüeña*. ¡ *M a r t i r o l e p e g u e n*! PC 12 ¡ *M a l a s p u ñ a l á s t e d e n , l a d r ó n*! [65]. Véase también A. BRAUE, pág. 35.

Muchas maldiciones, sobre todo en boca de los gitanos, están introducidas por la fórmula ¡*permita* (andal. *premita*) *Dios que...*! ¡ *P r e m i t a D i o s q u e te jagan* (= hagan) *cartero y que te se* (por *se te*) *jinchen* (= hinchen) *los pies*! Véase también O. DEUTSCHMANN, «Malédictions», pág. 227, y BEINHAUER, «El humorismo en el español hablado», pág. 233 y n. 27.

El segundo tipo es ¡*maldita sea tu estampa*! [66]. Por *estampa* se entiende en primer lugar el retrato de una persona y luego,

---

te den!, ¡*mal toro te coja!*, ¡*mal chinche* (aquí con género masculino) *te pique!*, etc. En todos estos casos «*mal* no desempeña su función de modificador de un elemento de la oración, sino que colorea toda la frase en tono amenazador». Advierto, sin embargo, que ese mismo *mal* pleonástico aparece también desgajado de tales situaciones en que se habla «en tono amenazador», pudiendo decirse: *(fulano tiene una salud envidiable): en su vida ha tenido un m a l retortijón de tripas*. En F. DE ÁVALOS (ob. cit., pág. 68) leo: *...el chico, ya sabe, nunca me dio un m a l disgusto*.

[64] *Chiquichanca*, según advierte H. SCHNEIDER (Res., pág. 358), figura en el «Vocabulario andaluz» de Alcalá Venceslada (Madrid, 1951, pág. 201) con el significado de 'haterillo del cortijo', o sea, zagal «que lleva la provisión de víveres a los pastores» (J. CASARES).

[65] Lo mismo para el catalán; tratado por SPITZER en «Lexikalisches aus dem Katalanischen», págs. 90 y sigs.

[66] En vez de *romperle a uno el alma* 'matarlo', se dice también *romperle a uno la estampa*. EMH 59 Pollo (uno de los tres matones, a Antonio, vigilante de la sala de juego): *Y si somos buenos, ¿se nos dará una estampita?* (Ironía, alusiva a los cromos con figuras religiosas que suelen repartir los sacerdotes.) *O se les romperá l a e s t a m p i t a . Según*, contesta Antonio.

principalmente, todo su físico. Está omitido en EMH 17 Tár-silo: ¡*El tío farsante!*... ¡*m a l d i t a   s e a*! En la comedia «El Verdugo de Sevilla», Talmilla, un cómico amargado, emplea la muletilla *maldita sea* + sustantivo. Llama la atención que él usa siempre *maldito* en la forma femenina, incluso cuando el sustantivo que sigue es masculino. Y así dice indistintamente: VS 49 ¡*M a l d i t a   sea una bomba!* Ibid. 41: ¡*M a l d i t a   sea el mapa!* Ibid. 47: ¡*M a l d i t a   sea mi corazón!* También Fras-quito dice, Ibid. 41: ¡*M a r d i t a   sea er perejí* (= el perejil)! Ibid. 45: ¡*M a r d i t a   sea er   s e n i s o* (= cenizo)! En ninguna otra comedia he podido encontrar más ejemplos para docu-mentar este fenómeno. De todos modos, tomados con alguna cautela, nos demostrarían que la fórmula *maldita sea...* ya se había gramaticalizado y que *maldita,* al principio, evidentemen-te sólo fue aplicado a sustantivos femeninos. Véase también O. Deutschmann, «Malédictions», págs. 230-231, y sobre todo Díaz Martín, «Maldiciones gitanas» (Sevilla, 1901). Uno de los estudios más interesantes y mejor documentados es el de Car-los Clavería titulado «En torno a una frase en caló de Don Juan Valera» en HR, XVI, 1948, págs. 97-119.

IMPERATIVOS DE PERCEPCIÓN SEN-
SORIAL PARA INICIAR EL DIÁLOGO

Frecuentemente el español hace anteceder a lo que va a manifestar la invitación a   m i r a r :   *mira, mire usted,* han de entenderse literalmente, por ejemplo, al contestar a la pregunta por una calle: A: *Por favor, ¿podría usted indicarme la calle (de) Hermosilla?* B: *M i r e   u s t e d . ¿Ve usted esa iglesia?... Pues pasando por ella,* etc. Ahora bien, en la mayoría de los casos, *mire usted* invita al interlocutor a fijarse o prestar aten-ción a lo que va a   o í r . Un empleo humorístico de este doble sentido, material y figurado, se encuentra en EMH 55 Paco (previene a don Antonio de que van a aparecer tres sujetos peligrosos, con quienes habrá de enfrentarse como inspector de la sala de juego): *No han venido todavía.* —Antonio (aunque con un miedo horrible, sólo para impresionar a Paco): *Que tienen un ángel custodio que vela por ellos.* —Paco: *Y m i r e u s t e d .* (Don Antonio se vuelve rápidamente, creyendo que vienen) ... *que estrellarse con usted... ¡ja! ¡ja!* Como la invitación a concentrarse mentalmente se hace por medio del imperativo, *mire usted* es comparable a la voz preventiva que en lo militar precede al verdadero mandato (SPITZER). EUB 38 Rodolfo (mozo de un sanatorio): *Si la señora desea tomar algo, puede pedir lo que le guste.* —Brígida: *No; por más que ... sí. M i r e , García, que me sirvan el desayuno.* EMH 10 *M i r a , papaíto, hazme de aprendiza, anda.* Las dos actitudes, corporal y espiritual, son requeridas en: *M i r a , dame ese mantelillo para secarme* (Ibid.). MP 51 *M i r a , Berenguela, vete al comedor.* La misma fórmula iniciadora para avivar la curiosidad y atención del interlocutor se encuentra en Z 8 Micaela: *M i a* (= mira) *tú, yo, que pa que se junten en mi oya* (= olla) *más e tres garbanzos, tengo que tocá un pito.* Ibid. 11 Juan: *Toavía zi me dejara por un mozo cabá* (= cabal), *pero m i s t e* (= mire usted) *que dejarme por «Patas Cortas»* (apodo del rival). EDE *M i s t e , mi amo, que está su mersé en una vena como pa que paremos los dos en una carse* (= cárcel). Aquí, pues, no se trata de un mirar corporal, sino puramente mental. El interlocutor es invitado a hacerse una idea de lo que el hablante dice; así se explica también el empleo del *que* en muchos casos: EDE 51 Daniel: *Vaya si tiene tu historia capítulos curiosos... ¡ M i r a q u e saltimbanco* [67] *en Zaragoza!* M 71 *¡ M i s t e q u e tené yo que hablá así de mi madre!* Ibid. 25 *M i a* [68] *q u e vení a tus años*

---

[67] Es más frecuente la forma italianizante *saltimbanqui.* Los muchos apellidos italianos acabados en -*i (Marinetti, Fiorini, Landolfi,* etc.), así como los plurales masculinos de la misma terminación (que, sin embargo, no son entendidos como tales plurales), el español de tipo medio, desconocedor del italiano, los toma como rasgo característico de ese idioma; de ahí el apodo popular *italianini,* por 'italiano', plural *italianinis* (¡sic!). *Saltimbanqui,* en su principio, italiano macarrónico humorístico, debe su origen al hecho de que desde siempre, muchos artistas de circo y variedades que actuaban en España eran italianos.

[68] Las formas *mia* y *miste* (por *mira* y *mire usted),* no son privativas del andaluz, pues pertenecen también a Madrid. *Mia* se acentúa en la *a*

a pará en un asilo e viejos! VM 12 *¡Pero m i r a q u e la ocu-rrencia de traerle al muchacho un violín!* Ibid. *¡M i r a q u e lo del odio a los botones tiene gracia!* E. Lorenzo (pág. 91, nota 4) cita la amenaza: *¡mira que se lo digo a tu padre!*

Es muy corriente, aunque de definición muy amplia y difícil de precisar, *mira por dónde* como expresión de asombro o sorpresa: *M i r a p o r d ó n d e me perderé algún billetito,* dice el sereno al saber que un cliente rico se va a mudar a otro barrio (José M.ª Gironella, «Condenados a vivir», pág. 166). (Variante: *F í j a t e por dónde.)* Según José Vallejo («Papeletas para el diccionario», en BRAE, 1952, pág. 373), *¡Mira por dónde!* se emplea también como «locución independiente para expresar burla, incredulidad, sorpresa y asombro». En A. de Laiglesia, «Morir juntos», pág. 24, ocurre: [...] *parecía que te ibas a morir. —Pues por eso fui, dijo Pablo, y m i r a p o r d ó n d e, no andaba tan descaminado.* Por lo que se refiere a la variante arriba indicada, cito a F. Candel, «Pueblo», pág. 240: *F í j a t e p o r d ó n d e. ¡Quién lo hubiera dicho!* En EPH, del mismo autor, pág. 213, ocurre: [...] *Y ese nombre le sonaba. Viudo. ¡M i r a p o r d ó n d e! Lo creía soltero.* En A. M.ª de Lera, «Los clarines del miedo», pág. 329, Acisclo, gran amigo del torerillo novato Rafa, que en todas partes hace propaganda por él, a un tal Mati le dice: *—M i r a p o r d ó n d e vamos a ver una cosa buena.* Ibid., «Bochorno», pág. 896: *—Yo pensé toda mi vida en un muchacho como tú, y m i r a p o r d ó n d e viniste.* Ibid., «La boda», pág. 587: *—A ti no te viene mal esta boda, Luisa. M i r a p o r d ó n d e vas a ser pariente del Negro.*

El grado de petrificación de la forma *miste* y su empobrecimiento semántico quedan patentes en la composición vulgar *místela* (por *mírela usted)* en Z 12. También M 97 *Ay eze, ¡vestío de angelito! ¡M í s t e l o, tía! ¡M í s t e l o, zeñorita, m í s - t e l o!* El vulgarismo *místelo* (= 'mírelo Usted') se ha conservado hasta hoy. Véase Alfonso Paso, FSA, pág. 54. En Madrid

---

sobre todo en combinación con pronombre enclítico *(mialas),* dislocación del acento sobre la vocal más abierta (Navarro Tomás, § 152). En C. Arniches ocurre más de una vez: *M i á tú ésta* (citado por Francisco Trinidad, en «Un estudio del hablar popular madrileño», Madrid, 1969, pág. 75).

se oye incluso *místelo usted,* en expresión festiva, como si se tratara de un verbo *mistar.*

La promesa de que al interlocutor se le va a hacer ver alguna cosa, está contenida en las formas *verás, verá usted* (en pronunciación vulgar *verasté*), que se diferencian de las tratadas hasta ahora por lo siguiente:

Mientras en los casos de *mire usted,* el oyente no sabe aún nada de lo que el hablante le va a decir, *verás* y *verá usted* introducen el complemento necesario para acabar de pintar una situación ya conocida en parte por el oyente. Se nos hace patente esto sin más, si tenemos presente la diferencia de significado entre *mirar* y *ver. Mirar* quiere decir dirigir la vista hacia el objeto de que se trate. *Ver,* en cambio, designa el fenómeno de la percepción que se produce en la mente y que presupone un previo *mirar.* (Compárese la diferencia entre al. «schauen» y «sehen» o entre fr. «regarder» y «voir».) Ambos verbos se encuentran juntos en el corriente *mirar a ver.* VM 49 ... *m i r a a v e r si Buitrago ha dejado descolgado el auricular.* La forma *verás* significa 'eso de que tú ya estás enterado (al menos en parte), se te acabará aclarando con lo que ahora te voy a decir'. EMH 73 Sole: *Debías hacer algo para ganarte otros miles de pesetas; ties (= tienes) la ocasión que ni pintada.* —Antonio: *¿Qué ocasión?* —Sole: *La que te traigo. V e r á s. Anoche me decía a mí Paco el Maluenda que...,* etc. EUB 42 Ricordi: *Las torturas de que habla el señor Manthon son leves molestias a las que él llama recordatorios.* —Manthon: *Claro. V e r á u s t e d.* (Comp. fr. «je vais m'expliquer».) *Yo doy orden, por ejemplo, de que a un enfermo le den un paseíto en barca por el río...,* etc. *Ya ve usted* y *ya ves* preceden inmediatamente a la explicación de algo: *¿Y para qué las quieres (las 3.000 ptas.)?* —*Pues y a v e u s t e d, para casarme* (Cela, ob. cit., pág. 230). —*Nada, hijita, nada. Y a v e s, curiosidad.* (Ibid.). Finalmente, *verás* sirve para introducir una cita textual. EUB 48 Azucena: *¿Tienes unos versos de él?* —Clara: *Lindísimos.* —Azucena: *¿A ver? Léemelos.* —Clara: *Me los sé de memoria. V e r á s* (recitando): «*ni más ni menos*», etc. Corresponde con esto el it. «ecco», del que dice Spitzer (IU, 19): «Para el que habla, este preparatorio *ecco* es un cómodo elemento retardatario, que no nos expone aún la situación que tiene él presente en el espíritu, manifestándonos sólo que la conoce». Algo semejante pasa con el *aguarde usted*, que tiene en cuenta la impaciencia del oyente. AH 26 Barbarita: *¿Y luego?* —Chorrito: *A g u a r d e u s t e d : solté la chaveta y er martiyo, me puse a untar de serote unos cabos...* —Barbarita: *Omite los detalles, por Dios, ¿no ves lo impaciente que estoy?*

La i n v i t a c i ó n a o í r ha forjado las siguientes fórmulas. *Oye, oiga usted* corresponden en esta función a fr. «écoute, écoutez» (en las demás ocasiones *oír* tiene el valor del fr. «entendre»). El fr. «écouter» corresponde formalmente a *escuchar*, pero en el uso éste es mucho más raro, porque la mayoría de las veces es sustituido por *oír*. En esto se acerca, pues, el español más al alemán, que sólo ocasionalmente hace distinción entre «hinhorchen» (= fr. «écouter») y «hören» (= fr. «entendre»), y la mayoría de las veces emplea un mismo y solo verbo para las dos ideas. Si comparamos ahora esto con la antes citada pareja *mirar-ver*, que atestigua la suficiente distinción del hablante español entre 'dirigir la visión' y 'percibir con la vista', nos encontramos aquí ante una inconsecuencia del lenguaje. Creo que su explicación puede estar en que el funcionamiento de nuestros órganos visuales es corporalmente perceptible, y el de los auditivos mucho más incontrolable, y en que los procesos del escuchar y del oír están mucho más íntimamente trabados que los del mirar y del ver, posiblemente muy distanciados uno de otro.

Oiga usted, oye, en una llamada, cuando se desconoce el nombre del interpelado, corresponde al alemán «Sie!» («Du!»). En muchas situaciones esta llamada viene acompañada de un «gesto sonoro» (SPITZER), que gráficamente se suele representar por *¡chiss!* o *¡chist!* y que es pronunciado con una *ch* con articulación fuerte y sostenida del elemento sibilante de este sonido [69]. Este mismo gesto sonoro expresa también la invita-

---

[69] La *ch* española se articula sin acañonar los labios, con un sonido claramente silbante, que se parece al de la *ch* francesa y que en Andalucía

ción a callar. EUB 47 Clara: *¡Calla, no me descubras!* —Azucena: *¡Pero Clara!* —Clara: *¡ C h i s s !...* Como llamada aparece en EMH 55 Paco: *Don Antonio... ¡ C h i s s !, don Antonio: Un momento.* Pero en esta forma vocativa, *¡chiss!* sólo se usa cuando cualquier otra forma de llamar quedaría ahogada por el ruido (en nuestro ejemplo, el bullicio de los jugadores). En el tranvía, cuyas paradas antiguamente en Madrid podía pedirlas cualquiera y dondequiera que le interesara, solía llamarse al conductor con un *¡chist!* perfectamente perceptible, por ruidosa que fuese la marcha[70] del vehículo. En JP de ALFONSO PASO, hay una acotación: «*c h i s t i d o s ,* forma análoga a *silbidos, rugidos, bufidos, chillidos* y otras designaciones para ruidos con la terminación *-ido (balido, chirrido, crujido, estallido,* etc.)».

En *oye, oiga* late en ocasiones un dejo de reconvención. EMH 11 Leonor (sorprendida vistiéndose, por su novio, que la mira a través de la ventana del pasillo): *¡Ay, hombre, por Dios, no mires!... ¡tapa!* —Don Antonio: *O y e , Marquitos, se pide permiso.* Lo mismo en «La colmena» de CELA: *O y e , ¿sabes que eres bastante mal educada?* (pág. 231). Sobre esta función de *oye (oiga)* dice DL: «Interjecciones que denotan extrañeza o enfado, y que también se usan en tono de r e p r e n s i ó n...» La explicación del empleo de *oye, oiga* al censurar reside en lo desagradable de lo que el increpante ha de decir al interpelado y que éste, naturalmente, de buena gana querría no oír. Algo semejante pasa con la misma fórmula, usada para introducir preguntas que han de resultar molestas para el oyente. Por ejemplo, en EMH 58 a don Antonio uno de los matones le pregunta: *O i g a u s t e d , y si le pego yo dos patás* (= patadas) *en la boquita del estómago a cualquier amigo o conocido, ¿no me dejarán sin postre?* Recuerdo a este propósito el frecuente *ese prójimo m e v a a o í r* = 'ya le diré lo que tenga que de-

---

se acerca mucho a la articulación de *s.* (Descripción más precisa del sonido, en NAVARRO TOMÁS, § 118.)

[70] Aún hoy en día se suele llamar al camarero con este siseo (sólo gráficamente representado por *¡chiss!),* más frecuentemente con *¡pss!;* junto a éstos, naturalmente, también con *¡camarero!* o *¡mozo!*

cirle'. La frase tiene variantes como *ya me oirá, me tendrá que
oír*, etc. (José Vallejo, ob. cit., pág. 386). Al repasar la sustan-
ciosa reseña de doña M. Morreale (Res., pág. 118), doy con la
oportuna advertencia de que, paralelamente a la diferenciación
mirar-ver, habría que tener en cuenta también la de *escuchar*
y *oír* (menos neta que en francés «écouter» y «entendre»). Sobre
todo en Andalucía hay confusión de *oír* y *escuchar*, p. ej.: *ese
modismo no lo he e s c u c h a d o* (en vez de *oído*) *nunca*. A
propósito de *sentir* con doble valor semántico, recuerdo el
chascarrillo del andaluz que, desde la calle, intenta comunicar
a su compadre la noticia de su reciente viudedad. Éste, desde
el tercer piso, le contesta: *no lo siento*. Añado que, en Madrid,
sólo literariamente *escuchar*, se usa con el sentido de 'percibir
auditivamente', p. ej.: *el artista e s c u c h ó muchos aplausos*.
En cambio *sentir*, a más de 'lamentar', significa 'oír', p. ej.:
s e n t í un ruido extraño; s e n t í pasos, etc.

Mucho más raro es, como ya hemos dicho, el imperativo de
escuchar: Z 10 *E s c u c h e u s t e d , gitana, yo quieo ve* (= quiero ver) *lo que está jaciendo a estaz horas mi Mercedes*. Aquí
sirve para introducir el motivo principal por el que Juan ha
venido a ver a la gitana. EUB 11 *E s c u c h a atentamente y
después de mi relato comprenderás cuán inoportuno has sido
volviéndome a la vida. Óyeme*. Aquí *escucha* es empleado para
requerir la atención del interlocutor de una forma especialmente expresiva. Junto a él es frecuentísimo *fíjate, fíjese usted:
F í j a t e , Juan, te lo voy a explicar por segunda vez* (Sobejano).
*Comencé a estornudar y, f í j a t e , yo no tenía un solo pañuelo
en el bolsillo. Fíjate* es aquí lo mismo que *imagínate* ('repre-
séntate mi situación') (Sobejano). También se dice *figúrate*.

El imperativo *entérate (entérese usted)* se refiere exclusivamente a la comprensión mental. EUB 61 *Por cada bofetada que
se le dé a ese señor, e n t é r e s e b i e n , doy veinticinco pesetas* [71].

---

[71] Sin embargo, «*¡entérate!* se acompaña a menudo de una manifestación tajante en forma de bofetada: *¡Toma, a ver si te enteras*, o *pa que
te enteres!*» (M. Morreale, Res., pág. 130). En vez de *pa que te enteres*,
también *pa que aprendas*.

A la invitación de oír, corresponde por parte del interlocutor la p e t i c i ó n d e h a b l a r. En el teléfono, a un *¡oiga!* (correspondiente al «hallo!» de otras lenguas) se contesta con un *¡diga!*, forma que no se emplea tan sólo al hablar por teléfono. EMH 15 Társilo: *Conque a lo que vengo.* —Antonio: *D í g a m e .* —Társilo: *Pues s'acordará usted que...*

Una variante de *diga usted* es *usted dirá,* que resulta más cortés que el imperativo, porque significa 'usted tiene la palabra' (de la que puede hacer uso o no, según le convenga). Z 13 Micaela: *Escucha otra cosa, Juanico.* —Juanico: *U s t e d d i r á .* EPB 31 Primo: *Podemos hablar como buenos amigos. Tome usted asiento.* —Guzmán: *U s t e d d i r á .* El mismo giro se usa en acertijos o preguntas festivas como en el caso siguiente: A: *¿A que no sabes en qué te pareces a un carril de tranvía?* —B: *T ú d i r á s .* —A: *En que estás entre dos adoquines.* Sobre el catalán «tu diràs» trata SPITZER en «Revue de Dialectologie Romane», 1933, págs. 102 y sigs. Véase también E. LORENZO, ob. cit., pág. 102.

Con la fórmula inversa, *le diré a usted,* propiamente sólo se le previene al interlocutor que se le va a decir algo: queda indeciso, sin embargo, si ello será o no lo que él quisiera oír. *Le diré a usted* o *te diré* le sirven al hablante únicamente para ganar tiempo, como, por ejemplo, al tener que hacer alguna revelación desagradable para el interlocutor. M 65 Malvaloca: *¿Dará tiempo a que yo lo vea?* —Leonardo (violento): *¿A... que tú lo veas? T e d i r é ...* —Malvaloca: *No; no me digas nada. Aunque dé tiempo, no lo veo. Te choca que entre en los tayeres.* Malvaloca, muchacha de dudoso pasado, quisiera asistir a la fundición de una campana. Leonardo, bien a su pesar, no puede acceder al ruego de su querida, por respeto a los demás, a quienes chocaría la presencia de la muchacha. Vemos cómo quisiera demorar la respuesta. Para ganar tiempo, repite primero la pregunta de su amada, luego balbucea un *te diré* a modo de preludio. Pero Malvaloca no le permite seguir y, enfadada, le deja con la palabra en la boca; aquel *te diré* es bastante elocuente.

Contienen otra invitación a hablar los siguientes giros: EMH
56 Antonio: *Ah, una cosa.* —Paco: *¡V e n g a!* —Antonio: *Usted
me dará permiso...* Y más abajo, Antonio: *Pues ni una palabra
más.* —Paco: *Sí, una palabra más.* —Antonio: *V e n g a* [72]. —Paco
(al notar su inquietud): *¡Pero no esté usted tan nervioso!* —Antonio: *Es que yo, cuando me meto en un fregao de estos, hasta
que no le dicen a mi adversario las misas gregorianas, no me
quedo tranquilo. Pero v e n g a esa palabra. ¡Venga!* se usa también en función interjeccional (igual que *¡vamos!*), y entonces,
según nos advierte E. Lorenzo (pág. 90), se hace sin referencia a
las personas que su forma gramatical indica: *¡veng a, Juan,
lléva t e la silla!* Véase también: Fente y Fernández Feijoo, «El

---

[72] Este *venga*, que en el ejemplo anterior se refería a *cosa* y en éste a
palabra, es frecuentísimo en el lenguaje coloquial también en otros contextos. Al bogotano Joaquín Montes le llamó la atención este uso, desconocido en Colombia. (Una persona que había estado esperando mucho
tiempo a otra): —*Y yo v e n g a a esperar, venga a esperar; venía una
chica en el metro, y v e n g a a toser* (ob. cit., pág. 166). Según J. Polo,
venga precediendo infinitivos se usa s i n a: *venga llorar, venga esperar,
venga beber,* etc. Adviértase, sin embargo, que en el lenguaje hablado la
[a] de *venga* y la preposición *a* se aglutinan tan perfectamente que no se
distinguen en la pronunciación corriente, resultando que el problema, más
que de orden sintáctico, viene a ser puramente o r t o g r á f i c o. Sólo
algunos casos característicos: PF 19 Emeterio: *¿Quiere usted un pitillo?*
(ofreciéndole la petaca). —Palau: *Bueno, v e n g a... Gracias.* Ibid. 37 Palau:
¡Vaya un poquito de Medoc! —Rufino: *Bueno. V e n g a.* LP 9 (Juan ha
pedido a su hija que le eche, por la ventana, un destornillador) Ramona
(asomándose a la ventana): *¡Allá va eso!* —Juan: *¡V e n g a!* (recoge el
destornillador que tira Ramona). Al ejecutar música se da con *¡venga!*
la señal de empezar; durante la ejecución de una pieza, para dar entrada
a un instrumento. Finalmente, el frecuentísimo *¡v e n g a un abrazo!*
(PF 54). Es característico el uso anafórico de *venga* en un pasaje de
«Amores y Amoríos», de los Quintero (se trata de una niña pequeña):
La coge la criada y llora que te llora (véase capítulo III, página 297), *la
coge su hermana mayor y v e n g a llorar y v e n g a llorar, la coge su
madre y arma un escándalo.* Nótese la falta de *a* delante de *llorar.* E. Lorenzo (pág. 144) lo explica acertadamente al suponer que *llorar,* aquí, se
siente como sujeto y que, al ser substituido por *lloros,* habría que flexionar el verbo: *vengan lloros.* Véase también Spitzer, «Revue de dialectologie romane», VI. 135. Este tipo es también muy usual en catalán:
Krüger, en RFE, 1922, IX, 192. Véase también A. Braue, ob. cit., pág. 43.

subjuntivo», Madrid, 1972, pág. 65: *¡V e n g a , a c a b a d de una vez!* —*Venga* como elemento intensificativo: *Mientras tú te diviertes, yo v e n g a a trabajar.* —*El camarero v e n g a a traernos botellas y nosotros v e n g a a beber.*

El imperativo del verbo *decir* sirve para formular preguntas especialmente anhelosas y apremiantes (comp. al. «sag mal», fr. «dites un peu»). EMH 9 *D i m e , hija mía, ¿cómo te ha salido el trajecito?* Ibid. 17 *Y, d i m e , d i m e , qué, ¿te han pagado?* Antonio está impaciente; por otro lado le da miedo preguntar, lo que explica su *dime* reiterado. Otro distinto es el caso del imperativo *¡diga!*, con cuya fórmula se suele contestar a una llamada telefónica (R. CARNICER, Nrl, págs. 132-133).

Sobre el verbo introductor *decir* como fórmula, dice L. SPITZER del italiano (y puede aplicarse al español): «el hombre del pueblo gusta de acentuar lo que él dice... Decir es hacer y no sólo entre diplomáticos» (IU, 33). De *he dicho* o *está dicho*, para indicar presunción o altanería, nos ocuparemos más adelante en las «Formas de rematar la enunciación» (capítulo V).

Es peculiar del lenguaje vulgar la duplicación del verbo introductor como acostumbran a hacer los hablantes incultos al citar sus propias palabras. EMH 41 Sole (hablando con dos compañeras, sobre el juego de la ruleta): *Y por fin, harta de perder, ya desesperá, saqué los cinco duros últimos que me quedaban y d i j e , d i g o : «tres a la línea y dos a la calle».* Ibid. 41: *... y cuando pagaban, voy y d i j e , d i g o : «Ese duro de la calle es mío».* Al tratarse de citas que, como tales, requieren naturalmente reflexión, por poca que sea, hay que considerar el segundo *digo* como una especie de «puente» que lleva cómodamente a lo que se quiere manifestar. También es frecuente la combinación *dijo, dice* para introducir palabras de un tercero, por ej.: *cuando me vio, se vino corriendo hacia mí y me d i j o , d i c e : «Pero, oiga usted, ¿es verdad lo que cuentan por ahí?»* El hablante se halla tan dominado por el recuerdo de la situación que originó la cita, que introduce ésta repitiendo el verbo introductor en presente. Encontramos tres distintas formas temporales del verbo *decir* en este pasaje de C. J. CELA, «La colmena», pág. 174: *Me d i j o , d i c e , d i g a* *usted a la dueña que haga el favor de venir* [73]. (Sobejano.) Emparéntase con esta expresión de vacilación el *digo* precursor de rectificación. EMH 49 Antonio: ... *Pero está visto que en cuanto come uno quince días seguidos y se muda cada semana, pues que se le reverdecen las pasiones... ¡Dios mío! Que no se me verdevezcan, d i g o, redrevezcan, d i g o, verde...; bueno, ¡que no lo digo!* Ibid. 66 Leonor: *¿Murió tu padre antes de nacer tú?* —Marcos: *Año y medio antes...* (rectificando vivamente) *d i g o, no..., mes y medio.* MP 19 Hilaria: *¿Manda usted algo más?* —Pipo: *Nada más. D i g o, sí: que en lo sucesivo, cuando entre usted...,* etc. VS 16 Bonilla (ante la noticia de su colocación): *Dios es un ángel... D i g o, no... Dios es un santo... Bestia de mí que no sé lo que me digo: Dios es Dios.* Los siguientes casos contienen otras formas de autocorrección [74] espontánea. PL 21 *Ha venido a comprarme... no, n o d i g o b i e n : ha venido a comprar en mí la voluntad de un moribundo.* Aquí la corrección no obedece al deseo de rectificar, sino más bien de reforzar, la propia expresión. Esto mismo resalta aún más claramente en VS 63: *¡El nimbo que circunde su coronilla tendrá las dimensiones del arco iris, q u é d i g o el arco iris, las del anillo de Saturno!* Al alemán «das heisst» (abrev. *d. h.*), que SPITZER interpreta como elipsis de «wenn ich so sage, so heisst das» (lit. 'al hablar así, quiero decir'), corresponde en español *es decir.* EMH 22 *Déjalo...* (reaccionan-

---

[73] F. GONZÁLEZ OLLÉ, en «El habla de la Bureba», pág. 39 («Introducción al estilo directo»): «Suele hacerse por medio de un *dice*, que llega a convertirse en un verdadero morfema de estilo directo, ya que se emplea para cualquier persona, número y tiempo, incluso tras la forma de *decir* exigida por la concordancia: *cuando llegué me d i j e r o n, d i c e...*». Véase también JOSÉ DE ONÍS, «La lengua popular madrileña en la obra de Pérez Galdós», en RHM, XV, 1949, págs. 353-363, especialmente pág. 358. Además, el bien documentado artículo de M. MORREALE «'Fue y le dijo' 'cogió y se fue' (Observaciones acerca del uso del verbo 'sin contenido semántico')», en «Estratto degli Annali di Lingue e Letterature straniere dell' Università di Bari», VIII, 1966.

[74] Es muy popular la autocorrección citada por M. MORREALE (Res., pág. 130) *miento*, a veces ampliada en *para que el diablo no se ría de la mentira.* En CASTILLO-PUCHE, P40, pág. 375, ocurre: —*Conste que yo sólo le he visto dos veces. M i e n t o, tres veces.*

do con gran energía) *e s d e c i r , ¡déjalo, no!... No es posible
dejarlo.* MP 28 *¿En el coche? No. E s d e c i r , es posible.* El
hablante no se corrige retirando la primera afirmación, sino
dando a ésta, por decirlo así, una interpretación distinta. *Mejor
dicho* se corresponde exactamente con al. «besser gesagt». EMH
15 *Ahora bien, e s d e c i r , ahora mal... o m e j o r d i c h o ,
el caso es, señor Társilo, que...,* etc. En vez de *mejor dicho,*
se usa también *por mejor decir* (fr. «pour mieux dire»). Ibid.
80 *Er zeñó don Antonio Jimene er Modoso ¿mora en esta vivienda, u, p o r m e j ó d e c í, vive en esta morada?* (afectado
preciosismo del «clásico chulo madrileño»). Ha de entenderse
irónicamente: *Hay que tener mucho cuidado, Miguelín. —D í -
m e l o a m í* (= 'a mí no hace falta que me lo digas'). A veces
se oye con el mismo sentido: *¿A quién se lo dices?*

Una aclaración de gravedad o una palabra comprometedora
o escabrosa suelen ser introducidas con *digámoslo así.* La sus-
pensión consiguiente se marca mejor con la forma interrogativa *¿cómo diríamos?* Así en este pasaje de Cela: *Filo recorre
las camas de los hijos, dándoles la bendición. Es, ¿cómo diríamos?, es una precaución que no deja de tomarse todas las
noches* (Colmena, pág. 233). El hablante estrecha el contacto
con el oyente y en cierto modo le hace compartir la responsabilidad de la expresión que sigue («plural inclusivo»). Otra
fórmula es *que digamos,* la cual suele encontrarse en lugar de
las anteriores, pero generalmente pospuesta: EMH 67 *Y como
tu padre no es q u e d i g a m o s ningún chavalillo.* PF 7 *Conque
ésta es la cama, ¿eh? No es muy blanda q u e d i g a m o s.
Pero, en fin...* El reproche contenido en *no es muy blanda*
queda algo suavizado por el *que digamos* pospuesto. R. Carnicer señala como «de relleno» *digamos* en p. ej.: *A mí, d i g a -
m o s, esto no me gusta. —Lo que conviene, d i g a m o s, es
que tu hermano confiese la verdad. —[...] en estas condiciones,
d i g a m o s ¿qué podemos hacer?* (Lh, pág. 15). El mismo autor,
refiriéndose al frecuente sintagma *o sea,* dice que «implica ya
una alteración gramatical de cierta importancia. Función común:
señalar una equivalencia igual a las rayitas = en matemáticas:
Ha dicho 4 reales, o s e a, una peseta. Función nueva: *Está*

lloviendo, o sea, que no podemos salir». Aquí, comenta CAR-
NICER (ibid.), o s e a = 'por tanto', 'por lo cual'. *«Digamos* (como
expletivo), observa el mismo CARNICER (ibid. pág. 14), en Barcelona ha caído como una peste». Y a continuación (pág. 15):
*«Junto con este *digamos* y e x t e n d i d o a l a t o t a l i d a d
d e l p a í s , se halla en su fase epidémica *o sea»*.

La incitación a continuar hablando se expresa mediante
sigue, siga usted, ocasionalmente también mediante *continúe*,
sin duda más literario. AH 26 Chorrito: *ya sabe usté que se las
tira de nervioso.* —Barbarita: *S i g u e , s i g u e ; que tengo el
corazón en la garganta* (de impaciencia). EUB 28 Julia: *Una
está ya algo baqueteada y conoce la vida.* —Primo: *Por lo que
he podido advertir, tiene usted en cada ojo una lupa. C o n -
t i n ú e .* Aquí Primo emplea *continúe* en un remedo cómico
del afectado modo de hablar de doña Julia.

INTERJECCIONES

Hemos estudiado hasta aquí con preferencia las formas de
iniciar el diálogo que el hablante usa más o menos indepen-
dientemente de lo que dice el interlocutor, o sea, formas de su
propia iniciativa. A continuación nos ocuparemos principalmente de aquellas otras que reflejan la impresión producida
en el hablante por una manifestación o un acto del interlocutor,
o bien —en un sentido más amplio— por cualquier suceso del
exterior. Aquí el hablante está totalmente dominado en su
modo de expresarse por la situación respectiva. A las expresiones más o menos involuntarias que preceden a la verdadera
manifestación es a las que llamamos interjecciones en el más
amplio sentido de la palabra.

Sólo por razones puramente extrínsecas de claridad expo-
sitiva distingo interjecciones simples (constituidas por palabras aisladas) y giros interjeccionales. Por estos últimos entiendo frases cortas en forma de exclamaciones que originariamente fueron respuestas dadas con toda deliberación, pero que
con el uso han venido a cuajar en fórmulas estereotipadas,
dichas casi involuntariamente y por tanto de modo interjeccional.

Lo mismo cabe decir de ciertas exclamaciones de e x h o r t a -
c i ó n con las que se reclama prisa, cuidado, etc. Aunque es-
capan de la iniciativa del hablante y por ello parecen caer fuera
del marco de nuestra definición, se las puede, no obstante,
comprender entre las interjecciones por cuanto están ligadas
a situaciones bien determinadas, son de cuño estereotipado y
sobre todo tienen un contenido afectivo, por el que el hablante
se halla al fin dominado, pese a tener la iniciativa. Tales son,
por ejemplo, *¡pronto!*, *¡inmediatamente!*, *¡fuera!*, *¡ánimo!*, *¡cuidado!*, este último usado a menudo en la forma diminutiva:
Fr. 36 *¡... c u i d a d i t o con la morronguita!* [75]. Aquí encaja el
c u i d a d o si habrá mozas guapas allá en Sevilla citado por
Spitzer («Aufs.», pág. 114), que lo interpreta como irónico. Tenemos además *cuidado*, como designación afectiva de cantidad
(véase cap. III, pág. 235), en frases del tipo *c u i d a d o con las
veces que le he visto*, es decir 'le he visto innumerables veces',
y *cuidado que: ¡c u i d a d o q u e eres bobo!* '¡qué grandísimo
bobo eres!'. José Vallejo (ob. cit., pág. 368) cita como ejemplo:
¡C u i d a d o c o n la vida que llevaba la pobre Carola! (H.ᵒˢ Quintero). Con función análoga a la de *cuidado* para reclamar precaución, encontramos la interjección *¡ojo!* [76], que se diferencia
de la anterior en que predominantemente señala cosas o personas que entrañan peligro; por ejemplo: *¡ O j o c o n ese coche!*
(que no te atropelle). EDE 82 *¡Mucho o j o c o n er morisco!*
El DM define así la significación metafórica de *ojo*: «Atención,
cuidado o advertencia que se pone en una cosa». Se acompaña
casi siempre (y en todo el ámbito de habla española) con este

---

[75] En vez de *morronguita* hoy más bien *chavala* o *gachí*, etc. Se va
extendiendo cada vez más el uso de *chaval* por 'chico, niño'. *Eres un
chaval* (o un *crío*) 'muy joven todavía'. Con el sentido de 'hijo pequeño',
hijito, los gitanos, con inclusión del pueblo humilde, usan con frecuencia
churumbel(es), que «se considera por lo general como gitanismo, pero
no lo es», como ha demostrado M. L. Wagner en RFE, XXV, pág. 178.
En cambio, *chaval(a)* es «palabra muy usada en Andalucía y hoy en toda
España» (Wagner en BICC, 1950, n.º 2, pág. 195).

[76] «*¡Ojo!*, *¡cuidado!*, *¡atención!* tienen predominantemente valor de ad-
vertencias; a veces son interpretables también como elipsis de imperativo» (E. Lorenzo, págs. 90-91).

gesto: tirar, con el índice, de la piel de debajo de un ojo. P 20
¡Mucho o j o con la ortografía! Fulano *tiene mucho o j o* (vulgar
mucha pupila; o *es un pupilón*) se dice de un hombre astuto
y vivo a quien nada se le escapa (equivale a los giros *tener vista,*
tener quinqué (éste raro hoy, sencillamente porque ya no hay
lámparas de petróleo) y *tener pesquis*). En EUB 26 Primo:
Bueno: tantearé a la futura familia y me haré con ella, porque
no deben de andar descalzos... ¡ P u p i l a , Primo!, vemos *pu-*
pila («pars pro toto») empleado humorísticamente por *¡ojo!*

Anda expresa originariamente una invitación al puro movimiento corporal. Pero en uso interjectivo no pasa de ser expresión destinada a incitar o dar estímulo o aliento, como se
desprende claramente de EUB 46 *A n d a , ven, sentémonos aquí*
y charlaremos un rato. Tomado literalmente, *anda* excluiría un
sentarse. (Compárense casos como fr. «viens que je te ramasse»,
al. «komm, ich hebe dich auf»). Otro tanto vale para *¡ a n d a ,*
corre, hijo! Este *anda* puede preceder no sólo a imperativos de
verbos de movimiento, sino también a otros, como en EMH 21
A n d a , hijo, cómetelos tú. Nótese la gradación en el siguiente
ejemplo: *Perdona, papá. Perdóname. A n d a , ¿me perdonas?*
(VICENTE SOTO, «La zancada», pág. 105). En ocasiones, puede
ir también pospuesto: EMH 21 *Mira, papaíto, hazme de apren-*
diza, a n d a . Que *anda*, en esta función, no está aún enteramente gramaticalizado lo demuestra EMH 76 Sole (que admira
burlonamente el pelo «ensortijillao» de Marcos, cuando éste
le ofrece cortarse un mechón): *No me lo ofrezca usted, que*
se lo tomo. —Antonio: *No insistas, que te toma el pelo* («tomar
el pelo» = 'burlarse de uno'). —Marcos (totalmente fascinado
por la mujer): *Pues a n d e u s t é ..., con que me deje usté lo*
bastante pa que me conozcan en casa...

Otro es el sentido de *anda* en EMH 80 Quemarropa: *¿Él a*
mí? ¿Estás zegura? —Leonor: *A n d a , como que*[77] *le ha escri-*
to a usted cinco o seis cartas citándole. Aquí ya no es forma
verbal viva, pues de serlo se hubiera usado en la forma de
cortesía *(ande usted).* Estamos ante una función completamente

---

[77] Sobre *como que*, véanse págs. 200 y ss.

distinta, que yo llamaría pasiva en contraposición a las activas de que hemos tratado anteriormente. EMH 81 Quemarropa: *¿Pero tú no tienes miedo?* —Leonor: *¡ A n d a , miedo!... ¡Pues a veces tiran hasta tiros!* En los dos casos el interlocutor había formulado antes una pregunta. *¿Estás segura?*, en el primer ejemplo; la duda contenida en la pregunta queda rechazada con *anda*, como si se dijera: «vete de ahí con semejante pregunta». En el segundo caso el *anda* de la interlocutora repudia la alusión al miedo que le diera Quemarropa.

Como tercera forma de empleo de nuestra interjección habría que citar la que expresa sorpresa. *Anda* suena entonces casi como *andá*, es decir, con acento agudo. Muchas personas, principalmente en Madrid, reaccionan con *anda* a toda noticia extraordinaria, por ejemplo: *Mi hermano está en la cama con un fuerte catarro.* Respuesta: *¡ A n d a !* EMH 75 (Antonio había asegurado a su amada que estaba él solo en la casa, cuando de pronto sale de la habitación contigua Marcos) Sole (asombrada): *A n d a , ¿pero no estabas solo?* En muchos sainetes esta acentuación aparece marcada hasta gráficamente [78]; por ejemplo, MP 11 *¡Pues bueno es el azministrador, don Frutuoso!... ¡A n d á ! Lo más chinche.* Ibid. *Porque, ¡a n d á !, de las cosas de Palacio sabe también más que un alabardero.* Ibid. 71 Berenguela: *Y si no le importa a usted, ¿por qué quiere enterarse?* —Hilaria: *A n d á , por gusto.*

Vamos interjectivo. Ha de entenderse literalmente en EUB 24 Guzmán: *Voy a llevar al marqués a su habitación. V a m o s , Segundo.* Al caracterizar el matiz de trato amistoso inherente al «plural inclusivus», SPITZER aclara: «si vamos juntos se te hará más fácil» (IU, 23). En el uso propiamente interjectivo *vamos* incita a activar la acción. EUB 9 *¡Pronto! Una escalera.*

---

[78] Sospecho que en todos estos casos se trata originariamente de la segunda persona del plural del imperativo *(andad)*. En el soneto «Diálogo entre Babieca y Rocinante» de los preliminares del «Quijote», leemos: *No me deja mi amo ni un bocado.* — *A n d á , señor, que estáis muy mal criado.* ANTONIO QUILIS: «Un rasgo [...] muy madrileño es la aparición de una c o n s o n a n t e con valor s i l á b i c o en la exclamación *¡andá!*, realizada como *¡ndá!*» («Estudios madrileños», I, 1966, págs. 365-72).

Hay que entrar por el montante y abrir la puerta; ¡v a m o s !
En otras situaciones sirve para dar ánimos, y al mismo tiempo
apaciguar: EUB 11 *V a m o s , Segundo, serénate, cálmate.* Ibid.
46 *V a m o s , Carolina, no te acongojes.* PL 21 *V a m o s , tran-
quilízate.* Imposible encasillar en moldes fijos los múltiples usos
de ésta y de tantas otras interjecciones. Algunos casos más:
EMH 75 *P e r o , v a m o s , no dice usté que es un obrero y
por el tipo... ¡cuántos señoritos quisieran...!* Ibid. 75 *No tie
usté más que mirarse al espejo... figura, simpatía, buen porte;
a m o s* (= vamos), *que si yo me casase con usté, no estaba*[79]
tranquila. SPITZER («Aufs.», pág. 79) explica el *que* tras *vamos* de
ese ejemplo, remitiendo a TOBLER, «Vermischte Beiträge», I, 57
y sigs. («Oraciones con *que* precedidas de expresiones adverbiales de aseveración, juramento, etc., y de interjecciones»). Acerca
de *vamos* como expletivo o muletilla, véase más adelante, capítulo IV, págs. 415-416.

Vamos se usa igualmente como expresión de rabia. EMH 9
¡Dormírseme el despertador!... ¡V a m o s , es el colmo! EMH
21 *¡ A m o s*[80], *que el disgusto es pa morirse!* PL 12 *¡V a m o s !
Estás loco.* Se oye mucho la expresión: *¡V a m o s , hombre,
no hay derecho!*

Otra forma del mismo verbo, interjeccionalmente empleada,
es *vaya*. A diferencia de *vamos,* que incluye a hablante e interlocutor, *vaya* excluye, mejor dicho, aparta a éste. La definición
de DL: «Interjección familiar que se usa para denotar leve
enfado, para expresar aprobación o para excitar o contener»,
difícilmente se ajusta a todos los múltiples vaivenes de la lengua viva. Obsérvese este pasaje de EMH 15 Társilo (dando un
terrible puñetazo sobre la mesa): *¿Pero es que me va usted a
salir ahora con que no me paga?* (Otro puñetazo). *Pues no
señor, ¡v a y a !... que ya estoy harto de pamplinas.* Como dan

---

[79] En la apódosis de una condicional irreal, coloquialmente se prefiere
el imperfecto de indicativo al condicional, más usado en la lengua culta.
Véase también capítulo III, nota 47.

[80] No olvidemos a este propósito el madrileñísimo *¡amos anda!* de
los años 20 y 30, citado por F. YNDURAIN («Más sobre lenguaje coloquial»,
en «Español actual», n.º 6, pág. 3).

a entender los ruidosos puñetazos sobre la mesa, no se trata aquí ciertamente de un «leve enfado». Totalmente distinto es el caso en **P 12** Alfredo: *Recorrí luego todos los números siete de la calle y nada; es decir, en el 27 me pegó un garrotazo el inquilino del segundo.* —Perecito: *¡V a y a! Menos mal.* —Alfredo: *¿Cómo menos mal?* —Perecito: *Sí, menos mal que sólo te pegaron en el número 27.* Otra modalidad ocurre en **AH 38** Castañeda (entre enfadado y resignado): *¡V a y a! Me quedo sin enterarme de lo que se contaba en la botica.*

Esta misma interjección ha creado dos tipos sintácticos sumamente curiosos. En primer lugar *vaya un(a)* + sustantivo, expresivo éste de una cosa o circunstancia que desagrada al hablante; por ejemplo, *¡v a y a una espera!* Del DM tomo los siguientes modismos de este tipo: *¡v a y a una catilinaria!, ¡v a y a una ensalada!, ¡v a y a una mescolanza!, ¡v a y a un jaleo!, ¡v a y a una gavilla!, ¡v a y a una pejiguera!, ¡v a y a un chinche!* En Madrid se dice de una cosa aburrida que ataca a los nervios (por ejemplo, de un discurso): *¡v a y a una lata!* [81], o *¡v a y a un tostón!,* o *¡v a y a un rollo!* [82]. La misma construcción se encuentra también sin artículo. NV 68 Pepa: *¡Qué bonita está!* (Carmen). —Señá Susana: *¡V a y a moza!* Aquí, por cierto, tiene sentido de alabanza. «El sentido despectivo o admirativo no reside en el artículo (cuyo empleo o ausencia no influye en él para nada), lo da únicamente la e n t o n a c i ó n» (E. LORENzo, pág. 145). Se trata de una interjección muy polisémica: el maestro de escuela dice *vaya, vaya,* por lo general, cuando se

---

[81] *Me estás dando la lata* ('me estás molestando'). De *lata* en este sentido se derivan *latoso* y *latazo*. Sobre el origen de este frecuentísimo modismo, junto al cual se dice también *dar la tabarra,* véase DÁMASO ALONSO, «Esp. *lata, latazo»,* en «Bol. de la Real Academia Española», XXXIII (1953), 351-388, donde se discuten etimologías anecdóticas que relacionan el modismo con las *latas,* envases vacíos de hoja de lata, empleadas para meter estruendo en las *cencerradas* (serenatas ruidosas que se organizan en los pueblos las vísperas de las bodas de viudos o viejos). Véase también la nota de José Carlos de Luna recogida en IRIBARREN, obra citada, págs. 186 y 540.

[82] «La propagación actual de los giros idiomáticos y modas lingüísticas que irradian de la capital es muy considerable» (E. LORENZO, pág. 48).

toma las cosas en broma, o cuando riñe y cuando se burla de uno. Un ejemplo: *Pues como digo, va y dice: ¡V a y a , v a y a !, ¡Conque tú filósofo! Veamos, veamos, qué clase de filosofía elabora tu privilegiado cerebro* (F. CANDEL, EPH, pág. 333).

Tiene valor irónico (correspondiente al alemán «schön, nett», en «nettes Gemengsel», por ejemplo) la variante del tipo que acabamos de estudiar: *valiente* o *menudo (menuda)* + sustantivo, por ejemplo: *¡v a l i e n t e bola!, ¡m e n u d a primada!* (comp., para *primo*, la nota 14 de este capítulo), *¡v a l i e n t e plancha!*[83], *¡m e n u d o chasco!* Véase más abajo, págs. 230 y ss.

La segunda forma gramaticalizada que ha creado *vaya* es *vaya si* + forma verbal. LP 32 *Le desheredo, ¡v a y a s i le desheredo!* AH 26 Barbarita: *¿Y entró también?* —Chorrito: *¡V a - y a s i entró!*

Para cerrar esta serie de interjecciones de exhortación, mencionaremos *¡ea!* y *¡hala!* La primera sirve para estímulo en el más amplio sentido de la palabra: «se emplea para infundir ánimo y excitar o para indicar alguna resolución de la voluntad» (DL). Z 9 Micaela: *E a, pos siéntate ya, terrón*[84]. Martingalas 10 *Hay que tener coraje, decisión, valentía, ímpetu. ¿Te gusta?* (la muchacha). *¡ E a , pues ya! ¡Duro!* PC 28 *¡ E a , largo, divertirse!* Como señal de indignación se encuentra *ea* casi siempre pospuesto, por ejemplo, Fr. 41 *... esto no se puede tolerar, y no hay más cera que la que arde, ¡ e a !*

¡Hala! (de origen árabe, según RFE, I, 505; o voz de creación expresiva, según COROMINAS) tiene un campo de aplicación

---

[83] *Tirarse una plancha* (DM) 'meter la pata, hacer el ridículo'; WAGNER en un artículo sobre el caló mejicano, en la ZRPh, XXXIX, 543, lo tiene por «originariamente expresión del caló». Hoy en lugar de *tirarse una plancha*, es muy corriente *llevarse un corte* = 'equivocarse', 'colarse', 'meter la pata'. *Le di un corte* = 'una réplica definitiva, sin posible respuesta'. (Véase el artículo «El corte» en «El idioma nuestro de cada día», de «Estafeta literaria»).

[84] Palabra cariñosa ocasional. Juanico había contado a la gitana quién era su padre. Entonces Micaela se hace lenguas de él: *De bueno que era en el pueblo le yamaban Asuca*. A través de la idea de 'terrón de azúcar' llega Micaela a emplear *terrón* como expresión de afecto. (Comp. *prenda* en la pág. 46.)

más pequeño en cuanto expresa predominantemente una incitación al movimiento corporal. EMH 33 *Pues un día le llega su servicio, le visten de soldado y, h a l a, adonde le manden...* PC 23 Perico: *Con ponerme yo la levita está todo hecho.* —Juan José: *¡Pues h a l a!* (Para el catalán: Spitzer, «Aufs.», 212.) Además se emplea *¡hala!* (junto a *¡vaya!*) también para expresar enfado; así, por ejemplo, cuando un niño dice a otro: *no quiero jugar más contigo, h a l a,* o una novia a su amante: *no te vuelvo a dirigir más la palabra, h a l a, para que te enteres.* (Sobejano).

Para meter prisa sirve *¡hala!* y también *¡venga!,* que en esta función permanece invariable: *Venga, h a l a, no molestéis más aquí, niños, ir a jugar a otra parte.* (Sobejano.) *V e n g a, vámonos ya; si no, perderemos el tren.* (Sobejano.)

Todas las interjecciones de que vamos a tratar a continuación son reflejos de la inmediata impresión causada por unas palabras previas del interlocutor o por una situación que inducen al hablante a manifestaciones de alegría, dolor, sorpresa, ira, desdén, etc.

Su clasificación en este sentido fracasa por el hecho de que el empleo de la mayoría de ellas —llamémoslas i n t e r j e c-c i o n e s p u r a m e n t e p a s i v a s— no viene limitado por determinadas situaciones, pudiendo, por ejemplo, un grito de sorpresa como *¡caracoles!,* emplearse también en un caso de ira. Incluso una agrupación por las categorías de placer-desagrado o asentimiento-disentimiento, como la intentada por Wunderlich para el alemán («Unsere Umgangssprache», pág. 29), es impracticable para el español puesto que, por ejemplo, *¡ay!* (como, por lo demás, también el alemán «ach!») lo mismo puede ser expresión de dolor que de alegría. Así, pues, me parece lo más práctico mencionar las interjecciones «simples», más corrientes por orden alfabético. Pero, ante la abundancia existente, no cabe llegar ni aproximadamente a la totalidad, pues lo mismo en la forma que en la aplicación, se dan grandes diferencias regionales. Así, por ejemplo, las interjecciones *¡pis-pajo!, ¡cascajo!, ¡jorria!, ¡coime!* y otras, que se encuentran en las novelas de Pereda, son muy corrientes en la costa del Cantábrico, pero inusitadas en Madrid. Deberemos citar preferentemente las usuales en Castilla, y otras que desde el punto de vista lingüístico sean de especial interés. Por lo demás, siendo Madrid como un receptáculo de las expresiones de todas las partes del país, ello nos autoriza a atribuir a sus usos lingüísticos el valor de cierta norma general para toda España.

¡ah!

Es ante todo la manifestación que acompaña a la comprensión de lo comunicado (en este sentido está cercano al alemán «aha!»). EUB 8 Domingo: *El señorito está en el cuarto de baño.* —Guzmán: *¡ A h ! Entonces no le avise hasta que se seque.* Ibid. 12 Segundo: *Se trata de una deuda de honor. ¿Me entiendes, Guzmán? ¡De honor!* —Guzmán: *¡ A h ! Es de honor.* En este uso se encuentra muy frecuentemente *¡ah!* combinado con *ya.* Z 8 Juanico (al preguntarle la gitana quién es su amo): *Don Pedro Molina, el amo der Mazarquiví, er cortijo más zonao* (= *sonado,* 'conocido', 'famoso') *der pueblo.* —Micaela: *¡ A h , y a !* Este *¡ya!* se explica originariamente por un posible *ya estoy* (fr. «j'y suis») o *ya caigo (en la cuenta), ya entiendo.* «Don Quijote», II, 7 *Y a, y a caigo, respondió don Quijote, en ello: Tú quieres decir que eres tan dócil* (en vez de «fócil», como ha dicho Sancho). *Ya* tiene en cuenta la impaciencia del interlocutor, haciéndole creer que el oyente le había entendido «ya», es decir, antes de lo que razonablemente se hubiera podido esperar. Así, por ejemplo, cuando un camarero, después de hacer esperar al cliente un buen rato, al fin trae lo pedido, con un *y a está usted servido.* Con frecuencia, la combinación *¡ah, ya!* y, en ocasiones, también el solo *¡ya!* no pasa de simple expresión refleja ante cualquier notificación, significando que el oyente atiende. (En alemán se emplea para esto la partícula «ja» —casualmente homófona—, y también en ocasiones la interrogativa «so?».) PF 32 Rufino: *¿Cómo? V. tiene...* —Emeterio: *Sí, señor. Este caballero tiene de todo. Es comisionista.* —Rufino: *¡ A h !* —Palau (presentándose): *Pau Palau y Tomeu, representante de Andreu, Grau y Ríu, de Barcelona.* —Rufino: *¡ Y a !* Ibid. 9 Pa-

lau: *Yo viajo siempre lleno de bultos. Soy comisionista.* —Emeterio: *¡ A h , y a !* (en alemán, «aha!»). M 46 Leonardo: *¿Qué
es ello?* —Salvador: *Na de particulá: que le he dicho que le
dé un poco más de movimiento al modelo de la verja esa.* —Leonardo: *Y a.*

Otro uso importante de *¡ah!* se encuentra en la introducción
de frases que reflejan una ocurrencia súbita del hablante.
QNSF 13 Trambuz (que ya se iba, volviéndose de repente):
¡ A h ! [85], *me olvidaba decirle que...* VS 11 Presentación (hablando con su madre, de quien ha recibido un encargo): *Está muy
bien. ¡ A h ! En la cocina está el criado negro de Madam Perrin...*

Difiere completamente de todas éstas la tercera función de
¡ah! como grito de ira. Z 13 *¡ A h , ladrón! Te has estao burlando
de esta probe* (= pobre) *mujer.* Ibid. 14 *¡ A h , pajolero! ¿conque
es farsa?* (= falsa; se refiere a una peseta). (Este *¡ah!* corresponde enteramente al alemán «ha» en «ha, Schurke!»).

Pero no se han agotado con eso las posibilidades de empleo
de nuestra interjección. Como uno de los sonidos primigenios
del lenguaje humano, acompaña en general a las manifestaciones de los más diversos estados de ánimo, como el b i e n e s -
t a r : PL 30 Pedro: *¡Soy yo el único que no tiene por qué arre-
pentirse de nada! ¡ A h ! ¡Estoy contento!;* o a d m i r a c i ó n :
M 24 Mariquita: *Pos la hermana entonses fue y le dijo: «Güeno, esto* (la bofetada que le ha dado el borracho) *es pa mí.
Ahora sigo pidiendo pa mis pobres».* —Malvaloca (admirada):
¡ A h ! ; en fin, expresando d o l o r y t r i s t e z a : PL 10 Pedro:
... (si tengo tu amor) lo demás del mundo me sobra. —Adela
(irónica): *Es claro, y con el troquel que aquí tenemos para
hacer moneda...* —Pedro (triste): *¡ A h , el dinero, el dinero!
¡Ya vendrá el dinero!* Véase también A. RABANALES, ob. cit.,
págs. 219-222.

---

[85] En esta situación (recuerdo repentino de algo casi olvidado) la
interjección suele ir acompañada de un ligero golpe sobre la frente con
la palma de la mano.

¡ay!

En primer lugar, como manifestación de dolor [86], acompaña a los suspiros. El hombre impulsivo suspira, incluso en presencia de personas extrañas y sin motivo especialmente doloroso, con un *¡ay!* claramente perceptible. Z 9 Micaela: *Ea, pos siéntate ya, terrón.* —Juanico (dejándose caer con abatimiento en una silla y suspirando): *¡Ay!* El dolor hace prorrumpir en un *¡ay!* (correspondiente al alemán «ach!») en: Z 9 *¡Ay!, creatura, qué de cosas te van a pasá en este mundo.* LP 27 Pedro (se desploma rendido en una silla): *¡Ay!... Parece que llevo caminando un año entero.*

Frente a éste, está el *¡ay!* como expresión de alegría. Y es que una alegría excesiva puede influir tan desfavorablemente sobre nuestro físico como un dolor. Hace años estaba de moda en Madrid el piropo [87]: *¡Ay, que me troncho!* Z 12 Juanico (con explosión de alegría infantil): *¡Ay, Josú! ¿Qué me estás diciendo?* Ibid. 11 *¡Ay, qué presiosa! ¡Ay, qué bien se está aquí!* (Sobejano).

¡aprieta!, ¡arrea!, ¡atiza!, ¡agua!

Las cuatro, sin diferencia esencial en el uso, son manifestaciones reflejas de sorpresa, admiración o también de susto. Las diferencias consisten sólo en la preferencia regional y no rara vez puramente individual, de una u otra forma. En Madrid se oye más *¡atiza!*, mientras el asturiano usa con preferencia *¡arrea!* Compárense las siguientes definiciones de determinados giros en el DR: «*¡Arrea! que vas por sea (seda)*, frase em-

---

[86] Se emplea también como sustantivo, sobre todo en plural: *los ayes* 'lamentos, quejidos'.

[87] Se entiende por *piropos* las gentilezas (hoy, sobre todo en las capitales, frecuentemente también groserías) que el hombre dirige a la muchacha con quien se cruza en la calle, principalmente si es una *chica bien* (sobre *bien*, véase capítulo III, págs. 335 y ss.), una modistilla bonita, etc. Más sobre este asunto en BEINHAUER, «El humorismo en el español hablado», págs. 37, 161-235 («Piropos»).

pleada, sobre todo en Andalucía, para mostrar la extrañeza que produce el oír alguna salida de pie de banco. *¡Aprieta! que mañana es día de fiesta*, da a entender la sorpresa que nos causa oír un desatino o ver la afluencia inopinada de algunas cosas, por lo general molestas o desagradables. También se suele decir *¡Aprieta, resfriado!...* cuando se oye alguna cosa extraordinaria, como noticia sorprendente, disparate descomunal, trueno fuerte, etc.». Lo mismo significa, según SBARBI, *¡Atiza, que soy de Ariza!* y *¡Atiza, longaniza!* (sonsonetes populares meramente festivos)[88]. *¡Agua!* se explica por la petición que ha de entenderse literalmente en situaciones como EMH 37 Antonio: *Bueno, yo estoy..., yo estoy que... ¡Agua, un poco de agua!...* (y más abajo): *Bueno, un poco de agua. ... ¡Ay qué desagradable es esto de ser valiente!... ¡Agua! ... ¡Agua! ... ¡Tila!*[89] *... ¡Me ahogo!* Por lo demás, estos intentos de explicación requieren la máxima cautela. El DM dice acerca de *¡agua!*: «Exclamación muy frecuente que usamos cuando nos sorprende o asombra alguna cosa. Se emplea como para admirar la abundancia o gran importancia de algo que vemos, oímos o leemos». Frente a ello, Ibid. *¡Agua, que se quema la casa!* «Suele decirse cuando tenemos mucha sed, y demostramos ansia y prisa por beber.» (Para más expresiones «acuáticas», de las muchas que hay, familiares y populares, véase TOMÁS SALVADOR, ob. cit., págs. 277 y sigs.). Citemos además: *¡Atiza, constipado! ¡Atiza, Gorostiza!*[90] *. ¡Atiza, manco!*[91], equivalente de *¡aprieta!* o *¡agua!*

---

[88] Ampliación sobre esto en BEINHAUER, «El humorismo en el español hablado», págs. 122 y ss.

[89] *Tila* es el remedio más popular en España para aplacar los nervios. NV 52 Antonio: *¿Y cuánto dice que vale?* (el mantón). —Pepa: *¿Quieres que te prepare tila? Porque te vas a asustar.* EMH 50 Leonor: *Yo te encuentro... con un color tan pálido...* —Marcos: *Yo creo que es que toma usté demasiada tila*, don Antonio.

[90] Puro juego de sonidos, como los citados arriba, y cuyo único objeto es conseguir una rima: «Gorostiza» es un frecuentísimo apellido vasco. Véase BEINHAUER, «El humorismo en el español hablado», pág. 123. A propósito de *elementos lúdicos* en el lenguaje, véase el interesante artículo de F. YNDURAIN: «Para una función lúdica en el lenguaje» en «Doce

Sobre el desarrollo semántico de *¡aprieta!* como exclamación, sólo cabe aducir suposiciones. Puede explicarse por la voz con que se manda fijar fuertemente una cosa, por ejemplo, al asegurar un tornillo o concretamente, al prensar; o apoyarse contra una cosa, por ejemplo, una escalera, que amenaza caerse. *¡Arrea!* y *¡atiza!* tienen el significado concreto de «Aplicar, arrimar, dar algún bofetón, palo, etc.» (DL). Compárese EUB 43: *...uno que entra en la habitación del enfermo, le dice «mírreme usted bien a la cara», y le a t i z a un guantazo*[92] (véase capítulo III, pág. 258). También *...por cada guantazo que se le a r r e e dan diez pesetas.* Sin embargo, la significación *arrear* = 'dar golpes' se ha desarrollado sólo secundariamente, siendo la originaria «estimular a las bestias» (DA). Ocasionalmente esta interjección se usa para meter prisa. El verbo se deriva del grito *¡arre!* al incitar a las bestias de carga (*¡ a r r e , burro!, ¡ a r r e , mulo!, ¡ a r r e , yegua!*).

Atizar significa «remover el fuego o añadirle combustible para que arda más» (DA). Pero como reflejo de sorpresa, todas esas interjecciones están hoy completamente vacías de significado concreto. EMH 76 Leonor (entra inesperadamente en la casa y sorprende a su padre con Sole): *¡Buenos días!* —Sole (asustada): *¡ A t i z a !* PC 18 (Pepe, mozo de cuadra, poseído de la ilusión de adquirir categoría social, va apuntando todas las palabras cultas o extrañas que puede atrapar, para aprendérselas luego de memoria) Gaspar: *Pues yo, como tos* (todos) *los días acabo de comé...* (por su puro) *enciendo mi Larrañaga* (fuma). —Pepe: *¡ A r r e a !* (apunta)[93]. —Gaspar: *Me inhibo*

---

ensayos sobre el lenguaje» (Publicaciones de la Fundación Juan March, Madrid, 1974, págs. 215-227).

[91] La invitación a *atizar* 'dar golpes' hecha a quien le falta o tiene estropeado un brazo, es un contrasentido humorístico. A propósito de *atizar*, LUIS FLÓREZ (ob. cit. en BACol, XVI) cita: *fulano s e a t i z ó un trago*. Sobre todo tratándose de bebidas fuertes, es muy corriente: *a t i z a r s e un latigazo.*

[92] *Guantazo* es propiamente 'golpe dado con un guante' (con un guante de boxeador), de ahí 'fuerte puñetazo'.

[93] Pepe cree que *Larrañaga* es una denominación culta de *puro*. Igualmente, lo que el conde dice a continuación es un disparate seudoculto

de mi casa [94]. —Pepe: ¡ *A p r i e t a !* (apunta). EMH 72 (Leonor, vivamente indignada, enseña la puerta de la calle a la querida de su padre, a lo que ésta dice burlona) Sole: *¿Te has educado en las damas negras?* [95] (irónicamente: 'demuestras haber recibido una exquisita educación'). —Leonor (replica oportuna): *Más vale educarse en las negras que en las verdes* (aludiendo con *verde* en el sentido de 'inmoral' al feo oficio de la Sole). A Marcos, ante esta atrevida agudeza, se le escapa un *¡arrea!* de extrañeza o de sobresalto.

Aquí encaja como reflejo de sorpresa desagradable la frecuente clausulilla: ¡*no me diga(s)!*, cuya negación suele articularse muy enfáticamente; p. ej.: *¿Sabes que se ha muerto fulano?* —¡ *N o m e d i g a s !* —[...] *fueron los dos asesinados.* —¡ *N o m e d i g a s , Santos!* Ambos ejemplos son de AURA GÓMEZ (ob. cit., pág. 293), pero la clausulilla se oye con igual frecuencia en España: —*¿Sabes que en el examen le catearon a Alfonso?* —¡ *N o m e d i g a s , pobre chico!* —*Aquí han prohibido esa película.* —¡ *No m e d i g a !* En F. DE ÁVALOS, «En plazo», pág. 70, ocurre: —*Pues la enterraron el mes pasado.* —¡ *No m e d i g a !*

¡*bah!*

El Dicc. de Alemany y Bolufer define: «Interjección con que se manifiesta desdén o incredulidad». (Comp. al. «ach was!»,

---

(un *camelo).* La afición a las palabras cultas, en parte empleadas correctamente, en parte mal entendidas, y encima no raras veces mutiladas, es un rasgo característico del lenguaje popular, especialmente del de Madrid. Sobre esto véase: BEINHAUER, «El humorismo en el español hablado», cap. IV. Véase también el cap. X de E. LORENZO, ob. cit., especialmente págs. 196 y sigs. Además el artículo de JOSÉ DE ONÍS «La lengua popular madrileña en la obra de Pérez Galdós» (RHM, XV, 1949, págs. 353-363).

[94] Sentido presumible: 'no voy a casa'. En su empleo correcto, *inhibirse* significa 'mantenerse apartado' de una cosa: *política de inhibición* 'neutralidad'.

[95] *Las Damas Negras* es el nombre de un conocido y aristocrático colegio de niñas, de Madrid, llamado así por la toca negra de las monjas.

alemán del Norte «I wo!», fr. «ah bah!»). Conforme a su significación, se suele articular con una mueca de desprecio y una
a muy palatal. Según la definición de DL, sirve, en primer
lugar, para menospreciar como insignificante una cosa de la que
el oyente se asusta o a la que atribuye, según el parecer del
hablante, exagerada importancia. EUB 35 Claudia (a su madre,
enseñándole una fotografía de mujer que ha encontrado en el
armario del novio): *Mira, Segundo me engañaba.* —Julia:
*¡ B a h !, esto no tiene importancia, hija mía. Alguna aventura
galante de hombre soltero.* Ibid. 49 Guzmán (en monólogo, refiriéndose a Clara, su amada): *Me ha parecido que al decir
trucha me miraba con cierta intención... ¡ B a h !, aprensiones* [96]
mías. Guzmán, que no quiere admitir el pensamiento de que
su adorada le haya hablado con sorna (por el doble sentido,
familiar, de *trucha* 'pillo, buena pieza'), lo rechaza con ese despectivo *¡bah!* [97].

¡calla!, ¡calle!

«Interjecciones con que se denota extrañeza» (DL). Suele
emplearse indiferentemente una u otra. Podría sospecharse que
¡calle! (= ¡calle usted!) fuese la forma de cortesía correspondiente a *¡calla!* Sin embargo no es así, como se observa en

---

[96] *Aprensión,* aquí 'figuración', significa en otras ocasiones 'miedo a
la enfermedad': *fulano es muy aprensivo* 'tiene siempre miedo a enfer-
mar': en sentido más general, también 'es muy pusilánime y receloso'.

[97] La interjección, según advierte E. LORENZO (pág. 145) y he podido
comprobar personalmente, está en decadencia, desplazada por el cada
vez más frecuente *¡qué va!* (véase págs. 212-213). Sin embargo, *¡bah!* aparece muy a menudo en las novelas de ÁNGEL M.ª DE LERA (véase bibliografía), autor contemporáneo, el habla de cuyos personajes de tipo popular
refleja con gran fidelidad el lenguaje del pueblo. También en JOSÉ M.ª
GIRONELLA (véase bibliografía) hay ejemplos a granel. Debemos tener en
cuenta, sin embargo, que ambos escritores ya no pertenecen a la última
generación. Sin embargo ocurre también en la novela «El curso» de J. AN-
TONIO PAYNO (nacido en 1941): *— B a h , no hay problema. En cuanto
vean esto... No te entusiasmes tanto, Fry. No va a ser fácil. — B a h ,
Darío, no seas tan pesimista* —terció Alejandro (pág. 99).

EMH 65 Leonor (encuentra por la mañana a su padre sentado a la mesa durmiendo; ante él varias botellas y vasos): *¡Ah, papá durmiendo aquí! Yo creí que no había venido como otras noches. Pero llegaría al amanecer y se conoce que por no despertarme...* (Abre la ventana. Entra la luz). *¡C a l l e , y se ha bebido media botella de coñac!* Como vemos, del primitivo significado 'calle usted' apenas si queda ya rastro; *¡calle!* es aquí puro reflejo de sorpresa. Para el desarrollo de *callar* hasta su función puramente interjectiva, es característico: EMH 61 (El temible trío de matones Pollo-Requiés-Jarritas se dirige de la sala de juego al bar, donde ha de ser acordado el «programa» para la noche. En el local está Leonor esperando a su padre. Al verla, dice Pollo): *¡Hombre, c a l l a r s e ! ¡Qué nena!* —Requiés: *No está mal la moruchita...*, etc. En otras situaciones la petición de silencio corresponde a una negación afectiva y significa algo así como 'ni pensarlo', 'nunca jamás'. VS 12 Ismael: *¿Y dio resultado?* —Valenzuela: *¡C a l l e u s t e d , hombre!* A *los dos meses ni Bonilla ni yo volvimos a saber de aquel individuo.* VS 2 Tressols (catalán, que está comentando con el picador Sinapismo la mala asistencia de la casa de huéspedes en que viven): *... Usté no puede quejarse, porque usté, si no come, al menos dormita... pero a mí me han colocado junto a esa señora que trabaja en el circo, exhibiendo veinte perros amaestrados, y como yo ronco fuerte, ¿sabe?, pues se asustan los animalitos, y no querrá vosté* (catalanismo = usted) *saber con qué algarabía ladran.* —Sinapismo: *C a l l e usted, por la Virgen de Utrera, señó catalanista, que antinoche* (= anteanoche) *estuve yo por levantarme y principiar a tiros.* El juramento *por la Virgen de Utrera* intensifica aún más el carácter afectivo del modismo. Pero esta afectividad no se dirige contra el interlocutor, que está del todo de acuerdo con el que habla. Aquí el *¡calle usted!*, bastante alejado de su significado primitivo, no sirve sino para sobrepujar lo dicho por el interlocutor (como quien dijera: «si todo eso que usted dice no es nada todavía», realzando al mismo tiempo el efecto de las palabras propias). VS 33 Frasquito (habla con Ismael refiriéndose a un inglés algo raro): *Pero debe de ser muy infeliz, porque hay* *que ver cómo le toma el pelo*[98] *el sinvergüenza de Cotorra*[99], *el ciceroni.* —Ismael: ¡*C a l l e   u s t e d ,   hombre!* *a mí se me enciende la sangre* (cuando me acuerdo de ello). Aún hay casos en que se ha de entender literalmente, como en M 27 Salvador: *Chiquiya, lo que te agradesco* (sic) *esta visita.* —Malvaloca: ¿*Q u i e s* (= quieres) *c a l l a r t e?* ('ni una palabra', 'no hablemos de ello'). MP 43 Lisardo: *Y otra vez perdón, Galiana.* —Celso: *C a l l e   u s t e d , Infante.* En estos dos casos el hablante rechaza con viveza afectiva las disculpas o las gracias que le da el interlocutor. ¡*Calla!* (¡*calle!*) son puramente interjectivos en VS 45 Sinapismo: ¡*Chis!*[100]. ¡*Carlomagno!* (Véase pág. 42.) —P. Luis: ¿*Quién?* ¡*C a l l a; Sinapismo!* (alegre sorpresa al reconocerle). Ibid. 46 Sinapismo: ¿*No se acuerda usté de lo que hablamos en Madrid?* —Bonilla: ¡*C a l l e , sí!... Viene usted a lo del verdugo.* ('Caramba, ahora sí que me acuerdo'.)

---

[98] El frecuentísimo *tomar el pelo* (a alguien) 'burlarse de él', aludió originariamente al ultrajante tirar de la barba del enemigo. No es menos frecuente *una tomadura de pelo*, p. ej. *Ya va para dos horas que le estoy esperando y no viene.* ¡*Es una t o m a d u r a   d e   p e l o!* A veces se refuerza la expresión añadiendo: *pero en gordo*: *te han tomado el pelo, hijo, p e r o   e n   g o r d o.* También: ¡*una tomadura de pelo, pero [q u e] e n   g o r d o.* A veces se refuerza con *por todo lo alto*, p. ej. —*Pues en un caso como ése, lo que hace una es* (...) *tomarles el pelo p o r   t o d o l o   a l t o* («Jarama», pág. 88).

[99] Para *el sinvergüenza de Cotorra, la tonta de mi prima*, etc., véase OLAF DEUTSCHMANN, «Un aspect particulier des constructions nominales du type *ce fripon de valet* en espagnol», en «Biblos», 1939, XV, y JULIO CASARES: «Cosas del lenguaje», pág. 165: *El perezoso de Juanito; el imbécil del dependiente.* Dice RAFAEL LAPESA en un magnífico estudio «Sobre las construcciones *el diablo del toro, el bueno de Minaya, ¡ay de mí!, ¡pobre de Juan! ¡por malos de mis pecados!*» («Filología», Buenos Aires, VIII, 1962, págs. 169-184): «[...] abundan extraordinariamente en el l e n g u a j e c o l o q u i a l   m o d e r n o identificaciones laudatorias y peyorativas como *una monada de chica, ese castigo de mujer, que gracia de hombre, un sol de criatura, un adefesio de señora, una birria de máquina, un desastre de viaje, una hermosura de verano, qué delicia de pueblo, qué oscuridad de noche*, etc. [...] la calificación puede referirse a personas y cosas» (pág. 174).

[100] *Chis, chiss, chist* son sólo variantes gráficas del gesto sonoro mencionado en la nota 69. Véase también SALVADOR FERNÁNDEZ, obra citada, pág. 86.

¡ca!, ¡quia!

Ambas significan: «negación o duda de alguna cosa» (DM).
SCHUCHARDT, en ZRPh, V, pág. 314, nota 2, considera a *quia* como
articulación afectivamente modificada de *¡ca!* [101], por ejemplo:
Tú cobras, pero trabajar, ¡ q u i a !, no faltaba más («Su Excelencia», de VITAL AZA). En Madrid se oye *¡ca!* frecuentísimamente unido a *hombre*, por ejemplo: A: *Pero si yo digo eso,
me suspenden.* —B: *¡ C a , h o m b r e ! ¿que te van a suspender?* EUB 72 *Aquí hay mucha gente maleante, se pone de acuerdo* (Macías) *con otro y me apiolan* (= 'me matan'; véase capítulo III, págs. 252-53). *¡ C a !, yo fustro* (= *frustro*) *este crimen.*
PC 20 *Yo vi el libro, vi el bastón que compró mi padre y dije:
¡ q u i a !, a mí ninguna de las dos cosas me entra en la cabeza.*
MP 12 Doña Munda: *Delata* (este gabinetito) *la mano de una
mujer fina y cuidadosa.* —Hilaria: *¡ Q u i a !* —Doña Munda:
¿Cómo? —Hilaria: *Que aquí no ha entrao ninguna mujer.*
('Dios le libre'). Por lo demás, *ca (quia)* está cayendo en desuso.
En su lugar se emplean expresiones como *¡que te crees tú eso!* [102],
¡qué va! y otras. Véase también: M. CRIADO DE VAL, «Fisonomía
del idioma español», pág. 192. Por cuanto a la procedencia eti-
mológica de *quia*, COROMINAS la deriva, en mi opinión, acertadamente, de *¡ q u é h a de ser eso!* o sea, de la elipsis *q u é h a* =
quia (comp. n. 101).

¡camará!

Es *camarada* con pronunciación andaluza y probablemente
andalucismo importado a Madrid. El DM define: «Interjección

---

[101] Me parece más acertada la nueva interpretación de J. COROMINAS,
obra citada, como procedente del *¡qué ha...!* que se encuentra en el modo
frecuente de rechazar con enfado lo dicho por el interlocutor (véase página 206): A: *Mi tío está enfermo.* —B: *¡ Q u é h a de estar enfermo,
hombre, q u é h a de estar enfermo!* Lo que pasa es que no ha querido
venir.

[102] Véase también: FR. YNDURAIN, art. cit. (bibliografía), pág. 291.

familiar que denota extrañeza, asombro, admiración» [103]. En los pocos casos en que se me ha presentado, tiene un matiz de enojo, de desagrado. PC 19 *¿Pero qué es lo que dice?* (el hijo de Gaspar). —Gaspar: *Que te va a quitá un carrillo de un bocao* (abrazándola). —Carmencilla: *¡ C a m a r á! ¡Vaya un niño!... ¡Y vaya un padre!* Resalta más claro este matiz de desagrado en EMH 41 Sole: *¿Habéis visto al ispectorcito* (sic) *ese que han traído?* —Paquita: *¿A don Antoñín el Modoso?* —Pura: *¡ C a m a r á con el Modoso!... Porque toda la modosidaz* (sic) *es que antes de dar un puntapié hace una reverencia.* (Para el empleo de *con* después de la interjección, compárese el caso análogo de al. *mit* en «es ist etwas Entsetzliches m i t diesem Menschen», «ist das eine Plage m i t diesem Kerl», donde se tiene presente una idea verbal correspondiente a «es zu tun haben», «sich abgeben», «arbeiten müssen mit...».) *¡Camará!* (según E. LORENZO, ob. cit., pág. 159) está en decadencia, sustituido por *¡caray!* En cambio, *camarada* como v o c a t i v o sigue usándose probablemente en todos los países de habla española entre compañeros de trabajo, habiendo adquirido color político (izquierdista).

¡canarios!, ¡canastos!, ¡caracoles!, ¡caramba!, ¡caray!

Son, en parte, expresiones originariamente obscenas y eufemísticamente desfiguradas [104]. La transformación en *caramba* [105] puede haber sido influida por *carámbano*. No cabe precisar la significación peculiar de ninguna de las citadas expresiones. Dada su condición de manifestaciones reflejas, sólo en conexión con una situación determinada son semánticamente definibles; por ejemplo, en VS 47 Sinapismo: *...er verdugo se hospeda aquí.* —Bonilla: *¿Aquí? ¡ C a n a s t o s!* [106], es expresión de

---

[103] *Camará*, alude a *carajo* ('pene').

[104] ELISA PÉREZ, obra citada, pág. 481, considera como variantes de *¡caramba!* las otras cuatro.

[105] «La Caramba» es el sobrenombre que llevó la famosa comedianta del siglo XVIII María Antonia. (Sobejano.)

[106] *Canastos* tiene una equivalencia italiana en *corbellerie*, también eufemismo por *coglionerie*.

terror. *¡Caramba!* forma ocasionalmente el diminutivo humorístico *¡carambita!*, que responde a una situación psicológica de afectividad más intensa que la forma simple. PF 23 Emeterio (sólo quiere encargar una cena sencillita, pero Palau, a pesar de su protesta pide que sirvan varios platos muy sustanciosos): *Pero si yo no...* —Palau (al camarero): *Traiga usted dos raciones.* —Emeterio (entre dientes): *¡C a r a m b i t a con el hombre!*

Se suele emplear *¡caray!* en situaciones molestas para el hablante, reflejando, sobre todo, miedo y susto. EUB 52 (Guzmán, al ver que Segundo por poco se cae de la silla): *¡C a r a y!* EMH 27 Antonio (han llamado a la puerta): *Será el señor Társilo* (a quien Marcos le tiene un miedo espantoso). —Marcos: *¡C a r a y! ... Pues sí que sentiría yo, porque me pilla en casa ajena.* PL 14 *¡C a r a y! ¡Qué susto! Creí que no tenía puesta la corbata.* Acaso sea *caray* el catalán *carall (carajo)*, pero también pudiera pensarse en un cruce de *caramba* y *ay*, con lo que al mismo tiempo se explicaría este particular matiz de desagrado. Tanto *¡carajo!* como las formas eufemísticas *¡caramba!* y *¡caray!* se usan igualmente en Venezuela (Aura Gómez, pág. 281) y probablemente en todo el ámbito hispanohablante.

La interjección archimadrileña *¡caracoles!* presenta esporádicamente la forma *¡caracolas!* VS 18 Nieves: *...iremos a Sevilla para que resolvamos un asunto de trascendental importancia.* —Bonilla: *¡C a r a c o l a s , doña Nieves!* Ibid. 36 Bonilla: *¡C a r a c o l a s , el simpático don Ismael!* [107].

[107] Compárese C. Arniches, «La Condesa está triste» (II, 10): Don Cipriano: *¡Caracolas!... y perdonen que femenice mis exclamaciones: así las elegantizo, al par que las resto iracundia.* Véase también A. Rabanales, l. c., págs. 211-212, donde e. o. dice que *carajo* no tiene en Chile el valor sexual que posee en España. En A. Paso (citadas por F. Trinidad, ob. cit., pág. 62) ocurren deformaciones como *diabletes* ('diabetes'), *menfistofélico* ('mefistofélico'), *ultrimatum* ('ultimatum'); *a mí no se me holla* (= 'atropella') *i m p u g n e m e n t e* (= 'impunemente'); *una diosa de la m i n t o l o g í a* (= 'mitología'); *t r a s d i c i o n a l, que se dice ahora;* relaciones *inlícitas* (= 'ilícitas').

¡cielos!

Interjección de susto y de sorpresa. En EMH 78 (el temible Quemarropa manda recado con la chica del portero, de que quiere vérselas mano a mano con Antonio, que ha adquirido fama de «valiente de moda»); Romualda (la chica del portero) [108]: ...*al remate s'arrimao* (= se ha arrimado), *ha preguntao por usté y está empeñao que si no sube no se va...* —Antonio: *¡C i e l o s !* [109]. (Comp. al. «Himmel», «ums Himmels willen»).

¡chavó!, ¡gachó!

Ambos son gitanismos [110]. (TINEO REBOLLEDO, «Diccionario gitano-español»: «Gaché se llama al hombre que no es gitano».) Son propios sólo del pueblo bajo. Sobre el significado de *chavó*, por lo demás muy poco usual (Sobejano), dice el DM: «Familiarmente y por Andalucía [111]: guapo, valiente, etc.». En este

---

[108] El giro *me han tomado por el chico* (o *la chica) del portero* significa algo así como 'me han tomado por el recadero o por el que está enterado de todo lo que pasa'.

[109] Este *¡cielos!* se emplea hoy rara vez en la conversación (al contrario que su equivalente alem. «Himmel!»), donde suena algo enfático. (Sobejano.)

[110] M. L. WAGNER (en su reseña citada) llama la atención sobre el progresivo influjo de los gitanismos en el habla de las clases humildes. Véase sobre ello el fundamental estudio, ya cit., de CARLOS CLAVERÍA. Véase también R. LAPESA, loc. cit., pág. 205: «En la conversación media parece advertirse algún retroceso de gitanismos y elementos argóticos: aunque *camelo, mangante, coba* y otros se hayan generalizado y prolifiquen en derivados *(camelar, camelista, mangancia, cobista)*». Véase también CARLOS CLAVERÍA, «Miscelánea gitano-española, I, 'Mangante y pirandón'», en NRFH, 11 (1948), págs. 373-76. En su estudio de 1953 «Nuevas notas sobre los gitanismos del español» dice, a propósito de *mangante*, que «su difusión se debe sin duda a la abundancia de mendigos, pedigüeños y sablistas de la bohemia española del pasado» (BRAE, XXXIII, 1953, páginas 91-92). Hay otro artículo del mismo autor, tiulado «En torno a una frase en 'caló' de Don Juan Valera» (en HR, XVI, 1948, pág. 113).

[111] Según M. MORREALE (Res., pág. 119), *chavó*, tanto como *gachó*, se oyen a c a d a p a s o en los «barrios bajos» de Málaga. —En C 40 encuen-

significado también es expresión de aprobación; «en muchos casos —dice más adelante— corresponde a la palabra *¡chico!* de Castilla y otras provincias». Vemos cómo aquí un vocativo originario se ha hecho interjección, fenómeno lingüístico general sobre el cual llama la atención WUNDERLICH («Unsere Umgangssprache», págs. 41 y sigs.). *¡Gachó!* es curioso que figure únicamente en el insignificante Diccionario de argot de LUIS BESSES, y no en los grandes diccionarios consagrados a pesar de que en Madrid se oye mucho más que *¡chavó!* De lo que deduzco que se trata de una palabra de moda. El DA trae *gachó* sólo en referencia a *gaché*. Supongo que éste se modificaría en *gachó* por analogía con *chavó*. Como sustantivo se encuentra en EMH 82 *¡Qué susto se lleva el g a c h ó!* El femenino es *gachí* («mujer que no es gitana», TINEO REBOLLEDO). PC 11 *Venga un pregón de los finos pa esta g a c h í.* Ibid. 18 Pepe (por sus apuntes de palabras finas): *Se me acabaron los papelitos. ¡ G a c h ó! ¡Cómo viene hoy!* Ibid. 20 Rosendito (que, para no tener que estudiar, finge ante su padre un grave defecto de articulación, a Pepe, estando solos): *Echa un cigarro.* —Pepe (atónito): *¡Pero usté... habla! ¡ C h a v ó!* [112]. Ibid. 21 *Porque las bromas de usté... ¡ c h a v ó! tienen fama.* EMH 49 Marcos (admirado de ver con smoking a don Antonio, antes tan pobremente vestido): *De smoking, con dos dedos de chaleco, naa más, un lazo al cuello y medio metro de raya. Porque le llega hasta la metá (= mitad) de la espalda. ¡ G a c h ó!* También expresa indignación y disconformidad. Un oficial de peluquería me contaba con la acostumbrada prolijidad de los de su oficio cómo le habían ofrecido sólo 75 céntimos por su cadena de

---

tro: *Menudo andova es el g a c h ó ese.* Sobre *gachó-gachí* véase C. CLAVERÍA, NRFH, 1949, págs. 158-60. El mismo CLAVERÍA, en artículo posterior «Notas sobre el gitano-español» (en «Strenae», 1962, págs. 107-117), cita como voces gitanas: sing. m. *gachó* = 'hombre'; sing. f. *gachí* = 'mujer'; y el pl. *gaché*, «empleadas unas por otras, sin distinguir género ni número. El plural *gaché* se conserva aún en Andalucía (a diferencia de *gachés* al lado de *gachós* y *gachís* de otras regiones) por la habitual pérdida en el sur de la [s] final».

[112] Según M. L. WAGNER, «El abolengo gitano-indio de *chavó* y su familia» (RFE, XLV, pág. 305), la palabra es «de pura cepa gitana».

reloj de níquel: *¿y sabe usté cuánto quería darme el tío? ¡Tres realitos, na más, g a c h ó ! Pues menudo negocio sacaba yo, ¡ g a c h ó !*

¡demonio!, ¡diablo!, ¡demontre!, ¡diantre!, ¡diacho!

Son originariamente invocaciones al demonio, las tres últimas desfiguradas eufemísticamente. Hoy *¡demonio!* resulta mucho menos fuerte que su equivalente alemán «Teufel!» EUB 15 Guzmán (buscando una solución al conflicto en que se encuentra su amigo Segundo): *¡Calla!* —Segundo: *¿Qué te sucede?* —Guzmán: *¡ D e m o n i o ! ¡Claro! ...Eso es.* Los eufemismos *¡demontre!* y *¡diantre!* (también *¡demonche!*) se usan principalmente en situaciones de ira, acercándose por tanto a una real invocación al demonio, pero ello precisamente origina una expresión más cauta [113]. Lo que menos se emplea como interjección es la propia palabra *¡diablo!*; es mucho más frecuente *¡demonio!* [114]. La exclamación *¡qué demonio!* «denota extrañeza, sorpresa, asombro» (DM), es decir, expresa los más variados matices de sentimiento y preferentemente también la ira [115], aunque falte en la definición arriba citada. PL 12 Adela: *Tra-*

---

[113] «... el refrán nos enseña la superstición de que el diablo se aparece a quien lo nombra...; además de *malo* se dijo en nuestro caso *el enemigo, el diantre, pateta, patas, patillas, dianche, demontre, demonche*» (F. RESTREPO, ob. cit., pág. 43).

[114] Pese a la diferenciación bíblica entre el Diablo (Satanás) y la multiplicidad de demonios, acaudillados por Belcebú, 'el demonio supremo', *demonio* y *diablo* se usan en el habla coloquial como sinónimos.

[115] La ira o la indignación del hablante se manifiesta por preguntas coléricas al tenor de *¿pero qué d e m o n i o s pintas tú aquí?*; en lugar de *demonios* caben todas las variantes arriba citadas (*¿qué diablo...?, ¿qué diantre...?*, amén de muchas obscenidades: *¿qué coño...?, ¿qué puñeta...?, ¿qué cojones...?*, etc.). Tales elementos interjectivos «parasitarios» de desahogo colérico menudean con particular frecuencia después de *¿por qué...?* indignado, al lado de innúmeras otras añadiduras (*¿por qué r e g l a d e t r e s...?, ¿por qué c u e r n o no me lo has dicho antes?*, etc. En FRANCISCO CANDEL, EPH, pág. 298, ocurre: *¿Por qué p o r r a s me van a llamar así?* En LAURO OLMO, ob. cit., leo: *Y tú ¿qué c o ñ o haces aquí?* (pág. 129).

bajas, pero no nos luce. —Pedro: *¡Ya nos lucirá!* —Adela: *¿Cuándo?* —Pedro (enfadado): *Cuando deba lucirnos, q u é d e m o n t r e .* Las preguntas displicentes son introducidas por *¿qué demonio...?* (también en plural: *¿qué demonios...?*), *¿qué demontre...?*, etc. Por ejemplo: *Pero ¿ q u é d e m o n i o* [116] *me importa a mí?* VM 64 *Pero ¿ q u é d e m o n i o s me quieres decir?* El alemán «zum Teufel mit» tiene una correspondencia aproximada en *¡el demonio de...!* EMH 77 Sole (por Leonor, que le señala la puerta): *¡ E l d e m o n i o d e l feto!* [117].

¡eh!

Tiene, en primer término, función de llamada (comp. fr. «eh!», al. «he!», «heda!»). EMH 82 Antonio (llamando a Quemarropa, que huye despavorido): *¡ E h ! ... ¡Venga usté aquí, granuja!* Luego, vulgarmente, para expresar no haber entendido lo que decía el interlocutor [118] (fr. «hein?»). En este caso es casi inaudible, pues el gesto interrogante (ligero alzamiento de la cabeza) basta las más veces. En la misma función interrogativa aparece como expresión de extrañeza en Z 19, cuando Juanico,

[116] Hay variantes obscenas y muy usuales: *¿qué coño* (o *carajo) me importa a mí?*, así como en los eufemismos *¡qué concho!* y *¡qué caramba!*

[117] Es interesante el empleo de *demonio* (aunque sin valor interjectivo) en el giro *esto sabe a demonio(s)* 'horriblemente'. Aquí *demonio* tiene significado abstracto como suma y compendio de todo lo malo. Lo mismo ocurre en M 32 (dicho de una campana malsonante): *suena a diablos.* La imagen se hace más concreta en *armar una tremolina de todos los demonios (diablos)* 'armar un estrépito infernal'.
Lo opuesto a *saber a demonio(s)* es *saber a gloria* 'deliciosamente'. Compárese: NV 33 *Y pa postre me dabas un pellizco que me s a b í a a g l o r i a .* NV 4 Antonio: *...No te supo mal el caramelo.* —Carmen: *Me s u p o a g l o r i a . Gloria,* en este sentido, procede del lenguaje eclesiástico. Comp. fr. «adorer» 'gustar mucho un manjar', que procede de la misma esfera lingüística.

[118] Y, además, *¿qué?*, que suena tan vulgar como el alem. «was?» o el francés «quoi?». Personas de condición humilde hacen esa pregunta por medio de *¿mande?* (propte. imperativo, pero pronunciado con tono a s - c e n d e n t e). Entre la gente educada lo usual es *¿cómo ha dicho usted?* o *¿decía usted?* (comp. alem. «wie sagten Sie doch?» '¿cómo ha dicho usted?'), y también, *¿perdón?, ¿por favor?* (Sobejano.)

que se había hecho el tonto para burlarse de la gitana, se quita
la máscara y dice: *Pero vamos, señora, ¿tengo yo cara de ser
tan bruto?*, y Micaela reacciona al pronto con un *¿eh?* de sorpresa. EUB 64 Primo: *¿Qué pasa?* —Ricordi: *Pues graciosísimo.
La prometida del marqués...* —Primo (angustiosamente expectante): *¿ E h , qué le sucede?* Finalmente, *¿eh?* como elemento
popular de cortesía, p. ej. en *muchas gracias, ¿ e h ?* (comp.
alemán del Rin «dank auch, nicht?»). A veces, la fórmula sola
de gratitud resulta, para el sentir del hablante, algo impersonal.
Con *¿eh?* se pretende volver a tomar contacto con el oyente [119].
Igual sucede con el *¿eh?* de las despedidas, en las que, además,
el hablante necesita quedar lo mejor posible. MP 11 Doña Munda: *Hasta luego, ¿ e h ?* Este *¿eh?* sugestivo se emplea también
en situaciones en que el hablante teme que el interlocutor pueda
no estar de acuerdo con lo dicho, como en EUB 33 Primo: *...y
al sanatorio, al sanatorio.* —Guzmán: *Sí, es lo mejor.* —Primo:
¿En sleeping, e h ? Ibid. 23 Ramiro: *De modo que ha perdido
la memoria, ¿ e h ?* —Guzmán: *Así es en efecto.* —Ramiro: *...y no
se acuerda de nada, ¿ e h ?* Ramiro es acreedor de Segundo, y así,
el *¿eh?* suena algo reticente. Lo mismo pasa con la combinación
sí, ¿eh? (comp. al. «sooo?», 'mira, mira'). EDE 50 El Duque:
*Me habría gustado a mí conocer a ese emperador de la fanta-
sía.* —Daniel (con sorna): *Sí, ¿ e h ? ¡Pues mírate al espejo,
tunante!* M 46 Leonardo: *Madrugo mucho en este tiempo.* —Salvador (burlón): *Sí, ¿ e h ?* (Salvador sabe que Leonardo está
enamorado.)

¡hola!

Preferentemente interjección de sorpresa, pero a diferencia
de la serie *¡caramba!, ¡caracoles!*, etc., de uso más exactamente
definible. Y es que mientras aquéllas reflejan la impresión inmediata sobre el hablante, de lo que acaba de decir el interlocutor o de una situación determinada, *¡hola!* indica compren-

---

[119] A este *¿eh?* corresponde exactamente el *¿oye?* usado «entre algunos
nativos de Antioquia» (de Colombia): *Muy agradecido, ¿ o y e ?* (L. FLÓ-
REZ, ob. cit., pág. 223).

sión súbita de una situación con miras a las consecuencias que para el hablante se derivan de ella. Cabe decir, pues: *¡caramba!, ¡atiza!,* etc., expresan reflejos enteramente pasivos del hablante, y *¡hola!,* por el contrario, introduce una nueva idea del que tiene la palabra, idea sugerida por lo que acaba de comprender. EUB 34 Ramiro (el acreedor de Segundo): *¿Qué, cómo sigue el desmemoriado?* —Guzmán: *Bastante mal, amigo mío. Veremos si en el sanatorio se consigue...* —Ramiro: *¡ H o l a ! ¿Lo piensa usted llevar allí?* Ante la noticia de que quieren llevar a su deudor a un sanatorio, le viene a Ramiro el pensamiento de que se le pueda escapar el pájaro. EDE 160 Chimenea: *Pasa mucho, y por lo que toca a su mercé, na bueno.* —El Duque: *¿ H o l a ?* [120] (como si dijera: '¿conque esas tenemos?').

Expresión de sorpresa agradable, es *¡hola!* como fórmula familiar de saludo. Fr. 1 *¡ H o l a !, Carlos, ¿qué tal?* En el fondo no expresa sino '¡ah, si es Fulano!'. EMH 49 Antonio: *¡ H o l a , Marquitos!* NV 19 Señor Matías (a Pepa, y dándole un golpecito): *¡ H o l a , comadre!* —Pepa (ídem a Matías): *¡ H o l a , compadre!* Adviértase que *¡hola!* nada tiene que ver con ingl., francés y alem. *hallo!* Dice el colombiano José Joaquín Montes al comentar el habla de Madrid: «*¡Hola!* es de empleo frecuente como saludo informal [...] últimamente oíamos a servidores y empleados subalternos en Madrid saludar a personas de categoría con un despreocupado *¡hola!*» (véase BICC, XXI, 1966, pág. 160).

¡oh!

De determinación semántica muy difícil, como ya se desprende de la definición de DL: «interjección de que se hace uso para manifestar muchos y muy diversos movimientos del ánimo y más comúnmente asombro, pena o alegría». Me parece también que en *¡oh!* se destaca especialmente el momento de la sorpresa y de una ligera perplejidad causada por ésta. EUB

---

[120] Este uso de *¿hola?* ha ido cayendo en el olvido. (Sobejano.) En su lugar lo corriente es *¡vaya!*

40 Ricordi (al ver a Primo): *¡ O h ! señor del Castillo. ¿Se ha descansado?* Primo se había hecho pasar por multimillonario. El *¡oh!* del dueño del sanatorio es reflejo de un ligero susto por no haber visto al momento a huésped tan encopetado. Ibid. Primo (a Manthon que le ha sido presentado como una eminencia médica): *Yo ante los pozos de ciencia, arqueo mi columna hasta esquirlarla.* A tan exagerado cumplimiento —¿va en broma o en serio?, porque el tal Primo es un tipo desconcertante—, contesta Manthon, entre asombrado y perplejo, *¡oh!* MP 23 Pipo: ...*me mimas, me acaricias... ¡me adulas!... pero no me confías tu secreto.* —Celso: *¡ O h !* (Pura perplejidad, pues Pipo tiene toda la razón de su parte.) Otro es el caso de *¡oh!* en EUB 48 Clara (contando a la amiga el primer encuentro con su amante Segundo): ...*Entonces huí avergonzada, no sin antes recoger unas cuartillas con unos versos.* —Azucena: *¡ O h ! ¿Tienes unos versos de él?*, donde manifiesta una sorpresa agradable. Semejantemente en EDE 67 El Duque: *¡ O h ! yo he de verla.* Ibid. 113 El Duque (a Castilleja, jefe de una estudiantina): *Que beban todos y coman lo que les venga en gana.* —Castilleja (abrumado ante tal generosidad): *¡ O h !* Por lo demás, es interjección más bien literaria (Sobejano), relativamente rara aun entre gentes instruidas y ausente por completo del lenguaje popular; en su lugar se usa más bien *¡ah!* Observación: «*Oh* es una interjección que se mantiene viva en todos los idiomas románicos y en otros indoeuropeos como el griego» (HOFMANN, obra citada).

¡pschs! (o *¡psche!*)

Pronunciado *¡psẹ!*, fonéticamente interesante por no ser popular el grupo *ps* en comienzo de palabra, donde se simplifica en *s*. A pesar de escribirse *p s i c o l o g í a*, *pseudónimo*, etc., aun el español culto suele pronunciar *sicología, seudónimo* (véase NAVARRO TOMÁS, op. cit., § 79), por lo cual en Sudamérica (Chile) se ha generalizado ya esta grafía (Lenz) y recientemente ha sido admitida por la Real Academia Española (Nuevas Normas). *Salmo* (originariamente *psalmo*) también en España se escribe hoy sin la *p*. *¡Pschs!* representa, pues, un caso de agrupación consonántica muy curioso, fenómeno sobre el que llama la atención LEO SPITZER en IU, págs. 8 y sigs.: «También merece tratarse la cuestión de los sonidos y grupos consonánticos posibles en la interjección. Con frecuencia una lengua admite algunos de ellos únicamente en la interjección, y no en las demás palabras» [121]. *¡Pschs!*, acompañado frecuentemente de un fruncimiento despreciativo, es expresión de desagrado, por ejemplo, en la situación siguiente: A: *¿Te ha gustado mucho el concierto?* —B: *¡ P s c h s ! Regular* [122], *nada más.* EUB 11 Primo: *Y por lo que también he podido colegir, el doctor Macías es una especie de bufanda al lado de este Manthon* (juego de palabras, cf. *mantón* 'pañuelo grande de abrigo'). —Ricordi: *¡ P s c h s ! No es que niegue la suficiencia de Macías, pero ya ve usted...,* etc. Véase también A. RABANALES, ob. cit., pág. 229.

¡toma!

Corresponde en lo esencial al fr. «tiens!» Entiéndese literalmente en EMH 31: *Yo por lo pronto te voy a dejar cinco duros. T o m a* (se los da). Luego, se hace extensivo a lo inmaterial, en Ibid. 61 Antonio (dando un silletazo al Pollo Botines): *¡ T o - m a , canalla!* Finalmente, lo encontramos convertido en pura

---

[121] Junto a las formas de sisear indicadas en la nota 100 *(chiss, chis, chist,* escritas también *chss),* se usa hoy mucho *¡pss!,* con el mismo insólito grupo consonántico de *¡pschs!* y que se suele escribir (y pronunciar) *¡pse!,* de acuerdo con su articulación real.

[122] *Regular* significa propiamente 'normal, conforme a la regla'. Partiendo de la pesimista idea de que 'lo normal a la vista o al oído es lo que no tiene nada de singular', se llega al sentido de 'mediano', o dicho de otro modo, que «puede pasar». Tiene matiz irónico en *fulano se ha tirado una plancha regular* 'mayúscula'; *habla regularcillamente* 'bastante mal'; *una paliza regular* 'una soberana paliza'. La idea de lo 'mediano' se expresa también por: *tal cual, así así* (fr. «comme ci, comme ça», y de aquí, con valor humorístico, *así asá* y *así asado),* con la variante adverbial (ando) *talcualejamente; pasable* y *mediano.* Para referirse a personas de dotes corrientitas se emplean *medianía* y *mediocridad: fulano no es más que una medianía; en el concurso no se presentaron más que mediocridades.* Hoy es popularísimo *del montón;* ejemplo: *es un escritor del montón.*

interjección en «Lances de honor» 6 Miguel: *¿Quieres explicar-me por qué las oposiciones llaman siempre reaccionario a todo el que manda?* —Paulino: *T o m a , porque todo el que manda es tirano a los ojos de todos los que quisieran mandar;* aquí *toma* equivale a '¡vaya una pregunta!', con un inequívoco matiz de descortesía. «Lances de honor» 29 (Candelaria pregunta a Bernabé, mozo que se está insubordinando, dónde ha estado metido) Bernabé: *Estaba ahí... en la escalera.* —Candelaria: *¿Y qué hacía usted en la escalera?* —Bernabé: *T o m a , me llamó el muchacho del cuarto principal.* M 26 Salvador: *¿Qué enemigo?* —Malvaloca: *Er sosio.* —Salvador: *¿Está aquí?* —Mal-valoca: *¡T o m a ! Y se ha ido a buscarte ayá dentro.* Vemos además que, a diferencia del fr. «tiens!», que forma en caso necesario el plural «tenez!», *¡toma!* es invariable, fenómeno de petrificación que observábamos ya en el caso de *¡anda!* LP 8 Juan: *Cantas muy mal y se va a descomponer el tiempo.* —Ramona: *¡T o m a ! Cada uno canta como sabe.* J. Polo me recuerda que Miguel Delibes usa con frecuencia *¡toma del frasco!* interjectivo y «difícil de definir».

¡uf!, ¡puf!, ¡pu!

La primera «denota cansancio o sofocación. Indica también repugnancia» (DL). Como expresión de fatiga corresponde, pues, al fr. «ouf!». En situaciones de sofoco y de asco, se cambia en *¡puf!* y *¡pu!* (Es extraño que no se dé ninguna correspondencia directa del alemán «Pfui!» como grito de desaprobación frente a una acción fea cualquiera, o como manifestación de descontento en reuniones políticas.) Para exteriorizar repugnancia el español usa *¡qué asco!*, o gritos como *¡canalla!, ¡fuera!, ¡muera!* (éste antónimo de *¡viva!*) y otras más inequívocas manifestaciones de indignación como silbar (*silbidos, pitorreo*), abuchear [123] y otras por el estilo. Para *¡uf!*, como expresión de re-

---

[123] *Abucheo* = 'vocerío de desagrado y censura', p. ej. *Al primer espada le dieron ayer en la plaza un a b u c h e o fenomenal.* Úsase con igual frecuencia el verbo *abuchear*: *A fulano le a b u c h e a r o n* (R. Pas-tor y Molina, «Vocabulario de madrileñismos», en RH, 1908, págs. 51-72).

pugnancia (siempre en sentido puramente material), baste el ejemplo EUB 9: *¡ U f! ¡qué olor a gas!*

¡uy!, ¡oy!

La mayoría de las veces, indican alegría y bienestar. EMH 10 Leonor (lavándose): *¡ U y, qué fresquita está el agua!* Ibid. 80 Leonor (mostrando una gran alegría): *¡ U y!... ¿Usté el Quemarropa?... ¡ o y! qué alegría va a tener mi papá.* También las he observado ocasionalmente como expresión de dolor en lugar de *¡ay!* Creo que *¡oy!, ¡uy!* no son más que variantes de *¡ay!*, cuya vocal fluctúa entre *a* y *u* según el tipo de emoción. Comp. al. «och!», «ach!».

Entre las interjecciones cabe contar también las o n o m a - t o p e y a s , pues éstas siempre tienen valor afectivo. Las más frecuentes son: *¡Cataplum!* [124], «voz expresiva de ruido estruendoso de explosión, golpe o caída». Para representar la caída de un cuerpo, se usa también *¡paf!* según el carácter del ruido que produzca, etc. LP 16 *Me asusté yo y ¡ p a f ! de cabeza a la cuneta.* Aquí sería también posible *¡cataplum!* En Madrid es frecuentísimo *¡zas!*, preferentemente para imitar un chasquido, lo que en otras partes se representa también por *¡plaf!* La detonación de un arma de fuego se imita con *¡pum!* (pronunciado *pun*), el sonido de una campanilla con *¡tilín!* [125], el de un timbre eléctrico con *¡rrinn!*; el paso de un elefante con *plaf...*, *plaf...*, *plaf*; el galope de un caballo con *tacatán...*, *tacatán...*, *tacatán*; la explosión de una bomba con *¡prrumm!* [126]. (Véase SALVADOR FERNÁNDEZ, obra citada, págs. 84-86, y, más abajo,

---

[124] Pronunciado *¡cataplún!*, pues en español la *-m* final se articula como *-n*. Nombres propios como Prim, Abraham, Jerusalem, etc., suenan *Prin*, *Abrahán*, *Jerusalén*, y muchas veces así se escriben (NAVARRO TOMÁS, ob. cit., § 86).

[125] *A mí no me hace tilín* vale 'no me dice nada', lo cual se puede indicar también por *no me convence*; p. ej., *estos cigarros no me convencen.*

[126] Aquí se pronuncia claramente la, por lo demás, insólita *m* final (véase pág. 98 lo dicho o propósito de *ps* en *¡pse!*).

cap. III, págs. 364-365 y n. 281; además: BELISARIO FERNÁNDEZ: «Glosario de la onomatopeya», en Boletín de la Academia Argentina de Letras, tomo XXXI, Buenos Aires, 1966. En dicha aportación (pág. 105) Fernández menciona también *¡pim!* 'sonido de ciertos golpes'. Me recuerda esto el comentario que hizo un amigo mío a la desmesurada afición de una señora inglesa a las uvas: *todo el día la tiene usted pim..., pim..., pim, comiendo uvas.* Véase también A. RABANALES, ob. cit., páginas 232-233.)

Finalmente, nótese que todo v o c a t i v o puede adoptar función interjectiva ocasional. Esto pasa sobre todo con el más general de ellos, *hombre*, que empleado como interjección, puede equivaler a *¡caramba!, ¡atiza!* y otros. MP 13 Hilaria: *...y luego nos tirábamos de risa leyéndolo la Tomasita y yo. ¡ H o m - b r e !, aquí está la prenda* [127] (la propia Tomasita que justamente llega). *¡Hombre!* ocurre como expresión de perplejidad en EMH 28 Leonor: *¡Qué cosas tiene usted!* —Mariano: *¿Yo?... Tú serás la que las tengas* (volviéndose de repente a Marcos, el novio de la chica), *¿verdad, pollo?* —Marcos (desconcertado): *¡ H o m b r e !* En otros casos en que la turbación del hablante no es tan grande como para no dejarle distinguir bien la situación, aparece en lugar del vocativo *¡hombre!* en función interjectiva otro que responde a la edad y sexo del interlocutor, como: *¡mujer!, ¡niño!, ¡chico!,* y también *¡señor!,* o bien simplemente el propio nombre del interlocutor. LP 37 Luciano (a su subordinado, un pobre peón caminero): *Me gusta su hija de usted.* —Juan: *¡ S e ñ o r !*

No puedo menos de mencionar siquiera las INTERJECCIONES DE TIPO OBSCENO [128] tan corrientes en el lenguaje popular. Sobre todo en el vulgar, pero hay que tener en cuenta que en conver-

---

[127] Para *prenda* como expresión afectuosa, véase págs. 45-46.

[128] Primero, para no dejar incompleto nuestro estudio, y además porque quedarían incomprensibles infinidad de eufemismos y alusiones de sainetes y novelas modernas, y aun de textos clásicos, sobre todo del siglo XVII. Un ejemplo moderno de eufemismo obsceno: En la novela «El curso» de J. ANTONIO PAYNO (Barcelona, 1962) ocurre: *—Tú siempre das la lata con la organización, m o ñ o* (= 'coño') (pág. 100).

saciones entre amigos de confianza y en situaciones cargadas de especial afectividad que pide desahogo, aun tratándose de gentes pertenecientes a estratos sociales más elevados, aparecen tales expresiones.

Aparte de esto, la mayoría de esas obscenidades están semánticamente tan gastadas por el uso, que el hablante apenas tiene conciencia de su contenido indecente. Así y todo, se evitan escrupulosamente ante representantes del otro sexo. En toda España se oye sobre todo *¡coño!* [129] (= 'vulva'), adecentado en la forma *¡concho!;* además, *¡cojones!* [130] (= 'testículos') y *¡carajo!* (= 'pene') [131] con las formas esporádicas *¡coñazo!* [132] y *¡cojonazos!* Llama la atención esa predilección por el sonido inicial *k-* que, por cierto, también es característico de toda la serie *¡caramba!, ¡caracoles!, ¡canarios!,* etc. [133]. El mismo sonido se articula de un modo particularmente fuerte en el frecuentísimo *¡me cago!,* no pocas veces ampliado en *¡me cago en la mar!*

---

[129] Por ejemplo, en preguntas displicentes del tipo de *pero ¿qué coño te importa a ti?* '¿qué te va en ello?'. En el capítulo titulado «El arte del manubrio» de las «Nuevas escenas matritenses» (Primera serie, páginas 27-32), Camilo J. Cela nos presenta una colección completa de los diferentes usos de la popularísima interjección. Añado el frecuente vulgarismo *por cojones* = 'porque sí', 'por puro capricho', p. ej. *—Y ¿por qué ha hecho eso? —Pues como todo lo que hace ese tío: p o r c o j o n e s.* En San Salvador, según H. Schneider («Notas sobre el lenguaje popular y caló salvadoreños» en RJ, XII-XIV, 1961-63, pág. 265), se usa la variante *por huevos,* que he oído también en España.

[130] A propósito de esta interjección (y otros usos de la palabra) véase Camilo José Cela, «Papeles para un diccionario», en «Papeles de Son Armadans», tomo XLIV, núm. CXXXI, págs. 150-157. Véase también del mismo autor «Diccionario secreto», tomo I. En vez del vulgarísimo y muy grosero *cojones,* las mujeres dicen eufemísticamente *¡cogollos!*

[131] Este aparece a menudo en la frase *mandar al carajo* (= 'a paseo').

[132] En Granada se oye a cada paso en función predicativa con la significación de 'fastidio', 'engorro', p. ej., *luego vas cargado como un mulo, y es un coñazo.* Véase también Jaime Martín, «Diccionario de expresiones malsonantes del español», Madrid, Edic. Istmo, 1974, pág. 90.

[133] Vocablos también de sentido originariamente obsceno (como señalábamos antes), pero hoy borrado por completo de la conciencia del hablante. Otro tal es *¡carape!*

(mar, probablemente por *madre* [de Dios] [134]), que engendra
toda una serie de variantes eufemísticas como *me cago en diez*
(por *Dios*), de la que tengo registrada la forma *¡me caso con
veinticinco!* (LP 37) [135]. También *me cago en tu puta madre,*
usada principalmente en Andalucía y cuya significación literal
ha quedado desvaída por completo. Sirva de prueba lo que
me contó un amigo mío granadino: Un hombre del pueblo al
ir a dar el pésame a un amigo, de afectado que estaba, no supo
decir ante el féretro nada mejor que *¡me cago en tu puta
madre!,* lo cual aquí no significa sino '¡qué pena, qué horrible!',
o algo semejante. Un padre junto a la cuna de su hijito moribundo, gritaba en el colmo de la desesperación: *¡me cago en
la puñeta!* [136], exclamación que se emplea en mil situaciones sin
pensar lo más mínimo en su verdadero significado *(hacer puñetas* 'masturbar'). Compárese el divertido pasaje del «Quijote»,
II, 13: *¡Oh, h i d e p u t a , bellaco, y cómo es católico!* [137] (este
vino), donde *hideputa* y *bellaco* son pura interjección. *¡Me cago!,*

---

[134] Todas estas expresiones irreverentes, contra lo que pudiera creerse,
en nada contradicen el espíritu religioso de los españoles en general. De
ellos cabe decir aun en la actualidad lo que de sus compatriotas del
barroco dice HATZFELD (ob. cit., pág. 133), que, «pese al general empobrecimiento religioso de nuestro tiempo, al igual de las muecas de los demonios que adornan las catedrales góticas sin mermar en lo más mínimo
la gloria de sus santos, ni las burlas ni las parodias de lo religioso constituyen peligro alguno para la Fe, aun cuando revistan formas muy
humanas, e incluso demasiado humanas».

[135] Véase A. W. MUNTHE, «Naagra Anteckningar om en Grupp Spanska
Kraftuttryck» (Sobre las expresiones fuertes en español), Uppsala, 1924.

[136] *Puñeta* significa en su origen «puño estrecho bordado con seda o
lana negras que usaban las mujeres en las camisas de mangas largas»
(GABRIEL M.ª VERGARA MARTÍN, «Voces segovianas», en «Rev. de Dialect. y
Tradiciones Populares», II, 1946, cuad. 4.º).

[137] *Católico* llegó desde muy pronto al sentido figurado 'intachable,
perfecto'; p. ej., *esta carne no me parece muy c a t ó l i c a .* HATZFELD,
ob. cit., pág. 123, recoge estos ejemplos: *estas visiones... no son del todo
c a t ó l i c a s . —C a t ó l i c a s , mi padre, respondió don Quijote, ¿cómo
han de ser c a t ó l i c a s si son todos demonios?* (I, 47). *Sancho, viéndose
bueno, entero y c a t ó l i c o de salud* (II, 55). *Quedó... aporreado el ru-
cio y no muy c a t ó l i c o Rocinante* (II, 58). Véase también WAGNER,
Reseña, pág. 115.

desfigurado en *¡mecachis!*, puede ser empleado sin reparo incluso por señoras. Es el taco preferido del cicerone Cerrojito en PC 32 *¡ M e c a c h i s !* *A cincuenta forasteros he acompañao hoy... ¡ M e c a c h i s ! Esmoresío vengo, ¡ m e c a c h i s !* En C 81: *¿Qué culpa tie la tierra? ¡ M e c a g ü e n ...!* (= me cago en...), o sea que aquí el indistinto barboteo hace las veces del eufemismo. F. CANDEL en « ¡Dios, la que se armó!», pág. 138: —*¡ c a g ü e n ! Se ha embadurnado el zapato* (al meter el pie en un charco). Para terminar esta serie citaré el muy popular *¡joder!* [138] (lat. «futuere», fr. «foutre») y el no menos frecuente *¡leche!* [139] (alusión al semen masculino), con la variante eufemística *¡leñe!*

Las siguientes i n t e r j e c c i o n e s i m p r o v i s a d a s muestran unas creaciones espontáneas de que la lengua es capaz. Pertenecen a un determinado tipo morfológico, y lingüísticamente son sin duda de lo más interesante que hay que señalar en este capítulo. Al prefijo de intensidad *re-*, del que trata

---

[138] Como eufemismo de esta voz hay que considerar el vulgarismo madrileño *jolín* o *jolines* (Sobejano). Probablemente también el andaluz *¡Josú!* o *¡Jozú!*, éstas, en principio, variantes fonéticas de *¡Jesús!* (Véase luego, pág. 114.) Otras exclamaciones eufemísticas de este mismo tipo son *¡jiroba!, ¡jope!, jeringar* (E. LORENZO, pág. 159). Los primeros me parecen ser deformaciones eufemísticas de *joder*.

[139] *¡Qué mala leche tiene Fulano!* 'qué mal genio', y también 'qué malas intenciones'. Son corrientes *tener cara de mala leche* y *un tío de mala leche* (o *un tío cabrón, un cabronazo, un cabrón con pintas)*, que se pueden aplicar a las mujeres (también *tía cabrona)*, buena prueba de cómo se ha perdido la conciencia de su sentido primitivo. Junto a *mala leche* se suele oír la variante humorístico-eufemista *mal café: un tío de mal café; estar de mal café* 'estar de malísimo humor'. Otro eufemismo de *leche* es *leñe*, atestiguado por algunos novelistas y dramaturgos de hoy: *La señorita Pirula... no hace mucho más de un año decía... «leñe» y «cocretas».* (C. J. CELA, «La colmena», pág. 218) (Sobejano). Además de *leñe* (= 'leche'), otro eufemismo preferentemente femenino es *jolines* (n. 138). Al lado de *mal café* aparece *mala uva: Victoria se puso de mala uva* («La colmena», pág. 230). Originariamente *de mala uva* supongo sería alusión a *tener mal vino*, pues el que lo tiene, cuando borracho, se pone de mal humor. Ocurre también sin adjetivo, p. ej. en UF, 19 Violeta: *Tiemblo porque me da la gana.* —Amaranta: *¡Hija, q u é u v a !* (= '¡qué mal humor tienes!').

SPITZER en «Aufs.», pág. 201 («partiendo de la idea de repetición, se desarrolla la de intensidad»), se une un sustantivo cuya significación aparece al hablante particularmente característica para la situación de que se trate [140]. Por ejemplo EUB 9 Guzmán: *El señorito se ha suicidado.* —Domingo: *¡R e p i s-t o l a!* Con la idea del suicidio se asocia espontáneamente la representación de la pistola: de ahí el reflejo *¡repistola!* Ibid. 35 Primo (viendo la fotografía de una muchacha sentada en una góndola veneciana): *¡R e v e n e c i a! Artística góndola y estupenda dama.* Ibid. 77 Segundo (que hasta ahora se ha fingido amnésico, dirige al aprovechado Primo una pregunta lógica dentro de la situación): *¿El francés? ¿qué francés, tío?,* a lo

----

[140] El prefijo *re-* para indicar repetición, en español es mucho menos frecuente que en francés («redemander, redevenir, revoir, refaire», etc.). El español indica esta idea mediante el uso de *volver,* convertido de hecho en verbo auxiliar. EUB 84 *...ese canónigo... que ha perdido la memoria a resultas de una caída por la escalera, puede que la recobre v o l-v i é n d o l o a t i r a r por una escalera semejante.* Casos como *después de mirarlo y remirarlo, reavivar, recalentar, reconquistar,* y tantos otros, son más bien propios de la lengua escrita. E. LORENZO, ob. cit., pág. 210, advierte que «hoy se observa una notable difusión de verbos nuevos con *re-* iterativo, p. ej. *recomenzar, reiniciar, reencontrar, repensar, retraducir, reeducar,* etc.» Huelga decir, sin embargo, que el uso de estos neologismos queda circunscrito a la lengua e s c r i t a exclusivamente. Ello no obstante, en MARTA PORTAL «A tientas y a ciegas» ocurre: *Miro y remiro; paso y repaso los mostradores.* En cambio, *re-* es popularísimo aplicado a adjetivos y con valor superlativo, sobre todo en el lenguaje afectuoso: *reguapa, remonísima, resalada,* son términos acariciativos. Dice GARCÍA DE DIEGO, «Lingüística», pág. 239: «En la lengua popular *re-* llega a significar 'muy'». Encontramos el mismo prefijo, sobre todo en Aragón, aplicado a expresiones fuertes: *¡rediez! (diez* por *Dios), ¡recontra!, ¡rebomba!, ¡rehostia!* (sumamente irreverente), etc. (HULTENBERG, ob. cit., págs. 46 y sigs.; cf. alem. «zum Teufel noch n'mal!»); para *re-* en catalán, SPITZER, «Rev. de Dial. Rom.», VI, 93 y sigs. Antiguamente se usaba el *re-* a u m e n t a t i v o también en conexión con verbos. B. SÁNCHEZ ALONSO, en su estudio «Sobre Baltasar Gracián» (RFE, XLV, págs. 161-225) dice a propósito de *retirar* (pág. 220): «De los vocablos con *re-* aumentativo es de los que más despistan a primera vista» y cita como ej. «Criticón», III, 6 *¿quién metió acá a aquel que retira a tonto?* (retira: 'tira mucho'). Otro ej. con substantivo: *Pero hay vulgo y revulgo, que es peor* («Oráculo», CCVI).

que Primo, viéndose perdido, dice en el primer momento del susto: *¡Reversalles!* El hablante asocia sin querer a la idea de francés el recuerdo de Versalles, tan ligado a la historia de Francia. VS 13 Valenzuela (comunica a Ismael haber conseguido una colocación de verdugo para Bonilla, hombre incapaz de matar una mosca): *...pero le advierto a usté, que trabajo tiene muy poco. A lo sumo un día cada tres años.* —Ismael: *¡Caray! Pues ¿qué clase de destino es ese tan descansado?* —Valenzuela: *Ejecutor de la justicia.* —Ismael (saltando en seco): *¡¡Regarrote!! ¡¡Señor Valenzuela!!* (El *garrote* es el instrumento con que son ejecutados los malhechores condenados a muerte. Comp. *darle garrote a uno* (DL) 'ejecutarle'.) VS 9 Nieves: *Y no es eso lo peor, sino que tampoco puedo casarme con Sansoni.* —Ismael: *¡Reyugo! ¿Por qué?* Con la idea de casarse asocia el hablante el «yugo» del matrimonio.

GIROS INTERJECCIONALES. Si ya es difícil abarcar ni aun aproximadamente todas las interjecciones «simples», resulta imposible recoger todos los giros. Entendemos por tales ciertos sintagmas de carácter interjectivo que se presentan en forma de pequeñas cláusulas; por ejemplo, la ocasional *¡Magras del Perú!* en EMH 16 Társilo (iracundo porque Antonio no le va a pagar el alquiler): *...Y jugar con el casero y tomarle el pelo a un servidor; pero a mí, ¡magras del Perú!* [141], *que tengo yo muchas agallas pa que me zarandee un desahogao como usté.* *Magras del Perú* (con la idea de cosa valiosa; cf. *valer una cosa un Perú*, «ser de mucho precio o estimación», DA) tiene afinidad semántica con expresiones festivas como *¡y un jamón!* [142]

---

[141] La negación enfática *¡magras!* (citada también por PASTOR y MOLINA, pág. 62), con equivalencia de *¡nones!*, viene aquí reforzada por la o c a - s i o n a l añadidura humorística *del Perú*, improvisada y sin valor fraseológico, siendo del mismo tipo que *naranjas d e l a C h i n a* o *...d e C a l i f o r n i a*.

[142] A propósito de esta expresión, «cuentan que cuando Belmonte iba a torear por primera vez en Málaga pidió la suma, entonces fabulosa, de mil pesetas; a lo cual el empresario contestó: *y un jamón pa usté;* más tarde, cuando las reclamaciones del público obligaron al empresario a acceder a las exigencias del famoso torero, aquél tuvo que transformar

(DM), forma irónica de negación, o *un jamón con chorreras* (propiamente 'con adorno de encaje', es decir jamón en dulce adornado con papel de rizos). Los modismos citados suponen una negativa burlona. Se contesta con una expresión «que significa una cosa rica de comer, para reírse del otro con la negativa» (M. L. WAGNER, «Über den verblümten Ausdruck im Spanischen», en ZRPh, 1929, XLIX, 18).

En Madrid se oye con mucha frecuencia *¡ahí va!* [143]. Veamos primero unos ejemplos de uso no interjeccional. MP 78: *Ahí va la del arcarde* (= alcalde). El mismo giro se emplea tratándose de objetos por él personificados: NV 35 *Ahí va un emboquillao* (le da un pitillo). Ibid. Antonio (volviendo a sacar la petaca): *¡Ahí va! Tome usté media docena.* Con *¡ahí va!* suelen introducirse ciertos piropos, por ejemplo: *ahí va la sal de Andalucía.* En esta forma anima Pepa en NV 72 a la ciega Carmen, que se ha preparado para la verbena: *¡ahí va una morena!* (como van a decir los mozos en la calle). Ese *¡ahí va!* está ya cerca de la expresión interjectiva. En esta función, la *a* del segundo componente se pronuncia fuertemente acentuada y alargada (fonéticamente, algo así como *aiváaa*). Se usa, por ejemplo, en la siguiente situación: Hay un incendio; hasta ahora sólo se han visto brotar bocanadas de humo de la techum-

---

su anterior negativa en un jamón de verdad» (M. MORREALE, Res., pág. 131). A propósito de *jamón*, recuerdo el verbo *ajamonarse* que suele referirse a una mujer que engruesa al llegar a cierta edad y se llama despiadadamente *una vieja jamona* (R. PASTOR y MOLINA, ob. cit., pág. 52).

[143] Cuando alguien tiene reparo en nombrar al informante de una noticia, puede expresarlo vagamente con *lo han dicho por ahí*. *Ir por ahí* significa 'frecuentar casas de dudosa reputación'. La pronunciación *ái* de este adverbio es un vulgarismo no sólo general en España, sino en casi toda Sudamérica, a excepción del Paraguay (por influjo del guaraní) (AURELIO M. ESPINOSA, «Estudios sobre el español de Nuevo Méjico», páginas 322, 324 y 326). *¡Ahí va!*, como interjección se pronuncia [aibá], es decir que el adverbio se hace diptongo y se funde en una unidad fónica con acento secundario (E. LORENZO, pág. 145). Lo mismo sucede con la diptongación de *ahí = ái* en la clausulilla *ahí está* (cit. por J. VALLEJO, pág. 375). Ocurre en la variante *ahí está el quid* y, según sea el contexto, *ahí está el problema, ahí está la dificultad* (con la variante humorística: *ahí está «el hueso»*).

bre; de pronto, una ingente llama chisporroteante rompe hacia el cielo; todo el mundo grita: *¡¡Ahí va!!* Ese mismo grito se repite a cada nuevo incidente, como la caída de una viga u otro detalle espectacular. Otro caso: alguien trata de poner en hora su reloj parado; de repente salta una manilla; el reflejo es: *A h í v a, buena la he hecho.* (Sobejano.) Ocasionalmente se expresa esto mismo con un irónico *¡adiós!*

Del lenguaje eclesiástico procede *¡corazón de Jesús!*, como grito de horror. AH 27 Chorrito: *Vimos salí huyendo a la señorita Virginia, blanca como la sera* (= cera), *sangrando de la frente, y echá camino de su casa.* —Barbarita (echándose las manos a la cabeza): *¡ C o r a z ó n d e J e s ú s !* Aquí se podrían citar expresiones como *¡Ave María Purísima!* y otras de las que nos ocuparemos más adelante.

A las interjecciones en un sentido más amplio pertenecen también expresiones como el *¡pobre ciego!* con que se designaban a sí mismos los mendigos invidentes de Madrid y otras partes, exclamación que el ciego, por decirlo así, pone en la boca de los que debían compadecerle [144].

En la frase exclamativa, un tipo muy frecuente es el de *q u é + s u s t a n t i v o o a d j e t i v o*, por ejemplo EUB 9 *¡Ay, q u é m i e d o!* (comp. al. «wie fürchterlich!»); EMH 23 *¡Q u é e s p a n t o!* (al. «wie entsetzlich!»). Lo curioso de la expresión, en este ejemplo y los subsiguientes, está en que no apuntan al respectivo o b j e t o que produce en el ánimo del hablante sensaciones de miedo, espanto o rabia, etc. (como en francés «c'est terrible», «c'est affreux», «c'est bien fâcheux», etcétera), sino que expresan directamente esas sensaciones, suscitadas en el s u j e t o por los respectivos objetos de lo terrible (*miedo*), lo horroroso (*horror*), lo espantoso (*espanto*), lo en-

---

144 *Pobre* tiene ocasionalmente en español, como en italiano y en provenzal, el sentido de 'bueno'. Así en EMH 12 Marcos (novio de Leonor, ha estado hablando a ésta y a su padre del éxito de la última huelga, y se despide de ellos diciendo): *¡Don Antonio, hasta luego y viva el soviet!* —Antonio: *¡Adiós, terrorista!* ... (dirigiéndose a su hija): *¡ P o b r e Marquitos!... ¡Qué bueno es!* Igualmente en AH 29: *Argo tenía que hacé, don Clemente. ¡Es tan bueno er p o b r e!* Para *infeliz* = 'bueno' comp. páginas 308-309.

fadoso (*rabia*). EMH 22 Leonor (llorando abrazada a su padre,
porque le han rechazado el traje y reclamado la devolución del
dinero cobrado por la hechura): *Un día que podíamos comer
a gusto... por culpa mía... ¡q u é r a b i a!* EUB 26 Domingo:
No se acuerda de nada ni de nadie. —Primo: *¡Q u é h o r r o r!* [145]
NV 39 Antonio: *Pero, chiquilla, ¿estabas ahí?* —Carmen: *Oyén-
dolo todo. ¡Q u é a l e g r í a!* [146], *no me engañaba el corazón.*
EDE 13: *¡El agua y el fuego reunidos! ¡Q u é a t r o c i d a d!*
Ibid. 32 Padre Rivera (ante un cuadro): *Cuando veo estas cosas
me dan ganas de tirar paleta y pinceles.* —Padre Parra: *¡Q u é
l o c u r a! ¿Por qué?* MP 37 *Son ustedes los hombres los bichos
más malos que se ha entretenido Dios en crear... ¡U f! ¡Q u é
a s c o!* Añadiré: *¡qué catástrofe!* (al. «welch ein Unglück!»),
¡qué tortura!, ¡qué contrariedad! Lo mismo significa, referido
a un determinado suceso, *¡qué contratiempo!* Otras expresiones muy frecuentes de este tipo son: *¡qué pena!, ¡qué lástima!* [147].

   ¡Qué barbaridad! y *¡qué atrocidad!*, a menudo no son sino
expresión de reflejo ante la notificación de cualquier cosa extraordinaria. EUB 43 Manthon (cuenta a Primo las experiencias
de sus métodos curativos a base de duchas frías): *En Escocia
tuve yo un rebelde que hasta el cincuenta y cinco* [148] *chapuzón*

---

[145] *Un horror, horrores* se usan con frecuencia en función intensificadora, p. ej. *este plato me gusta u n h o r r o r* (= 'muchísimo'), también
con sentido negativo, p. ej. *he sudado u n h o r r o r; hemos trabajado,
me han contado h o r r o r e s;* en Adro Xavier, OC, pág. 38, ocurre: *La
medicina ha progresado h o r r o r e s.*

[146] Se emplea con bastante frecuencia el aumentativo *alegrón*, de
género m a s c u l i n o, como *fortunón* (m.) frente a *fortuna; cabezón-
cabeza; memorión-memoria;* p. ej.: *¡Qué a l e g r ó n le vamos a dar* (=
'¡cuánto se alegrará!'). Véase también Pastor y Molina, ob. cit., pág. 52.

[147] A propósito de *lástima: es una (verdadera) l á s t i m a;* además
la frecuente construcción: *¡lástima d e l niño!; tan inteligente y tan pobre
que no puede salir adelante.* José Vallejo (ob. cit., pág. 379) tilda de
vulgarismo *lástima* seguido de *y:* —*¡L á s t i m a y no tuviera un hermanito!* Igual sucede con *¡ojalá y...!,* usual sobre todo en A n d a l u c í a,
p. ej.: *¡O j a l á y pudiera verlo también mi padre!* A veces se escribe
en una sola palabra: *¡O j a l a y no le hubiera dicho una sola palabra!*

[148] En el habla coloquial apenas se emplean los ordinales superiores
a *décimo,* siendo sustituidos por los cardinales correspondientes. Creo

no recobró la memoria. —Primo: *¡Qué barbaridad!*
(como si dijera: '¿qué me dice Ud.?', '¡no me diga!'). Lo mismo
sucede con *atrocidad* [149].

Del tipo *qué* + adjetivo (o adverbio), como *¡qué raro!, ¡qué
bien!, ¡qué bueno!,* añadiré *¡qué bárbaro!,* que se emplea con el
mismo sentido de *¡qué barbaridad!,* es decir, como reflejo de
asombro, admiración o aprobación, como puede oírse, por ejemplo, de boca de los espectadores ante las proezas de un equili-
brista. También se usa al comentar la belleza de una muchacha: *¡Qué bárbara, qué bárbara!* [150].

Son igualmente interjectivas, es decir, simples expresiones
de reflejo las menciones de p e r s o n a s   a u s e n t e s   c o m o
t e s t i g o s. Es frecuentísimo el grito de espanto *¡mi madre!*
EMH 57 Antonio (con un susto de muerte, al ver aparecer a
los tres temidos matones): *¡Mi ma... m i   m a d r e !* La invocación a la madre, que, en situaciones de extremo apuro verda-

que la razón de ello se debe a la gran diferencia entre la forma culta y
latinizante de los ordinales frente a los cardinales respectivos; cfr. *tri-
gésimo* y *treinta, cuadragésimo* y *cuarenta,* etc.

[149] Estos dos sustantivos acusan también, en casos de función no
interjectiva, el mismo desgaste de su sentido originario. EUB 65: *Como
me piquen el amor propio hago a t r o c i d a d e s* (= 'las cosas más in-
creíbles'). *Ese tío es capaz de hacer una b a r b a r i d a d cualquiera* (=
'es capaz de todo'). *A barbaridad, barbaridad y media* (DM) es leve variación del conocido proverbio alemán «Auf einen groben Klotz gehört
ein noch gröberer Keil», literalm. 'a tal tronco, tal hacha'. Son usuales
como expresiones cuantitativas (además de *un horror) una barbaridad,
una atrocidad.* P. ej.: *me ha gustado una barbaridad (una atrocidad, un
horror); hoy he trabajado una barbaridad (una atrocidad, un horror);
Fulano sabe una barbaridad; toca una barbaridad.* Todas ellas significan
'muchísimo'. «Aquí, como tantas otras veces, la idea de cantidad no se
diferencia ya de la de cualidad» (vid. O. DEUTSCHMANN, «Mengevorstellungen», págs. 60 (280) y sigs.). E. LORENZO, al hablar de «sustantivos en función adverbial», cita: *él estuvo fenómeno* (véase aquí, pág. 280, nota 154);
lo pasamos bomba; se divirtieron horrores (pág. 40). ÁLVARO DE LAIGLESIA,
CSA, pág. 177: *Lo admiramos h o r r o r e s.* Ibid., pág. 223: *Sí, hombre;
estoy de acuerdo en que con el grupo se pasa b á r b a r o.* ALFONSO
PASO, FJ, pág. 40: *¡Pero qué guapa!; ¡Qué b á r b a r a !*

[150] Tenía sentido parecido ya el lat. *barbarus,* étimo de *bravo* (MEYER-
LÜBKE, «Roman. Etym. Wört.», art. 945).

dero, responde a una espontánea reacción humana, se ha generalizado en español al punto de hacerse interjección pura. EMH 25 (Leonor cuenta a su novio el fracaso del trajecito). —Marcos: *¿Pero le has hecho tú ese trajecito de marinero que llevaba?* —Leonor: *Yo* [151]. —Marcos: *¡M i m a d r e!* Como si dijera: 'pero, muchacha, ¿qué has hecho ahí?'. Otro ejemplo: A: *¿Cuánto te ha costado ese traje?* —B: *Tres mil pesetas.* —A: *¡M i m a d r e!* Pero el español va aún más allá, parodiando humorísticamente esta expresión de tan amarga seriedad originaria. EMH 24 Marcos (al ver a Antonio que, acuciado por una gran necesidad, ha decidido salir por las calles como hombre-anuncio): *¡M i s e ñ o r a m a d r e!* Ibid. 70 Antonio lamenta su indigencia con Marcos. Éste, sin embargo, apenas le presta atención, pendiente de las botellas de coñac que hay sobre la mesa. Sólo para fingir algún interés reacciona ya con *¡mi agüela!* [152] (= abuela), ya con *¡mi santa madre!*

La exclamación *¡señores!* corresponde a al. «meine Herren!». EUB 45 *¡S e ñ o r e s ..., qué atrocidad!* El hablante, que en el momento de la exclamación se encuentra solo, se crea, por decirlo así, un público imaginario.

De un principio análogo proceden casi todas las i n v o c a - c i o n e s a D i o s y a l o s S a n t o s. Pues rara vez se trata de invocaciones efectivas, conscientes, sino de un tipo de expresiones reflejas, puesto que el hablante piensa en cualquier cosa antes que en los seres sobrenaturales cuyo nombre pronuncia. Casos de invocación efectiva se conocen como tales por la situación correspondiente, por ejemplo EMH 54 Antonio (e l e v a n d o l o s o j o s): *¿Por qué me has traído aquí, D i o s m í o?* Muy a diferencia de EUB 9 Guzmán (encuentra sobre el escritorio de su amigo un papel del que se desprende que se propone suicidarse): *¡D i o s m í o!* (nerviosamente hace sonar

---

[151] Este *yo* afirmativo se corresponde orgánicamente con el *tú* de la pregunta.

[152] Variante secundaria y humorística de *¡mi madre!*, como ocasionalmente *¡mi tatarabuela!* Y así *¡mi santa madre!* no es más que un intento de revitalizar la descolorida interjección *¡mi madre!* Vid. BEINHAUER, «El humorismo en el español hablado», págs. 35 y 36.

un timbre) *¿Pero qué ha hecho este loco?... ¡Jesús, Jesús!*
Este último, igual que *¡Dios mío!,* son sólo reflejos de fortísima
emoción, no verdaderas invocaciones a Dios y a Cristo. Incluso
la forma reforzada *¡Dios mío de mi alma!* no pasa muchas
veces de ser una mera interjección. Junto a *¡Dios mío!,* que es
el más frecuente, se encuentran ocasionalmente *¡Gran Dios!,*
y otras variantes. EUB 26 Domingo: *El señor marqués acaba
de perder la memoria.* —Primo: *¡Gran Dios!* Ibid. 11 *¡Dios
santo, ha perdido el juicio!* EMH 14 (El portero aporrea la
puerta, lo que a Antonio —que no puede pagar el alquiler—
le hace presentir un escándalo): *¡Santo* [153] *Dios, qué llamada más recia!* Es curiosa la duplicación *¡Dios de Dios!* MP 39
Quica: *...Ahí vive una señora... que fue uña y carne* [154] *de la
madre de la pobre Natalia.* —Celso: *¡Dios!* —Quica: *De esa
señora seguramente es el anónimo.* —Celso: *¡Dios de Dios!,*
duplicación ésta, recogida en el DM, de manera que no ha de
considerarse como ocasional. Su origen se explica por una situación de fortísima emoción que provoca en el hablante esa
repetición mecánica [155] en la cual puede haber tenido presente el
tipo *¡Dios de mi alma!, ¡Dios de mi vida!, ¡Dios de mi corazón!,*
etcétera. Comp. fr. «nom d'un nom!» Otro tanto cabe decirse
de la expresión de que trataremos en el capítulo III, *¡qué boda
ni qué ocho cuartos!,* con sus muchas variantes, que también
en ocasiones aparece en la forma reiterativa *¡qué boda ni qué
boda!* (Véase pág. 182).

---

[153] *Santo* se usa mucho como sustantivo, p. ej. *Fulano tiene más
razón que un santo* = 'muchísima razón'; *esa mujer es una santa;*
pero no es menos usual como adjetivo, p. ej. *ese gandulazo no ha dado
golpe en todo el santo día; como no había sillas teníamos que sentar-
nos en el santo suelo; es muy cabezota* (= 'terco'), *siempre tiene que
hacer su santa voluntad.* Aquí *santa* alude a la *santa* voluntad de
Dios, tan inmutable como la terquedad de quien nada tiene de «santo»
(véase JOSÉ VALLEJO, en ob. cit., pág. 410 y mi artículo «La metáfora religiosa» en «Verdad y Vida», Madrid, 1946).

[154] Ya el «Cantar de Mío Cid», al describir el momento en que el
héroe se despide de su esposa, decía: *assís parten unos d'otros commo
la uña de la carne* (v. 375).

[155] Cfr. el alem. «o Gott, o Gott!».

La i n v o c a c i ó n a C r i s t o, también muy debilitada de significación, ocurre en Castilla en la forma *¡Jesús!* EMH 8 *¡ J e s ú s, qué hombre!* En Andalucía adopta la forma afectiva‧ mente desfigurada *¡Josú!* (SCHUCHARDT, ZRPh, V, 314, nota 2). EMH 80 *¡ J o s ú !* [156], *qué concidencia* (= coincidencia). EDE 160 El Duque: *...¡ C r i s t o !, ¿esa voz?, ¿será posible? ¡Sí! ¡Él es!* Cuando alguien estornuda, en España (como en Alemania «Gesundheit!» ' ¡salud!') se suele decir *¡Jesús!* «Cuando una persona estornuda, debe decirse: *¡Jesús, María y José! ¡Dios te salve!,* porque antes, que no había esta costumbre, reventaban las personas» («Folklore Español», Biblioteca de Tradiciones Populares Españolas, I, pág. 256). Esta costumbre explica el siguiente pasaje de MP 49: *¡Chitón, Hilaria! ¡Ni aunque estornuden diga ustez J e s ú s !* [157].

Ocúltase probablemente otra invocación a Cristo en este extraño empleo de *¡Señor!* EMH 41 (Tres mujeres de vida alegre comentando sus fracasos en la ruleta) Sole: *...saqué los cinco duros últimos que me quedaban y dije, digo* [158]: «tres a la línea y dos a la calle». *Pos* (= pues) *como si los hubiá* (= hubiera) *tirao a la calle los cinco; ¡la contraria!* —Paquita: *¡ S e ñ o r, si es que tú tiés un prurito con las calles!* Ibid. 47 Sole: *Anoche me decía a mí Paco el Maluenda: ¡Pero, S e ñ o r, qué raro lo de don Antonio, no querer volver por aquí!* VS 51 Nieves (para sí): *¡Ay, S e ñ o r, lo que cuestan los hijos!* (suspirando). Recuérdese lo dicho en pág. 39 a propósito de *pues, señor...*

La V i r g e n   M a r í a es invocada con *¡Virgen (mía)!* AH 70 Lázaro: *Te apartas naturalmente de la tertulia, cruzas el jardín... y en un vuelo, conmigo.* —Virginia (estremeciéndose):

---

[156] Para la *o* de *Josú* (o *Jozú*) véase la nota 138 de este capítulo.

[157] La costumbre de exclamar *¡Jesús!* cuando alguien estornuda se remonta, según el DR, a cierta epidemia que hubo el año 1580, en que los casos mortales se manifestaban por violentos estornudos de los enfermos. Esta exclamación (a diferencia del alem. «Gesundheit!» o «zum Wohlsein!» ' ¡salud!', de origen semejante) se explica quizá por las palabras bíblicas «quien invoca su nombre será salvo» (Joel, II, 32).

[158] Para la duplicación del verbo dicendi comp. pág. 69.

¡ V i r g e n m í a ! Aquí hay una efectiva invocación a la Virgen;
pues tratándose de una muchacha honrada, el plan de fugarse
de noche con el amado, le parece cosa grave. Lázaro la previene
contra ese pensamiento y le dice: *no me mires así: ¡no dudes
de la honradez de mi alma!* De modo análogo en MP 36 Quica:
¡ B e n d i t a s e a l a V i r g e n d e l A m p a r o ! —Celso: *¿Eh?*
—Quica: *¡Bendita sea! A su inspiración debo el haber ido esta
mañana a casa de Natalia.* En cambio encontramos puras expresiones reflejas en EMH 12 *¡Porque si no nos pagara!...*
¡Otro día sin nada, V i r g e n s a n t a ! En este caso se explica
por el agobio del hablante al acordarse de la miseria que le
amenaza. En fin, el muy corriente *¡Ave María!* (con frecuencia
intensificado en *¡Ave María Purísima!*) [159], como tantas otras
expresiones oriundas del sagrado recinto de la iglesia, aparece
traído parodísticamente al plano vulgar. PF 14 Palau (viajante,
presentándose a Emeterio): *Pau Palau y Tomeu, representante
de Andreu, Grau y Riu de Barcelona. Una casa que es especia-
lidad en todos los artículos: en lanería, mercería, camisería,
guantería, perfumería y bisutería.* —Emeterio: *¡ A v e M a r í a !*
(ponderación; burlesca por la rima). MP 12 Hilaria: *¿No quiere
ustez ver el comedor y la alcoba?* —Doña Munda: *¡ A v e M a -
r í a ! Sería una indiscreción por mi parte.* Aquí la interjección
se aproxima a una negación intensificada; como si dijera: '*¡Dios
me libre, no pienso en tal cosa!*' Estas y otras protestas son
acompañadas en ocasiones con la señal de la cruz.

En las invocaciones a los santos, interesaría saber cuál es
el santo a que en cada caso se apela. Frecuentemente lo determina la propia situación, que evoca otra semejante de la
vida del santo. El campesino, como es natural, invoca con predilección al santo patrón de su aldea. EDE 17 Chimenea: *...Cua-
renta y nueve palasios tiene.* —Concha: *¡ S a n B l a s !* Ibid. 104
Pizarro: *Que lo van a delatar por farso* (= falso) *duque.* —Chi-

---

[159] En el campo, *Ave María purísima* se usa mucho aún a modo de
saludo; la contestación es, conforme a la letanía, *sin pecado concebida.*
Vid. G. WEISE, ob. cit., págs. 269 y sigs. En MIGUEL MIHURA, MA, pág. 30,
ocurre: Sor María: *A v e M a r í a p u r í s i m a;* —y D.ª Pilar contesta:
S i n p e c a d o c o n c e b i d a.

menea: *¡ S a n t a R i t a me varga!* *¿Quién te ha dicho semejante asurdo* (= absurdo)? [160].

Además, tienen carácter interjectivo f ó r m u l a s d e j u r a - m e n t o como la usadísima *¡por Dios!* [161], que muchas veces puede sustituir a la citada *¡Ave María!* EUB 44 Ricordi: *No es que niegue la suficiencia de Macías* (uno de sus médicos ayudantes), *pero ya ve usted... Y eso que no salga de nosotros.* —Primo: *¡ P o r D i o s !* (Quiere decir: 'ya me guardaré de decir ni una palabra a nadie'). Ibid. 11 *¡Pero, Segundo, p o r l a V i r g e n s a n t í s i m a , vuelve a la realidad* (donde el superlativo *santísima* ha sido tomado directamente del latín eclesiástico). De la especial veneración por la madre da evidencia la fórmula *¡por tu madre!* (Lo mismo en Venezuela y probable‑ mente en todo el ámbito hispanohablante; AURA GÓMEZ, ob. cit., pág. 220). EMH 60 Antonio (insta a Marcos que le procure un coche para huir): *Un automóvil, ¡ p o r t u m a d r e ! ;* es‑ pecialmente solemne y de efecto impresionante en EMH 36 *Ahora, ahora va usted a decirme que retira todos, todos los insultos que me ha dirigido o le juro a usted, p o r l a m e ‑ m o r i a s a g r a d a d e m i m a d r e , que uno de los dos se queda muerto aquí dentro.* Tratándose de súplicas vehementes es corriente decir: *me lo pidió p o r l a m e m o r i a d e m i m a d r e ,* con sus variantes *¡por la gloria de mi madre!* (DM),

---

[160] Otras veces se alude a Santa Rita como a «abogada de los imposi‑ bles», lo que explica giros como *¡que se lo dé Rita!* (libremente: 'que se lo dé el diablo'), *¡que le entienda la Rita!* 'yo no'. En lugar de Rita puede aparecer el Nuncio en muchos modismos de este tipo. P. ej., *¡cuéntaselo al Nuncio!* 'a mí no, porque no me lo creo'; *¡que lo haga el Nuncio!* 'yo, desde luego, no'.

[161] «La idea de la salvación del alma (y la preocupación por ella, añadiría yo) entra también en otras frases muy populares: *mi madre q u e e n g l o r i a e s t é* (o *q u e s a n t a g l o r i a h a y a* —donde se usa *'haber'* con el antiguo valor de = 'tener'); *no quiero nada con él aunque me dé la salvación* y otras muchas» (M. MORREALE, Res., pág. 132, nota 17). También los gitanos, según CARLOS CLAVERÍA, debieron decir muchas veces ese *¡por Dios!,* y no únicamente en castellano. El gitano *¡on devel!* corresponde exactamente a nuestro *¡por Dios!* («Gitano‑andaluz *devel, Undebel*» en «Romance Philology», II, 1948‑1949, págs. 33‑61).

¡por la salud de mi madre! (DM)[162]. En el DM encuentro otras fórmulas de juramento, también oídas muchas veces: *¡Por Cristo!*; *¡Por Dios bendito!*; *¡Por Dios y María Santísima!*; *¡Por Dios y todos los santos!*; *¡por lo más santo!*; *¡Por amor de Dios!* (fr. «pour l'amour de Dieu!»). PL 10 Adela: *¡Pero, Pedro, p o r a m o r d e D i o s, una vez siquiera ten juicio!* La interjección *¡por favor!* corresponde al francés «de grâce!»[163] en ruegos muy encarecidos. *¡Por caridad!*, visto en una carta usado de esta forma: *si no quiere usted hacerlo p o r f a v o r, hágalo p o r c a r i d a d.* EDE 50 *Hicieron bien, ¡ p o r v i d a m í a!* ; también: *¡por los clavos de Cristo!* (DM), con la variante paródica *¡por los clavos de una puerta cochera!* [164]. Por último: *¡por las siete llagas!*, *¡por las llaves de San Pedro!*, *¡por las barbas de Mahoma!* [165] (DM). Como vemos, casi todas son expresiones de la esfera religiosa; de ellas, sólo muy pocas tienen, en ese uso, correspondencia en otras lenguas. Mencionemos aún la elipsis *¡por vida de...!*, de la cual existen múltiples variantes de forma plena, como *¡por vida del chápiro!* (?), que aparece sólo en esta y otras construcciones semejantes: *¡por vida del chápiro verde!* [166]. *(Un atracador del chápiro* es expresión de argot por *mendigo,* según Besses.) Agréguense *¡por vida de Satanás!*, *¡por vida de los doce apóstoles!*, y algunas más como *por lo que más quieras* (M. MORREALE, Res., pág. 132). Mencionemos para terminar el tipo *¡voto a Cristo!* (al. «bei Christus», «bei Gott»), que A. W. Munthe explica, junto a la

---

[162] A propósito de *madre* anota R. RABANALES (ob. cit., pág. 213) que (en Chile) «es imposible oír la palabra 'madre' en una exclamación sin asociarla a una de las más hirientes ofensas nuestras». Cf. esp. *¡toma, t u m a d r e!*

[163] Este sentido originario de *¡por favor!* como súplica e n f á t i c a, según veremos más adelante (pág. 147, n. 14) se ha venido esfumando por completo.

[164] Los clavos se refieren a los que, según la costumbre mora, adornaban las puertas, como se puede ver aún hoy en tantos lugares de España.

[165] «Las expresiones introducidas mediante *por* + sustantivo las siente el español de hoy como chabacanas» (H. OSTER, ob. cit., pág. 18).

[166] Estas frases a base de *chápiro* están anticuadas hoy y a lo sumo se emplean con intención irónica (Sobejano).

expresión elíptica *¡voto a...!*, como procedente de *voto v a a.*
Análogamente a él se han formado *¡voto a Dios!*, *¡voto al chápiro!*, *¡voto al demonio!*, etc.

FORMAS DE INTRODUCCIÓN Y TRANSICIÓN

Hasta aquí hemos tratado preferentemente de unas formas
de iniciar el diálogo que poseen un contenido afectivo más o
menos grande, en cuanto que exteriorizan de modo más inmediato la correspondiente disposición de ánimo del hablante y
—para decirlo con palabras de SPITZER— «señalan, como la clave
musical, el tono de la frase» (IU, 12). Las fórmulas que vamos
a analizar a continuación, o sea las de introducción y transición,
se distinguen de las anteriores porque ya no son espontáneas
e interjectivas, sino producto de reflexión consciente.

El *nada* introductor tiene múltiples valores. Aparece ante
todo, correspondiéndose con el italiano «niente», en el «tipo
de la respuesta tranquilizadora» («Typus der beruhigenden
Antwort», SPITZER, IU, 41 y sigs.). «*Nada* —interpreta SPITZER—
significa 'nada inquietante, nada malo'», como ocurre en los
siguientes ejemplos: —*Oye, Luis, ¿qué pasa con ese joven?*
—*N a d a, don Pablo, que no le daba la gana de pagar el café
que se había tomado* (CELA, ob. cit., pág. 45). EUB 26 Primo:
*¡Hable por la Virgen santa! Soy hombre y tengo entereza.
¡Hable!* —Domingo: *N a d a, que el señor marqués, a resultas
de un accidente, acaba de perder la memoria.* EMH 20 (Don
Antonio ha pinchado con un alfiler al pequeño Anicetín, al tratar
de reformar el traje hecho por su hija). Anicetín (dando un
grito): *¡¡Ay!!* —Antonio: *¡Perdona rico!* (a la madre y sonrien-
do) *N a d a, un ligero pinchacito..., que uno está nervioso.*
VS 19 Bonilla: *¿Pues qué le pasa a usted?* Sinapismo: *N a,
un disgustillo de familia.* Aquí esta respuesta tranquilizadora
ha de entenderse irónicamente, pues el «disgustillo» de que
habla Sinapismo consiste nada menos que en la inminente ejecución de sus tres primos. Este mismo empleo irónico reaparece en VS 40 Cotorra: *...¿qué desgracia ocurre en este hotel*

que mandasté (= manda usted) *echá sá* (= sal) *en er pozo?*
(uso supersticioso con que se pretende ahuyentar una desgracia que amenaza). —Frasquito: *N a , una cocleta* (= croqueta)
*de bacalao: que se empeña la autoridad en que aloje en mi
casa ar verdugo.*

Empero, no todos los casos de *nada* introductor son tan
fáciles de explicar como en los ejemplos anteriores. EUB 40
*N a d a , doctor Manthon, estoy encantado de sus procedimien-
tos curativos.* (Comp. alemán «nein, ich bin wirklich entzückt
von».) Ibid. 34 Primo (al acreedor de su presunto sobrino Segundo; riendo a carcajadas): *Hombre de Dios, yo creí que era
alguna cantidad medio respetable; ¿pero eso?* (vuelve a reír)
*N a d a , déjeme sus señas, y esta tarde tendré el gusto de en-
viárselas.* En ambos ejemplos cabe traducir *nada* por el alemán «nein» (compárese cat. «no», SPITZER, «Revue de dialectologie romane», VI, pág. 118, nota 1). Yo creo que lo mismo el
al. «nein» que el español *nada* del primero de estos ejemplos,
se explican por la idea de una imaginaria objeción que el interlocutor podría oponer por modestia al encarecimiento que hace
el hablante: 'no me diga nada'. Cumplidos del tenor de *habla
usted admirablemente el castellano* suelen rechazarse modestamente con *no tanto,* o bien *oh, no, muchas gracias, no es para
tanto* [167], y entonces el interlocutor mantiene su elogio con *nada,
habla usted muy bien; nada, nada, lo dicho,* o frase parecida.
Más fácil es la explicación del segundo ejemplo: '¿pero... esa
fruslería?'. La risa del personaje permite interpretar: 'da risa
el mencionarlo siquiera'. Semejante idea se rechaza con *nada.*
SC 64 *N a d a , que me voy a pasar el día en la carretera,* aquí
se interpretaría: 'nada puedo hacer', 'haga lo que haga, no
tendré más remedio que pasarme el día en la carretera'. En
otros casos *nada* hace el papel de bordoncillo o comodín. En
este empleo viene a coincidir con el tipo citado en primer lugar:

---

[167] Hoy es muy corriente la réplica humorística *ni tanto ni tan calvo,*
con la ampliación jocosa: *que se me vean los sesos.* En M. DELIBES, CHM,
pág. 70, una «amiga», refiriéndose al físico del difunto, había dicho que
parecía un espantapájaros, a lo cual contesta la esposa: *N i t a n t o n i
t a n c a l v o .*

respuesta tranquilizadora. *Nada* quiere decir 'nada difícil' o 'muy sencillo', y al decirlo el hablante gana tiempo para prepararse la explicación o definición oportuna. EUB 43 Primo (hablando con el director del sanatorio sobre los métodos terapéuticos de Manthon): *Y eso de las bofetadas, ¿qué es?* —Ricordi: *Otro procedimiento del doctor Manthon, tiene muchísimos. N a d a, uno que entra en la habitación del enfermo, le dice: Míreme usted bien a la cara...,* etc. (Aquí *nada* equivale a 'muy sencillo'). Ibid. 65 Primo: *Mire usted, en Madrid hace muchos años, figúrese, era yo un pollo... Bueno, pues había una cucaña en Chamberí; n a d a, un palo muy largo y en lo alto una gallina para el que subiese a cogerla. Pues me picaron el amor propio, trepé y la cogí.* Por la cara que pone el oyente, Primo (hombre totalmente inculto que cree a los otros de su misma condición) supone que no sabe a derechas lo que es una cucaña. Tiene, pues, que improvisar una definición de cucaña, para la cual el *nada* preludiante le deja ganar tiempo. El mismo *nada,* algo premioso, suele emplearlo el español al despedirse de una visita. El visitante se levanta, y el dueño de la casa dice: *P u e s n a d a ..., ya ha tomado usted posesión de su casa*[168]. (Véase abajo, págs. 140-141.) *Pues nada* no es más que una especie de arranque para formular la frase de despedida que sigue a continuación. Se usa incluso tratándose de visitas totalmente familiares, como en EMH 32 Antonio (a Mariano, amigo de la infancia, que se dispone a salir): *Bueno, p u e s n a d a, Mariano, hasta luego y gracias por todo, porque has venido a traer la tranquilidad a mi casa.* Aquí también cabe interpretar: 'nada más'.

Para la e n t r a d a « i n m e d i a s r e s », el español dispone de gran variedad de giros. EMH 15 Társilo: *Después de too me estoy metiendo en camisa de ocho metros veinticinco que vienen a ser las once varas aproximadamente*[169]. *C o n -*

---

[168] Menos ceremonioso: *ya sabe dónde tiene usted su casa* (Sobejano); *ya sabe dónde nos tiene.*

[169] Ampliación humorística del modismo popularísimo *meterse en camisa de once varas,* es decir, 'en lo que a uno no le importa ni está capacitado para resolver'.

q u e [170] *a l o q u e v e n g o.* —Antonio: *Dígame.* —Társilo: *Pues s'acordará usté que,* etc. (sigue la reclamación del alquiler, que Antonio debe todavía). *Conque* se enlaza con las frases de rigor que antecedían, tales como las de saludo y las (siempre indispensables en España) que se emplean para informarse de la salud del otro, aun tratándose de personas desconocidas. AH 24 *Vengamos al asunto. Te voy a decir una cosa, aunque te la haya dicho, no setenta, sino cien mil veces. Todas son pocas. Los hombres tenemos...,* etc. Todos estos preámbulos sirven únicamente para despertar el interés del interlocutor por lo que el hablante va a comunicarle.

A eso voy alude a una situación determinada ('sobre eso voy a hablar ahora'). QNSF 11 Trambuz: *Mi padre era de Burdeos, mi madre de la Rioja.* —Gaspar: *¿Y usted?* —Trambuz: *Yo soy artrítico.* —Oscar: *No veo la relación entre...* —Trambuz: *A e s o v o y. El aire viciado que se respira en los cines...,* etc. (Trambuz, acomodador, busca un empleo en el campo). Sobre *a eso voy* dice el DM: «Frase con que advertimos al que nos interrumpe un discurso adelantando su final, que tenga calma, porque a veces es necesaria la digresión». En la mayoría de los casos, el hablante con *a eso voy* pretende hacer creer al interlocutor que desde un principio iba a parar al tema a que alude la frase, cuando en realidad el interlocutor es el que, con su objeción, le trajo a la memoria lo que el hablante tenía olvidado y que éste entonces introduce con *a eso voy.* La frase alemana «darauf komme ich jetzt zu sprechen» (es decir, «ahora que usted me lo recuerda») se ciñe más al hecho concreto que la española, cuyo sentido es 'ya estaba encaminado (todo el tiempo) hacia aquello que usted desea saber'. Una ficción similar entraña EMH 71 Marcos: *Amos* (= vamos), *don Antonio, por Dios, no se ponga usté baba* (cf. «caérsele a uno la baba», 'estar pasmado, extasiado'), *que p r e c i s a m e n t e a e s t e p u n t o q u e r í a y o q u e l l e g á s e m o s...* —Antonio: *¿A qué punto?* —Marcos: *Al de esa... señora. ¡Don Antonio,*

---

[170] *Conque* (< *cum quid*), lo mismo que *de modo que, así que,* etc., es partícula de transición que muchas veces no sirve más que para retardar el discurso en casos de apuro o compromiso.

es preciso que deje usté a esa mujer para siempre! En realidad
el caso es algo distinto: La hija de Antonio, Leonor, al marcharse, le había hecho prometer a su novio, Marcos, que toca-
ría seriamente en la conciencia de su padre. Pero el propio
Marcos no tarda en dejarse inducir por Antonio a beber, aca-
bando por interesarse, de modo tan exclusivo, por las botellas
de coñac que hay sobre la mesa, que ya apenas oye lo que Antonio le está contando. Sólo cuando éste al fin da en hablar de
su querida es cuando Marcos se acuerda del encarguito. Lo
cual no le impide salir con un enfático «precisamente a este
punto quería yo que llegásemos», simulando haber traído a
Antonio adrede a hablar de ese tema, para cantarle luego las
cuarenta.

Para entrar en el a s u n t o   p r i n c i p a l de una conversación sirven los siguientes giros. MP 32 *Bien, bien: v a m o s a
l o q u e i m p o r t a.* Ibid. 63 *Y v a m o s a m i p r e t e n s i ó n:
es poca cosa.* EDE 86 *Pero v a m o s a l g r a n o d e l a e s p i g a.*
De ordinario se dice elípticamente *al grano* 'a lo fundamental'.
Para tener al interlocutor más pendiente de lo que se le va a
comunicar o para reavivar su atención que amenaza decaer,
se usan expresiones como NV 37 Señor Matías: *¿Un billete?*
—Antonio: *Sí, un billete; que se lo gasten a sus anchas y f í j e-
s e u s t é b i e n: dígales que es el último que tiro al arroyo.*
EDE 14 Chimenea: *¿Mi amo? ¿Pero ustedes no saben quién es
ar presente mi amo?* —Playera: *No.* —Chimenea: *P o s   a t e n-
c i ó n y a b r i r l a b o c a...* (descubriéndose solemnemente):
Er Duque de E. Para el mismo fin es uso frecuente proponer
una especie de adivinanza, en esta forma o en otras semejantes.
MP 22 *¿S a b e s d e d ó n d e s o n c a s i t o d o s* (los muebles)?
¡De la almoneda de los Casa-Lucías! El oyente, claro está, no
puede saberlo: la pregunta sólo pretende excitar su atención.
Lo mismo en NV 24 Carmen: *¿Con quién hablaba usté?* —Pepa:
Pos, ¿c o n q u i é n d i r á s? Con la Rosa, que venía a verte.
(Véase luego también *¿a que no sabes...?*, mencionado en el
capítulo IV, pág. 354.) En J. M.ª Gironella, CV, I, pág. 127, leo:
*¿S a b e s l o q u e t e d i g o? Que lo que ocurre es que cuesta
aceptar lo nuevo.*

Una a f i r m a c i ó n t í m i d a se introduce con *creo que,* y más frecuentemente con el impersonal *me parece que.* La preponderancia de este último es característica por cuanto revela en el hablante cierto reparo en asumir una responsabilidad personal. Sería más corto y más sencillo decir *creo que sí,* pero el pueblo prefiere el más complicado *me parece que sí* [171]. En cambio, para el pasado, lo más usual es *creí que..., pensé que...* Aquí el caso varía, por cuanto el hablante ahora, desde un plano ya retrospectivo, puede exponer sin ninguna responsabilidad lo que él había dicho o pensado. Pero es extraño el empleo del pretérito indefinido en lugar del imperfecto que se esperaría. En el momento en que el hablante declara lo que antes había creído o pensado, ya está desengañado de aquello. Por eso, como ahora, desde esta nueva situación, su creer y pensar, aunque durara un extenso lapso de tiempo, se le antoja como un hecho consumado, emplea el indefinido en lugar del imperfecto. LP 15 Purificación (que se había caído de la bicicleta): *P e n s é q u e m e m a t a b a.* P 7 *C r e í q u e no acaba-ba de escribir la carta.* Lo frecuente de las dos construcciones *creí que* [172], *pensé que* está atestiguado por el modismo popular «A C r e í q u e y a P e n s é q u e los ahorcaron en Madrid»,

[171] F. López Estrada, ob. cit., pág. 266: «La impersonalidad es, con frecuencia, una manera de eludir la primera persona, bien sea por modestia o, al contrario, para realce de esa misma persona». Antonio Quilis («Estudios madrileños», 1966, pág. 372): «El uso de *uno* como i m p e r s o n a l está muy extendido»: *es que u n o no sabe lo qué hacer.* [...] *u n a no tiene tiempo.*

[172] La gran antigüedad de estas aposiopesis se deja ver en el siguiente pasaje del *Sueño del infierno* de Quevedo (dato que agradezco a la amabilidad del prof. Sobejano): *Los más* (enamorados) *estaban descuidados por penséque, según me dijo un diablo. —¿Quién es penséque —dije yo— o qué género de delito? —Rióse y replicó: —No es sino que se destruyen, fiándose de fabulosos semblantes y luego dicen: «pensé que no me obligara, pensé que no me amartelara, pensé que ella me diera a mí y no me quitara, pensé que no tuviera otro con quien yo riñera, pensé que se contentara conmigo solo, pensé que me adoraba»; y así, todos los amantes en el infierno están por pensé que.* («Obras completas», Prosa, Madrid, 1932, pág. 159). — Hay una comedia de Tirso de Molina titulada «El castigo del Penséque».

con el que se da a entender que a nadie le interesa como excusa posible lo que fulano haya creído o pensado, sino únicamente lo que ya pasó o lo que él hizo. *Creíque* y *penséque* se explican como aposiopesis originadas por la actitud del interlocutor, que al pronunciar el hablante *creí que* (o *pensé que*), le corta la palabra displicente.

Indica cierto embarazo la fórmula introductoria *el caso es que* (cf. alemán «die Sache ist nämlich die, dass...»), en cuanto que, en sí, no denota sino que algo ocurre, que «se da» un caso. Sirve únicamente como elemento retardatario, precursor, sobre todo, de revelaciones desagradables, como en EMH 15 Antonio (buscando infructuosamente una forma conciliatoria, para manifestar al portero, quien le acaba de entregar cuatro recibos sin pagar, que se ve otra vez incapaz de abonar el alquiler): *Uno, dos, tres, cuatro... exactamente, señor Társilo, cuatro recibos... Ahora bien, es decir, ahora mal... o mejor dicho, e l c a s o e s, señor Társilo, que en este momento, y, comoquiera que no he podido hacer efectivas ciertas cantidades que yo esperaba, me es imposible...* (Társilo no le leja continuar, interrumpiéndole con un formidable puñetazo en la mesa.)

Para poner de relieve lo que se va a decir, y al mismo tiempo avivar la atención del interlocutor, sirven *lo que hay es que, lo que pasa es que,* y otros giros más circunstanciados como *pasa una cosa, y es que;* por ejemplo: *este niño no es tonto, ni mucho menos; l o q u e h a y (p a s a) e s q u e no estudia bastante.* M 11 *Pa mí que l o q u e h a p a s a o h a s í o q u e er Padre Eterno, pasando por las nubes una tarde...,* etc. Ibid. 48 *No, tonta, ¿qué me ha de pasar? L o q u e h a y e s q u e hace tiempo no vives conmigo.* En cambio, en M 55 Leonardo: *H a y q u e imponerle un correctivo eficaz.* —Salvador: *L o q u e h a y e s q u e* [173] *pegarle un puntapié,* la construcción del interlocutor *hay que* + infinitivo es remedada burlonamente por el hablante. También: *a mí me pasa (me ocurre, me sucede) una cosa.*

---

[173] Vid. también S. Fernández Ramírez, ob. cit., pág. 325. En lenguaje muy descuidado, el sintagma *lo que pasa es que* queda a veces reducido a *lo que,* p. ej. —(...) *será que marcho para viejo. —Tú no estás viejo. L o q u e no te meneas en todo el día* («Jarama», pág. 25).

Y es que cuanto más trabajo menos me canso. Véase también OSTER, obra citada, págs. 29 y sigs.

La aclaración de una circunstancia que la necesita se introduce con *es que* ('el caso es que'). VS 11 Nieves: *¿Qué tenemos nosotros que ver con eso?* —Presentación: *E s q u e dice el negro que tiene que traer los diecisiete perros.* (El alemán usaría la partícula «nämlich»). VS 34 Frasquito: *¿Pa qué se va usté a molestar? Con unas parmitas acuden en seguida* (los camareros) [174]. —Ismael: *E s q u e como éste es el país del cante y del baile, si me pongo a dar palmadas, van a creer que me jaleo* [175]. Comp. fr. «c'est qu'il était malade» = al. «er war nämlich krank» [176]. A este *es que* corresponde la pregunta típicamente coloquial *¿qué es que...?* '¿por qué?, ¿a qué se debe?'. EMH Antonio: *¿Qué es que no te acostaste, vida?,* a lo que corresponde la contestación de Leonor: *Que me levanté a las dos y media.* (Véase también SPITZER, «Aufs.», págs. 95-96.) En la actualidad es más frecuente *¿cómo es que...?* Véase también R. CARNICER, Lh, capít. «Es... que». En n. 176 explico la relación con el homónimo francés *est-ce que...?* introductor de una pregunta, por ejemplo, *est-ce que le train est dejà arrivé?, ¿ha llegado ya el tren?* Y las respectivas respuestas: fr. *c' e s t q u e le train est dejà arrivé;* esp. *e s q u e el tren ha llegado ya.* A *como* explicativo en *c o m o no me han dicho nada, c o m o ya era tarde (no fuí),* etc.; corresponde *¿cómo?* interrogativo en *¿ c ó m o* (= '¿por qué?') *no me has dicho nada?* ML 45 *¿ C ó m o no le ha entregado usted la carta que le di para él?*

---

[174] Costumbre en decadencia no sólo de España, sino de los países orientales.

[175] De *jalear* 'animar con palmas a los que cantan o bailan' viene *jaleo,* que además puede significar 'escándalo, confusión y pendencia': *se armó un jaleo tremendo; ¡cualquiera se conoce en este jaleo!*

[176] En cambio, el esp. *es que* nada tiene que ver con la homonímica fórmula francesa *est-ce que,* siempre interrogante, como en *est-ce que ton frère est malade?,* a lo cual corresponde en esp. *¿está enfermo tu hermano?* o *¿qué es de tu h., está enf.?* Únicamente para introducir la explicación del por qué está ausente el hermano se diría: *es que está enfermo.* También cabe preguntar en español *¿es que está enfermo?* pero ello equivale a *¿es p o r q u e está e.?* Véase S. GILI GAYA, «¿Es que...?», en «Homenaje a Dámaso Alonso», II, 91-98.

De todos modos 'en todo caso', 'a pesar de todo', significa
lo que el italiano «ad ogni modo», o sea «un titubeante y no
completo abandono de la propia opinión» (SPITZER, IU, pág. 54).
Se discute la valía de un político: A: *Vale, pero no vale para
todo.* —B: *Concedido, pero d e t o d o s m o d o s es un orador
estupendo.*

A lo mejor (que corresponde al alemán «womöglich», «am
Ende gar») en cuanto que, al presentar algo desagradable, lo
expone como lo mejor que podría ocurrir, denota cierta actitud
pesimista, lo mismo que *menos mal*, cuyo exacto equivalente
es el italiano «meno male». «El pesimismo humano se manifiesta en que, en lugar de decir *por fortuna*, se habla sólo de un
mal relativamente menor *(menos mal)*» (SPITZER, IU, pág. 196).
EMH 58 Pollo: *¡Es un cuarto (de) kilo de chiste!* (alusión des-
deñosa a la extrema delgadez de Antonio). —Antonio: *A l o
m e j o r , un cuarto de kilo les hace daño a tres* (amenaza dirigida contra el Pollo y sus dos compañeros). PL 12 *A l o m e -
j o r*[177], *detrás de un aparente revés hay un halago de la fortuna.* M 21 *En estos pueblos hay a l o m e j o r ca*[178] *veterinario*
(aquí 'médico malo'). EUB 17 Domingo (al oír que su amo, que
le debe aún el sueldo de ocho meses, ha perdido de repente la
memoria): *M e n o s m a l que no son más que ocho meses. Si
le da esto de la magnesia* (quiere decir *amnesia*) *dentro de un
par de años, mi ruina.* VM 15 *Y m e n o s m a l que ni él ni las
hijas saben lo gravísimo que está* (el enfermo).

Una o b j e c i ó n se introduce con *pero* (exactamente equivalente al alemán «aber»). A veces no hace sino reflejar la
insatisfacción del hablante con la respectiva situación. NV 12
¡P e r o siéntate, mujer, siéntate! En las preguntas de extrañe-

---

[177] No se confunda con *estar a lo mejor* 'estar atento sólo a lo que
beneficia'. Hoy la clausulilla *a lo mejor* cubre todo el campo semántico
del alemán *vielleicht* y desplaza del habla coloquial a otros adverbios de
tinte más literario *(acaso, quizá, tal vez)*. Lo mismo se oye *a lo mejor
me toca la lotería* que *a lo mejor se muere*, sin valor irónico en ningún
caso (E. LORENZO, ob. cit., pág. 146).

[178] *Ca = cada*. Para la función de *cada*, vid. pág. 400.

za, *pero* expresa cierta resistencia que el hablante opone a aceptar una situación nueva. EDE 15 Concha: *¿Que tú le sirves ar Duque de E? ¿ P e r o desde cuándo?* Merece especial atención la construcción *pero ¿y...?*, en ciertas frases interrogativas, sobre la que llama la atención KRÜGER en RFE, 1925, pág. 187. MP 67 *P e r o ¿y él, Celso?* NV 10 *P e r o ¿y cómo ha sido eso?* Analicemos: *pero* expresa de un modo general el descontento del hablante con la situación; *y* denota que aún falta algo para que tenga pleno sentido. La sola puntuación ya demuestra gráficamente al lector que el *pero* no pertenece aún a la frase interrogativa. Supongo que se trata originariamente de un anacoluto. La frase originaria introducida con *pero* se ha quedado truncada, dejando únicamente el *pero* como exponente de la objeción; finalmente, *pero y* se han fundido en un cliché sintáctico. Como variante se encuentra también la construcción *pues y:* VS 3 *P u e s ¿y aquel pescado del lunes que nos lo presentaron muy adornadito con papeles risados?* (' ¡qué malo era también! ').

Respondiendo al deseo de establecer una r e l a c i ó n entre una idea precedente y otra nueva que la sigue, nació la forma de transición *a propósito* ('ya que estamos hablando de tal cosa') (fr. «à propos»). EMH 32 Mariano (instruye a Antonio sobre sus atribuciones como vigilante de la sala de juego): *...y si me crees a mí* (sentido: 'si quieres un buen consejo'), *pocas palabras, dos tiros a tiempo y te haces el amo... A p r o p ó s i t o* (le enseña una pistola discretamente). *Tú no tendrás...* —Antonio: *No, no tengo.* —Mariano: *Pues toma.* Ibid. 58 Paco (a los tres temidos matones que quieren penetrar en la sala de juego): *¿Venís con ganita de bronca?* —Pollo: *¡Dios nos libre!...* *A p r o p ó s i t o. Diga usté, honorable y valeroso don Antonio, ¿podríamos pasar ahí dentro un ratito?* Aquí el *a propósito* da un fingido enlace con lo dicho anteriormente: se trata de una formulación entre irónica y cortés. Al mismo tipo pertenecen construcciones de gerundio como *hablando de otra cosa, volviendo a lo de antes,* y otras semejantes. EMH 43 *Bueno, Paco, y h a b l a n d o d e o t r o a s u n t o, ¿qué te parece mi recomendado?* Ibid. 70 *Pues, v o l v i e n d o a l o d e m i h i j a, te juro,*

Marquitos, que estoy pasando por ella unos días horrendos.
Igual que en el italiano en casos análogos, aquí se omite un
«verbum dicendi».

Me ha llamado la atención la frecuencia con que se introduce una propuesta de la siguiente forma: *¿P o r   q u é   n o
nos damos una vueltecita a tomar el fresco?* (= 'propongo que
nos demos...'); *¿p o r   q u é   n o tomamos un taxi?* (= 'propongo
que lo tomemos').* En ambos ejemplos (por lo demás multiplicables a discreción) el *¿por qué no...?* no pretende en absoluto
inquirir la razón de lo que va enunciado a continuación, como
p. ej. un francés lo entendería traducido literalmente a su lengua: *Pourquoi* (= *pour quelle raison*) *ne faisons-nous pas un
petit tour,* etc.? Y es que para manifestar en francés la misma
idea que expresa la frase española, habría que decir: *Si nous
faisions un petit tour...?; si nous prenions un taxi?,* a lo que
corresponderían a su vez las variantes españolas (de matiz algo
más insinuante) *¿y si diéramos una vueltecita...? ¿y si tomáramos un taxi?* En ocasiones, la seudopregunta *(¿por qué no...?)*
puede equivaler a una especie de mandato; p. ej., unos amigotes sentados en la terraza de un bar, al ver pasar a un compañero: *¡Eh!, Leandro, ¿p o r   q u é   n o te sientas un ratito con
nosotros?* (= 'anda, siéntate... con nosotros'). *¿P o r   q u é   n o
hacemos algo de café? propone uno de los circunstantes* (Fr.
Candel, «Pueblo», pág. 17). *He leído que los israelitas* (hoy es
más correcto: «israelíes») *necesitan gente para cultivar el desierto. ¿P o r   q u é   n o vamos a cultivar el desierto?* (= 'propongo que vayamos...').

Cuando dentro del mismo discurso surge un n u e v o a r
g u m e n t o , éste se introduce con *ahora que.* Aquí también
es de suponer que originariamente habría un verbo dicendi,
como atestigua el *que* que sigue: «(pero) yo ahora digo que...»
EUB 37 Brígida (enferma que ha perdido la memoria, al mozo
del sanatorio): *¿Entonces he desayunado ya?* —Rodolfo: *Sí,
señora.* —Brígida: *¿Qué tomé, Gutiérrez?* —Rodolfo: *Lo de
todos los días: un tazón de chocolate con doce picatostes.* —Brígida: *¡Ya!* —Rodolfo: *A h o r a* (se imagina una ligera pausa tras
el *ahora* fuertemente acentuado) *q u e si la señora desea tomar*

algo, es distinto. AH 24 *Las mujeres... Mienten por ley de naturaleza... Si no mienten, se mueren.* A h o r a q u e *hay dos
géneros en sus mentiras, las leves y las graves.* De las que suel-
tan *mentiras graves, Dios nos libre; las que no sueltan más que
leves, como mi Barbarita, benditas sean.* Ese *ahora* aparece con
el mismo sentido, sin *que* a continuación: MP 11 *De modo que
eso, no; esté ustez tranquila.* A h o r a ('en cambio'), *si tiene
usté curiosidad...* (es distinto). Véase también T. SALVADOR, ob.
cit., págs. 303-304.

Da ocasión a un efecto humorístico el que la fórmula final
de un pensamiento se una con la fórmula inicial de otro sólo
aparentemente nuevo y que en realidad no es sino la continuación del primero. EMH 55 Antonio: *Me va usté a hacer el favor
de mandarles* (a los tres matones) *el siguiente recadito: que
como se personen en esta su casa* (fórmula de cortesía usada
irónicamente) *les voy a dar una* [179] *de bofetás, que va a tener
que hacer las particiones un notario.* E s o d e p r ó l o g o . Y
d e e p í l o g o , *que como no saquen kilométrico, no encuentran
los dientes.*

En las argumentaciones cada n u e v o m o m e n to es introducido de modo muy eficaz con *es más,* o *y es más* (fr. «il y a
plus»). AH 52 *Castañeda, hombre modesto y humildísimo, en
cuanto imprime una tontería ya la ve a otra luz y la defiende
con dientes y uñas.* E s m á s : *Así como mi mujer cree que no
pasa más que lo que ella imagina, Castañeda cree que lo que
él imprime es lo que pasa.* Otra variante en M 55 Salvador (a
Leonardo, refiriéndose a un obrero nuevo que cumple mal):
...les sacará los cuartos... M á s t e d i g o : *Las herramientas y
las dos badilas... er se las ha yevao.*

La v e r a c i d a d de una manifestación, traída a colación
por lo que otro dice o por simple asociación de ideas, queda
abonada a menudo al ser ésta introducida con *por cierto que,*
por ejemplo: VS 30 Frasquito: *¿Hay mucha gente en casa de
la Bisoja?* —Corbina: *Nueve forasteros y un vascongado.* (Ríe.)

---

[179] Se sobreentiende *cantidad, serie, porción* u otra **palabra** femenina
que indique cantidad, como *una atrocidad, una barbaridad de...*

P o r   c i e r t o   q u e   estaba la Bisoja que echaba candela [180].
También este *que* enlazaría quizá originariamente con un verbo
dicendi que se tiene presente. ('Para prueba de la veracidad
de ello, te digo que...'.) VS 34 Talmilla: *...Aquí en primavera
la gente prefiere ir al circo.* —Frasquito: *P o r   c i e r t o   q u e
ahí en el cuarto tengo yo a una artista del circo que llegó anoche.*
Giro muy afín es *por más señas, que.* MP 29 Horacio: *Que el
señorito lo llevaba* (el paquete) *en la mano.* —Celso: *Justo.*
—Horacio: *P o r   m á s   s e ñ a s ,   q u e una puntita de la cinta
rosa iba* [181] *sujeta al papel blanco con un sello verde.*

Una c i r c u n s t a n c i a aclaratoria importante, con valor
concesivo, es introducida con *y eso que*; por ejemplo: EMH 53
Sole (a Antonio): *Le tengo a usté mucha simpatía, Antonio. A
pocos hombres les he dicho yo esto. Y e s o   q u e una ha tenido
la desgracia de la libertad...* (alusión a su oficio). EUB 41 Ricordi: *¿Y qué me dice usted del establecimiento?* —Primo:
¡Oh! Estoy encantado. —Ricordi: *Y e s o   q u e aún no ha visi-
tado usted estos alrededores.* SPITZER, en «Aufs.», pág. 93, coloca
esta construcción sintácticamente en el mismo plano que *sí
que* en frases como *eso sí que me falta también.* Creo que se
explica más sencillamente como elipsis. En un cuento de PA-
LACIO VALDÉS titulado «El hombre de los patíbulos», se lee: *Ni
por un Cristo* ('por nada del mundo') *nadie quería quedarse
con él, y e s o   q u e le tenían con grillos.* Como complemento
sintáctico yo añadiría *es lo que tiene de particular*, explicación
que se apoya en el cotejo de los siguientes modismos sinónimos:
*¿y eso qué?, y eso ¿qué importa?, y eso ¿qué tiene que ver?, y
eso ¿qué tiene de particular?*, todos registrados en el DM y de
los cuales el primero es, evidentemente, la forma elíptica de
los restantes. Véase también H. OSTER, obra citada, pág. 34.
Además, SALVADOR FERNÁNDEZ, pág. 255, y A. BRAUE, pág. 116.

---

[180] En vez de *echar candela*, forma andaluza, en Castilla y otras partes
es más corriente *echar chispas, echar lumbre, echar fuego*, etc. (vid. página 266).

[181] Para el verbo de movimiento *(iba* en vez de *estaba)* vid. BEINHAUER,
«Ortsgefühl...», en RF, 54, 3. Además, E. COSERIU, «Sobre las llamadas
construcciones con verbos de movimiento. Un problema hispánico» (Montevideo, 1960).

FENTE y FERNÁNDEZ FEIJOO (ob. cit., pág. 36) hablan de «expresión concesiva». JOSÉ VALLEJO, ob. cit., pág. 374, interpreta 'y ello a pesar de que' y entre otros ejemplos, cita: *Ay, hija, mi marido no es como el tuyo*: *Y e s o q u e no llevamos más que cinco años de casados*. El mismo sintagma ocurre o c a s i o - n a l m e n t e s i n «y»: *Sube al piso de arriba* [del autobús]. *E s o q ue abajo no hay gente* (F. CANDEL, «Pueblo», pág. 102). Ello me inclina a adherirme a la opinión de E. LORENZO (ob. cit., pág. 161), que contradice, tanto la interpretación de SPITZER como la mía; pero sigue en pie el problema sintáctico. LORENZO, ob. cit., considera *y eso que* como equivalente a 'aunque', 'a pesar de que'. «En ocasiones —nos advierte— el *que* se sustituye por *cuando*», p. ej.: *estuvieron peleándose más de media hora, y e s o c u a n d o les faltaba razón a los dos.*

Con *lo dicho* se introduce la s í n t e s i s de algo ya manifestado. NV 55: *l o d i c h o : mucha suerte.* Para despedirse de un amigo y refiriéndose a algo convenido entre los dos, se suele decir: *Bueno, pues l o d i c h o : hasta mañana.* NV 71 *L o d i c h o.: Mi Antonio se ha vuelto loco* (viene a significar '¿no lo había dicho yo?').

En casos de d u d a , incertidumbre, vacilación, etc., surge el deseo de algo definitivo, concreto; se quiere poner fin a la enojosa situación. A esto responde *en fin*. PL 15 Pedro (al visitante desconocido): *A pesar de mi fe en lo imprevisto, que es grande, no sé qué pensar... E n f i n* ('para ver si finalmente conseguimos aclarar esto'), *siga usted; hable usted.* VS 23 *Yo creí que «la Locomotora» era una pansión* (sic: el personaje habla una mezcla de francés e italiano) *de más humos. E n f i n , tantearé el terreno* ('sea como sea, para llegar a un resultado').

Para introducción de un hecho presentado como e v i d e n - t e sirve la fórmula *excuso decirte (decirle)* que, a su vez, va con frecuencia precedida de la ilativa *conque;* por ejemplo: *el pobre cayó de un andamio de diez metros de alto, (conque) e x c u s o d e c i r l e cómo ha quedado...* ('No hay que decirle...'). Ocurre también con elipsis: Fr. 41 *...y menos mal que se nos ha ocurrido tomar el tranvía, que si no, ¡e x c u s o d e c i r t e!...*

SPITZER ha señalado en IU, 170, que también existen fórmulas con que se expresa el inicio de una acción. Tales son los vocativos *señor, señora*, con que se acompaña una inclinación o reverencia. En ocasión especialmente solemne ocurre lo mismo para el apretón de manos, como en «Lances de Honor» 16 (se trata de una escena de reconciliación): Don Dámaso: *A generoso nadie me gana. ¡ S e ñ o r don Lorenzo! ¡ S e ñ o r Aguilar!* (estrechando primero la mano del uno y luego del otro). Al ofrecer un objeto, el mero nombre de éste sirve de tal fórmula para el acto de entrega. QNSF 11 Trambuz: *Yo pensé que era más delicado traer el bolsillo a casa del señor... y por eso he venido aquí. E l b o l s o .* (Entregándoselo a Luisa.) (En alemán se diría «bitte sehr» como invitación a hacerse cargo del objeto.) Menos elegante, y en cambio muy popular resulta *ahí va*. EMH 43 Jugador 1.º: *Venga todo.* —Jugador 2.º: *¡A h í v a!* (le da el dinero). Ibid. 21 Calixta (arrojando a los pies de la modista las diversas partes del traje de niño echado a perder): *A h í v a la blusita, el pantalón y la gorra.*

Una propina se acompaña corrientemente de la frase *tome usted*. P 14 Mercedes (al camarero): *¡T o m e u s t e d!* (dándole una moneda). En su lugar, también *para usted*.

Capítulo II

LA CORTESÍA

Al observar el modo de dialogar una persona con otra, podemos apreciar dos actitudes fundamentales: o su manera de expresarse se caracteriza por el predominio del yo, o bien está determinada por la consideración hacia el interlocutor. «Predominancia del yo, predominancia de los sujetos extraños al yo, tales son los dos polos entre los que oscila la expresión hablada» (CHARLES BALLY, «Traité de Stylistique française», I, página 290).

Esa deferencia hacia el interlocutor en el más amplio sentido de la palabra es lo que en este capítulo entenderemos por «cortesía». Tal deferencia puede ser auténtica, es decir, nacer efectivamente de impulsos altruistas, pero también puede —y esto es lo que ocurre con mayor frecuencia de lo que a primera vista parece— perseguir el propio interés del hablante y, sólo en apariencia, el del interlocutor. SPITZER y BALLY han mostrado cómo la más inofensiva conversación delata inconfundibles huellas de una lucha en la que los interlocutores se enfrentan como dos contrincantes: «...en toda verdadera conversación, no es una inteligencia lo que lucha con otra inteligencia, es todo un yo quien quiere triunfar sobre otro yo; en la charla más inocente y más pacífica hay siempre algo vital, porque hay siempre algo personal... de una u otra manera está ahí puesto en juego el instinto de conservación».

En esta lucha se dan distintas clases de tácticas. El método más sencillo y primitivo para triunfar sobre el contrincante o librarse de él es hacer un ostentoso despliegue de fuerzas. De ahí nace, lingüísticamente hablando, la propensión a las exageraciones expresivas y a otros recursos similares, con que se pretende triunfar del otro hablante. Pero esta misma lucha puede adoptar formas mucho más suaves e incluso perder aparentemente su carácter de lucha, en cuanto entra en juego una de las más poderosas armas sociales: la cortesía. Ahora, en vez de combatir al contrario con el empleo de la violencia, se procura llegar a convencerle a fuerza de diplomacia. Esta técnica desempeña en el lenguaje corriente un papel de primer orden. En general el español da mucha importancia a mostrarse amable y cortés, y esto nada tiene de falso o simulado. Aun cuando, no por observar formas corteses, deja de subsistir la mencionada lucha por la afirmación del individuo, ésta queda ennoblecida, y con ello notablemente suavizado el roce que supone toda convivencia humana.

Por otra parte, el extremado prurito de esquivar toda aspereza lleva a veces a la práctica de una como política de avestruz, de consecuencias contraproducentes. Así por ejemplo, al hombre de tipo medio le repugna dar una contestación negativa aun cuando lo exigiera el propio interés del preguntante. Si le preguntan por una calle y no sabe dónde está, prefiere dar un informe equivocado a no dar ninguno, lo que para él equivaldría a negarse a prestar un servicio. Este deseo sincero de servir al prójimo suele ser tan vivo que prefiere prestarle un mal servicio a no prestarle ninguno. Como ejemplo de esas mentiras de cortesía (que podríamos llamar «mentirijillas») citaré EUB 20 Julia (hablando de su marido): *Calixto Romero; le oiría usted nombrar.* —Guzmán: *Sí, tengo una idea.* Calixto Romero es un fabricante enriquecido y, naturalmente, su mujer cree que todo el mundo le tiene que conocer. Guzmán en su vida ha oído hablar de él, pero se guarda muy bien de confesarlo a D.ª Julia y contesta: *Sí, tengo una idea.* Lo desagradable que es para un español tener que dar negativas rotundas está reflejado de un modo característico en la calificación de algo árido como *más seco que un no* (DM). Las mencionadas «mentirijillas» presuponen en los que las dicen tanta sensibilidad como inteligencia (y sentido autocrítico) en quienes las oyen. Para terminar este preliminar sobre la cortesía española, cedamos la palabra a un nativo. En la «Spanische Konversationgrammatik», OTTO-SAUER (Groos, Heidelberg), viene reproducido como ejercicio, un artículo de SANCHO PÉREZ, titulado «Sin cumplimientos», en el que leemos: «Quien anda por el mundo y tiene trato de gente y conoce los usos y costumbres de la sociedad en que vive, aprecia prudentemente el valor verdadero y real de esas fórmulas que, aun siendo mentirosas (y algunas veces pueden no serlo), suenan agradablemente en nuestros oídos...; los cumplidos no son otra cosa que la práctica de una máxima profunda y sabia de casi todas las religiones, y desde luego de la religión cristiana: «no hagas a nadie lo que sentirías hiciesen contigo», consejo que puede ser completado con este otro: «haz o procura hacer, con los demás, aquello que deseas que hagan contigo»... «A todos nos agrada oír frases halagüeñas de elogio y de cariño... sobre este sólido cimiento está fundado el edificio de los cumplimientos, que es el más poderoso y el más suave lazo de unión que existe entre los múltiples elementos que integran las modernas sociedades».

A continuación vamos a tratar de las normas de cortesía reflejadas por el idioma en los siguientes aspectos:

1) Cortesía interesada: la posición del hablante es fundamentalmente egoísta.

2) Cortesía generosa o desinteresada: predomina el altruismo en la postura del hablante.

3) Fenómenos estilísticos generales informados por el principio de cortesía.

CORTESÍA INTERESADA

La mayoría de las fórmulas de que vamos a tratar aquí y que emplean no sólo las personas cultas, sino las de más humilde condición social, descansan sobre una ficticia relación «señor-criado», en la que el hablante simula asumir el papel de servidor del interlocutor, asignando a éste el de amo. *Servidor de usted* es la contestación afirmativa usual a la pregunta *¿Tengo el gusto de hablar con don Fulano?* Véanse unos ejemplos. LP 26 Purificación: *¿Es usted el nuevo ingeniero jefe de la provincia?* —Luciano: *S e r v i d o r   d e   u s t e d.* Nótese que falta la partícula propiamente afirmativa. M 29 Malvaloca: *¿Es usté la hermana Piedá?* —H. Piedad: *S e r v i d o r a.* La contestación *servidora* se anticipa a una posible petición posterior: 'la persona por quien usted pregunta, está a su servicio'[1]. Sin embargo, la fórmula resulta hoy tan gastada que ya no se siente sino como mera afirmación y cumplido. Lo prueba, a mi juicio, que al que dice *servidor(a) de usted* no se le contesta dando las gracias, cosa que nunca se omite tras otros ofrecimientos, aun los más formularios.

Resulta más cortés, por menos gastada, la fórmula de finalidad *para servir a usted.* LP 33 Luciano: *¿Tú serás la hija del peón caminero?* —Julia: *Sí, señor, p a r a   s e r v i r   a   u s t e d.* También aquí podría omitirse la partícula afirmativa *(sí)*, pero al conservarse, y añadírsele además el *para servir a Ud.,* lo cortés de la fórmula resalta más que si ésta tuviera que desempeñar las dos funciones a la vez (la afirmativa y la cortés). El adverbio afirmativo falta en EUB 19 Julia: *¿Es usted ese joven doctor a quien el marqués debe su vida?* —Guzmán: *P a r a   s e r v i r l e.* Aquí hubiera producido un efecto desagradable porque la pregunta contiene para Guzmán un elogio que se convertiría en alabanza propia si él lo confirmara con *sí, señora.*

Los niños, al preguntárseles *¿cómo te llamas?,* suelen contestar con la consagrada retahíla del tipo de *Carlitos Sanz Salvador, p a r a   s e r v i r   a   D i o s   y   a   u s t e d.* LP 36 Luciano: *¿Cómo se llama usted?* —Juan: *Juan Fernández, p a r a   s e r v i r   a   D i o s   y   a   u s t e d.* Se trata aquí de un ingenuo aldeano; como en OM 7 Serafina: *¿Se llama usted Pedro, verdad?* —Pedro

---

[1] Véase también SPITZER, IU, 10: «el italiano [y el español, añado yo] no comparte esta especial dislocación de las condiciones primitivas que se da en alemán, donde el servidor (o quien así se designa en la conversación) *pide* («bitte schön») que se le dé una orden».

(un mozo de labranza): *Pedro Martínez, p a r a s e r v i r a
D i o s y a u s t e d.*

La misma frase hace las veces de saludo en AH 48 Don
Clemente: *¿Quién picotea por aquí? ¡Hola! ¡Las tres Marías!*
—María Martín: *P a r a s e r v i r l e a u s t e d, don Clemente.*
El que 'hace o cumple su servicio militar', *s i r v e al rey,* como
se decía en tiempos de la monarquía. Hoy lo corriente es:
ir a la mili; en tiempos de guerra (y en lenguaje más culto)
entrar en (o *incorporarse a, ser llamado a) filas;* humorística
y popularmente: *cargar con el chopo* (= 'ir de soldado').

Un servidor, una servidora ('yo') corresponde al alemán
«meine Wenigkeit» por ejemplo: *Íbamos cuatro: Rodríguez,
Montesinos, Casas y u n s e r v i d o r* (Fr 39). El hablante se
llama a sí mismo «un servidor», esto es, uno de los muchos que
asigna imaginariamente al interlocutor; en vez de *un servidor*
también se dice *este servidor.* Los andaluces usan festivamente
este cura 'yo': *te lo dice este cura.* La expresión procede, evidentemente, de la práctica del confesonario. Véase también SAL-
VADOR FERNÁNDEZ, obra citada, pág. 207, n. 2. Corresponde a ella,
como complemento, aunque sea insólito en la conversación,
este humilde pecador (FRANCISCO J. SANTAMARÍA, «Ensayos Críticos de Lenguaje», México, 1946, pág. 129). M. MORREALE (Res.,
pág. 116) hace observar el matiz irónico de la expresión. Emparéntase con ella: (lo he tocado) *con estas manos pecadoras*
(= con mis propias manos).

Los niños de la escuela piden la palabra en la clase con *un
servidor, una servidora,* correspondiente al al. «ich, ich!» de
asiduos niños alemanes. EUB 20 Julia (a Primo): *Y a u n a
s e r v i d o r a la ligaba con el marqués una simpatía que podría
considerarse...,* etc. VS 6 Sinapismo: *Bueno, señores, ¿quién
se viene pa el centro?* —Tresolls: *U n s e r v i d o r* ('yo'). Ahora
bien, la significación originaria de *servidor* ha llegado a desvaír-
se de tal modo que hasta el iracundo portero de EMH 16 al
escupir sus insultos grita: *...Y jugar con el casero y tomarle
el pelo a u n s e r v i d o r...* Sin duda se trata aquí, además,
de un efecto cómico intencionado, porque la cortesía del *un
servidor* les sienta a las demás palabrotas como «a un Cristo

un par de pistolas». Por lo demás, veremos más adelante que
reproches e insultos son perfectamente compatibles con las
fórmulas de urbanidad. Con ellas se pretende acreditar «la
corrección de la propia conducta» (SPITZER).

Servidor, lo mismo que vale para eludir la primera persona
(yo) [2], se emplea para expresar la posesión de la misma. A la
pregunta: *¿De quién es este libro?*, se contesta habitualmente:
De un servidor ('mío'). Resultaría más cortés aún: *D e u n
s e r v i d o r y de usted*, con lo que al mismo tiempo se hace
el objeto en cuestión propiedad del interlocutor. Incluso cabe
suprimir la contestación directa a la pregunta y decir, en su
lugar, *de usted*, p. ej.: A: *¿De quién es este libro?* —B: *D e
u s t e d*. A la pregunta *¿este libro es de usted?*, muchos españoles responderían en caso afirmativo: *y de usted*. SC 50 Petronila: *Diga usted, señor Cura, ¿aquella huerta es de usted?*
—Feliciano: *Y d e u s t e d e s* [3] (es decir, de Petronila y los otros
huéspedes). En todos estos casos el interlocutor contestará correspondiendo al ofrecimiento: *muchas gracias* [4].

---

[2] En sustitución de la primera persona, el lenguaje popular emplea
también el gitanismo *menda* (E. LORENZO, pág. 161), usado ocasionalmente,
igual que *el andova*, para la tercera persona, incluso en la conversación
general (si bien casi siempre en tono festivo). C 40: *Menudo a n d o v a
es el gachó ese*. A propósito de *menda*, M. MORREALE (Reseña, pag. 126)
cita la rima jocosa *mi menda lerenda*; además el frecuente *uno que yo
conozco* (= 'yo'). A propósito también de *menda*, véase el interesante
artículo de CARLOS CLAVERÍA «*Menda y mangue* en el sistema pronominal
español» (NRFH, III, págs. 267 y sigs.) Huelga decir que, tanto *menda* y
mangue como *andova* (para la tercera persona) se emplean en la conversación familiar y popular únicamente en tono festivo. Lo más curioso
es que, según el mismo C. CLAVERÍA, «ya no lo usan los propios gitanos»
(«Notas sobre el gitano-español», en «Strenae», págs. 116-17).

[3] Compárese a este propósito la sugestiva teoría sobre la noción de
propiedad en E. LORENZO, pág. 35. Añado el siguiente ejemplo: *no hace
uno más que perder e l tiempo*, frente a alemán *man verliert nur s e i n e
Zeit*.

[4] Las fórmulas de gratitud *gracias* y *muchas gracias* están tan des-
gastadas en español como sus equivalentes en otras lenguas. De ahí que
sea necesario sustituirlas por giros menos descoloridos cuando se trata
de encarecer un especial agradecimiento. VS 17 Valenzuela: *Ahí va* (vid.
págs. 366-67) *mi estilográfica*. —Bonilla (hombre muy extremoso en agrade-

A veces se rehusan las gracias con *no las merece*, en cuyo caso el sujeto del verbo es el favor realizado. En cambio, hay que sobreentender como sujeto *un servidor* en el *¡va!* de los camareros o sirvientes (que corresponde al alemán: «ich komme»). SC 41 Nicasia: *¡Manuela, sirva usted el almuerzo!* —Manuela: *¡Ya v a , señora, ya v a !* Aquí cabe también completar la frase con *el almuerzo* como sujeto. El caso de VS 57 es inequívoco. (Los clientes del hotel reclaman que se les sirva; unos chillan, otros silban, los de más allá se hacen notar dando palmadas al uso antiguo español.) Rosario (camarera): *¡ V a !*, luego cada vez más enfadada: *¡ ¡ ¡ v a a a a ! ! !* ... *¡¡¡Ya v a a a!!!* [5].

Mencionaremos también el *servidor* que se usa en la despedida de las cartas comerciales o ceremoniosas: *me ofrezco de usted atento y seguro servidor que estrecha su mano* (abreviado: *atto. s. s. q. e. s. m.*)[6]. Corresponde a la fórmula de salutación *muy señor mío*, donde se expresa la otra cara complementaria de la mencionada relación ficticia «amo-siervo».

---

cer cualquier minucia): *¡Una m i l l o n a d a d e g r a c i a s !* Ibid. 7 Ismael: *Mi enhorabuena, doña Nieves.* —Nieves: *T a n t í s i m a s* (entiéndase *gracias;* cf. ital. «tante grazie!»). M 15 Leonardo: *Tome usted un par de ellos* (de cigarrillos) *si quiere.* —Barrabás: *Sí quiero. Y m u y a g r a d e - s í o* (= agradecido). *Muy agradecido* es la frase con que los españoles expresan su reconocimiento por la hospitalidad, al despedirse de sus anfitriones. MP 45 *Y gracias por todo; m u c h a s g r a c i a s .* A veces basta alargar la *u* de *muchas,* cargando el acento enfáticamente sobre ella, para inyectar nueva vida a la fórmula. Luis Flórez (ob. cit., pág. 186) cita: *mil gracias; un millón de gracias,* fórmulas de las más corrientes en España. Para contestar a las demostraciones de gratitud por lo general se dice *de nada,* correspondiente al fr. «de rien», o bien *no hay de qué (darlas),* fr. «il n'y a pas de quoi». Al expresarse así, el hablante tiene sus servicios en *nada.* En cambio, el alemán «bitte schön» rechaza las muestras de gratitud rogando que no se hable más de ello. Añado: —*Muchas gracias.* —*L a s g r a c i a s a u s t e d .* En «Jarama», pág. 178, ocurre: —*No, Tito, muchas gracias.* —*L a s g r a c i a s a t i .*

5 Tan frecuente como *va* es *voy.* Las dos expresiones se oponen por su egocentrismo al alem. «ich komme» (Spitzer, «Stilstudien», I, 269, y Beinhauer, «Ortsgefühl und sprachlicher Ausdruck im Spanischen», RF, 54, 3).

6 Esta fórmula hoy casi ya no se estila, siendo más corriente: ...*le saluda (a Vd.) muy atentamente* (+ firma).

Ocasionalmente, sobre todo con fines humorísticos, cuando
servidor funciona en lugar de la primera persona, va acompañado de epítetos ornamentales, como en EMH 58 Antonio (Con
cómica amenaza): *...pero si lo que le da la gana* (al jugador)
*no le gusta a este h u m i l d e y t e m b l o r o s o s e r v i d o r,
entro y le gasto al delincuente una broma... con orificio de
entrada y salida.*

OFRECIMIENTOS. Con la misma generosidad con que, al decir
servidor, el español pone su persona a disposición del interlocutor (añádase aquí LP 26 *a sus órdenes,* sc. *estoy;* PF 14 *a la
orden de usted),* le ofrece —en absoluta coincidencia con las
usanzas orientales, según M. L. WAGNER y A. CASTRO— también
todo cuanto llama suyo, por ejemplo: SC 6 Clotilde: *¡Qué her-
mosísimas se han puesto esas macetas!* —Celestino: *Están a
l a d i s p o s i c i ó n de ustedes.* —Clotilde: *Muchísimas gracias.*
Fr 37 *Pues es una colección preciosísima.* —*Que está a s u
d i s p o s i c i ó n.* —*Muchas gracias.*
Claro es que esas fórmulas, siempre agradables de oír, rara
vez han de tomarse al pie de la letra; así ocurre por ejemplo,
cuando para indicar l a s s e ñ a s del propio domicilio, se ofrece
la casa al interlocutor. LP 29 Purificación: *En la quinta del
Castañar tiene usted una amiga y una servidora.* —Luciano:
*Muchísimas gracias. Yo aquí no tengo todavía casa que ofre-
cerle, pero en Madrid, Corredera de San Pablo, número 17.*
Fr 23 *¿Dónde vive usted? —Calle de Alcalá, 17, primero, derecha,
tiene usted su casa. —Muchas gracias. Calle de Fernando VI, 24,
principal izquierda, tiene usted la suya* [7]. —*Muchas gracias.* Incluso entre las gentes del pueblo es corrientísimo este modo
de expresarse. De una conversación que escuché casualmente
entre un barbero de arrabal y un obrero que, por lo visto, se

---

[7] Estas y otros fórmulas para ofrecerse o ponerse a la disposición de
alguien tienen remoto origen árabe, según A. CASTRO, «La realidad histórica de España», México, 1954, págs. 120 y sigs. Para más *calcos árabes*
en español y portugués, sin correspondientes en otros idiomas románicos,
véase el interesante artículo de H. L. A VAN WIJK: «Algunos arabismos
semánticos en el español y el portugués» en «Norte», XII, 2, 1971 (Homenaje a J. A. VAN PRAAG).

hacía servir por primera vez en aquel local. Barbero: *Pues nada, ya sabe usted dónde tiene su casa* (equivalente a 'vuelva usted pronto a visitarme'). Obrero: *Muchas gracias. Bravo Murillo, número 10, tiene usted la suya.* P 6 Luisa: *Le ofrecí mi casa en el número 56, segundo* ('le dije —al novio— que yo vivía en el número 56, segundo piso'). A *Está usted en su casa* corresponde en alemán «Tun Sie ganz, wie wenn Sie zu Hause wären», y en francés «faites comme chez vous». (Obsérvese que las frases de estos idiomas se ajustan íntegramente a la realidad concreta: 'como si estuviera usted en su casa', mientras que en la española lo irreal se presenta como realidad). Un español, al mudarse de casa, suele comunicar a sus amistades la nueva dirección con esta fórmula: *Tengo el gusto de ofrecer a usted su nuevo domicilio en la calle de Toledo, número 17* [8]. El siguiente ejemplo muestra cómo ha acabado esfumándose el sentido originario de este giro y sus similares: EMH 55 Antonio (al prevenirle a Paco de la llegada de los tres matones): *...Bueno; pues me va usté a hacer el favor... de mandarles el siguiente recadito: que como se personen* (remedo burlesco de un término jurídico) *en e s t a s u c a s a* [9] (= aquí) *les voy a dar una de bofetás, que va a tener que hacer las particiones un notario.*

En cambio se ha de entender con cierta frecuencia literalmente el ofrecimiento *¿usted gusta?* *(de comer conmigo,* se sobreentiende; comp. por el régimen del verbo, port. «gostar de fazer uma cousa»), con el que se invita, por ejemplo, a un compañero de viaje. Se suele contestar: *gracias, ¡que aproveche!*

---

[8] A este propósito recordamos la abreviación *s./c.* (= su casa), cuyo sentido es *mis señas son...*

[9] En Méjico, en vez de *en esta su casa* (= en mi casa) se dice, recalcando aún más el ofrecimiento, *en la casa de usted,* que en el español peninsular, desde luego se entiende en sentido literal. Ángel Rosenblat, en su deleitoso ensayo «El castellano de España y el castellano de América», pág. 8, cita el siguiente diálogo entre un mejicano y un turista español: —*¿Le gusta la paella? —¡Claro que sí! La duda ofende. —Pos si no tiene inconveniente, comemos una e n l a c a s a d e u s t e d.* El español, si bien algo extrañado, encargó en su hotel una soberbia paella, y se sentó a esperar. Pero en vano, porque *en la casa de usted* significaba *en la casa d e é l* (del amigo mejicano).

A veces hay que saber distinguir entre el significado y la intención de lo que se dice. Nada parece más claro que la pregunta *¿Quiere usted tomar café conmigo?*; sin embargo, recuerdo una ocasión en que me desconcertó al pronto, cuando me la hizo un peluquero que acababa de enjabonarme la barba. Entonces, ¿cómo iba yo a tomar café con la cara completamente enjabonada? Pues muy sencillo: quien quería tomar un sorbito de café era el barbero, cuya invitación, para mí tan enigmática, no significaba sino: 'dispénseme un momentito, que voy a tomar un poco de café'. De un modo análogo debe interpretarse en ocasiones *¿quiere usted comer con nosotros?*, cuando el que lo dice busca así quitarse de encima una visita, al llegar la hora de comer.

Para i n s i s t i r en una invitación que no ha tenido éxito se recurre a una forma muy característica de la mentalidad española: *¿Me va usted a hacer ese desaire?* (o *ese desprecio*, o *ese feo*). Y para evitar que se interprete así la no-aceptación, se suele decir: *no me lo tome usted a desaire*. El mismo pundonor característico revela la pregunta del que invita: *¿me lo desprecia usted?* [10] (es decir: '¿me cree usted indigno de ofrecerle esto?'). LP 33 Luciano: *Te digo que no.* —Julia: *Si lo d e s p r e c i a usted* (porque soy una muchacha pobre). *Yo, crea usted, que se lo ofrecía con el alma.* EDE 128 El Duque: *¿Un trago de vino, Playera?* —Playera: *Grasias, señor Duque, me haría daño tomarlo. N o e s d e s p r e s i o.* Otro ejemplo: —*¿Quiere tomar un dulce? —Gracias señora. No hemos comido todavía. —¿De verdad? —N o e s d e s p r e c i o. Se lo acepto después* («Jarama», pág. 113). Si al fin se acepta lo ofrecido, se justifica la inconsecuencia con *por no desairar* (lo tomaré). LP 33 Julia: *Usted va a tomar un vaso.* —Don Luciano: *Bueno, por no d e s a i r a r.* Compárese el alemán «ich bin so frei», «ich gestatte mir» ('me tomaré esa libertad', 'me permitiré hacerlo') y expresiones semejantes con las cuales, contrariamente al uso y a los sentimientos de la gente de España, el obsequiado se disculpa por aceptar lo ofrecido. En cambio el francés «pour

---

[10] Pregunta que puede oírse también en boca de los niños.

ne pas vous désobliger» corresponde casi exactamente a la fórmula española.

La fingida relación amo-servidor arriba señalada explica igualmente fórmulas como *muy señor mío,* que a más de como salutación en las cartas, se emplea en el c e r e m o n i a l de las presentaciones. Fr. 41 *Pero antes permítame que le presente a mi buena amiga Carmen de Arenal. —El señor Carlos Sánchez.* Entonces dice Carmen a Carlos: *M u y s e ñ o r m í o.* Y él a ella: *Muy señora mía.* PF 9 Palau (presentándose): *Pau Palau y Tomeu, representante de Andreu, Grau y Riu de Barcelona.* —Emeterio: *M u y s e ñ o r e s m í o s.* El plural, aquí humorístico, se emplea por la retahila de nombres de que consta la casa comercial citada por Palau. Surte análogo efecto cómico QNSF 32 Fernanda: *Señorita, ¿quiere usted presentarme a su papá? —*Luisa: *Con mucho gusto. Papá, la señora de Pistache.* —Trambuz: *Muy Pistache mía, digo, muy señora mía.* Por lo demás, la fórmula *muy señor mío,* que expresa originariamente la deferencia de quien la usa hacia la persona a que se refiere, se ha gramaticalizado y vaciado de su significación primitiva, empleándose en las más variadas situaciones, y hasta para indicar despego o indiferencia hacia alguien. Por ejemplo, una mujer puede decir de quien ha sido su novio hasta hace poco: *¿Que ya no quiere verme más? Pues m u y s e ñ o r m í o* 'pues me tiene sin cuidado'. La fórmula de cortesía, sentida como distanciadora, se acoge aquí para significar pleno rechazo. Sobre *...de padre y muy señor mío,* véase pág. 325.

Es curioso el uso de *muy* que encontramos en la fórmula *es usted muy dueño* (corresponde al uso adjetivado de tantísimos sustantivos en español: *con sus puercas manos, él es algo sinvergüenza, ella, que es tan mujer de su casa,* etc.). Ejemplos: *¿Me permite usted que fume? —E s u s t e d m u y d u e ñ o.* ('Siendo usted el dueño, puede usted hacer lo que guste'). La correspondiente respuesta alemana «bitte schön», va más allá, pues viene a significar «no ya se lo permito, sino que se lo ruego» (SPITZER). EUB *Y yo, si no lo toman ustedes a mal, voy a coger este bocadillo de anchoas... —*Guzmán: *E s u s t e d m u y d u e ñ o. ¿*Cómo puede ser que sustantivos como *señor* y *dueño* sean tratados como adjetivos en las fórmulas mencionadas? La idea de 'señor', 'dueño', 'amo', no permite lógicamente gradación alguna. Pero es que *muy señor mío* o *muy dueño* [11] han de considerarse como expresiones de sumisión, y por ello, lógicamente susceptibles de gradación.

Para solicitar a u t o r i z a c i ó n se emplea generalmente *con su permiso*; o *¿(me) da usted su permiso?*, o *permítame usted* (o *¿(me) permite?*), y más rara vez *con su venia* (sc. *voy a hacer tal cosa*). VS 11 Presentación: *C o n   s u   p e r m i s o ,   señor Canales* (se sobreentiende: *voy a entrar*). —Ismael: *Usted lo tiene.* LT 39 —(...) *Con el permiso de ustedes.* —*U s t e d   l o t i e n e ...* Aquí una vez más se diría en alemán simplemente «bitte schön». A diferencia de este idioma, que contesta con una fórmula estereotipada, aplicable a las más diversas situaciones, y por lo tanto descolorida por el uso, el español se ciñe estrechamente a las palabras del interlocutor tanto en el sentido como en la forma, particularidad ésta que observaremos más de una vez a lo largo del presente estudio.

Si consideramos ahora todos los rasgos o atributos que distinguen al amo frente al siervo, nos saldrán al paso otras muchas fórmulas de cortesía. En primer lugar, al señor le incumbe m a n d a r : *¿Qué manda usted?* o *¿manda usted algo más?*, dice el tendero para preguntar lo que desea al cliente (como también: *a sus órdenes* y *a su servicio).* La significación de *Usted manda* puede variar según la situación: 'puede usted hacer lo que quiera', 'como usted quiera', 'estoy a su disposición', etc. Ha acabado convirtiéndose en una especie de fórmula de saludo: *mándeme usted siempre.* AH 31 Chorrito: *M á n d e m e   u s t é   s i e m p r e .* —Barbarita: *Adiós, y muchas gracias, Chorrito.* En lugar de ese imperativo, es popularísimo el simple infinitivo *mandar* (o *a mandar).* El hombre del pueblo,

---

[11] Tanto *muy señor mío* como *es usted muy dueño* apenas corren hoy, salvo con intención irónica (Sobejano). En vez de *muy señor mío* en las presentaciones se suele decir *encantado* (cf. fr. «enchanté de faire votre connaissance»). En vez de *es usted muy dueño*, esto otro: *sí señor; ¿cómo no?* Y ya que semánticamente no es pregunta, es preferible escribir *¡cómo no!*

para que le repitan algo que no ha entendido bien lo pide con un *¿mande?*, que, aunque imperativo por la forma, se pronuncia con tono interrogativo, y recargando algo la -*e* final. Conforme a su significado, '¿cómo dice, por favor?' (comp. it. «commandi?», SPITZER, IU, 64, nota), esta fórmula, originariamente imperativa, se ha convertido en interrogación: EDE 10 Chimenea (a un golfillo): *¡Niño!* —Pilluelo: *M á n d e m e usted.* ('¿Qué desea usted?'.)

Es propio del servidor supeditarse por entero a la voluntad del amo. De ahí que se deje a la del interlocutor el cómo y el cuándo se ha de verificar lo que sea. M 62 Malvaloca: *No se lo digas.* —Salvador: *C o m o q u i e r a s.* Ahora bien, el mismo giro (y también *lo que usted diga*) puede, según la situación en que se emplee, y el tono con que se diga, venir a significar 'me es indiferente': en efecto, aparentemente el hablante se subordina a la voluntad del interlocutor; pero en realidad quiere dar a entender todo lo contrario, o sea, que le tiene completamente sin cuidado lo que piense el otro. Y así la primitiva fórmula de urbanidad acaba por hacerse descortés. M 10 (Pelea entre dos recogidos en el Asilo) Martín (ciego): *No sabía que estaba usté ahí, señó Barrabás.* —Barrabás: *De más lo sabía usté, señó Martín.* —Martín: *C o m o u s t é q u i e r a* ('no me importa que usted no me crea'). —Barrabás: *Porque usté no ve pero güele* (= huele). Ibid. 54 Salvador (disgustado con Leonardo): *C o m o t e d é l a g a n a. ¿A qué vamos a discutí?* Ibid. 84 Salvador: *Y tan amigos...* [12] *desde lejos, ¿no?* —Leonardo (con enfado): *L o q u e q u i e r a s.* LP 31 Luciano (a su sobrino): *Si no me respeta usted como a tío tendrá que respetarme como a jefe.* —Ricardo: *Sí, señor, como jefe, y como tío, y c o m o t o d o l o q u e u s t e d q u i e r a, pero yo no puedo remediarlo* (enamorado como está, no muestra el menor interés por el trabajo que su tío le pone delante). Precisamente porque el hablante lo somete todo indistintamente a la voluntad del interlocutor, éste se da cuenta de que el otro no habla en serio.

---

[12] Se trata de una elipsis ampliamente generalizada. Por ejemplo: *si el libro que le mandé no le gusta, me lo devuelve, y t a n a m i g o s* (el tono es descendente). Véase también más abajo, pág. 427.

por esto un *todo lo que usted quiera* produce casi siempre un efecto descortés: 'usted haga lo que le venga en gana (pero yo haré lo que quiera yo)': VS 62 Nieves: *...no le queda más que un camino.* —Bonilla: *Indíquemelo y lo transitaré sin titubear.* —Nieves: *La muerte.* —Bonilla. *¡Recometa!* [13]. —Nieves: *T o d o l o recometa q u e u s t e d g u s t e , pero el militar pundonoroso que se distrae y le toman un fuerte, se suicida.*

Cuando usted quiera equivale a un mandato cortés en innúmeras situaciones: con esa fórmula invita el barbero al cliente a quien le ha llegado el turno, a que se siente para que le atiendan; o el solista, en un concierto, da a entender al acompañante que puede comenzarse la ejecución; o el locutor al artista que va a actuar en seguida, o el camarero de PF 35 se dirige a los huéspedes para que se sienten a la mesa. (Para todos estos casos el alemán apenas tiene otra fórmula que el «bitte schön», mucho más directo que el giro español, que, por otro lado, corresponde exactamente a la fórmula francesa «quand vous voudrez, monsieur».)

Como Dios quiera y *cuando Dios quiera*, expresan la s u m i s i ó n a l a v o l u n t a d d e D i o s ; el sentido es casi siempre pesimista. El hombre de tipo medio encuentra muy natural que le vaya bien; sólo cuando le ocurre algo desagradable, se consuela pensando que Dios lo ha querido así; y de este modo, cuando dice *eso saldrá como Dios quiera,* da a entender que no tiene gran confianza en el logro del resultado apetecido. (El alemán dice irónicamente: «Es wird schon schief gehen», 'se torcerá' = 'saldrá mal la cosa'). De modo que *cuando Dios quiera* significa 'cualquiera sabe cuándo', 'sabe Dios cuándo' o 'nunca jamás': *Esta guerra terminará cuando Dios quiera,* 'sabe Dios cuándo acabará'.

EL RUEGO. Otro atributo del señor es dispensar gracias, hacer favores. Un refrán español dice gráficamente: *más pesa un adarme de favor que un quintal de justicia* (DR). Y se llama *favoritismo* (humorísticamente también *yernocracia,* DA, de

---

[13] Los cometas son signo de mal augurio para la superstición popular; de ahí la improvisada interjección *¡re-cometa!* Véase también págs. 106 y ss.

yerno) al ya de antiguo proverbial gobierno parasitario de los
validos, para el que ALFRED RÜHL en su interesante obra «Vom
Wirtschaftsgeist in Spanien» propuso el nombre de *amicismo*
(que viene a ser «compadrazgo»). Se entiende por favor una
merced o don que se espera de quien puede otorgarlo. Ahora
bien, es lógico que quien pide un favor se haga dependiente
del que lo puede otorgar, y esta sumisión es la que encierra el
vocablo *favor* en su calidad de «captatio benevolentiae». *Perdone, la calle Hermosilla, ¿m e h a c e u s t e d e l f a v o r?*
es la forma corriente hoy de preguntar por una calle; se sobreentiende «de decirme dónde está» o cosa equivalente. El significado propio de *favor* (= 'merced') está aún vivo, como lo
muestra la contestación usual con que se cumple el ruego: *sin
favor* o *no es favor,* es decir 'si lo digo (o lo hago) no es por
favor'. Así se explica el particular efecto que surte la consabida
fórmula cuando se usa en un altercado «para acreditar frente
al contrincante la corrección de la propia conducta» (SPITZER),
por ejemplo, cuando en EMH 76, Leonor echa a la querida de
su padre con las palabras: *h a g a u s t e d e l f a v o r* [14] *de salir*

---

[14] Como ya hemos dicho, es característico del diferenciadísimo sistema expresivo de la cortesía española que en otros tiempos no contara
con fórmulas fijas equivalentes al alem. «bitte», fr. «s'il vous plaît», it.
«favorisca», ingl. «please», etc. Hoy se usan para ello los giros formados
con *hacer el favor,* los cuales, sin embargo, frente a los citados de otros
idiomas, son aún susceptibles de matización: *hágame usted el favor de...,
hágame el favor de..., ¿me hace usted el favor de...?,* resultan mucho más
expresivos, por más personales, que *haga usted el favor de..., haga el
favor de...,* o aun el simple *favor de...,* en *favor del agua, favor de la
sal,* etc., con que oí a los chicos de un pensionado madrileño pedir en las
comidas los ingredientes o cosas que necesitaban. Mientras los giros antes
mencionados enuncian un ruego auténtico, *favor de* no es más que un
signo de llamada. Modernamente se va generalizando cada vez más *por
favor* como fórmula f i j a de petición, correspondiente a las de otros
idiomas indicadas arriba. «A la difusión de la fórmula *(por favor)* [dice
muy acertadamente E. LORENZO (pág. 73, nota 18)] debe de haber contri-
buido notablemente la industria del doblaje de películas... así, para el
frecuente *please* del diálogo inglés, nada mejor que una fórmula breve
que empiece por bilabial: *por favor.* Lo mismo vale para al. *bitte,* it.
prego, fr. *s'il vous plaît.*» Véase también RAMÓN CARNICER, Lh, cap. 44:
«¡*Por favor!*» (págs. 197-199). A semejanza del antes citado E. LORENZO,

por esa puerta. LP 9 Ramona: *¿Quiere usted alguna cosa?*
—Juan: *Que no cantes. N o t e p i d o m á s f a v o r que éste...*
Para formular un ruego con la mayor cortesía posible, el
hablante suele apelar a la especial bondad o amabilidad del
interpelado. VS 28 *Caballero, dice doña Nieves que t e n g a
u s t e d l a b o n d a d* [15] (igual puede decir *amabilidad) de pasar
a la sala de visitas.* La misma cortesía atestigua el hablante
cuando pregunta al interlocutor si puede o quiere hacer aquello
que se le pide; es forma de requerimiento usadísima, y, a diferencia de la imperativa, respeta siempre la voluntad del interlocutor. VS 42 *¿Podrían ustedes indicarme, s i n o l e s s i r v e
d e m o l e s t i a, el número del cuarto que se me destina?*
M 29 *¿ Q u i e r e u s t é desirme (en) dónde está la iglesia?* M 88
¿ Q u i e r e u s t é yamarlo? MP 29 *¿ Q u i e r e u s t e d ver si
me he dejado un paquetito en la berlina?* Se dice *¿me trae
usted un café?* o, con más cortesía aún *¿ Q u i e r e u s t e d
traerme un café?, ¿ q u i e r e usted afeitarme?,* resultando particularmente cortés *¿quiere usted hacerme el favor...?* Sin embargo hoy, una vez puesto de moda *por favor* (según queda

dice: «[...] los cines fueron embutiéndola en los oídos nacionales, y de
los cines salieron a la calle para convertirse en norma petitoria de las
generaciones más recientes». Este *¡por favor!* no se utilizaba a n t e s
para preguntar la hora o pedir otro favor cualquiera, sino ú n i c a m e n t e
en situaciones peligrosas o dramáticas, p. ej., *¡¡no haga Vd. eso, p o r
f a v o r !!, ¡¡misericordia, p o r f a v o r!!;* [...] Y *¡por f a v o r : ni una
palabra a nadie!* En resumen, hacemos constar que la reducción del
antes dramático *¡por favor!* no se explica tan sólo por el doblaje cine-
matográfico, sino también, sociológicamente, por una notable disminu-
ción moderna del antes proverbial verbalismo español, reflejado por la
c a s i desaparición del piropo callejero (véase la introducción a la segunda parte de mi libro sobre «El Humorismo en el español hablado»), todo
ello en concomitancia con un p a u l a t i n o, pero innegable enfriamiento
de las relaciones interhumanas. Añádanse a las expresiones de ruego
éstas, ya menos corrientes: *hágame usted la merced* (o *el obsequio) de...;*
sírvase + infinitivo: p. ej., *sírvase usted hablar un poco más despacio,*
donde *servirse* equivale a *dignarse.*
   [15] Se ha difundido mucho el «incorrecto» *¿sería Vd. tan amable de*
(ayudarme a bajar esta maleta)?, que R. CARNICER (Lh, pág. 98) rechaza
para verlo sustituido por *¿tendría usted la amabilidad* (o *la bondad) de,*
etcétera.

consignado en la nota 14), es muy corriente decir *tráigame usted un café, por favor.* Las correspondientes frases alemanas «bitte Kafee», «Rasieren, bitte», son menos corteses, por cuanto no toman en consideración la voluntad del interlocutor. Incluso la simple pregunta *¿me trae usted un café?, ¿me va usted a afeitar?, ¿me da usted pan?,* etc., es preferible a cualquier formulación imperativa. (Véase también: E. Lorenzo, págs. 97 y 98). En cambio, tiene sentido de i m p e r a t i v o enérgico la pregunta en LT 20: *¿ Q u i e r e s no ser pesada?* (= 'no seas pesada'). Y así: *¿quieres callarte de una vez?* (= '¡cállate!'). Es relativamente reciente la suavización de un imperativo o mandato mediante la pregunta *¿quieres?, ¿quiere (usted)?* p o s - p u e s t a ; p. ej.: —*Estela, anda a ver si la reja queda bien cerrada, ¿ q u i e r e s ?* (José Donoso, «Coronación» (1951), página 162. El ejemplo es chileno, pero vale igual para el uso peninsular).

Es interesante también el siguiente giro, muy frecuente: *a ver si me trae usted un café,* literalmente 'vamos a ver, quizá (me traiga usted el café)'. Spitzer califica este modo de expresión de «experimental» («Stilstudien», I, pág. 263): «El hablante intenta la experiencia de ver si va a ser satisfecho su deseo», pero, a mi entender, no porque él ponga en duda el cumplimiento de su ruego, sino porque quiere respetar la voluntad del interlocutor, contando con que éste, por su parte, tomará como cosa de amor propio el satisfacer deseo expresado en forma tan insinuante ('quiero ver si...'). *A ver si* apela, pues, al amor propio del interlocutor. También expresa cierta impaciencia del demandante. En otros contextos expresa encarecimiento, p. ej. *a ver si lo toma usted con interés;* también puede tener sentido irónico, como p. ej. en *¡a ver si lo rompes!* = ¡cuidado, no lo rompas! E. Lorenzo (pág. 91) cita *a ver si llueve* (= esperemos que n o llueva).

Para formular una d i s c u l p a se usan en español tres verbos, cada uno con un matiz distinto. *Dispense usted* [16] sig-

---

[16] *Dispense usted* suena algo afectadillo y se va haciendo raro hoy en el habla ciudadana. Lo más difundido es el simple *perdón,* o bien

nifica propiamente 'exímame por un momento de la etiqueta debida'. PL 16 Pedro: *No, señor; d i s p é n s e m e   u s t e d ...* ('permítame la libertad de contradecirle'). *Yo no he dicho tal cosa.* Con el mismo giro se dirige uno en la calle a un desconocido: *D i s p é n s e m e   ¿voy bien para la estación?* En este caso, *dispense usted* (al igual que el alemán «entschuldigen Sie») apenas si pasa de ser un medio para llamar la atención del interpelado. —*Disculpe usted* significa 'no me lo tome a mal, no me lo impute a falta'. PL 14 Desconocido: *D i s c u l p e   u s t e d   que calle mi nombre.* El más frecuente de todos es *perdone usted,* que suele usarse (al lado de *dispense usted)* al tratarse de pequeñas faltas, verdaderas o presentadas como tales. MP 17 Doña Munda: *Pues... u s t e d   p e r d o n e   este allanamiento de morada casual e involuntario.* —Pipo: *N o   h a y   d e   q u é, amiga mía.* En lugar de *no hay de qué* (en alemán, una vez más «bitte schön») cuando, después de cometida una falta, hay que entender literalmente la petición de perdón, se contesta por lo general: *Está usted perdonado.* LP 41 Julia: *¡Perdóneme usted!* —Luciano: *Sí, hija; e s t á   u s t e d   p e r - d o n a d a.* O más corto: FJ 76 Rafael: —*P e r d o n e que no me levante.* —Charito: —*P e r d o n a d o.* En lugar de todas estas respuestas a la petición de disculpa lo más frecuente es hoy el simple *nada* y *de nada.* A veces el que pide una disculpa lo hace inculpándose a sí mismo: «Simulando reconocer la propia falta, se pretende mitigar la posible censura venida del oyente» (Spitzer, IU, 79). EDE 82 *...Y   e s   i m p e r t i n e n t e que yo me atreva a arvertirle* (sic!) *ar señor Duque cosa ninguna, pero ¡mucho ojo con er Morisco!* MP 32 Horacio (cochero): *Aquí en confianza —y los señoritos d i s p e n s e n si me translimito—: no se dirijan pa cosa ninguna al azministrador* (sic!), *que es de cuidado.* Aquí viene a propósito *usted disimule* [17] (con el sentido de 'pase por alto lo que le moleste') con

---

perdone, señor, correspondiente al fr. «pardon, monsieur» (Sobejano). Donde más se oye *dispensar* es en medios populares o rurales, en efecto. Compárese: Urbano: *D i s p e n s a ... He hecho mal en recordártelo* (Buero Vallejo, ob. cit., pág. 84).

[17] Nos advierte oportunamente M. Morreale (Res., pág. 117) que el muy madrileño *Usted disimule* es de respetable alcurnia, trayéndonos el

que por ejemplo el ama de casa modesta se disculpa ante una visita por el desarreglo de alguna habitación, o por las travesuras de su niño, etc.

CORTESÍA DESINTERESADA

Nos vamos a ocupar a continuación de aquellas expresiones de cortesía que corresponden preferentemente a un efectivo interés por el prójimo. Y digo preferentemente por ser tan difícil la absoluta ausencia del interés propio. Pero esto no debe inquietarnos tratándose de una investigación puramente lingüística. Aquí, a diferencia de los párrafos precedentes, se considera al interlocutor, en vez de como a amo y señor a quien se somete el hablante, como a amigo y hermano, por cuyo bienestar se interesa y a quien procura dar gusto en lo posible. «Ama a tu prójimo como a ti mismo», cuadra aquí como lema de esta actitud.

Sobre esta relación con el prójimo descansa, como dijimos al principio, todo el edificio de los c u m p l i d o s [18]. El hecho de que el español nunca deja de dar las gracias por un cumplido que se le hace, demuestra que lo estima siempre como una finura señalada. EUB 44 Primo: *Pues nada, reconozco en usted un fenómeno médico de una altura sólo comparable a...,* etcétera. A lo cual contesta Manthon: *M u c h í s i m a s   g r a c i a s , señor.* Los alemanes también acostumbran a veces a dar las gracias en situaciones semejantes; pero agregan expresamente que es el cumplido lo que agradecen. Sin embargo, «danke für das Kompliment» 'gracias por el cumplido', suena siempre algo irónico, por cuanto se da a entender precisamente

---

eco de las reglas de urbanidad del Siglo de Oro, que, al proscribir expresiones de mala crianza, aconsejaban a los cuerdos que las *disimulasen.* A este propósito recuerdo las palabras de V. García de Diego, citadas en el prólogo a la 2.ª edición de este libro.

[18] En vez de *cumplidos,* la gente del campo dice «cirimonias», forma defectuosa, a veces remedada humorísticamente en ambientes ciudadanos: *no nos andemos con «cirimonias»* (M. Muñoz Cortés, ob. cit., pág. 40). Y así, ocasionalmente oí en broma: *chico, esto es una « t r i g e d i a »* (por *tragedia),* otro caso de inseguridad de vocal protónica.

que no se tiene en mucho el elogio por ser éste «sólo» un cumplido. En cambio, tratándose de un elogio que cree merecido, el alemán no suele dar las gracias por él, sino que a lo sumo lo rechaza modestamente. Esto se hace en español también pero después de dar las gracias, detalle que nunca se omite. Fr 38 *Habla usted admirablemente el castellano.* —G r a - c i a s , *pero no es tanto.* Igualmente cabe contestar: *Favor que usted me hace,* o *Gracias, es usted muy amable.*

Se llaman p i r o p o s (del griego πυρωπός 'fuegos de artificio') los cumplidos especiales dirigidos al bello sexo. La vista de la mujer bonita excita en el español tan ardiente entusiasmo que le hace repentizar los más atrevidos y hasta poéticos lirismos (y ello ocurre aún más entre los representantes del mal llamado pueblo bajo). Estas ponderaciones se aplican preferentemente, como es natural, al físico de la bella, ya en todo su conjunto (*¡viva la gracia!, ¡viva la sal!, ¡ahí va la sal!* [19], *¡vaya canela fina!* [20]), ya a determinadas partes del cuerpo. Recuerdo haber oído decir a un trabajador andaluz al ver a una joven sevillana: *Preciosa, tie uté unos piesesitos tan chiquititos que baila uté la seguidiya en la coroniya de un cura.* Otros piropos adoptan la forma de bendiciones: *¡bendita sea la madre que te parió!, ¡benditos los ojos que te ven!* Ya se comprende que estos fuegos multicolores del momento difícilmente se dejan aprisionar en el cuadriculado de un esquema científico [21].

Una asombrosa inventiva no se cansa de crear nuevas expresiones, cada día y a cada momento. Como que el piropo, si

---

[19] Para el significado de *sal,* véase el cap. I, pág. 44.

[20] *Canela,* en su acepción popular figurada, es 'lo mejor de lo mejor'. *Ser* una cosa *canela fina* significa «ser muy buena, excelente, exquisita» (DR). M 30 *¡Ah, la otra* (muchacha) *es esencia de canela!* EDE 18 Chimenea (a Concha, delante de la hija de ésta): *...y si se toca a mujeres con clavo y canela y toas las especias, como esta niña...* Véase también Rodríguez Marín, «El alma de Andalucía en sus mejores coplas amorosas», pág. 85, n. 50.

[21] Lo he intentado en la segunda parte de mi estudio (ob. cit.) citando muchos ejemplos del saladísimo librito de M. Díaz Martín, «Piropos andaluces» (Sevilla, 1886). «El humorismo en el español hablado».

había de surtir efecto, tenía que ser espontáneo, original, personal y sobre todo oportuno, es decir, ajustado a la situación a que debía su origen. Es una manifestación de poesía popular donde la improvisación [22] desempeña un papel importantísimo. Un ejemplo para mostrar cómo el galán español sabe sacar partido de una situación dada, para encajar cumplidos: Ella (por cualquier atención): *Muchísimas gracias.* —Él: *La que usted tiene* («gracia» aquí entendida en el sentido de 'encanto, atractivo'). —Ella: *Favor que usted me hace.* —Él: *No es favor, es justicia.* (A propósito de *favor*, recordemos lo consignado más arriba, pág. 147). En saber aprovechar la oportunidad estriba esencialmente el arte de piropear. EDE 29 Clemencia (admirando un retrato femenino): *Es precioso... yo no he visto nada más precioso.* —Daniel (vuelto hacia ella con una mirada ardorosa): *¡Yo sí!* Ibid. 39 El Duque: *¿No es verdad que historia y leyenda son como una misma cosa en Sevilla?* Se está desarrollando este tema; entre los presentes se encuentran unas elegantes damas sevillanas. El Duque: *La misma belleza y gracia de las sevillanas ¿no es legendaria... y sin embargo es cierta?* —Doña Sol: *¡Oh!* (sonríen agradecidas las damas) —Condesa: *Legendaria es también la galantería del Duque de Él, y también es cierta, por lo visto.* —El Duque: *No debe llamarse galantería de uno a lo que es voz de todos, señora.* —Doña Sol: *¡Voz de todos! ¡Sabe Dios lo que se dirá de nosotras por esos mundos!* —El Duque: *Se dice que son ustedes por igual bellas y piadosas. Y así es. Toda mujer sevillana reza hasta mirándose al espejo.* —Condesa: *¡Ave María!* —El Duque: *Ni puede ser de otra manera. Al verse el rostro, fuerza es que bendigan a Dios. Es*

---

[22] Pero rara vez se trata de improvisaciones sacadas de la nada, sino de temas y tópicos de la poesía popular, por todos conocidos y transformados o adaptados a las nuevas circunstancias. Comp. GARCÍA DE DIEGO, «Lecciones», pág. 138: «...la masa del idioma que el individuo maneja es siempre un tópico, pero en él tiene el individuo facultad de introducir algunas modalidades propias y algún elemento personal»; y también BRUNO MIGLIORINI: «nella creazione di nuove parole, i parlanti hanno bisogno di appoggiarsi al materiale preesistente... cioè un prolungamento di una tradizione esistente» («Calco e irradiazione sinonimica», en «Bol. del Instit. Caro y Cuervo», IV (1948), pág. 27).

*una oración sin forma y palabras que rezan todas las mujeres
bonitas.* VS 7 Nieves: *Usted sabe, Don Ismael, que yo tengo una
hija.* —Ismael: *Sí, señora, Presentación; una muchacha lindí-
sima por todos conceptos.* Aquí el piropo está contenido en
una aposición, pero lo usual es que revista la forma de un
vocativo. (Véase la segunda parte de mi «Humorismo en el español hablado».)

Hay otros cumplidos de índole más egoísta e interesada. Me
refiero a los casos llamados de «c a p t a t i o   b e n e v o l e n-
t i a e», o sea a adulaciones con las que se pretende influir en
el interlocutor para provecho propio. EDE 111 Castilleja (director de una rondalla estudiantil que está recaudando donativos
para él y su gente, al ver al Duque y a su querida Morisca):
*¡A gran dicha tengo el haber reconosido tan ilustre personaje!
¡Vuesa mersé es er Duque de É! Sólo a su poderoso braso
podría ir engarsada tan rica perla como es la morisca, empera-
triz der garbo y de la grasia, flor de la canela, arbaca* (= albahaca) *de la Andalusía, sol de día y noche!* A este exagerado
panegírico sigue, bien que hábilmente adornada, la petición de
la dádiva. Al mismo tipo pertenecen las alabanzas con que los
mendigos apelan a la liberalidad de los transeúntes; por ejemplo: *¡Una limosnita para esta pobre! Ande, señorito, que es
usted tan guapito.* Luis Flórez, en «Apuntes sobre el español
de Madrid» (BACol, XVI, pág. 239), cita: *para la leche del niño,
señorito.* Creo que este mismo principio de «captatio benevolentiae» ha informado también la evolución semántica de *señorito* ('joven soltero')[23] que llega a aplicarse a un señor ya entrado en años. Tratándose de personas de cierta edad, sobre
todo del sexo femenino, deseosas de aparecer más jóvenes de
lo que son, resulta halagador sin duda oírse llamar *señorita* o
señorito. De tales adulaciones serviles e interesadas saben muchísimo los gitanos. Véanse sólo unos pasajes de «La Horda», de

---

[23] F. Niedermeyer (reseña en «Der Deutsche Lehrer im Ausland», V,
fasc. 8, pág. 191) me recuerda que *señorito*, a más de 'joven soltero' significa «hijo de papá» (e. d., de padre rico). De ahí (añado) la expresión:
(comer, vestir, etc.) *a lo señorito* (= a lo gran señor). A un señorito muy
mimado, se le llama despectivamente *señoritingo* (y a su congénere del
sexo femenino: *señoritinga).*

VICENTE BLASCO IBÁÑEZ, cap. X: Una gitana que quiere sacar dinero a una pobre muchacha de servir: *Reina, añada aunque no sea más que un realillo. Con esa carita de clavel, y tan agarrá. Andá, grasiosa, que tienes unos ojillos de Virgen...* Más abajo: *Vaya, presiosa, suerta* (= suelta) *un poquito más...* Luego lo intenta con un buen bebedor: *¿Te la* [24] *digo, grasioso? Dame la mano, barbitas de San Juan, que tienes patitas de bailaor y ojillos de meteor* (= *metedor:* 'que se mete en los corazones femeninos').

A continuación, véanse algunas otras f ó r m u l a s f i j a s , basadas en el principio de la «captatio benevolentiae». NV 53 Antonio: *¿Y cuánto dice que vale?...* —Señá Pepa: *...p o r s é p a u s t é cinco mil reales.* La vendedora simula poner a su cliente un precio de favor. PC 37 Gaspar: *Oiga usted, ¿qué vale este escalón?* —Ana: *P o r s é* (= ser) *p a u s t é veinticinco pesetas.* EDE 62 El Duque: *¿Adónde bueno, señoras mías?* También se dice: *¿qué hay de bueno?, ¿qué me dice usted de bueno?,* modismos todos ellos que indican que sólo cosas buenas cabe esperar del interpelado: *¡Hola, don Francisco! ¿ Q u é d i c e u s t e d d e b u e n o ?* —*Pues ya ve, poca cosa* (CELA, ob. cit., pág. 170). La curiosidad del que pregunta se escuda, pues, tras una lisonja (véase también SPITZER, IU 68). Encierran cumplidos indirectos y más ligeros fórmulas como Fr 33 *¡ C u á n t o b u e n o* [25] *por aquí!,* que se emplea al ver inesperadamente a un amigo o conocido. *¡ C u á n t o b u e n o viene hoy por las Ventas* (un barrio de Madrid)! —*Muchas gracias, señor Z, lo bueno es lo que ya encontramos en ellas* (de UBALDO FUENTES, «Eco español»). OM 29 Magdalena (al ver a su amiga): *¡ T a n t o b u e n o por Madrid!* —Paca: *¿Qué tal, hija mía?* Añádase el muy corriente *¡Dichosos* (también *felices) los ojos!* (sc. *que te ven)* (C 28). *Hola, María. ¡ D i c h o s o s l o s o j o s que la ven!* (F. DE ÁVALOS, ob. cit., pág. 63).

Tanto gusto (propiamente 'he tenido tan gran placer que...') se usa como frase de despedida (corresponde a al. «es hat mich

---

[24] El *la* hace referencia a *decir la buena ventura.*
[25] En el habla de las ciudades *cuánto (tánto) bueno* es actualmente rarísimo (Sobejano).

sehr gefreut»; comp. it. «tante grazie!») y también en las presentaciones. NV 21 Señor Matías: *Ya voy, déjeme que me des-
pida d'aquí, de la dadora. T a n t o   g u s t o*[26]. SC 21 *He tenido
t a n t o   g u s t o*. La contestación usual a esto es *el gusto es*
(o *ha sido) mío* (más raro, *ha sido un placer*), o más breve:
—*Mucho gusto.* —*El mío.* (Jarama, pág. 79). Análogamente en
«Los pavos reales», pág. 69 Carmen: *¿T e n g o   e l   g u s t o de
hablar con el señor doctor Camuñas?* —Manuel: *El gusto es
mío.* La respuesta al cumplido equivale a una afirmación. Recientemente, en lugar de *tanto gusto*, lo mismo en presentaciones que en despedidas, se ha puesto de moda *encantado*, para
el cual véase la nota 12 de este capítulo.

En los pueblos, en lugar de *tanto gusto*, más bien propio de
las ciudades, es usual contestar al ser presentada una persona,
que sea por muchos años. Por ejemplo: *Aquí mi mujer.* Respuesta: *(Que sea) por muchos años.* El presentado añade: *Y
usted que lo vea.* SC Menéndez: *¿Por qué le da usted la enhorabuena?* —Celedonio: *Porque esta mañana se ha recibido de
Doctor.* —Menéndez: *¡Que sea p o r   m u c h o s   a ñ o s!* —Carlos: *Gracias, señor Menéndez.* (El felicitado es hombre de ciudad.)

También en FÓRMULAS DE SALUDO el español es más rico que,
por ejemplo, el alemán o el inglés. Además, el saludo hispano
todavía no ha llegado al grado de petrificación que se observa
en los otros idiomas citados. Dice SPITZER, IU, 137, nota: «Los
alemanes gustamos de ir más directamente a lo esencial, considerando las fórmulas como meras fórmulas; el italiano [a
lo que yo añadiré: y aún más el español] pone en ellas una
efusión que nosotros solemos reservar para ocasiones de importancia especial». Claro que en español, también se han forjado fórmulas estereotipadas de saludo; pero junto a ellas se
conservan las expresiones plenas originarias, todavía de empleo

---

[26] A propósito de *gusto* recordamos que en el lenguaje corriente es
sinónimo de 'sabor', p. ej.: *Este café tiene un g u s t o algo raro; (no)
estar a g u s t o en una ciudad, en un hotel*, etc. Considero como variante
elíptica: *No me hallo*, cit. por JOSÉ VALLEJO (pág. 378): [...] *sin ella no
m e   h a l l o* (s e   s o b r e e n t i e n d e: *a gusto), me siento viejo.*

frecuente, principalmente en el campo, pero también, al menos para ciertas situaciones, en las ciudades. Y a esta habilidad para acomodar la expresión a las circunstancias se debe que en los saludos el lenguaje corriente se manifieste más diferenciado que, por ejemplo, el alemán. La escasez de frases de cortesía y, en particular, de fórmulas de saludo en el alemán, obedece a un modo de ser más orientado hacia las cosas que hacia lo afectivo y lo humano, que queda relegado a un plano inferior. El meridional, por el contrario, se toma más tiempo y sin duda también más interés por el prójimo, cosa que encuentra la más elocuente manifestación lingüística en su prolífico sistema de cortesías y saludos.

La salutación más cordial y espontánea es el simple vocativo. EMH 49 Leonor (que va por primera vez a ver a su padre en el garito donde ejerce el peligroso oficio de vigilante): *¡Papá, papaíto!* —Antonio: *¡ H i j a m í a !* La alegría del encuentro es tan grande, que el saludo queda reducido al mero vocativo del ser querido.

Es muy distinto el circunstanciado ceremonial de saludo que emplea la gente del campo y que recuerda usanzas orientales. Aquí lo explícito de las palabras se explica por esa inmensa soledad del campesino que en pocos países es tan grande como en el despoblado interior de España, cuyos moradores pasan días y meses en un aislamiento casi absoluto. Es natural que si por acaso se encuentran con un forastero, su saludo ocupe más espacio que el apresurado de los vecinos de la gran urbe, que apenas tienen tiempo ni para saludar superficialmente a tantos amigos y conocidos con quienes se cruzan a cada paso.

Z 1 *¡A la paz e Dios!* [27] (latín eclesiástico: «Pax in nomine Domini») recuerda al árabe «Salem aleikum». La gitana Micaela corresponde al saludo con *¡Bendito sea y no nos esampare nunca!*; luego abre, Jacinto entra en la cueva y dice: *¡Dios le guarde a usté!*, a lo que Micaela replica: *¡Er te guíe!* A la mención de un difunto familiar o simplemente conocido suele agre-

---

[27] Parodia chirigotera de este saludo es el que dirige un temible matón al dueño de la sala de juego, en EMH 57, refiriéndose a Antonio, el inspector: *La paz del Señor... del señor inspector sea con ustedes.*

garse la fórmula reverencial [*mi (pobrecita) mamá*] *que en paz descanse*. Se ha desgastado tanto que a veces se suprime el pronombre relativo. Recuerdo haber leído: *La Singer* (máquina de coser), *que me dejó mi madre e n p a z d e s c a n s e, la tengo todavía en Barcelona.*

Como vemos, la raíz del saludo es de tipo religioso. De todos modos, el factor religioso sigue jugando un gran papel: ambos interlocutores se sienten igualmente dependientes de Dios. En el ejemplo precedente, en que se trata de dos personas que no se conocen, la evocación de la Divinidad, que premia el bien y castiga el mal, nace de la desconfianza de la gitana (justificadísima, por lo demás, según muestra el desenlace de la obra). En casi todas las fórmulas de salutación campesinas, ocurre el nombre de Dios, acaso porque el solitario habitante de la meseta castellana, que en la Edad Media se veía constantemente hostigado por cuadrillas de bandoleros, haya sentido una especial necesidad de encomendarse cada día al amparo divino.

Las siguientes fórmulas son restos indudables del l e n g u a-j e b í b l i c o, cuya existencia se explica de análoga manera. M 46 Salvador: *¡Ven con Dios!* [28]. EDE 22 Chimenea: *¡Vaya con Dios!* VS 68 Antonia: *¡Ea, pos q u e d e u s t é c o n D i o s!* De ahí la forma elíptica *¡con Dios!* [29]; al saludo de Chimenea contestan: *¡con Dios, compadre!* En EMH 82 Quemarropa, saliendo de estampía, musita *¡Con Dió!* Esta elipsis es usual sobre todo en Andalucía, pero la he oído también en Madrid y otros lugares. En cambio, en el español de hoy ya no perdura por ninguna parte el giro completo del que nació la elipsis *¡adiós!* EDE 45 Gaviria: *A d i ó s, Reinoso.* —Daniel: *A d i ó s, Gaviria.* VS 6 Tresolls: *Hasta luego.* —Nieves: *A d i ó s.* El DM recoge: *Adiós*

---

[28] Véase a este propósito A. Castro, «España en su historia», Buenos Aires, 1948, pág. 87. A su juicio, no sólo muchas expresiones de cortesía, sino buen número de estilismos del ámbito religioso (incluso *hasta maña-na, s i D i o s q u i e r e*) tienen modelos i s l á m i c o s y son eco lejano del alma musulmana y judía (pág. 99). Véase también M. L. Wagner, VKR, III, 1, pág. 88.

[29] Este saludo es tan usual en el campo como en la ciudad (elíptico por lo común).

vais: «úsase en alguna parte como fórmula de saludo; pero ya es anticuado». Lo mismo en «Don Quijote», I, 35: *A d i ó s v a i s* [30], *señor —dijo Anselmo—. Con él quedéis —respondió el ciudadano y fuése—.* Adiós no se usa exclusivamente al despedirse, sino también como saludo entre conocidos que se cruzan en la calle, de modo semejante al fr. «adieu!» M 76 Doña Enriqueta (saludando por la ventana a unas amigas que pasan): *A d i ó s , Matirde.*

El mismo matiz religioso se advierte en otras fórmulas rurales de saludo como LP 9 Antonio: *S a n t a s y b u e n a s t a r d e s , señor Juan. —Juan: Felices, Antón.* AH 51 Tula: *S a n t o s y b u e n o s d í a s a t o d o s.* Como la santidad es uno de los atributos capitales de Dios, *santas y buenas tardes* viene a significar: 'le deseo una tarde empleada en obras agradables a Dios'. De los giros antes citados *ven con Dios, quédate con Dios, anda con Dios, vaya usted con Dios,* este último es el más gastado [31], como lo muestra la frase *tener uno un hambre de vaya usted con Dios.* A veces *Vaya usted con Dios* expresa la idea de algo que quisiéramos quitarnos de encima («que se vaya, que se largue»). Se emplea asimismo para rechazar a un pordiosero. Comp. también EMH 10: Antonio compadece a su

---

[30] Forma arcaica de subjuntivo en vez del actual *vayáis* (como todavía, en *vamos allá, vamos* está en lugar de *vayamos).* Véase «Quijote», edic. Rodríguez Marín, Clás. Castell., 1922, I, 277, n. 8. Además: T. Salvador, ob. cit., pág. 176 y M. Romera-Navarro, que en su estudio «Apuntaciones sobre viejas fórmulas castellanas de saludo» (RRQ, XXI, 1930, págs. 218-223) cita *A Dios vayáis* como «fórmula frecuentísima en el Amadís». Aquí encaja la fórmula f e m e n i n a, dirigida a un caballero, en boga hasta casi nuestros días, pues la usa todavía, si bien ocasionalmente, la generación antigua: *Le beso a usted la mano, caballero.* Por lo demás hoy, también en España, a usanza europea general, el caballero besa ceremoniosamente la mano a una señora.

[31] Por tanto, ni en lo afectivo ni en lo semántico tiene este giro nada en común con el alem. «gehen Sie mit Gott!», que sólo se emplea solemnemente y en circunstancias excepcionales. En español sirve, a un tiempo, para responder y decir adiós a quien nos agradece un favor recibido: A: *Perdone: la plaza Alonso Martínez, ¿me hace usted el favor?* —B: *Pues mire usted, no tiene más que seguir esta misma calle.* —A: *Muchas gracias.* —B: *V a y a u s t e d c o n D i o s .*

hija por las privaciones que tiene que soportar. A lo cual contesta Leonor: *Eso no*. *Por ti siento yo esas miserias; porque al cabo, una es joven y todo lo puede aguantar, que cuando se tienen pocos años, ¡anda con Dios!* Esto me recuerda la popular frase *vaya* (o *sea*) *todo por Dios*. *Vaya usted con Dios*, en tierras leonesas adopta la forma amplificada *¡vaya usted con Dios y la Virgen!* (F. KRÜGER).

En las c a p i t a l e s , como ya hemos dicho, era forzoso y natural que llegasen a desarrollarse fórmulas de saludo más fijas y cortas (en su mayoría con omisión del verbo) que en los pueblos. Mientras en éstos y aun en ciudades pequeñas, todavía es frecuente oír frases completas como *buenos días tenga usté, caballero* (M 40), en las capitales lo predominante son los socorridos *buenos días, buenas tardes, buenas noches* [32]. El p l u r a l *buenos días* (sobreentendido: *nos dé Dios*) (DM) creo que se explica por referencia «a ti y a mí» (al oyente y al hablante). Por lo demás, aun las mismas frases elípticas parecen menos fosilizadas que, por ejemplo, las correspondientes alemanas: «n'Tag», «n'Abend». Cierto que *buenas tardes* puede abreviarse en *buenas* [33], pero aun entonces perdura al menos el elemento esencial, diferenciador. Que todavía es sentida la plena y originaria significación del saludo, incluso en el elíptico, lo muestran estos ejemplos: VS 45 Sinapismo: *Caballero, güenas tardes*. —Frasquito (de mal humor): *Regulares na más* [34]. C 98 Juan (al tío Maravillas, a quien se le ha muerto la mujer): —*Buenas noches, tío Maravillas*. —Tío Maravillas (en tono grave, sentencioso, anormal): *Malas y solas, Juan. ¡Malas y solas!*

[32] Se dice *dar a alg. los buenos días, las buenas tardes*, etc., que no han de confundirse con *dar (a alg.) el día, la tarde*, etc. = estropearle todo el día, toda la tarde. M. MORREALE (Res., pág. 133) cita: *Este niño nos va a dar la noche* (= nos la va a estropear llorando o gritando).

[33] Lacónico saludo, frecuentemente reforzado en *muy buenas*, que se usa en las ciudades, incluso por la mañana y en lugar de *buenos días*. La forma elíptica *buenos* es más rara; sin embargo comp.: Generosa: *¡Hola, Trini!* —Trini: B u e n o s , *señora Generosa* (BUERO VALLEJO, ob. cit., pág. 34).

[34] Otras variantes humorísticas de las salutaciones cotidianas, según las más diversas situaciones, en BEINHAUER, «El humorismo en el español hablado», págs. 37-38

Junto al *¡adiós!* citado arriba como saludo superficial en la calle al cruzarse dos conocidos, se oye más a menudo un *¡hola!*, completamente incoloro (véase capítulo I, págs. 96-97). El mismo *¡adiós!* empleado en la despedida, se usa también como irónico saludo dirigido a un objeto que se rompe o se pierde (comp.: *ya te puedes despedir* de ese reloj, etc.); en ocasiones con amplificación humorística: *¡adiós, Madrid, que te quedas sin gente!* o *¡adiós mi dinero!*, o *¡adiós, muy buenas!*; el *adiós* simple se convierte en pura interjección que refleja contrariedad o rabia, por ejemplo, al fallar repentinamente o romperse un objeto; al olvidarse uno de algo, etc.: *¡adiós, se apagó la luz!*, *¡adiós, se me olvidó la cartera!* En la Argentina: *¡Adiós mi plata!* (AURA GÓMEZ, pág. 261).

Las fórmulas de d e s p e d i d a formadas con *hasta* + complemento de tiempo responden al deseo de volverse a ver en todo caso. EDE 42 Condesa: *Entonces, h a s t a l u e g o.* —Daniel: *H a s t a l u e g o.* Ibid. 44 *Pues h a s t a m a ñ a n a.* Ibid. 106 *H a s t a l a v i s t a* (= alemán, «auf Wiedersehen»), que no falta en ningún manual de conversación, pero entre españoles c a s i nunca se oye, como no sea en broma imitando a los «extranjis». Así y todo yo insisto en el «casi», recordando haberlo oído y sobre todo l e í d o referido a situaciones sin el menor asomo de burla o reticencia. El que se ausente sólo por unos momentos, dice *hasta ahora* [35] (VS 18), *hasta luego* o M 49 *hasta después, hermano* (quiere decir, hasta que hayamos dado el paseo de que se trataba). PL 20 Desconocido: *...¿hasta cuándo?* —Pedro (rabioso): *¡ H a s t a n u n c a !* —Desconocido (después de sonreír): *¡ H a s t a p r o n t o !* Un madrileño conocido me decía al despedirme: *¡hasta siempre!* (por lo demás bastante corriente), es decir 'usted será siempre bienvenido'. Otras for-

---

[35] A propósito de *hasta nunca, hasta siempre, hasta ahora* dice MA-NUEL RABANAL en su entretenido libro (cit. aquí, pág. 174, n. 60): «Somos muchos los que todavía encontramos extrañas estas últimas, no tradicionales, fórmulas de despedida. Pero todo parece indicar que no tardaremos, mal que nos pese, en tragarlas» —y aun, permítaseme que añada, en digerirlas—. Añado: *—Pues h a s t a a h o r a, señores. —Hasta luego* («Jarama», pág. 16).

mulaciones usuales más indeterminadas: *¡hasta otro día!, ¡hasta
otro rato!, ¡hasta otra vez!* [36], ésta también elípticamente *¡hasta
otra!, ¡hasta cuando usted quiera!, ¡hasta más ver!* (C 30). Según
requiera la situación, también *¡hasta de hoy en ocho días!,
¡hasta la semana próxima!, ¡hasta la semana que viene!* Expresa
una fuerte repulsa *¡hasta nunca!*, con variantes humorísticas
como *¡hasta la semana que no traiga viernes!, ¡hasta el día
del Juicio a las tres de la tarde!*, aditamento que mantiene la
ficción de tratarse de un plazo exactamente definido («día y
hora»), cuando no *¡hasta que las ranas críen pelo!, ¡hasta que
meen las gallinas!, ¡hasta que vuelen los bueyes!* [37].
  El saludo español casi siempre va unido con la p r e g u n -
t a p o r l a s a l u d del interlocutor. Aun a una persona con
la que el hablante entra en contacto por primera vez, se le
pregunta inmediatamente: *¿Está usted bien?* [38], o *¿cómo está
usted?* También se le pregunta a un conocido: *¿sigue usted
bien?* Representa un cruce de las dos expresiones *¿cómo sigue
usted?* (Véanse en Spitzer, «Aufs.», pág. 14, fórmulas análogas
con *quedar, permanecer* + complemento adverbial de lugar o
tiempo.) LP 10 *...Voy a ver cómo sigue* [39] *el señor Juan.* En el
alemán coloquial también es corriente: «Wie geht es Ihnen
noch?», literalmente '¿cómo le va a usted todavía?', que contiene dos preguntas: 1) '¿cómo está usted?' y 2) '¿está usted
bien todavía?' = '¿sigue usted bien?'. El hablante quiere a
toda costa obtener del interlocutor una contestación favorable.
Todos estos giros y aún más el descolorido *¿qué tal?* [40], con la

---

[36] A propósito de *vez*: *dímelo de una v e z* (por todas); *es una mujer
de una v e z* = 'de buena cara, buenas carnes y buen humor' (cit. de
Muñoz Seca por José Vallejo, pág. 399).

[37] Comp. la frecuente elipsis *¡y hasta hoy!* (pág. 429).

[38] Lo mismo puede decirse del ingl. «how do you do?». Añado, aunque
en sentido completamente distinto, *¡ya está bien!* = '¡basta ya!', = 'no
le pegues, no le riñas más (al niño)'.

[39] Y también: *mi hermano sigue en París..., sigue con la idea de
emigrar a la Argentina...*, etc.

[40] También seguido de determinación: *¿qué tal su papá?, ¿qué tal ese
libro?, ¿qué tal esa salud?*, etc. Véase también A. Braue, ob. cit., pág. 67.
Para el demostrativo, véase más abajo, págs. 362 y sigs.

correspondiente contestación de pura fórmula *bien, gracias,
¿y usted?*, están gastados hasta tal punto, que no se sienten
como pleonasmos o contradicciones, cuando a continuación el
interlocutor, requerido con más insistencia por su salud, a pesar
del *bien, gracias* precedente, a lo mejor sale con toda una retahíla de quejas y lamentaciones. De aquí la necesidad de expresiones menos incoloras, para preguntar formalmente por el
estado de salud del prójimo. Si se trata, por ejemplo, de un
enfermo, suele envolverse la pregunta en un «plural inclusivus»:
¿Cómo v a m o s (o a n d a m o s) de salud? (Véase SPITZER,
«Aufs.», pág. 165). En cambio cuando Petrilla, para enterarse
de cómo está Carmen, la ciega, le pregunta: *¿Cómo v a e s o ?*
(NV, 26), alude con *eso* al padecimiento de Carmen de una
forma delicadamente imprecisa. Lo mismo vale para *¿cómo va
esa vida?* El deseo de que se restablezca un enfermo se expresa
con *¡que se mejore (pronto)!, ¡que se alivie!* (Fr. 1), o *¡que no
sea nada!*; y si ya se había iniciado la mejoría, con *¡que siga
el alivio (o la mejoría!).* (Ibid.). Al despedirse de una persona,
se le desea de un modo general: *¡usted lo pase bien!* (LP 13);
también *(que) usted siga bien* y, como en M 22 *(que) usted siga
güena (estar uno bueno* = 'estar uno bien de salud').

Como en francés, en alemán se emplea en lugar de esas
frases optativas un sustantivo para el que hay que sobreentender «Ich wünsche Ihnen» ('le deseo'): «Gute Besserung», literalmente 'buena mejoría'; en fr. «bonne guérison» 'que se mejore'.
Y así «viel Vergnügen» ('mucha diversión'), fr. «bon amuse-
ment», 'que se divierta'; «angenehme Ruhe» ('grato descanso'),
fr. «bon repos», 'que usted descanse' (Fr. 35). En tono familiar,
entre buenos amigos, etc., se usan las fórmulas citadas en infinitivo: por ejemplo, Fr. 36 *Adiós, Pepe, p a s a r l o b i e n* [41].

---

[41] Compárense los siguientes pasajes de EMH 61: Pollo (a sus com-
pinches, al ver a la hija de Antonio): *Hombre, c a l l a r s e . ¡Qué nena!...
A g u a r d a r s e , que ya tenemos amenidaz femenina pa la orgía.* —Requiés: *Invítala, de grado o a fuerciori* (prevaricación humorística de *a la
fuerza*, a imitación del lat. *a fortiori*). —Pollo: *Ni que decir. D e j a r m e .*
Aquí encaja también la frase *habérmelo dicho antes* (complétese: *hubiera
sido mejor).* Los infinitivos con valor imperativo antes citados son «formas vulgares», según MIGUEL DE TORO Y GISBERT, «Los nuevos derroteros

De igual modo *descansar, seguir bien,* etc. Compárese: —*Adiós, señorita Elvira, descansar* (CELA, ob. cit., pág. 95). Véase también A. RABANALES, ob. cit., pág. 259.

El solícito i n t e r é s por el estado de ánimo del interlocutor, se expresa con giros como PF 35 *No se apure,* P 21 *No se preocupe usted,* P 9 *Descuide usted,* AH 69 *Pierda usted cuidado,* M 58 *No pase usté cuidado.*

Cierta fácil impresionabilidad se refleja en el gran número de expresiones que sirven para apaciguar o tranquilizar un ánimo alterado. LP 14 *Tranquilícese usted, señora;* AH 22 *Sosiégate, chiquillo;* Ibid. 34 *Cálmate, Tula, cálmate;* Ibid. 43 *Serénate* [42]; LP 22 *No te alarmes;* EDE 105 *No se incomode*

---

del idioma», pág. 183. Sin embargo, lo cierto es que en la actualidad se usan corrientemente en lugar del imperativo (afirmativo) de 2.ª pers. de plural. En «Sobre España, los españoles y lo español» (CCLC, mayo-junio 1959, núm. 36, págs. 9-18), CAMILO JOSÉ CELA dice: «El torero, en trance de intentar la gran faena, dejaría de ser español, de no pintar su instante con el trágico pincel de la muerte, en la que, sin duda, pone su vida en juego con no escaso riesgo de perderla, da una sola orden a sus peones: 'Dejadme solo'» (= ¡dejarme solo!). El ejemplo citado por CELA aparece en el texto con la grafía gramaticalmente correcta *(dejadme),* aunque casi todos los espadas pronuncian *dejarme,* conforme lo consigna RAMÓN CARNICER (Lh, pág. 213): «En lugar de 'callad' se dice muy a menudo 'callar'». En la conocida comedia de LAURO OLMO «La camisa», ocurre (pág. 78): ¡*Oírme y almirarme!* En «Jarama», pág. 24: —*C o g e r alguno las botellas* (= 'que alguien coja las b.'). Ibid.: —*Nada; a d i s f r u t a r se ha dicho; p a s a r l o bien.* Véase también A. BRAUE, ob. cit., pág. 46. E. LORENZO (pág. 102) interpreta ¡*haberlo dicho!* como «una especie de mandato referido al pasado». A propósito del vulgar *irvos* (= *idos)* cit. por E. LORENZO, pág. 94, menciono el madrileño (barriobajero) *irsus;* y así: ¡*callarsus!,* ¡*descubrirsus!,* etc., donde el elemento pronominal *-sus* se explica por contaminación de *-se* con *-os.* En MARTÍN VIGIL, «Tierra Brava», pág. 54, ocurre: M. espantaba a sus chiquillos de la cocina: —¡*Hala, tropa, l a r g a r s u s, que estorbáis!* En F. CANDEL, «Pueblo», pág. 136: Alguien grita: —¡*C a l l a r s u s ya!* De ARNICHES, TRINIDAD cita: ¡*Conque a r r e g l a r s u s!* (pág. 69). Véase también A. QUILIS, ob. cit., pág. 372.

[42] *Sereno,* como adj. y aplicado al cielo, significa 'despejado, sin nubes'. Como sust., designa al vigilante nocturno, que por anunciar antiguamente (y aun hoy en ciertas poblaciones) la hora y el estado del tiempo, acabó por llevar ese nombre, humorístico en su origen y tan apropiado generalmente al cielo límpido de España. Aplicado al estado

usté, Ibid. 118 *No te enojes, Morisca,* **MP** 65 *Esté usted tranquila.* Más variantes: *No te alteres; no te inquietes.* También en forma de frase nominal: *¡calma, hombre, calma!,* o bien: *¡tranquilidad!, ¡serenidad!*

No se moleste usted corresponde al fr. «ne vous dérangez pas»: VS 34 *¿Pa qué se va usté a m o l e s t a r ? Molestarse,* lo mismo que *incomodarse,* puede también significar, en ciertos casos, 'enfadarse, enojarse'. La contestación más corriente a *no se moleste usted* es *no es molestia (ninguna).* SC 21 Petronila: *No se moleste usted... —*Nicasia: *N o e s m o l e s t i a .*

«Cuando se elogian o menosprecian las cualidades de alguien en presencia de otra persona que pueda resentirse o sentirse excluida o incluida, se recurre —l o m i s m o q u e e n E s p a - ñ a— a la expresión *mejorando lo presente»* (AURA GÓMEZ, página 205).

FENÓMENOS ESTILÍSTICOS

Para terminar este capítulo citaremos algunos fenómenos estilísticos generales que se explican por el principio de cortesía en el más amplio sentido de la palabra (es decir, el de contar con el interlocutor). Ya se ha citado (pág. 136) la modesta e l u s i ó n d e l a p r i m e r a p e r s o n a y su sustitución por la tercera (como el *¡va!* del camarero, en lugar de *¡voy!;* comp. fr. «on y va»). Fr. 36 *¡Qué poca confianza tiene usted con e s t e a m i g o !* (en vez de 'conmigo'). Para eludir el uso de la primera persona, es frecuentísima la expresión impersonal: LP 36 Luciano (alto jefe de Juan): *Tome usted un cigarro. —*Juan:

---

de ánimo, *sereno* (adj.) equivale a 'tranquilo, sosegado', antónimo de *azorado* (popul. *azarado),* que es como está la paloma perseguida por el azor. *Estar azorado* (o *azarado)* 'estar turbado y nervioso', 'emocionado y excitado'. «La diferencia esencial entre *azarar(se)* y *azorar(se)* está en que uno puede estar muy *azorado* [...] y no mostrar al público el menor *azaramiento.* [...] el primero *(azorarse)* es el correcto y acicalado; el segundo *(azararse)* el vulgar y familiar» (M. DE CAVIA, «Limpia y fija» (Madrid, 1922), citado por C. CLAVERÍA en «Nuevas notas sobre los gitanismos del español», BRAE, XXXIII, 1953, pág. 92).

S e e s t i m a. Ibid. Luciano: *Cúbrase*[43]. —Juan: *Quia; no, señor.*
—Luciano: *Que se cubra usted.* —Juan: *S e e s t i m a* (se pone
el sombrero). Hoy mejor, *se agradece,* en vez de *se estima.*
EDE 76 Endino (pregunta al dueño): *¿Q u é s e d e b e?* (en
vez de *¿qué debo?).* M 54 Jeromo (obrero, a su patrón): *S e
l e f e l i c i t a a usté por la yegá* (= llegada) *de don Sarvaó*
(= Salvador). Sobre todo la gente del pueblo tiende a ocultarse
así detrás de la generalidad refugiándose en esta expresión
anónima. NV 33 Señor Matías (honrado trabajador, que no
logra sacar una cuenta): *Es que en esto de las cuentas s e
e n r e d a u n o en un cuatro y no s a l e u n o de él.* Ibid. Antonio (en presencia de un oficial, a su mujer): *Es que estos
obreritos se creen que lo r o b a u n o.* Este modo de expresión impersonal, donde más a menudo ocurre es en textos de
tipo popular. EMH 28 Mariano: *...Este Madriz arruga los días
y no t i e n e u n o una hora pa naa. Y menos con la vida d e
u n o, que siempre pa arriba y pa abajo...* Ibid. 53 Sole: *...si
u n a e s lo que es, ¿cómo la van a mirar a u n a? ...u n a ha
tenido la desgracia de la libertad.* Finalmente, Ibid. 74 Sole:
Y yo, como u n a t e q u i e r e (aquí alterna la expresión personal con la impersonal), *pues*[44] *salté y le dije, digo: oiga
usted...,* etc.[45].

---

[43] Esa fórmula *(cúbrase usted)* suele decírsele a un visitante cuando
éste, con el sombrero en la mano, se apresta a marchar; también el
dueño de una tienda la dirige al cliente que al entrar se ha destocado.
El no hacer dicha invitación se siente como descortesía. Por lo demás,
el «sinsombrerismo», que impera en España como en todas partes desde
hace años, ha ido relegando al olvido la fórmula.

[44] *Pues* es aquí partícula expletiva, sin correspondencia en alemán.
Véase más abajo, págs. 410 y sigs.

[45] H. SCHNEIDER (Res., pág. 357) advierte oportunamente que en vez de
se equivoca uno (una), se asusta uno (una), etc., es frecuentísimo *te
equivocas, te asustas,* es decir, que la actividad expresada por el verbo
es como si se le atribuyese al interlocutor: *No te d a s cuenta. Y de
pronto t e e n c u e n t r a s con que te han engañado. Luego t e c o n v e n -
c e s de que es inútil.* Vaya este ejemplo de F. CANDEL, «Pueblo», pág. 235:
*Usted no sabe lo complicada que es la carrera de periodista. Siempre
metiéndote en líos. Si h a b l a s de éste, se enfada el otro. Si h a b l a s
bien del otro, se enfada éste. Luego no p u e d e s escribir lo que q u i e-*

Exprésase el español de modo general e i m p e r s o n a l[46] también en otros casos en que el alemán prefiere personalizar. Algunos ejemplos típicos: *No me dejan* (alemán «ich darf nicht», 'no debo'); *me lo dijeron* (al. «ich erfuhr es», 'lo supe'). En el tipo de la frase *cantan en la casa vecina* de que trata SPITZER (IU, pág. 48) se usa en alemán casi exclusivamente la voz pasiva («es wird gesungen», literalmente 'es cantado', 'se canta'). EUB 54 *Me b a u t i z a r o n en Cádiz* (al. «ich wurde in Cadiz getauft», 'fui bautizado...'). EUB 10 *Que le d e s p a-c h e n esta fórmula* (al. «lassen Sie sich dieses Rezept machen» 'hágase despachar...'). *Menos mal que me h a n d e j a d o este paraguas* (al. «ein Glück, dass ich diesen Schirm geliehen bekam», '...recibí prestado este paraguas'). En cierta barbería vi dos anuncios en la pared: uno representaba un hombre que se había desollado la cara al afeitarse; y debajo en gruesas letras: «Yo me afeito». En el otro cromo se veía al «hombre modelo», cómodamente repantigado en el sillón y atendido por el barbero; y abajo se leía: «Y a mí me afeitan». —Compárese también la locución alemana «was haben sie denn mit dir gemacht?», '¿qué han hecho contigo?'.

Con este modo de rehuir el «yo» en el propio hablar se re-laciona la e l u s i ó n de todo tratamiento directo d e l i n t e r-l o c u t o r , lo cual en español ya se consigue con el *usted* de cortesía y la tercera persona. Para ello los subordinados suelen usar *el señor* con la tercera persona, si bien en el español no se ha generalizado tanto el uso de esta fórmula como en el portugués, que lo ha hecho exclusivo[47]. EUB 7 *Vuelvo a decir a l s e ñ o r* (= 'le vuelvo a decir a usted') *que el se-ñorito no está en casa... Domingo, el ayuda de cámara, dirá a l s e ñ o r* (= 'le dirá a usted') *que no miento.* O bien se evita del todo la mención del interpelado. NV 34 Antonio (a Matías,

---

r e s, *sino lo que t e mandan.* Véase también F. GONZÁLEZ OLLÉ, «El habla de la Bureba», pág. 38 (el párrafo: «Impersonalidad»).

[46] Véase SVEN KÄRDE, «Quelques manières d'exprimer l'idée d'un sujet indéterminé ou général en espagnol», Upsala, 1943.

[47] Por ejemplo: «como vai o meu amigo?» (= 'usted'); «o meu me-nino, pode dizer-me onde está a rua do Paço?» (= '¿puedes decirme...?').

su empleado): *H a y q u e espabilarse, Matías* (en vez de: *tiene usted que espabilarse).* La regañina queda, pues, suavizada al adoptar la forma de una simulada necesidad general aplicable a todos los hombres. EUB 40 *¡Oh! Señor del Castillo, ¿ s e h a d e s c a n s a d o ?* Aquí también el hablante trata de esquivar en lo posible la alta personalidad del interpelado.

Un efecto de m o d e s t i a se consigue trasladando al pasado la manifestación de un deseo, una opinión, etc. Ejemplo: *yo quería que vinieras conmigo.* SPITZER interpreta: 'yo quería, sí, pero si no estás conforme, ya no quiero'. (Véase también MEYER-LÜBKE, «Grammatik der romanischen Sprachen», III, 124.) EMH 80 *¿Qué deseaba usted?* «Fr.» 41: *V e n í a* (en lugar de *vengo) de parte de mamá, que le invita a acompañarla al teatro, maña-na.* El fenómeno está tratado con detenimiento en SPITZER, «Stilstudien», I, capítulo XI.

La siguiente expresión indica que el hablante se somete i n c o n d i c i o n a l m e n t e a la voluntad del interlocutor: *¿ A b r o la ventana?, ¿ c i e r r o la puerta?, ¿dónde e m p i e z o ?* PF 38 *¿ A p a g o la luz?,* EMH 79 *¿Qué le d i g o ?* Véase también A. BRAUE, obra citada, pág. 81. La misma construcción se da también en la oración subordinada. VS 11 Presentación: *...el negro ...desea saber dónde los c o l o c a ...* EMH 80 *¿Y quién l e d i g o que le busca?* (Véase también LENZ, obra citada, página 444, y SPITZER, «Stilstudien», I, pág. 227.) La expresión hace juego con la del mandato en tiempo presente empleado preferentemente para comunicar órdenes a un inferior: *L i m - p i a s perfectamente los cubiertos y p o n e s la mesa,* dice el ama de casa a la muchacha; citado por A. BRAUE, pág. 45.

También responde a un principio de urbanidad la cortés m e n c i ó n d e l i n t e r l o c u t o r en las palabras del hablan-te. Resulta más cortés decir *a las ocho me t i e n e u s t e d aquí* que *a las ocho estoy aquí.* «Fr.» 56 *Aquí t i e n e u s t e d el ascensor.* El hablante español coloca el objeto de que se trata en relación directa con el oyente y le deja disponer de él; mientras que el alemán se contenta con apuntar tan sólo a la existencia de tal objeto. (Véase el apéndice a mis «Frases y Diálogos», pág. 62; y también SPITZER, «Stilstudien», I, pág. 269).

LP 16 Juan (a Antón): *Vamos, hombre. Ahí la t i e n e s* (refiriéndose a su hija, a la que ama Antón). VS 58 Frasquito: *Yo hablaré con ella.* —Rosendo: *Aquí la t i e n e u s t é.* M 59 Malvaloca: *¿Y ese hombre? ¿Se ha escondido?* —Salvador: *Arriba lo t i e n e s.* EMH 46 Paco: *Don Antonio, me t i e n e u s t é encantao.*

«Es difícil decidir —dice SPITZER— si el hablante responde a un impulso egocéntrico o altruista cuando intercala en el discurso p r e g u n t a s para cerciorarse de que el oyente le comprende. El que habla no quiere hacerlo «a oídos sordos». Por este motivo y con objeto de comprobar la repercusión de sus palabras emplea en determinados momentos de su discurso preguntas como *¿sabes?, ¿entiendes?*». MP 26 Celso (a Pipo): *Era para mí ya cuestión de amor propio, ¿c o m p r e n d e s, Pipo?... puntillo de hombre.* M 64 Leonardo (a Malvaloca): *¿Ah, sí?... Es cierto... ¿s a b e s? Pero luego lo he pensado mejor.* En la mayoría de estos casos se trata de convencer o de contentar a un interlocutor reacio. *¿Sabes?, ¿sabe usted?,* como *¿verdad?, ¿no es verdad?,* significan '*¿estás comprobando que tengo razón?*'. Muy claro se ve esto en VS 43 Frasquito (a un huésped que se queja de la dejadez de los criados): *Aquí, ¿s a b e u s t é?, el primer día chillan y reniegan, pero en cuanto pasa una semana, toman los huéspedes la tierra* ('se acostumbran al lugar') *y son otros. Y es que aquí, ¿s a b e u s t é?, aquí* (en Sevilla) *hay un trato muy espesiá* (= especial). En «Jarama» (pág. 23) ocurre: —(...) *¿s a b é i s l o q u e o s d i g o? Yo no bebo nada hasta que no me pase el sofocón.* La pregunta (*¿s a b é i s ...?*) aquí tiene función de excitar la atención de los presentes. A la comprensión del interlocutor apela *ya*[48] *ve usted.* M 22 *Y a v e u s t e d qué cosa más sensiya* (= sencilla): *pero hay que explicarla.* Resulta más enérgica la forma interrogativa. M 19 *¿U s t e d n o v e que a los piyos* (pillos) *se les quiere más que a los tontos?* VS 33 *¿E s t a s t é* (= está usted) *v i e n d o?* ('vea usted'). *¡Un trato espesiá!*

---

[48] Véase SPITZER, «Stilst.», I, 262: «Es significativo que el *ya* vaya con verbos de aprehensión intelectual y que, además, se precipite a encabezar la oración».

Hemos de ver más adelante que en muchos casos el español se expresa de modo a l t r o c é n t r i c o cuando el alemán prefiere una expresión egocéntrica o puramente objetiva; no queremos negar con ello que el alemán pueda expresarse también de otra manera [49]. Lo que ocurre es que al hablante español le gusta de un modo especial interesar al interlocutor en lo que dice, hacerle jugar un papel en ello. M 11 *Si está rota... ¿cómo q u i é* (= quiere) *u s t é que suene?* (la campana). NV 18 *Gracias a la Carmen y a su marido que me tienen aquí de ama de llaves y hecha una reina* [50], *que si no, m e v e s por las esquinas con unas gafas negras y un perro flaco cantando el relicario* [51]. VS 2 Tresolls: *...Como yo ronco fuerte, ¿ s a b e ?, pues se asustan los animalitos y n o q u e r r á v o s t é saber con qué algarabía ladran.* VS 11 Valenzuela (a Ismael): *Pues sí, señor; aquí d o n - d e u s t e d m e v e le traigo un destino a ese infeliz.* Mis colegas D. FRANCISCO CARRASQUER y D. H. L. A. VAN WIJK, ambos docentes de la universidad holandesa de Leiden, interpretan *aquí donde usted me ve* como fórmula de c o r t e s í a = 'yo, a pesar de mi insignificancia, de mi poca importancia, o algo por el estilo'. Yo creo, sin embargo, que tiene el mismo sentido de afirmación reforzada que en el siguiente ejemplo: *Yo, a q u í d o n d e m e v e s* (añado: 'te aseguro que'), *soy capaz de todo* (F. CANDEL, «Pueblo», pág. 52). M 56 Tío Jeromo (a quien acaban de comunicar su despido): *¿ Q u e r r á n u s t e d e s c r e e r que no me salen las palabras?* MP 12 *¿ N o h a o í d o u s t e z que yo no le conozco al inquilino?* VS 12 *M e d e j a u s t e d aterido.* Ibid. *M e d e j a u s t e d perplejo.* Más corriente: «Fr.» 38 *m e d e j a u s t e d parado* o *clavado* (M. MOLINER, DU, página 645), y esta variante entre popular y humorística: *m e d e j a u s t e d con las piernas colgando;* también: *m e d e j a*

---

[49] «En la gramática, lo que importa es lo correcto frente a lo incorrecto; en la estilística, en cambio, el problema se circunscribe a si las formas son apropiadas o inapropiadas» (M. DEUTSCHBEIN, «Neuenglische Stilistik», Leipzig, 1932, pág. 1).

[50] Para *hecho* + sust. comparativo, véanse págs. 317 y sigs.

[51] Famosísimo cuplé, hoy todavía cantado.

u s t e d de una pieza; m e d e j a u s t e d patitieso[52], o *patidi-
fuso*, o *helado*, o *frío*, o *de nieve*, variaciones humorísticas, todas
ellas reducibles al común denominador de lo rígido e inerte.
E. LORENZO (pág. 161): *me deja usted turulato*. En vez de *turulato* que menciono, aunque en otro contexto, cap. II, nota 76,
se oye también *me deja usted tarumba*. En ambas expresiones,
a diferencia de las anteriores, predomina la idea de: 'pasmado',
'atontado'. —Añado: *me has dejado d e p i e d r a*. En «Paralelo 40» de CASTILLO-PUCHE, pág. 276, ocurre: *G. se quedó hecho
piedra*.

«Todas las cosas del mundo exterior están muertas para el
hombre. Al pretender interesar al interlocutor por esas cosas
muertas, hay que infundirles vida. Y esto se hace a través de
palabras que posean el hálito vital del hombre; me refiero a los
pronombres. Pertenecen a ellos los d a t i v o s é t i c o s. Este
dativo de participación introduce, por decirlo así, al oyente
como espectador en un acontecer que se desarrolla ante él,
convirtiéndole en público y testigo muchas veces de lo inesperado» (SPITZER, IU, pág. 69). El uso muy frecuente del dativo
ético es propio y característico de la región gallega. *No tenga
miedo, mujer, que la cosa no l e es tan terrible como se le
figura a una a lo primero. —¡Y qué l e tiene de particular lo
que nos decimos!... El señorito no l e es tan etiquetero y tan
triste como usted*. («La Esclava del Señor», págs. 108 y 141). En
la novela de ambiente gallego «Viento del Norte», de ELENA
QUIROGA, aparece incontables veces este dativo ético. *Claro que
t e es un decir* (pág. 120). *Tantos años como l e hace que el
señor no iba para allá* (pág. 122). *...en un tiempo t e hubo un
convento, de esto t e hace muchísimos años* (pág. 123). Y lo
mismo CELA: *...yo l e vengo a ser de Mos. —¡Huy! ¡ L e hay*

---

[52] Según LOPE BLANCH («Algunas expresiones mexicanas relativas a la
muerte», NRFH, XV, 1961, pág. 76), «*dejar patitieso* = 'matar' es muy
antiguo aludiendo a la muerte dada a los animales». Creo, sin embargo,
que originariamente se refería a la postura de payasos de circo, cuando
se dejan caer al suelo con las piernas esparrancadas. Según N. E. DONNI
DE MIRANDE («Recursos afectivos en el habla de Rosario», pág. 271), se
usa también en la Argentina (Rosario).

algunos que tienen el demonio en la sangre!, ob. cit., págs. 209
y 211. (Véase también A. RABANALES, ob. cit., pág. 270.)

Ya en el capítulo primero (pág. 104) llamamos la atención
sobre el recurso de «p r o p o n e r a c e r t i j o s» como medio
de asegurarse la atención del oyente. Como ello presupone una
cierta ingenuidad del hablante, se observa preferentemente
entre las gentes sencillas. MP 32 Horacio (cochero, conversando
con dos clientes suyos): *Yo no recuerdo de haberme visto triste
más que en una época de mi vida... ¿S a b e n l o s s e ñ o r i -
t o s cuándo? Cuando el alcalde nos puso chistera en vez de
gorra.* El mismo, más adelante, ibid. 77 *Y yo al seso* (= sexo)
*débil le tengo mucha simpatía, no piense el señorito que no.
¿E l s e ñ o r i t o s a b e por qué? Pues porque...,* etc. EMH 27
Leonor (a su padre): *¿A q u e [53] n o s a b e s quién es, papá?*
—Antonio: *¿Quién?* —Leonor: *¡Don Mariano!* Otras fórmulas
de esta clase son: *¿a que no aciertas?, ¿cuánto calculas?, ¿dónde
crees que he encontrado?...* Mediante tales preguntas, el hablante se procura una situación en la que se sabe superior,
aunque sólo por un momento, al oyente, pues éste no será capaz
de dar con la solución, única cosa que le interesa.

EUFEMISMOS [54]. Ocurre a veces que por consideración al interlocutor, nos vemos en el caso de suavizar nuestra expresión,
usando entonces los que llamamos eufemismos. Vamos a tratar
a continuación de algunos de éstos, en los que es riquísimo
el español [55].

Recordemos primero las más frecuentes deformaciones eufemísticas de los nombres de Dios, el diablo, la Madre de
Dios, etc. *¡Me cago [56] en diez!* (vulgarismo frecuente), *¡rediez!,*

---

[53] Originariamente, *¿cuánto va a que...?* (véase pág. 354).

[54] Véase GARCÍA DE DIEGO, «Lingüística», págs. 355 sigs., y «Lecciones»,
págs. 45 sigs.; y sobre todo, KANY CHARLES, «Eufemismos».

[55] Más datos sobre este interesante punto en el magnífico artículo de
M. L. WAGNER, «Über den verblümten Ausdruck im Spanischen», en ZRPh,
XLIX, cuad. 1.

[56] Eufemismos son: *me caso* (por *me cago): me caso con (en) diez,*
etcétera, y *ciscarse* (por *cagarse): El que... s e c i s c a b a en la madre
del difunto* (J. A. DE ZUNZUNEGUI, «La úlcera», pág. 184).

¡diantre!, *¡demontre!* (los dos últimos hoy ya raros), etc. O el uso del pronombre indefinido *tal* en lugar del sustantivo que el hablante no quiere pronunciar: *¡mecachis* [57] *en tal!* También suelen desfigurarse eufemísticamente muchas expresiones obscenas como *¡concho!* (= *coño*), *¡córcholes!* (= *coño* + *cojones*), p. ej. Ninette: —*¿Es que no te gusta París?* —Andrés: *¿Y cómo quieres que lo sepa, córcholes, si no he puesto los pies en la calle?* (M. MIHURA, NSM, Col. Teatro, pág. 83), *¡cascajo!* (= *carajo*), *¡puñales!* o *¡peinetas!* (= *puñeta*), y otras. Compárese: Generosa: *Todos sois muy buenos.* —Paca: *¡Qué buenos ni qué... p e i n e t a s!* (BUERO VALLEJO, ob. cit., pág. 73). El adjetivo *cojonudo*, obsceno pero popularísimo, aparece bajo la improvisada forma de *cojuelesco* en EUB 25: *Oír yo esto y cruzar por mi mente una idea co...juelesca, fue todo uno.* WAGNER (en ZRPh, 49, págs. 1 y sigs.) llama la atención sobre el uso muy extendido de eufemismos derivados de nombres de lugar o de persona, tanto reales como imaginarios, cuyas primeras sílabas respectivas se aproximan fonéticamente a lo que el hablante quiere decir en verdad. Así, el estudiante, para decir que tiene un objeto empeñado, dice que lo tiene *en Peñaranda* [58] (pueblo cercano a la universitaria Salamanca). *Hubo los de San Benito de Palermo* significa que hubo palos. *Estar en Babia* [59] (alusión a *baba: caérsele a uno la baba*) es 'estar (con la

---

[57] Para *mecachis*, véase pág. 105.

[58] Según ha comprobado F. YNDURAIN en su aportación titulada «Sobre un sufijo -*anda*» («Strenae», págs. 469-471), la expresión *ir a, estar en Peñaranda*, de intención jocosa a par que eufemística, ocurre ya en un poema de Cristóbal de Castillejo («Transfiguración de un vizcaíno, gran bebedor de vino»), donde se lee:

> *fue menester enviar*
> *sus prendas a Peñaranda.*

[59] Según COROMINAS (ob. cit.), *estar en Babia*, más que referencia a este lugar de los montes de León, es alusión burlesca al radical de *babieca* 'persona boba', y quizá a *baba*. Al lado de *estar en Babia* se dice *estar en las Batuecas*, nombre de otra comarca con fama de atrasada, de la provincia de Salamanca. Véase también: T. SALVADOR, ob. cit., pág. 92. Respecto de *ser* y *estar* dice A. MELENDO en «De las locuciones en español» (en «Les langues néolatines», 1965, n.º 173, pág. 8), que «las locuciones con *estar* son más del doble de las formas con *ser*».

boca abierta) totalmente embobado o abstraído'. *Llevar a Capa-
docia* = 'llevar a capar'. En vez de 'pagar siempre' se dice eufemísticamente *hacer de* (o *el*) *p a g a n o*, con la variante *hacer
de* (o *el*) *P a g a n i n i*, esta última también usual en Chile
(A. RABANALES, ob. cit., pág. 213). Aquí encaja también el conocido dicho *salir de Málaga y* (o *para*) *caer en Malagón* (citado
también por J. MORAWSKI en «Les formules allitérées de la
langue espagnole» (RFE, XXIV, cuad. 2.º, pág. 148), con la variante sudamericana, también conocida y usada en España, *salir
de Guatemala para caer en «Guatepeor»*. *Estar uno entre Pinto
y Valdemoro* 'estar achispado, bebido'; *Pinto* es alusión a *pinta,*
medida de capacidad para líquidos (algo más de un litro)[60].
Ser uno el alcalde Ronquillo 'estar ronco'. *Entrar en Villa-
vieja* = 'envejecer'. Como todos queremos llegar a viejos, pero
nadie quiere serlo, y menos estarlo, suele decirse a una persona de cierta edad a modo de cumplido: *por usted no pasan
años.* Y al revés: cuando una persona presume de joven, diciendo tener menos años de los que tiene, a lo mejor, cuando
está ausente, alguien comenta maliciosamente: *¡veinticinco dice
que tiene! ¡y los que anduvo a gatas!* (o sea los que tenía de
criatura, que hay que añadir a aquellos «veinticinco»). Para
mencionar con otros circunloquios lo que los ingleses llaman
WC (= 'retrete'), hay varios eufemismos, e. o. *lavabo* (éste,
igual al francés, podría ser galicismo del latín eclesiástico «lavabo manus meas»); hoy lo más frecuente es *los servicios.* (Véase R. CARNICER, el capítulo «Cierto lugar» en Lh, págs. 215-16).
Aluden a nombres de personas reales o imaginarias: *ir a la ro-
mería de San Alejos* 'alejarse': «se dice de las personas que,

---

[60] CIRO BAYO da otra explicación de la frase en su «Lazarillo español».
Según ella, cierto sujeto que había empinado más de la cuenta se entre-
tenía en saltar el arroyo que separa a Pinto de Valdemoro (dos lugares
próximos a Madrid), diciéndose, después de cada feliz «aterrizaje»: *ahora
estoy en Pinto..., ahora en Valdemoro,* hasta que en una de ellas, ¡cataplum!, dio con sus huesos en el agua. Entonces pudo convencerse de que
se encontraba exactamente entre Pinto y Valdemoro. La frase en cuestión
ha pasado de ahí a significar también 'estar indeciso, irresoluto, perplejo'.
Véase el gracioso artículo de MANUEL RABANAL en su cautivante libro «El
lenguaje y su duende» (Madrid, Ed. Prensa Española, 1967), págs. 335-336.

teniendo cerca de casa lo que necesitan, van a buscarlo lejos con objeto de pasearse o entretener el tiempo» (Sbarbi); *estar uno completamente Roque,* quiere decir *roncando,* en el sentido de 'profundamente dormido'; esta misma imagen recibe ampliación ocasional en *Roque y familia:* EMH 9 Leonor: *...cuando empieza a clarear entra un cansancio que ya no se puede... y me he quedado...* —Antonio: *¿Completamente Roque?* —Leonor: *R o q u e   y   f a m i l i a , porque si tú no me llamas, aún estoy roncando.* WAGNER cita además *tío Cerrojo* 'cerrado de mollera'. En M 66 dice Malvaloca a su amante: *Me he enamorado der t í o   C a v i l a : un chochero que se volvió loco cavilando. Ser uno amigo del padre Quieto* o bien *ser uno un Juan Lanas* (DR) y *un Pepe Tranquilo* significa 'no dejar por nada su tranquilidad, no perder por nada la calma'. Un *Juan Palomo* (DR) se dice de un hombre que todo se lo hace solo, pero que también todo lo quiere para sí: *Juan Palomo: yo me lo guiso y yo me lo como* (comp. alemán «selber essen macht fett»). Un *Juan Zoquete* es un hombre de pocas luces o rústico [61]. A la muerte se le llama *la pelona* [62] (= 'sin pelo'), aludiendo a la calvicie de la calavera, emblema de aquélla; comp. el refrán *al cabo de cien años todos seremos calvos.* Mencionemos, para terminar, personificaciones como *Don Nadie* y *Don Mierda,* etc.: 'hombre insignificante, sin categoría; un cero'; más fuerte: *un cero a la izquierda.* En la conocida descalificación de «*maleta*» como designación de un torero m a l o y torpe, creo ver una deformación humorística de «*malo*». R. PASTOR y MOLINA define *maleta* =

---

[61] Según L. FLÓREZ (ob. cit., pág. 251), *zoquete = tonto* se oye también en el habla rústica y vulgar, así como en la popular y familiar de muchos colombianos. A más de *zoquete* con la significación de *tonto* (véase: INGO NAGEL, ob. cit.), se usan en Madrid: *alcornoque, adoquín, tarugo,* y otras designaciones de objetos d u r o s .

[62] H. SCHNEIDER, Res., pág. 359, advierte que *pelona* es formación análoga a *rabón* 'sin rabo'. AURA GÓMEZ (ob. cit., pág. 308) también le dedica un párrafo a *la pelona.* Por lo demás, son innúmeros los eufemismos, en gran parte humorísticos para designar o circunscribir a la muerte (véase LOPE BLANCH, «Algunas expresiones mexicanas relativas a la muerte», NRFH, XV, 1961, págs. 69 y sigs., y mi artículo en «Arbor», n.º 134, febr. 1957: «En torno a la sobriedad española»).

'persona torpe que —añado yo— todo lo hace «m a l», igual
que el torerillo abucheado por el público que le llama ¡¡maleta!! Otro eufemismo usado con frecuencia es *estar a la sombra*
(= 'en la cárcel'), que se emplea con el mismo significado en
la Argentina (N. DONNI DE MIRANDE, ob. cit., pág. 265).

Para remate de este párrafo citaré algunos eufemismos de
la e s f e r a s e x u a l. Expresiones para 'prostituta' o 'ramera':
zorra, ya citada en el cap. I (pág. 52), alude a la astucia de la
mujer pública, atenta a su ganancia. Designaciones más indeterminadas son una *fulana,* una *cualquiera,* una *cualquier cosa*
(que aluden al anonimato de tales infelices); una *individua*
(feminización jocosa de *individuo),* una *prójima* (originariamente también festivo, de *prójimo),* una *socia* [63], una *niña* (correspondiente al fr. «fille»). Una ramera ínfima de la calle es
una *pesetera;* una veterana del oficio, una *pendona* (también
un pendón). Otras designaciones son *pelandusca* y *furcia.* De
la literatura clásica han sobrevivido una *maritornes* 'muchacha
de servir de fácil acceso' («Quijote») y una *celestina* (de la obra
de FERNANDO DE ROJAS) = una *alcahueta* 'tercera'. Originariamente *puta* fue también un eufemismo, mientras que hoy —junto
a *golfa* y *zorra*— es la designación más cruda y directa de la
mujer pública. Pertenecen a la lengua literaria lo mismo que
a la hablada las perífrasis o circunloquios *mujeres de mala
vida,* o simplemente *mujeres de la vida* (comp. alemán «Lebe-
damen»), *mujeres públicas* y *mujeres alegres* o *de vida alegre.*
Junto a *querida* (como el alemán «Geliebte», «Freundin»), *amante* y *entretenida,* se emplean en sentido acentuadamente despectivo *querindonga* y *querindanga.* Todas estas expresiones, y no
pocas, más crudas, suelen designarse con el término humorístico latinizante *«palabras non sanctas».* PASTOR y MOLINA (ob.
cit., pág. 64) escribe «santas», pero, aun pronunciándose así,
me parece preferible conservar aquí la grafía latina. A veces,

---

[63] *Socio,* propiamente miembro de una sociedad o asociación, ha adquirido un matiz humorístico-despectivo, parecido a alem. «ein merkwür-
diger Vertreter», «ein komischer Zeitgenosse», etc. Véase también: R. CAR-
NICER, Lh, pág. 133.

tras el pronombre *tal* (*una, un tal*) se esconde una palabra de esas «non sanctas», p. ej.: *Es que ella es u n a t a l, dijeron algunos.* —*N i t a l n i t o l, dije yo* (F. CANDEL, «Pueblo», página 130). A propósito de «*tol*», véase mi libro sobre «El humorismo en el español hablado», pág. 129.

WAGNER aduce las siguientes denominaciones eufemísticas para las 'posaderas' o 'trasero': la *posteridad* (la parte posterior), el *trascorral* y el *traspontín.* Agréguese: EMH 19 (se trata de un traje de marinero que le sienta muy mal al niño): *Fíjese usted en las anclitas; una le pilla en las narices y la otra en s a l v a s e a l a p a r t e.* Para la explicación, supongo que originariamente, después de *en*, el hablante se pararía en seco ante el conflicto de tener que pronunciar el vocablo malsonante, *culo,* buscándole un sustitutivo. Me inclino a interpretar: «en...; bueno, en... salva (= 'omitida') sea la parte (en cuestión)»; es decir, 'omitamos, excusemos la mención de esta parte del cuerpo' («Literaturblatt für germanische und romanische Philologie», 6, col. 210); *salvo* significa aquí 'exceptuado, omitido' (DM). Sbarbi explica la frase con otro eufemismo: «expresión usada para señalar el sitio en que ha recibido uno un golpe, que generalmente es en... la parte posterior». Otra designación humorística y decente para las posaderas es *la parte donde la espalda pierde su honesto nombre,* de origen indudablemente literario. Y cercana a esto, la comparación con la *popa* del navío. Añádanse, sobre todo aplicados a niños: el *popó* y el *pompis,* sin olvidar: *Se vuelve y mira el r u l é de Jaulita.* Otra designación humorística: *bullarengue,* creo haberla leído en una novela de C. J. CELA (¿«La colmena»?).

«Se critica [dice la Sra. MORREALE en Res., pág. 126] alabando a uno que tiene los pies o la cabeza grandes que *va bien despachao de pies* (o *de cabeza*); a un mentiroso, que *no echa* (o *no dice) una verdad ni equivocándose*». «El tono festivo quita al ataque algo o mucho de su acrimonia, aun en los juicios más negativos, como cuando p. ej., para tildar a una persona de inútil, se exclama: *¡Lástima de gallina que se comió tu madre!,* aludiendo a la tradicional alimentación de las parturientas» (ibid., pág. 127).

Las necesidades diarias del cuerpo son perifraseadas con *hacer uno sus necesidades; hacer (aguas) menores* [64] (= orinar); *hacer (aguas) mayores* (= defecar o, más popularmente, *hacer* —o *ir*— *de vientre*). HATZFELD, ob. cit., págs. 149 y 150, menciona la expresión aún hoy usual *hacer lo que otro no puede hacer por uno* («Quijote», I, 20). Por lo demás, las posibilidades de sustituir ciertos sustantivos o verbos por otras expresiones son tan numerosas como imprecisas. Como que el hablante no quiere sino aludir a la cosa de que se trata. Así, por ejemplo, *sentir una gran necesidad* puede significar, según la situación, 'tener mucha hambre' o 'sentir una necesidad apremiante de hacer aguas (mayores o menores)'.

CARLO BOSELLI, en su ameno al par que sustancioso librito «Spagna, lingua-dialetti-folclore» (Milano, 1939), pág. 143, cita el eufemismo de delicioso humor popular *estorbarle a uno lo negro* (= 'no saber leer').

En consideración al interlocutor, tratándose de una c o s a que puede serle d e s a g r a d a b l e, se alude corrientemente a ella con el neutro *aquello*. Aquí también sólo la situación respectiva permite inferir de qué se trata. *Aquello* significa tanto como 'la cosa de marras', 'lo que usted ya sabe'. VM 73 Marqués: *¡Ah! ¿Pero a q u e l l o ?... ¿Ya?* M 30 Salvador: *La que tiene que vorvé también es usté, hermana Piedá.* —H. Piedad: *¿Yo?* —Salvador: *Sí; pa hablá de a q u e y o* (aquí se trata de la refundición de una campana rota). «Fr.» 47 *Y que no se le olvide a q u e l l o, ¿eh?* (en este caso, *aquello:* cumplir un encargo). Este neutro *aquello* no debe confundirse con el sustantivo pronominal *el aquel*, de que habla SPITZER en «Wörten und Sachen», VI, pág. 211: *Tener uno mucho aquel* = «tener uno mucho ángel» ('atractivo personal'). Cita para ello a BLASCO IBÁÑEZ, «Sangre y arena», pág. 209: *Usté es un pobre como yo, pero con más suerte, con más a q u e l en su oficio* 'con más fortuna'; «tales expresiones semánticamente tan equívocas, dispensan al hablante de tener que expresarse con mayor precisión». Compárese: *tener algo su aquel* 'su intríngulis', 'su difi-

---

[64] También, humorísticamente, *mudarle el caldo a las aceitunas*, donde el «tertium comparationis» es 'arrojar el líquido'.

cultad'. El español es indudablemente más rico que el alemán en recursos para expresar lo general y lo impreciso. Ahora bien, no siempre tales vaguedades de expresión se explican por razones de cortesía; en muchos casos obedecen simplemente a un principio de economía o comodidad. EMH 74 Sole (a Antonio, su amante): *Anoche me decía a mí Paco el Maluenda: «Pero, señor, ¡qué raro l o d e d o n A n t o n i o, no querer volver por aquí!»* Y *como sabe lo n u e s t r o*[65] ('nuestras relaciones') *me cogió en un pasillo y me dijo...* La misma indeterminación tiene *cosa* en frases como *a cosa de las tres* 'aproximadamente a las 3 (de la tarde, o de la mañana)'. *Era cosa* ('un asunto') *de cinco minutos* (como en italiano). También: *¡Qué c o s a s tiene Ud.!* ('¡qué cosas más peregrinas dice!'). *Son c o s a s de papá* ('son dichos, bromas, excentricidades, etc., propias de papá'). En LORENZO VILLALONGA, MD, Barcelona, 1967, pág. 138, leo: *—¡Tienes unas c o s a s!* En la misma novela ocurre: *En la ciudad se había inventado una frase para explicar aquella tolerancia: «C o s a s de Obdulia».*

El m a l e f e c t o que una comunicación poco grata puede producir en el interlocutor, queda a t e n u a d o mediante variadísimos procedimientos. EDE 165 Chimenea (haciendo a su señor, el Duque de Él, la desagradable confidencia de que la gente empieza a dudar de la nobleza de su ascendencia y a sospechar que es un estafador): *Pos ha de saber su mersé, mi amo* (para asegurarle muy expresivamente su propia adhesión), *que desde el baratiyo hasta los caños de Carmona, corre como un reguero de pólvora por la ciudad... ¡M e n t i r a p a r e c e!; l o q u e t i e n e n o r e s p i r á e l a i r e j u n t o a s u m e r s é.* —El Duque: *¡Acaba!* —Chimenea: *Corre esta infamia, corre esta viyanía: que su mersé no es Duque de É ni de ná, sino un tunante que está divirtiéndose con Seviya entera.* El Duque había dicho: *Mira, Chimenea, dispara ya toda la carga sin galas*

---

[65] De este uso «normal» del posesivo difiere semánticamente: *hoy hemos trabajado l o n u e s t r o* (= 'mucho'); *él ha sufrido o está sufriendo l o s u y o; yo también he sudado l o m í o,* etc., etc. También puede referirse a cosas: LT 10 *—Y que el paquete pesa l o s u y o* (= 'pesa mucho').

retóricas, que empiezo a impacientarme. A ello replica Chimenea: *¿Me limpio de pelos la lengua?* ('¿puedo hablar con entera franqueza?). Sólo obedeciendo a la reiterada orden del Duque: *Sí, habla,* Chimenea se atreve a decir lo arriba citado.

Otro medio muy usado de prevenir al interlocutor de algo desagradable es encabezarlo mediante una a p o s i c i ó n preparadora de la frase en cuestión. A la pregunta *¿qué se debe?*, en EDE 76, contesta el fondista: *L o s t e s o r o s d e C r e s o : sinco reales y tres cuartos.* O sea, acompañando el enunciado de la cantidad con una aclaración irónica; el sentido es 'una miseria: nada más que cinco reales', etc. En comparación con los proverbiales «tesoros de un Creso», ha de parecer insignificante la cantidad que exige el fondista, por elevada que sea [66]. LP 31 Luciano: *Pues ella misma me ha confesado aquí que es viuda reincidente.* —Ricardo: *¿Sí? B r o m a s s u y a s . Se ha burlado de usted.* EMH 55 Antonio: *Sea lo que sea. Diga usted.* —Paco (que tiene que preparar el ánimo de Antonio para que se prevenga de algo muy malo): *Pues u n a n i m i e d a z* [67]... *que anoche me se* [68] *acercaron el Pollo Botines, el Jarritas y el Requiés* (quienes se la han jurado a Antonio). VS 7 Doña Nieves (a su abogado): *Pues lo que pasa, señor Canales; l a h i s t o - r i a d e c u a t r o m i l l o n e s y p i c o* [69] *de jóvenes inexpertas y más o menos desvalidas.* Y luego lanza la, para ella, bochor-

---

[66] «Para eludir una declaración neta del precio requerido en pago de un servicio, existe todo un repertorio de frases hechas: *Lo que a usted le parezca; Eso, la voluntad* (en Madrid he oído: *6 pesetas y la voluntad); Ya nos arreglaremos; Por eso no nos vamos a pelear,* etc. ...que ilustra la vacilación del andaluz entre la generosidad desinteresada y la sobreestimación del esfuerzo invertido» (M. MORREALE, Res., pág. 123).

[67] Aunque TORO Y GISBERT reputa grosero vulgarismo emplear *nimiedad* en el sentido de 'insignificancia', lo cierto es que hasta las personas cultas lo hacen así y que el sentido originario, 'exceso', se ha perdido por completo. *Una nimiedad* encabeza aquí la expresión en lugar de *nada*.

[68] Patente vulgarismo; lo correcto es *se me.* Esta inversión, sobre todo en Madrid, es muy corriente en las clases humildes. ANTONIO QUILIS en «Estudios madrileños», I, 1966, pág. 372, cita: *me se rompió, te se cayó.* En Andalucía recuerdo haber oído: *Me z' ha orviao* (= 'me se ha olvidado').

[69] Para dar cierta verosimilitud al exorbitante número, grotescamente exagerado, se le añade el *y pico.*

nosa confesión: *Yo conocí a un artista de circo...*, etc. EUB 13
Guzmán: *¿Tú qué cantidad necesitas para salvarte de este conflicto financiero?* —Segundo: *U n a p a r v e d a d* (entiéndase
irónicamente): *trescientas mil pesetas.*

Si la aposición antepuesta a la frase sirve para prevenir, la
desplazada al final produce un efecto atenuante: una vez dicha
la cosa, el hablante le añade un comentario para adelantarse
a la eventual crítica del interlocutor. MP 32 Horacio (a Pipo y
Celso): *...¡Tomé yo mal aquello! C h i q u i l l e r í a s d e h o m-
b r e s, tal vez.* La aposición se anticipa aquí a la idea '¡mira
que tomarlo a mal!, ¡qué tontería!', y tal «autorreproche» de-
sarma al interlocutor.

Recurso parecido consiste en intercalar oraciones elípticas
de v a l o r g e r u n d i a l como *(hablando) la verdad* [*(diciendo)
la verdad,* o *la verdad (sea dicha),* o *(a decir) la verdad*], *francamente,* en las que falta no sólo el verbo en forma personal, sino
hasta el propio gerundio. MP 15 Doña Munda: *¿Usted no me
recuerda?* —Pipo: *No...; sí, señora...; no; no, señora; f r a n-
c a m e n t e no la recuerdo a usted...* Ibid. 35 Quica: *¿No entiende usted cómo en lugar de Natalia estoy yo aquí?* —Celso:
No; no lo entiendo. L a v e r d a d, no lo entiendo. Compárese
más abajo, pág. 395.

Para atenuar el mal efecto que pudiera causar al interlocutor
una pregunta algo delicada, el hablante le pide p e r m i s o para
formularla cuando ya la hizo. La interrogación hecha sólo se
da por válida si no le molesta al oyente. VS 5 *¿Y de qué se
trata, s i n o e s i n d i s c r e c i ó n?* (se sobreentiende *pregun-
társelo*). Ibid. 8 *¿Y quién era ese hombre, s i p u e d e s a b e r-
s e?* Otras variantes: *si es lícito preguntarlo; si me permite
la pregunta; y disimule usted la indiscreción; dispensando la
pregunta; no tome a mal que se lo pregunte; si no es mucho
preguntar* (o *pedir*). Aquí encaja también la formulita *¿se puede?*, con que se suele pedir permiso de entrar en una habitación después de haber llamado a la puerta y previo *¡adelante!*
por parte de quien esté dentro.

Spitzer llama la atención sobre el empleo eufemístico en
italiano de p o c o (IU 72). En español sucede lo mismo (IU 73).

Está u n p o c o alumbrado[70], se dice incluso de quien está como
una cuba. «Los colores apagados, los perfiles suaves, producen
un efecto de discreta moderación» (SPITZER). El ejemplo citado
tendrá sin duda equivalentes en todas las lenguas europeas,
así en al. «ein wenig angeheitert», fr. «mais ça c'est un peu
fort» (que, por cierto, tiene exacta réplica en español: *es u n
p o c o fuerte, ¿no?*) y las expresiones correspondientes a muchos
adjetivos alemanes con el prefijo «un-»: «unliebenswürdig» =
«peu aimable»; «unaufrichtig» = «peu sincère» y otras por el
estilo. EMH 8 Antonio (que ha despertado a su hija una hora
más tarde de lo convenido; se compara a sí mismo humorísticamente con un reloj despertador): *Me pusiste a las siete,
pero ya sabes que atraso u n p o c o.* Pero aquí falla el eufemismo, pues Leonor contesta sin miramientos: *U n p o c o,
bueno; pero atrasar una hora, ¿te parece bonito?* Ibid. 71 Antonio (que ha derrochado en pocas semanas diez mil pesetas
con su querida, al futuro yerno): *Pues era tan grande nuestro
amor, que en la luna de miel nos hemos gastao u n p o q u i t o
y de las diez mil pesetas ya no me queda más que...* —Marcos
(aterrado): *¿Cuánto?* —Antonio (bajando la cabeza): *¡Dieci-
nueve reales!*

Igualmente, para expresar la idea de un grado d e m a s i a -
d o alto, el hablante se limita a un grado sólo m u y alto. En
la mayoría de las lenguas, las expresiones de la idea 'demasiado'
son, sin duda, una adquisición tardía. De todos modos, el español
coloquial hace de este neologismo *(demasiado)* un uso relativamente escaso[71]. Mientras el fr. «trop tard» es muy corriente,

---

[70] *Alumbrado*, como *iluminado*, son términos venidos de la esfera
religiosa y que después, humorísticamente, han tomado el sentido de
'bebido'. Lo mismo significan *achispado, calamocano*, y los eufemismos
apañado, arreglado (cf. alem. «fertiggemacht») y, sobre todo, *alegre.* Véase
también pág. 273. A propósito de *apañado* muy polisémico: —*¿Tú crees
que los periodistas se matan por algo, por más novedad o noticia que sea?
—Estás a p a ñ a d o* (= 'equivocado'). La polisemia de muchos sustantivos, verbos y adjetivos, preferentemente los de uso popular, es imposible
captarla lexicográficamente, porque su significado depende de las más
variadas situaciones.

[71] En muchos países hispanoamericanos ha ocurrido el proceso inverso, esto es, la excesiva generalización de *demasiado*, que, haciéndole

en español, en vez de *demasiado tarde*, muy poco empleado, se prefiere decir *muy tarde*, pudiéndose suprimir aun el *muy: viene usted tarde* = 'demasiado tarde'; lo mismo ocurre con *mucho* y *poco: come poco* (= 'demasiado poco'); *bebe usted mucho* (= 'demasiado'). En el mercado se oye: *¿Cuánto valen las naranjas? —Dos duros media docena. —Es m u c h o .* Igualmente *es caro* 'demasiado caro'; o *estos guantes me están chicos...* 'demasiado chicos'; *este traje me viene ancho* 'demasiado ancho'. Para ponderar mucho el valor de una cosa o el mérito (inteligencia, bondad, rectitud, o cualquier otra virtud que sea) es muy frecuente rematar la alabanza con: *todo lo que se diga es poco* = 'nunca se podrá alabar bastante'.

A veces, los sufijos d i m i n u t i v o s , sobre todo los agregados a adjetivos o a adverbios, también pueden asumir función[72] de atenuantes. «Fr.» 55 *Ya sabes que es algo e n v i d i o - s i l l o* (atenúa lo que en verdad significa: *es de lo más envidioso); (como yo sabía el alemán y él no) pues le daba una rabia que no había quien le aguantara.* EMH 30 Mariano (ha ofrecido a su amigo Antonio una colocación espléndidamente retribuida, pero sumamente peligrosa: la de inspector de sala en una casa de juego; para convencerle de que la acepte, trata de quitar importancia a los peligros del nuevo puesto): *Es una casa algo c a s t i g a d i l l a*[73] *por tahures y barateros y hay que limpiar aquello...* Obsérvese además el *aquello*, aquí de gran efecto atenuante. Igual cabe decir respecto de los sufijos *-ejo* y *-ete* al ser agregados al radical de ciertos sustantivos: *Se gana unas p e s e t e j a s o unos d u r e t e s o d u r e j o s por ahí vendien-*

---

perder su sentido originario, le ha llevado al valor de 'mucho, muy': *Fulano es demasiado sabio; la quiero demasiado; soy demasiado honrado* (M. L. WAGNER, ZRPh, XLIV, 594). En el coloquio peninsular, en lugar de *demasiado* + adj., se ha puesto de moda *demás de* + adj., p. ej.: *—Estando sofocados,* (...) *no conviene tomar las cosas d e m á s d e f r í a s* («Jarama», pág. 23).

[72] Véase: ZULUAGA, A., «Función del diminutivo en español», en BICC, XXV, págs. 23-43.

[73] Probablemente tomado del lenguaje taurino *(castigar al toro).* De ahí *Oviedo fue una de las ciudades más c a s t i g a d a s durante la Guerra de España.*

do cerillas; con matiz irónico: *Para comprar esa finca, ya puedes aflojar unos cuantos m i l l o n c e j o s .*

Y ahora un fenómeno de particular interés: me refiero al
perfecto ENCADENAMIENTO ENTRE HABLA Y RÉPLICA propio de la
conversación. El español parece que atiende a las palabras del
interlocutor de manera más concreta y precisa que, por ejemplo, un alemán. Es decir: parece que se fija más en la forma
de lo que oye que en el contenido. El alemán, por el contrario,
suele fijarse más en el contenido que en la forma. Capta las
ideas del interlocutor asimilándolas para luego contestar de
una manera enteramente independiente, sin que influya en su
réplica la forma de que venía revestido lo manifestado por el
interlocutor. En otros términos: adopta en la conversación una
actitud más egocéntrica que el español [74]. Tal vez responda esto
al modo de ser, más intelectual, más abstractivo, de las gentes
del Norte, que tiende a olvidar la forma por el contenido. Es
una de las más fundamentales diferencias que existe entre ger-
manos y latinos, caracterizados respectivamente por KARL VOS-
SLER con las expresiones «hombres-cosa» y «hombres-lengua»
(Sachmenschen y *Sprachmenschen)* (VOSSLER, «Geist und Kultur in der Sprache», pág. 141). Para el germano, la lengua, por
lo general, no pasa de ser un medio; para el latino es más
bien un fin en sí.

Esta escrupulosa atención que el hablante español presta
a lo que dice el interlocutor, y sobre todo a cómo lo dice, puede
tener unas veces motivos alterocéntricos y otras egocéntricos.
En el primer caso, habla y réplica se complementan formando
una sola cláusula. En el segundo caso es como si las palabras
del otro fuesen examinadas con lupa y, vistos sus puntos vul-
nerables, utilizadas contra su propio autor, dándoseles entonces
un significado generalmente distinto al originario. Ambos casos
requieren una intensa concentración sobre lo dicho por el otro,
cosa que no supone gran esfuerzo para los extrovertidos hom-

---

[74] Y el inglés. E. LORENZO (pág. 147) cita lo que en inglés se ha convertido en fórmula gramatical: —*Do you...? —Yes, I do; —Did you...?
—Yes, I did; —Have you...? —Yes, I have,* etc.

bres meridionales, de sentidos tan agudizados por naturaleza que su atención, más que consciente, parece instintiva. Los extranjeros, incluso aquellos que dominan la fonética castellana a la perfección, suelen delatarse, entre otras cosas, por la forma de sus réplicas, que no se ciñen lo suficientemente a las palabras de su respectivo interlocutor. Antonio pregunta: *Laura* [...] *¿a qué viene esto?* —Laura: *A que todo era entonces distinto* (A. Paso, JMM, pág. 37).

Citaré primeramente el tipo de respuesta afirmativa, ya usual en latín, que consiste en repetir lo dicho por el hablante. «Fr.» 37: *¿Le parece a usted poco? —Poco*. (Aquí en alemán sólo cabe un «ja»; en cambio, en español un simple *sí* no sería lo corriente.) Z 8 Micaela: *Jerío* (= herido) *vienes.* —Juanico: *Jerío*. Ibid. 12 Juanico: *¿Me quedrá* (= querrá) *Mercedes?* —Micaela: *Te quedrá*[75]. LT 59 *¿Y los dos son soldados? —Los dos.*

De modo semejante, Leonor, en EMH 25, contesta a su novio que le pregunta: *¿Pero le has hecho tú ese trajecito de marinero que llevaba?*, con el pronombre *Yo*. «Fr.» 13 *¿Todo eso se lo has dicho tú? —Yo*. En ambos casos, lo corriente en alemán sería sólo la partícula afirmativa; el español *yo*, por el contrario, corresponde en perfecta trabazón orgánica a lo dicho por el interlocutor, o sea, al *tú* de la pregunta. En EMH 72 Antonio: *...Porque si tú la oyeses, Marcos, te cautivaba, te...* —Marcos: *¿A mí?* —Antonio: *¡A ti!*, vemos el pronombre en función de complemento.

A veces el habla de A y la réplica de B se enlazan tan estrechamente, que vienen a formar una sola oración. «B encaja en A como en un estuche perfectamente acoplado a su forma» (Spitzer, IU 34). M 45 Salvador: *¿De manera que Leonardo...?* —Lobito: *Está sorbío* (= sorbido[76]). VS 28 Gonzalo:

---

[75] Modo de afirmación especialmente frecuente en portugués (y en Galicia); p. ej., «O senhor esteve em Lisbôa? — Estive, sim senhor».

[76] Es una de las incontables maneras de expresar la idea de 'estar enamorado', junto con *estar chalado (chalao), loco (perdido), guillado (guillao), perecerse (por una muchacha); beber(se) los vientos (por)*, etc. Otras veces el agente es la mujer en cuestión: p. ej., *le tiene sorbidos*

Entonces puedo decir... —Bonilla: *Que salgo en el botijo* (=
tren botijo; véase cap. III, nota 251) *y que mañana estaré en
Sevilla.* VM 45 Guillermo: *¿De modo que tú crees que el primer
deber de la vida...?* —Fabia: *Es sernos agradables unos a otros
y no amargarnos la existencia.* MP 16 Pipo: *Decía usted, señora...* Doña Munda: *Que no es extraño que usted no me conociera.*
Aquí la reclamación de lo no entendido se hace mediante un
verbo dicendi introductor del que doña Munda se aprovecha
hábilmente para enlazar su réplica. QNSF 12 Oscar: *¿Entonces
lo que usted desea?* [77]. —Trambuz: *Es cambiar de ambiente.*
Aquí la pregunta es formulada como frase relativa, completada
por Trambuz. EDE 155 Daniel: *¡Jesús!, ¿esa mujer será capaz...?*
—Chimenea: *De todo lo malo.* —Elena: [...] *Carlos está metido
en u n c o n f l i c t o g r a v e ...* —Julia: *Q u e se ha buscado
él con su obcecación* (A. Paso, HDP, 58).

A diferencia de equivalentes alemanes, el siguiente tipo de
respuesta se ajusta muy íntimamente a la forma de la pregunta
antecedente. VS 45 Frasquito: *¿Qué ha sido?* (el origen de un
estrepitoso ruido de cristales rotos). —Rosario: *El espejo grande
del comedó que ha caído sobre la vajilla.* Correspondiendo con
la pregunta *¿qué ha sido?* hay que sobreentender otro *ha sido*
en la réplica: *(ha sido) el espejo grande;* y lo que ha ocurrido
con el espejo está expresado con una oración subordinada de
relativo. EUB 7 (Domingo y Marta, criados de Segundo, habían
recibido de éste orden estricta de no dejar pasar a nadie. Marta
procura impedir la entrada de un visitante empeñado en ver
a Segundo. A las voces de Marta, Domingo pregunta): *¿Qué
quiere usted, Marta?* —Marta: *Este caballero, que se empeña*

---

los sesos. El «tertium comparationis» es siempre la pérdida de juicio
que sufre el enamorado. Comp. también *esta muchacha me tiene* (o *me
vuelve) loco (chalao, guillao), majareta, tarumba, turulato.* Igualmente,
en *una chica que quita la cabeza* el tema fundamental sigue siendo el
enajenamiento mental.

[77] Por la misma actitud interrogativa se explica el port. «o que quer?,
o que deseja?», '¿qué quiere (desea) usted?', propte. '¿lo que usted quiere
(desea)...?'. «E isto como se lê? —Metempsychose— foi a resposta de
Daniel. E o que vem a ser?» '¿y eso qué es?' (Julio Diniz, «As Pupilas
do Senhor Reitor», pág. 20).

en afirmar que el señor está en casa. Marta indica primero el motivo general del alboroto: *este caballero,* y en la frase relativa, enlazada con *caballero,* lo que con éste sucede.

Aquí encajan los ejemplos, al menos la mayor parte de ellos, que JOSEF DUBSKÝ cita en su magnífico artículo «El infinitivo en la réplica» (Rev. «Español actual», n.º 8, sept. 1966, págs. 1-2): —*¿Qué quiere usted? —Verlos. — ¿Qué había hecho usted? —Matar también. —¿Y ahora? ¿Qué vas a hacer? —Irme.* Por cuanto se trata, en la pregunta, del verbo *hacer,* recuerdo el tipo de frase como *no hace más que leer* (cf. fr. «il ne fait que lire»), *no he hecho más que tocarlo* (fr. «je n'ai fait que le toucher»), que corresponden a las preguntas y réplicas: —*¿Qué hace? —Leer. —¿Qué has hecho? —Tocarlo (nada más).*

El enlace entre habla y réplica suele estrecharse de modo particular cuando ambas partes se enfrentan como adversarios, produciéndose entonces un fenómeno parecido al arriba señalado, pero con signo inverso. El hablante, al atender con tanta minuciosidad a las palabras del interlocutor, lo hace para r e p e t i r luego en su réplica p a r t e d e e l l a s . «Ahora bien, dice SPITZER, las palabras del otro suenan en nuestra boca siempre como ajenas, y aun a veces suenan a b u r l a , caricaturizadas» (IU, 175). Véase una escena rica en ejemplos que demuestran cómo en un altercado el hablante se apodera de las palabras del contrincante y les cambia el significado para arrojárselas a la cara: EMH 19 (Leonor ha confeccionado para el niño de la señora Calixta un traje de marinero que le ha salido fatal. La madre, con el niño de la mano, penetra furiosa en la mísera vivienda de padre e hija. Al armarles el consiguiente escándalo, es de observar cómo Calixta se aprovecha de las tímidas objeciones de los dos, cambiando el sentido de sus palabras para usarlas como armas que esgrime contra sus propios autores). Antonio: *¿Y qué es, que... que no le sienta bien del todo?... —*Calixta: *¿Cómo del todo? Pero usté s'ha dejao los ojos en su pueblo, hijo... —*Leonor: *Pues sí que me choca esto. —*Calixta: *Más me choca a mí... —*Antonio: *No, no está tan mal; lo que pasa es que el cuellito*[78]*... —*Calixta: *¿Pero le*

---

[78] *Cuellecito* es el diminutivo más corriente de *cuello.*

llama usté cuellito a esto?... —Leonor: *¡Ay, señora Calixta!*
—Calixta: *¡Qué señora Calixta ni qué narices...!* (Véase capítulo III, pág. 214). —Leonor: *Y además lo he cortado con*
patrón... —Antonio: *Y ya sabe usté de toda la vida que donde*
hay patrón... («donde hay patrón, no manda marinero»). Antonio hace de *patrón* un juego de palabras, pretendiendo traer
un poco de humor a la lamentable situación y apaciguar a doña
Calixta. Pero le falla el intento, porque el refrán que deja iniciado lo completa doña Calixta de una forma inesperada: *donde*
hay patrón no se manda este marinero ('traje de marinero').
Esto de *patrón* alude ahora maliciosamente a Antonio: él, como
amo de la casa, debía tener la suficiente autoridad sobre su
hija como para impedir que ésta se atreviera a entregar un
trabajo tan chapucero. Más adelante critica Calixta que hayan
puesto en la gorra «El Terror»: *¡El terror va a ser si le saco*
a la calle! —Antonio: *¡El Terror es un destroyer, señora!* También con esta justificación le sale el tiro por la culata, pues
Calixta replica: *El destroyer lo ha sío su hija de usté...* Por
fin la pobre Leonor trata de aplacar un poco a la excitada
señora: *¡Por Dios, no lo tome usté así!*, en el sentido de 'no
tome usted la cuestión tan por lo trágico'; pero a esto Calixta,
más rabiosa aún, dice: *Si no lo tomo. Ni así ni de ninguna*
manera. El neutro *lo*, ella lo aplica como masculino *(traje)*, y
el significado metafórico de *tomar* lo traspone al concreto de
'admitir', 'quedarse con', relacionando *así* con la mala hechura
de la prenda. De modo que las palabras del interlocutor no ya
se remedan con burla cruel, sino que quedan «traspuestas» a
otro tono (SPITZER) completamente distinto, siendo aprovecha-
das para juegos de palabras a costa del burlado. Esta forma
de parodiar las palabras del interlocutor, ha sido observada
ya en el latín coloquial por J. B. HOFMANN (obra citada, página 98) [79].

---

[79] A propósito de la «estrecha trabazón irónica», M. MORREALE nos
facilita algunos ejemplos observados en el lenguaje de los niños: *¿Qué*
pasa? —Calabaza; o: *Son higos, no son pasas; —¿Qué dices? —Las que*
vuelan son perdices. Un albañil (desde el andamio a un transeúnte)
—*Oiga, ¿ha visto usted a Felipe?* (El interpelado) —*¿Qué Felipe, hombre,*

Sin embargo, no siempre se ha de interpretar como burla la repetición de lo dicho por el otro. Por el contrario, hay situaciones en que puede expresar incluso una particular armonía de la propia voluntad con la del interlocutor. NV 44 Antonio: *Pues ahora, es cuando más me gustas, chiquilla.* —Carmen: *Pues ahora, si es tu gusto, es cuando más me voy a adornar.* Es más: a veces tal repetición de una o varias de las palabras de A por parte de B no hace sino poner aún más de realce aquéllas. EDE 202 El Duque: *¿No ibas a seguirme?* —Morisca: *Sí, pero...* —El Duque: *¿Pero qué, Morisca?* Morisca no se atreve a expresarse claramente; su *pero*, que muestra que hay algo en la situación que la contraría, es aprovechado por el Duque. Igual ocurre en PL 24 Adela: *Sí, pero...* —Pedro: *Pero... ¿qué?*

A este propósito recordaremos el tipo *no hay... que valga.* «Fr.» 58 Alborotador detenido: *Pero...* —Policía: *No hay pero que valga.* PF 54 Rufino: *¡Pero, tío!* —Emeterio: *No hay tío que valga.* (Compárese italiano «non c'é babbo che tenga», 'aunque llores y llames a tu padre', citado por SPITZER en IU, pág. 12, nota.)

Si lo que dice A contiene algo insufrible para B, por ejemplo un insulto, B recoge esta palabra ofensiva con *eso de...,* para echársela en cara al contrincante. «Es como si el oyente no pudiera 'tragar' la palabra que el otro lanza contra él, y que se le atraviesa». EMH 16 Társilo: *Que tengo yo muchas agallas* [80] *pa que me zarandee un desahogao* [81] *como usté.* —Antonio: *Señor Társilo, e s o d e desahogado...* —Társilo (en vez

---

qué Felipe? (El otro, en tono zumbón) —*Pues el de la gripe.* (Diálogo que oí en Madrid).

[80] *Tener agallas,* como *tener hígados,* es 'tener valor'. Tanto *agallas* como *hígados* y *riñones* suelen encubrir al groserísimo *cojones* (véase W. HANISCH, ob. cit., págs. 29, 31 y sigs.). «Los atributos sexuales sirven de asiento al valor o al coraje»; así, popularmente, *un tío de agallas (hígados, riñones, redaños).* Comp.: *¡Qué tíos!* —*piensa*—, *¡hay que tener r i ñ o n e s!* (CELA, ob. cit., pág. 16).

[81] *Desahogarse* es, en sentido psíquico, 'abrir el alma a uno, expansionarse', y de ahí 'tomar confianza'. *Desahogo* vale: 1) 'alivio'; 2) 'libertad, descaro'. Por tanto, *un desahogado* es 'un fresco, un sinvergüenza'.

de retirar el insulto, lo refuerza): *E s o d e desahogao se lo digo
yo a usté aquí y en la calle y en toos los terrenos.* Más tarde,
en la segunda escena con el portero, la situación de Antonio
ha cambiado tanto a favor suyo, que ahora se vuelve agresivo
a su vez frente a Társilo. —Antonio: *...usté es un canalla, y un
bárbaro sin educación y sin decoro.* —Társilo: *Alto el carrito,
mi amigo... e s o d e canalla ¿tié usté coraje pa sostenerlo?* Ya
antes, en la misma escena, pág. 34, Antonio: *...a una impertinencia contesto con otra.* —Társilo: *E s o d e impertinencia...*
—Antonio (acaba la frase de modo bien contrario a como lo
pretendía Társilo): *...está dicho. Conque al asunto.* En el primer
ejemplo se debería esperar por parte de Társilo un *esto de
desahogao,* puesto que se trata de sus propias palabras; el *eso*
se explica por tratarse de un burlesco remedo de las palabras
de Antonio. Y es que cuando más literalmente sea repetido lo
dicho por el otro, más mordaz tiene que sentir éste el escarnio.
Con *eso de* pueden sustantivarse frases enteras: *eso de la independencia y el trabajo de la mujer es muy bueno para las feas*
(BENAVENTE). Lo mismo cabe decir respecto de *esto de, aquello
de* y *lo de* (véase SALVADOR FERNÁNDEZ, obra citada, pág. 115).

Otras veces, el que B se apodere de una expresión dicha
por A para encarnizarse rabiosamente con ella, revela una seria
indignación: Fernando: *Ahora no. En la calle l o d e c i d i r e-
m o s.* —Elvira: *¡L o d e c i d i r e m o s! Tendré que d e c i d i r
yo, como siempre. Cuando tú te pones a d e c i d i r nunca hacemos nada* (BUERO VALLEJO, ob. cit., pág. 74).

Un buen ejemplo de parodia de una perorata es el siguiente:
MP 34 Celso (ha estado esperando a Natalia; en lugar de ella
viene otra señora, y él, sin darse cuenta): *Ante todo cálmese
usted; no tema nada. Estamos en un rincón del mundo. Siéntese usted.* Pero la supuesta Natalia, a la que Celso iba a inducir
a una infidelidad conyugal, se revela como Quica, amiga de
aquélla. A la pregunta de Celso, completamente desconcertado:
¡Quica! Pero ¿qué es esto, Quica?, responde ella: *Esto... esto
son muchas cosas, Celso. Pero ahora le repito yo a usted sus
propias palabras* (se ve que no ha olvidado ni una sílaba de
ellas): *Cálmese usted; serénese usted; siéntese usted. Estamos*

en un rincón del mundo... En un rincón del mundo... (Y ahora
viene lo que ella tiene que decirle) *¡donde va usted a oír lo que
no ha oído todavía en ninguna parte!* —Celso (corrido de vergüenza [82], balbucea): *Bien... bien... pero... bien... bien...* A lo
cual Quica, aprovechándose sin piedad de todas las ventajas
que le brinda la situación: *¡Regular* [83], *nada más!* El *bien* de
Celso tenía un carácter meramente interjectivo. Quica le opone
un *regular*, y así pone en ridículo las palabras de Celso. Pues
regular, en el sentido de 'medianejo', sólo armoniza con un
bien en su significado más literal, por ejemplo: *¿Está usted
bien?* —*Regular, nada más.*

En ciertas ocasiones, a una pregunta de A contesta B con
una contrapregunta de estructura idéntica. También aquí la
imitación surte un efecto burlón. M 85 Salvador: *¿Te figuras
tú que hay ningún nasío* [84] *que yeve las cosas al extremo que
tú las yevas?* —Leonardo: *¿Y te figuras tú que vivo yo con el
alma de nadie?* VS 18 Ismael: *¿Pero usted cree que el señor
Bonilla va a aceptar ese ignominioso destino?* —Valenzuela:
¿Pero usted cree que yo me chupo el pulgar? [85]. En caso de dis-
crepancia de opiniones, los contraargumentos más eficaces suelen oponerse revestidos de palabras del mismo contrincante
con signo inverso. M 55 Salvador: *Yo creo que no.* —Leonardo:
Pues yo creo que sí. EDE 122 Morisca: *Eso no; eso no...* —El
Duque: *¡Eso sí!* MP 23 Celso: *No, Pipo, no.* —Pipo: *Sí, Celso,
sí.* LP 31 Ricardo: *Sí, tío, sí.* —Luciano: *No, sobrino, no.*

El prurito de parodiar las palabras del interlocutor o de
utilizarlas, al menos en parte, para la réplica produce a veces
violentas i n c o r r e c c i o n e s   s i n t á c t i c a s. M 66 Leonardo: *¡Buena memoria!* —Malvaloca: *M á s   b u e n a   es la tuya,
arrastrao* [86]. Lo corriente sería *mejor es la tuya;* sólo para aprovechar una parte siquiera de lo dicho por Leonardo, dice Mal-

---

[82] *Vergüenza* tiene un sinónimo popular: el gitanismo *lacha*, comentado por M. L. WAGNER en su artículo «Sobre algunas palabras gitano-
españolas» (RFE, 1941, págs. 166-67).
[83] Véase cap. I, pág. 99, n. 122.
[84] *Ningún nacido* = 'nadie'.
[85] Variante ocasional de *chuparse el dedo* 'ser tonto, ser ingenuo'.
[86] *Arrastrado:* véase más arriba, págs. 53-54.

valoca *más buena.* NV 38 Señor Matías: *¿De modo que...?*
—Antonio: *De modo que ná,* frase sintácticamente imposible,
que se justifica estilísticamente sólo por lo que antecede. EUB
50 Guzmán: *¿Qué hay?* —Segundo: *Pues hay que acabo de
escuchar una conversación que me ha puesto los cabellos como
tachuelas* [87]. (Compárese alemán: «Was ist los? —Los ist,
dass...».) C 75 Juan: *¿A q u é viene eso ahora?* —Lola: *¡A q u e
estoy harta de to eso!*

Hasta ahora hemos visto dos formas principales de enca-
denarse discurso y réplica: 1.º, lo dicho por B forma con lo
que dice A un conjunto oracional homogéneo (construcción
unitaria); 2.º, las palabras de A son repetidas por B total o
parcialmente, de un modo más o menos burlón. Vamos a estudiar ahora una tercera modalidad: El d i s c u r s o de uno
de los interlocutores es c o n t i n u a d o por el otro; B sigue,
por decirlo así, los «carriles lingüísticos» (SPITZER) por los que
iba A. Esto, sin embargo, se refiere únicamente al aspecto
formal; por cuanto respecta al contenido, puede ocurrir todo
lo contrario: que el hablante, por el mismo hecho de valerse
de palabras ajenas, se coloque en plena oposición al otro. En
cambio, cuando ambas partes andan acordes, la más natural
manifestación de tal armonía está en que B continúa y remata
una oración iniciada por A. NV 40 Carmen: *¡Cuánto nos hemos
querido!* —Antonio: *¡Y cuánto nos tenemos que querer!* VS 51
Sansoni (italiano que chapurrea el castellano, pregunta al fondista): *¿Hay una estanza* [88] *para servitore?* ('¿hay habitación
para mí?'). Frasquito: *Para servitores y para rajás.* Aquí lo
dicho por el interlocutor viene repetido y continuado: lo primero equivale a una afirmación; la adición *y para rajás* pretende ponderar la categoría de la habitación disponible ('la
hay, y aun principesca').

Cuando el discurso de A contiene una negación, lo normal
es que B la continúe con *ni.* Ahora bien: a veces, al amparo
de una tal concordancia aparente, el hablante repudia artera-

---

[87] Exageración humorística por *poner los pelos de punta.*
[88] Se trata del ital. *stanza,* cuya correspondencia española, *estancia,*
tiene hoy otro sentido. Lo que quiere Sansoni es una habitación.

mente en su negación precisamente aquello que el interlocutor deseaba que fuese o que se le diera. M 85 Salvador: *Es que también hace muchos días que no hablamos de eya.* —Leonardo: *Ni hay para qué.* Con el *ni* Leonardo confirma y ratifica la negación de Salvador: 'en lo que tú dices (que hace muchos días que no hablamos de Malvaloca) te doy la razón'; concordancia, sin embargo, que contrasta del modo más estridente con la valoración, diametralmente opuesta a la de su amigo, que Leonardo da a este mismo hecho. Casos similares: «Fr.» 59: *No me convences.* —*Ni tú a mí tampoco.* —*Ni falta que hace.* M 60 Salvador: *Esos pendientes no son de mis tiempos.* —Malvaloca: *Ni de los de nadie: son cosas de él.* Con *ni de los de nadie,* Malvaloca rechaza enérgicamente la insinuación de Salvador (su ex-amante): 'ni son de tu tiempo, ni tienen nada que ver con «aquello»; me los ha regalado él' (Leonardo, el primer hombre con quien tiene relaciones formales). Las palabras de Salvador, que aludían a un triste pasado, tenían que disgustarla forzosamente; su réplica sólo en la forma se enlaza con las palabras de Salvador, contrastando estridentemente con el contenido de las mismas.

Frecuentemente el discurso de uno lo continúa el otro con una oración de relativo. Mediante ello B deja por de pronto ratificado lo dicho por A; además, la frase relativa aparenta que lo que expresa ya estaba contenido en las palabras del interlocutor y, por lo tanto, apenas necesitaba ser puesto de relieve. PL 24 Pedro: *Yo no soy más que un hombre de honor.* —Adela: *Sí, un hombre de honor que no saldrá nunca de pobre.* Ibid. 25 Adela: *Tú sales y entras; tienes siquiera el aire de la calle.* —Pedro: *Aire que no respiraría si no fuera para ti y para el niño.*

Este tipo de vinculación con relativo se presta especialmente para oponer argumentos contrarios a los alegados por el interlocutor. EMH Antonio: *Si no tomase las penalidades de la vida con cierta resignación, pues ya me había muerto.* —Társilo: *¡Pa lo que iba usté a perder!* '¿qué iba usted a perder con ello?'. —Generosa: *Ustedes tienen una habitación más y son más que nosotros* (por eso pagan más de luz). —Paca: *¡Y qué! Mi alcoba* *no la enciendo nunca. Juan y yo nos acostamos a oscuras. A nuestra edad, p a r a l o q u e h a y q u e v e r ...* (BUERO VALLEJO, ob. cit., pág. 55). Un escolar madrileño a quien yo había corregido una expresión me replicó: *Lo que he dicho yo '¡si así es como lo he dicho!'.* SC 45 Escolástica: *No pensáis más que en la pitanza.* —Monaguillo: *¡Toma! A lo que estamos.* Compárese lat. «quod erat demonstrandum».

CAPÍTULO III

LA EXPRESIÓN AFECTIVA

A. LÉXICO

En el capítulo anterior hemos tratado de las características de un diálogo determinado preferentemente por la consideración al interlocutor. En el presente nos dedicaremos a estudiar fenómenos lingüísticos procedentes de una postura psicológica contraria: el hablante sale de su actitud pasiva y expectante, para adoptar frente al interlocutor una postura más activa, pero también más egocéntrica. En ella, hablando con exactitud psicológica, la efectiva disposición de ánimo del hablante —en cuanto éste se deja llevar de su pasión— puede ser de índole pasiva, más que en el comedido hablar consciente y diplomáticamente calculado. Pero este hecho psicológico nos parece absolutamente irrelevante al estudiar los médios de expresión, cuyo carácter «activo» o «pasivo» se refiere únicamente al ropaje idiomático. La expresión afectiva [1], cuyas formas van a ser

---

[1] Véase el estudio de V. GARCÍA DE DIEGO, «La afectividad en el lenguaje», en «Lecciones», págs. 7-60: «... el *sentimiento* es el verdadero soberano en la vida lingüística de todos los hombres» (pág. 60). LUIS FLÓREZ, op. cit., pág. 46, insiste especialmente en la tendencia extralógica, y hasta ilógica, que se manifiesta en el habla espontánea y afectiva, cosa que se explica por las frecuentes insuficiencias de la lógica frente a las realidades vitales. En su interesante estudio «Recursos afectivos en el habla de Rosario», NÉLIDA E. DONNI DE MIRANDE, citando a AMBROSIO RA-

tratadas a continuación, refleja el afán del hablante por influir
de un modo persuasivo sobre el interlocutor, procurando inte-
resarle y caldearle el ánimo por el respectivo asunto; en una
palabra, imponerle todo su yo impregnado no sólo de ideas,
sino también de sentimientos e incluso de impulsos volitivos.
Mas al emplear tal habla emotiva rara vez nos limitamos a
enunciar tan sólo datos y hechos enteramente objetivos. Antes
bién, nuestra condición de seres que sienten y quieren, valo-
ran, aprecian y desprecian nos impone la necesidad de influir
en el interlocutor por todos los medios, impresionándole, haciendo mella en él.

Pues bien: a nadie que conozca, siquiera superficialmente,
el carácter subjetivo y apasionado [2] del español de tipo medio,
le podrá sorprender el hecho de que los medios para la expresión afectiva de su lenguaje sean particularmente ricos y variados. Es más: me atrevo a afirmar que de todos los pueblos,
incluso meridionales de Europa, el español se lleva la palma
en este aspecto. Agréguese a ello una extraordinaria fuerza
imaginativa y creativa, unida a una capacidad para la improvisación igualmente única, y comprenderemos que el estudio
de su lenguaje afectivo, con sus innúmeras comparaciones, interjecciones, hipérboles, imágenes, etc., haya de quedar forzosamente incompleto. Habré de limitarme, en general, a lo que la
lengua ha creado en formas fijas, formas, sin embargo, cuyo
contenido puede variar constantemente, según la individualidad

---

BANALES, «Recursos lingüísticos en el español de Chile» (en BFUCh, X,
1958), dice: «De hecho no hay vocablo ni frase ni momento de la comunicación oral en que, junto al sentido lógico, no se advierta la presencia
de elementos afectivos. El matiz emocional de la expresión, coincidente
con el sentido ideológico, o bien atenuante, reticente y aun contrapuesto
a veces a dicho contenido, determina y decide en definitiva la valoración
y medida del sentido e intención de las palabras» (pág. 250). Pese a esta
teoría restrictiva a par que amplificadora, mantengo el título «La expresión afectiva» de este largo capítulo, por razones prácticas de orientación general. Además nadie negará los más diferentes g r a d o s de
afectividad que se advierten en el lenguaje hablado.

[2] Por cierto que SALVADOR DE MADARIAGA, en su libro «Ingleses, franceses y españoles», caracteriza a estos últimos como «pueblo de pasión»
por antonomasia.

y las respectivas circunstancias del hablante. Esto que, a primera vista, podrá parecer paradójico, voy a ilustrarlo con dos ejemplos festivos: *este hombre trabaja más que un burro*, frente a *este hombre trabaja más que un negro*. En ambos casos permanece invariable el esquema *este hombre trabaja más que* + sustantivo, o sea lo que yo llamo la «forma». En lo que difieren es en el sustantivo respectivo, que sirve de comparación: *burro* en el primer ejemplo, y *negro* en el segundo[3]; es decir, difieren en lo que yo llamo «contenido». Igual sucede (para aducir otro ejemplo) en *tú hablas cuando las ranas críen pelo*, frente a *tú hablas cuando meen las gallinas*.

FORMAS AFECTIVAS DE AFIRMACIÓN

Lo que en IU, pág. 112, dice SPITZER respecto al italiano, es ampliamente aplicable al caso del español: llama la atención la abundancia de fórmulas afirmativas y negativas, sobre todo de las primeras[4], que ha desarrollado el italiano. Si es lícito invocar aquí el temperamento popular para explicarlo, diríamos que el italiano, como apasionado amigo de la conversación, y como hombre de mundo, es más sensible que ningún otro pueblo a los matices de la afirmación y de la negación.

Sólo en contados casos se contenta el español con las partículas *sí* o *no* a secas, y aun cuando las emplea, suele acompañarlas de un vocativo como *señor*, *hombre*, *mujer*, etc. Según la respectiva situación que corresponda al diálogo, se antepone a *sí* (y a *no*) un *pues* con función más o menos retardataria, p. ej.: *¿Nos vas a acompañar al cine?* —Respuesta: *p u e s sí;* —*¿No le gusta ese libro?* —Respuesta: *p u e s no.* (Véase RAMÓN CARNICER, «Pues sí», en Nrl, pág. 338.) La función de tales vocativos no siempre es de cortesía. Y es que el vocativo, como elemento personificador, presta también un mayor énfasis a

---

[3] Ambas expresiones pueden referirse al trabajo físico como al mental. Sinónimo popular de trabajar físicamente = *'trabajar a remo'*.

[4] Sólo que, a diferencia del italiano, en español son más numerosas precisamente las fórmulas de sentido negativo.

la partícula afirmativa. Esta afectividad se trasluce también
por la respectiva entonación. Un *sí, hombre, sí,* se articula más
enérgicamente que un cortés *sí, señor,* si bien no se puede gene-
ralizar, pues en estos casos, como en tantísimos otros análogos,
aun tratándose de la más insignificante partícula, lo que siempre determina el matiz de la entonación es la respectiva situación de cada momento [5].

El *q u e* introductor, que se supone dependiente de un verbo
dicendi omitido, es otra posibilidad de hacer destacar la partícula afirmativa o negativa. EMH 67 Leonor: *Es preciso que
tú me ayudes* (a corregir a mi padre). —Marcos: *Q u e sí,
mujer* [6] ('sí; ya te he dicho que sí'). EUB 42 (Ricordi, médico
director de un sanatorio, explica a don Primo sus métodos
curativos algo rigurosos) Primo: *¡Ah, no, no, no, no, no!...*
—Ricordi: *¿Cómo?* —Primo: *Q u e no, q u e no, q u e no, q u e
no...* —Manthon (médico ayudante): *¿Pero qué dice usted?*
—Primo: *Q u e de ninguna manera. A mi sobrino no se le tortura bajo ningún concepto.*

Ahora bien, en la inmensa mayoría de los casos de afirmación afectiva de que nos vamos a ocupar primero, falta en absoluto la partícula afirmativa. En el capítulo precedente hemos
visto ya, si bien desde otro punto de vista, un tipo de forma
afirmativa; me refiero al de r e p e t i c i ó n d e l o d i c h o
p o r e l i n t e r l o c u t o r. (Véase págs. 184-85.) VM 46 Fabia:
¿Es decir, que seguirás diciendo la verdad a todo el mundo?
—Guillermo: *A todo el mundo.* —Fabia: *¿Incluso a Hortensia?*
—Guillermo: *Incluso a Hortensia.* —Fabia: *¿Aunque llore?* —Guillermo: *Aunque llore.* Las preguntas de Fabia implican una censura del proceder de Guillermo; el especial apasionamiento de

---

[5] Si cito este hecho de lingüística general es porque la entonación
tiene en español una función incomparablemente más importante que en
los idiomas germánicos. Así, p. ej., un aragonés o gallego cultos chocan
en Castilla menos por sus diferencias articulatorias en la pronunciación
de vocales o consonantes que por su «tonillo», tan distinto al castellano.
Pero también, y hablando siempre en términos generales, el español se
vale de medios sensoriales (melodía, mímica, gesto) con más abundancia
que otras lenguas de índole más abstracta.

[6] Para el vocativo *mujer,* comp. arriba, págs. 40-41.

sus réplicas se manifiesta por la repetición literal de las preguntas a él dirigidas ('así y no de otra manera lo he de hacer'). En JMM de ALFONSO PASO, pág. 31, ocurre: Antonio: *Me gusta el deporte.* —Laura: *¿A t i ?* —Antonio: *¡A m í!* De efecto más enérgico resulta esa repetición, cuando el hablante le añade alguna cláusula que la amplifica. El sentido es entonces: 'no sólo eso, sino más aún'. PC 28 J. José (a Pepe, lacayo, que tiene humos de señorío): *Y a ver cómo me dejas* [7] *delante de don Crótido.* —Pepe: *Delante de don Crótido y d e d o n R e - c r ó t i d o* [8]. *No se apure usté, señor Conde, que yo llevo dentro un Duque.* Quiere decir que se portará como quien es él, pero que lo haría igual ante otro que fuera muy superior a don Crótido. Lo mismo se ve en lo que replica Frasquito en VS 51 al preguntar Sansoni: *¿Hay una estanza para servitore?* —Frasquito: *Para servitores y p a r a r a j á s.* SC 19 Petronila: *¿De modo que usté cree, como yo, que don Carlos es una buena proporción para mi sobrina?* —Nicasia: *Para su sobrina y p a r a c u a l q u i e r a .*

Otras veces la repetición de las palabras del interlocutor permanece sólo en la s u b c o n s c i e n c i a . El hablante las da por supuestas mediante un *y* al que sigue lo que quiere afirmar por añadidura. Esta adición expresa, bien una nueva idea, bien una modificación, pero siempre reforzando aquella parte de lo dicho por el interlocutor que ha de ser afirmada afectivamente. MP 93 Quica: *...porque yo me considero más lista que usté.* —Celso: *¡ Y l o e s !* LP 10 Antón: *¿Y qué le dijo a usted... el señor cura?* —Juan: *Pues eso: que estás enamorao de Ramona.* —Antón: *Y l o e s t o y , señor Juan.* VS 62 Nieves: *Señor Bonilla, ¿usted es un hombre de honor?* —Bonilla: *Y l o s e r é hasta la expulsión de mi último hálito* (expresión intencionadamente pomposa). M 77 Teresona: *Oye, Lobito, ¿es verdad que*

---

[7] En ese contexto *dejar* significa 'hacer aparecer a alguien, ante otras personas, en tal o cual situación'. Así, *me has dejado mal* = 'me has puesto en ridículo'. El equivalente activo de esta construcción es *he quedado mal.*

[8] 'No sólo delante de don Crótido, sino incluso de quien fuera mucho más que él'.

ha habido golpes en la Alameda? —Lobito: *Y l o s q u e tiene
que haber todavía.*

No siempre el nuevo pensamiento se enlaza con *y*; a veces
se funde de un modo o de otro con las p a l a b r a s p r e c e -
d e n t e s d e l i n t e r l o c u t o r, para formar con ellas una
unidad sintáctica. EMH 65 Voz de hombre: *¿Se le han pegao
las sábanas?* —Voz de mujer: *Con colchones y todo*[9]. VS 58
Rosario: *¿Pero representan comedias?* —Mme Perrin: *Mejor
que muchos actores.* PC 40 M. Luisa: *Ah, pero ¿tú subiste a
una palmera?* —Crótido: *De seis metros.* VM 70 Álvaro: *¿Debo
casarme con ella?* —Guillermo: *¿Tú me lo preguntas?* —Álvaro
(Sí, yo te lo pregunto, y): *Decidido a subordinar mi porvenir
a tu respuesta.*

En los siguientes casos las palabras del interlocutor se re-
piten con g r a d a c i ó n c o m p a r a t i v a. SC 68 Carlos: *¿Es
posible?* —Menéndez: *Y t a n p o s i b l e* ('es posible, y tan posible, que...'). «Fr.» 45 *¿Pero hay peligro de que se vaya a morir?*
—*Y t a n t o* ('hay peligro, y tan grande, que...'). El giro es
elíptico; hay que completarlo con un término de comparación
introducido originariamente por *como*; así lo deja ver el modo
de enlazarse el motivo de lo que se afirma, en el siguiente y
frecuentísimo tipo de frase. «Fr.» 37 *¿Está usted segura?* —*Y
t a n s e g u r a. C o m o q u e el novio salió anoche para San
Sebastián* ('tan segura como del hecho de que el novio...'). La
misma puntuación nos indica que estamos aquí ante dos oraciones que se sienten completas. El sintagma *y*[10] *tan segura,*

---

[9] Ampliación de la imagen *pegársele a uno las sábanas* (por el procedimiento de «consociación» o «aglutinación» estudiado por SPERBER). Comp.
BRUNO MIGLIORINI: «...queste fioriture sinonimiche scherzose sono più
espressive che comunicative, cioè servono a una circolazione linguistica
minima, e non hanno alcuna probabilitá di attecchire stabilmente nel
lessico» («Calco e irradiazione sinonimica», Bol. del Inst. Caro y Cuervo,
IV, 1948, pág. 27). *Una sábana* (al lado de *un verde)* se llama humorísticamente a 'un billete de mil pesetas', aludiendo al tamaño, como presumiblemente *la mantilla* salvadoreña con sentido análogo (H. SCHNEIDER,
ob. cit., pág. 270).

[10] Para *y* véase RFE, IX, 1922, 186: «*y* (que pide imperiosamente un
complemento) sirve para introducir una respuesta categórica».

ya no se siente hoy día como elíptico, y, en consecuencia, *segura* no se articula con entonación ascendente sino descendente. (Véase M. L. WAGNER, «Spanisch *tan* und *más* mit Verblassung der ursprünglichen Funktion», en ZRPh, XLIV, páginas 589 y sigs.). De todos modos, el tipo de enlace que introduce la segunda cláusula (que, sintácticamente, también podría faltar como en el ejemplo citado) demuestra que la significación de *tan*, correspondiente a un *como*[11], es aún operante. En los casos en que falta el adjetivo, la forma apocopada *tan* se hace plena *(tanto)*. *¿Es posible? —Y t a n t o.* En cambio, la oración originariamente subordinada introducida por *como que*, ha evolucionado hacia su total independencia de la oración principal, con la que ya sólo guarda una vaga relación subconsciente. LP 12 *Ahí la tienes cosiendo tóo el santo día. C o m o q u e es la mejor costurera que hay en tóo el concejo.* Otro ejemplo: Ibid. 13 *...la tía se va a estrellar*[12] *el mejor día. —Antón: ¡Claro!* (Y tan claro) *C o m o q u e es muy difícil el andar en esas maquinarias*[13]. M 30 Leonardo: *Pues ella te conserva una gratitud...* (complétese: *tan grande). —*Salvador: *C o m o q u e me porté muy bien con eya.* De modo que la frase introducida por *como que*, no hace sino confirmar la idea expresada en la oración principal que antecedía: eso que se ha dicho es tan cierto como esto otro que se dice a continuación. Entre ambas oraciones hay, pues, una interna relación causal[14]. EMH 46 Ma-

---

[11] No siempre a *tan* le corresponde un *como;* véase este pasaje del Quijote: *¿Buenas nuevas traes? —T a n buenas, respondió Sancho, q u e no tiene más que hacer vuesa merced sino... salir... a ver a la señora Dulcinea del Toboso* (II, 10). Aquí se echa de menos el enlace con *y*, tan característico de la lengua moderna; el *que* de Sancho introduce una oración consecutiva. Vestido con ropaje actual, el pasaje diría: *Y tan buenas. Como que no tiene más que hacer su merced...,* etc.

[12] De *estrella*. Comp. *ver las estrellas* 'sentir un fuerte dolor', y *estrellarse contra algo* 'chocar violentamente, quedando muerto o malparado por el encontronazo'.

[13] Término despectivo, aquí aplicado a la bicicleta, vehículo poco simpático al hablante (y a muchos españoles).

[14] De otro modo opina SPITZER, «Aufs.», págs. 99 y sigs. Con todo, creo acertada mi interpretación (que coincide con la de CUERVO-WEIGERT) para los casos que arriba recojo.

riano: *¡Qué rato habrás pasao! —*Antonio: *¡C o m o   q u e   s e
me ha hecho una pelota en la garganta!* Véase también AMADO
ALONSO, «Español *como que* y *cómo que*», RFE, 12 (1925), páginas 133-156, y M. CRIADO DE VAL, «Fisonomía del idioma español», págs. 172-173. Difiere totalmente el *como que...* de estos
casos del *como que no* + verbo en i n d i c a t i v o de los siguientes: *haga usted c o m o   q u e   n o   l o   v e* (= '...como si no
lo viera'); *haz c o m o   q u e   n o   sabes nada* (= '...como si no
supieras nada'). En «Colmena» ocurre: *Don Ybrahim* (...) *hizo
c o m o   q u e   n o   o í a   lo de la caquita de la nena* (pág. 122).

Otra forma de afirmación o confirmación afectiva es la siguiente: la aseveración de uno de los hablantes adopta en el
otro la forma de una i n t e r r o g a c i ó n o exclamación f i c -
t i c i a : LP 16 Juan: *Es valiente, es valiente la señora. —*Julia:
¿Q u e   s i   l o   e s ? No lo sabe usted bien. Aunque ha dicho dos
veces que la dama es valiente, Julia cree posible que aún le
quede un resto de duda. En la pregunta *¿que* [15] *si lo es?* se encierra todo el apasionamiento con que ella afirma el valor de
su tía. EMH 47 Paco: *—¡Es admirable! —*Mariano: *¡Q u e   s i
e s   a d m i r a b l e !* Aquí la originaria pregunta se convierte
en exclamación que no pretende sino confirmar lo dicho por el
interlocutor. Por lo demás, el *¿que si lo es?* del primer ejemplo,
a pesar de su puntuación, no se articula con entonación ascendente (como suele suceder en las preguntas normales) sino descendente (lo mismo que en las frases afirmativas), haciendo
recaer el acento de intensidad en *es* (o en *admirable,* en el otro
ejemplo). CC 35 Alcalde: *¿Usted los conoce? —*Calvo: *¿Q u e
s i   l o s   c o n o z c o ?* (siempre entonado con acento descendente). *Muchísimo.* PC 41 Gaspar: *Se tiró desde aquí* (desde la
torre de la catedral de Sevilla) *a la calle llevando, pa aterrisar
planeando, dos paraguas abiertos. —*Crótido: *¿Y llegó? —*Gaspar: *¡Anda, q u e   s i   l l e g ó !* (como si dijera: «*¡*Vaya pregunta!*»*). En lugar de *anda, que si...* cabría también decir *vaya si*

---

[15] Este *que* se explica también por un verbo *dicendi* omitido. Al alemán «ob» dependiente de verbos de pregunta corresponde en el español
coloquial la combinación *que si.* Ej.: *me preguntó q u e   s i   iba al teatro*
(alem. «ob ich... gehen würde»).

llegó, expresión de la que hemos tratado en el cap. I, págs. 77-
78. LP 17 *¡ V a y a s i va a estar guapa la señorita!* En ocasiones, este *vaya* aparece sin la oración complementaria.
LP 27 Purificación: *...¡Pues si viera usted, señor don Luciano, cómo
manejo yo los patines!* —Luciano: *¿También eso?* —Purificación: *¡ V a y a !* (se sobreentiende «si los manejo también»).
El verano pasado en Rusia llamaba yo la atención. Otra variante
del mismo tipo se encuentra en EMH 29 Antonio: *¿Y es cosa
inmediata?* (la toma de posesión del nuevo empleo; Antonio
se halla en situación muy apurada). —Mariano: *De mañana
mismo, si quieres* —Antonio: *¡ C ó m o q u e s i q u i e r o!*
('¡vaya pregunta! ¡y tanto que quiero!').
Constituye una forma de protesta afectiva contra una precedente negación del interlocutor, la r e p e t i c i ó n i r ó n i c a
de la misma por parte del hablante, la cual entonces equivale
a una afirmación reforzada. EMH 22 Leonor: *¡Ay, papaíto de
mi vida, que yo no sirvo para nada!* —Antonio: *¡ N o h a s d e
s e r v i r!* (como diciendo: «ni tú misma lo crees»). Ibid. 25
Antonio: *...no sabes la situación en que estamos.* —Marcos:
¡ N o v o y a s a b e r l a , hombre! (sentido: 'pues claro que lo
sé'). Finalmente «Fr.» 34 *¿Pero usted sabe lo que se dice?* Aquí
late en la pregunta una negación: 'usted no sabe lo que dice';
en consecuencia, la respuesta es: *¡ N o l o h e d e s a b e r!*[16]
('¡pues claro que lo sé!').
Otro medio más directo de la afirmación afectiva es el *¡ y a
l o c r e o!*, tratado por SPITZER en su «Fait-Accompli-Darstellung» («Stilstudien», pág. 261). La fórmula está ya tan petri-
ficada que permite la siguiente construcción: LP 12 Juan: *...y
lo pasaremos tan ricamente.* —Antón: *¡ Y a l o c r e o que lo
pasaremos!* De no haber esa petrificación, forzosamente hubiera
caído el acusativo pronominal *lo* de la oración principal, pues

---

16 Cabría otra respuesta: *¿Que no sé lo que me digo? ¡Vamos, hombre!
¡Qué cosas tienes!* (véase pág. 179). Para esto último también: *¡No digas
eso!*, o, más enérgicamente, *¡no me fastidies!* (véase más abajo, pág. 261,
n. 118). El *que* introductor de la pregunta hay que suponerlo dependiente
de un verbo omitido: «dices que no sé...». La pregunta es rechazada con
displicencia por el *¡vamos, hombre!* que sigue.

entonces en vez de *ya lo creo que...* lo normal hubiera sido *ya creo que...* o *¡vaya si creo que...!* AURA GÓMEZ, pág. 210, cita como variante sinonímica de *¿cómo no?,* también para Venezuela: *Ya lo creo que sí.* En Hispanoamérica es corriente como forma enfática de afirmación la pregunta elíptica *¿cómo no?,* hoy difundida también en la Península. VS 17 Valenzuela: *Pues si es usted tan amable que quiere firmar la toma de posesión y esta cartita...,* etc. —Bonilla: *¿Cómo no, señor Valenzuela?* ('¿cómo no había yo de hacerlo? ¡claro que quiero!'). EMH 76 Marcos: *Yo no tengo más que doce pesetas treinta y cinco céntimos... ¿si sirven?* —Sole: *¡Ay, cómo no!*[17] (complétese: «han de servir», '¡naturalmente!'). QNSF 74 Fernanda: *Pistache, ¿tiene usted la bondad de acompañarme?* —Eugenio: *¡Cómo no! Encantado, Fernanda* ('por supuesto'). TORO Y GISBERT califica *¿cómo no?* de americanismo que, sin embargo, se ha asimilado al genio de la lengua peninsular por su gracia popular y mereció por ello permanecer. («Los nuevos derroteros del idioma», pág. 169.) Por lo demás, esta forma de afirmación ya se estilaba en antiguo español, como ocurre con tantos otros «americanismos» (M. L. WAGNER, Reseña, pág. 116). El arriba mencionado sudamericanismo *¡cómo no!,* a modo de afirmación afectiva, hoy empleado también en España, «se usa muchísimo —según AURA GÓMEZ, pág. 210— en todas las clases sociales y en las más diversas circunstancias».

Otra forma de afirmación afectiva de uso frecuentísimo es *¡a ver!* A mi juicio, tiene un valor semántico y sintáctico muy parecido al del *¡vaya!* elíptico (donde se sobreentiende *si* + verbo; véase página 203). MP Pipo: *¿Fue usted quien me llevó a Parisiana?* (un cabaret). —Horacio: *¡A ver! ¡Y bastante bien acompañao que iba el señorito!* Entiéndase: '¡a ver quién iba a ser sino yo!'. Este uso de *¡a ver!* con valor de afirmación afectiva, ha venido menudeando considerablemente en estos últimos años. De los ejemplos alegados por el bogotano J. MONTES

---

[17] Esto recuerda una expresión napolitana: «È riuscito? —Comme nun è riuscito?», que SPITZER (IU, 181) comenta: «El oyente deduce de la pregunta una aseveración negativa que en verdad el hablante no había hecho».

ob. cit., pág. 165), vaya este solo (multiplicable por otros varios): *¿Y tiene que soportarlas* [las goteras] *todos los años?* —*¡A v e r!* (o sea: 'claro', 'desde luego'). También a L. FLÓREZ le llamó la atención el frecuente *¡a ver!* como énfática respuesta afirmativa (véase BACol, XVI, pág. 244).

Formas de afirmación y asentimiento por medio de a d j e - t i v o s   y   a d v e r b i o s o locuciones adverbiales. CC 30 Alcalde: *...hay que salir a recorrer la línea.* —Calandria: *C i e r t o ; vamos a aparejar los jacos.* LP 11 Juan: *Y que tú mondabas una manzana.* —Antón: *C i e r t o .* —Juan: *Y que le diste a ella la mitad.* —Antón: *J u s t o .* VM 66 Hortensia: *¿Es decir, que no me quieres?* —Álvaro: *J u s t o   y   c a b a l : que te aborrezco.* M 59 Malvaloca: *De tu pueblo te fuiste a Málaga a ve a las amigas, ¿no?* —Salvador: *C a b a l i t o .* Aquí habría que citar también el tan frecuente *¡claro!* tratado por SPITZER en «Stilstudien», pág. 262. «Fr.» 48 *Para él* (el público) *no hay atractivo como la novedad.* —*Claro (claro que sí; claro que no).* Locuciones adverbiales: *con mucho gusto,* o *con sumo gusto, con el mayor placer,* etc. «Fr.» 14 *¿Me enseñará usted su colección de sellos?* —*C o n   m i l   a m o r e s .* En cada caso se sobreentiende el verbo contenido en la pregunta del interlocutor: «con mil amores (se la enseño)». Corresponde en español exactamente al uso del francés «c'est cela (ça)» el tan corriente *eso es* (o *eso* solo); la *e* de *eso* se pronuncia generalmente muy larga y abierta; por ejemplo: *El niño es inteligente, ¿qué duda cabe? Lo que pasa es que no estudia bastante. — ¡ E s o   e s ! ;* o bien A: *Ese muchacho vale muchísimo más de lo que me han dicho.* —B: *E s o   e s . Tiene usted razón.* En ocasiones se usa irónicamente: M 57 (Un obrero despedido por informal protesta de la presunta injusticia): *¡ E s o   e s !... ¡A la calle un obrero honrado...! ¡está bien!* —La idea de 'naturalmente', 'evidentemente' (alemán «selbstverständlich») se expresa por lo general con *desde luego,* originariamente 'de antemano, desde un principio': A: *El libro más difundido en el mundo es la Biblia.* —B: *D e s - d e   l u e g o .* También se usa intercalado: *Yo, d e s d e   l u e g o , estoy conforme.* Lo mismo viene a significar *por supuesto* (aparte del sentido normal en frases como *dar por supuesta* una

cosa). Mencionemos además *por descontado,* que generalmente
se emplea en la fórmula *eso, por descontado,* muy usual también
en Sudamérica como forma de afirmación.

Con *e l   m i s m o , la misma,* el hablante confirma haber
caído en la cuenta de quién sea la persona cuyas señas le ha
dado el interlocutor. VM 38 Álvaro: *Pero ese Escalante, ¿es
uno bajito, moreno, que vive ahí en Rosales?* —Buitrago: *Justamente.* —Álvaro: *¿Que está casado con una señora que usa
lentes?* —Buitrago: *L a   m i s m a .* OM 16 Dolores: *¿Es aquel
del gabancito corto?* —Magdalena: *E l   m i s m o .* A veces se oye
la amplificación humorística *(el mismo) que viste y calza.*

«De origen proletario es el hoy tan frecuente *¡vale!* (= 'de
acuerdo'), ascendido al lenguaje general por las corrientes igua-
litarias de nuestros días», comenta Luis Flórez (en BACol, XVI,
pág. 244). Es fórmula de asentimiento, difundida por toda España. Un solo ejemplo que vaya por innumerables otros: *—¿Qué
postre van a tomar? —Fruta. —V a l e* (dice el camarero). Otro
ejemplo de los muchos que he oído en España: *—Yo propongo
que lo dejemos para mañana. —V a l e* (= 'de acuerdo'). Otra
forma de afirmación bastante frecuente es *¡natural!* con la deformación jocosa *naturaca. Natural(mente),* que probablemente
es usual en todo el ámbito hispanohablante, queda, para Venezuela, ejemplificado por Aura Gómez, pág. 212: *—¿Vas para el
baile mañana? —N a t u r a l .*

FORMAS AFECTIVAS DE NEGACIÓN

Tratando ahora de negaciones afectivas, consignemos primero que para expresarlas, el español dispone de muchos más
recursos aún que para la afirmación. Esto se explica ya por el
carácter mismo de la negación, que, en su calidad de rechazo
más o menos enérgico, permite una mayor ostentación afectiva
que la afirmación, que tantas veces no pasa de ser un simple
asentimiento [18].

---

[18] El especial apasionamiento que pone el español en sus negaciones
revela bien su carácter eminentemente conservador, que le hace rechazar

Negación directa mediante partículas cargadas de afectividad (interjecciones) o frases breves y enérgicas. LP 22 Purificación: *¿Será casado?* —Julia: *¡Q u i a! Solterón recalcitrante.* Ya dijimos que este *quia* interjectivo es, según CORO-MINAS, un elíptico *¿qué ha...?,* como aquí *¿qué ha* (= *quia*) *(de ser casado)?,* y en el ejemplo siguiente *¿qué ha* (= *quia*) *(de conocérsele)?* LP 12 Luciano: *¿No se me conoce en la cara?* —Julia: *¡Q u i a!, no señor, no señor.*

De ninguna manera y *de ningún modo.* LP 33 Julia: *Usted va a tomar un vaso de leche con bizcochos.* —Luciano: *No, d e n i n g u n a m a n e r a* (complétese: *lo tomo*). El caso que citamos a continuación muestra que esa elipsis puede ser a veces equívoca. P 14 Mercedes: *Usted no se ofenderá si yo le doy una propina.* (Abriendo el bolsillo.) —Camarero: *Señora, d e n i n g u n a m a n e r a.* —Mercedes (que refería la negativa del camarero a la aceptación de la propina, es decir, que tras de *ninguna manera* sobreentiende «la acepto»): *Usted dispense* (cerrando el bolsillo). —Camarero: *No, digo que d e n i n g u n a m a n e r a me ofendo por una cosa así.* — Muchas formas afectivas de negación se introducen por *ni,* el mismo *ni* de *ni siquiera: ni siquiera me ha saludado.* Últimamente se ha puesto de moda, con la función de negación afectiva, la forma elíptica *ni hablar* 'de ninguna manera; nada en absoluto'. Ejemplos: *¿Vienes conmigo?* —*¡Ni hablar!* (= 'de ningún modo'). *Como son tan puercos, de higiene ¡ni hablar!* (= 'de higiene, nada')[19]. Igualmente: *ni pensarlo, ni por asomo, ni por pienso, ni por*

todo lo extraño con mucha más energía que otros europeos. En este punto el modo de ser español es diametralmente opuesto al alemán: mientras a éste le atrae lo desconocido, lejano, exótico, el hombre de España se muestra más bien receloso y desconfiado hacia todo lo que no corresponde a su idiosincrasia. Por lo demás, a cualquiera le resulta más fácil negar que afirmar, pues todos sabemos mejor lo que no queremos que lo que queremos.

[19] Aquí encaja también *ni caso.* C 22 «*Pero si no para de subir to, señor Paco*», *le expliqué. Y el tío, n i c a s o.* Véase también E. LORENZO, ob. cit., pág. 47. Modernamente se oye la jocosa añadidura: *(ni hablar) d e l p e l u q u í n.* Baste con un solo ejemplo (multiplicable por equis) de ADRO XAVIER, OC, 3.ª ed., 1969, pág. 78: —*No. Que no. Ni hablar d e l p e l u q u í n.*

lo más remoto, ni en sueños, ni por ensueños, ni soñarlo, ni por ensoñación (o *ni por soñación*, «Jarama», pág. 27), *ni por casualidad, ni por un remedio, ni de milagro.* Véase también E. LORENZO, pág. 40. A propósito de *ensoñación*, véase F. SCHALK, «Ensoñación», en RF, 1959, XXI.

Alude a una cosa determinada la fórmula elíptica *eso sí que no.* Para su interpretación recuérdese la construcción *sí que...* en casos como *eso sí que es una vergüenza.* Este, en su origen, anacoluto ha cuajado en una fórmula sintáctica cuya negación ahora ya no tiene nada de extraño. SC 39 Menéndez: *¡A Villuela..., a Villuela! Cuenten ustedes conmigo.* —Nicasia (patrona de una casa de huéspedes a quien Menéndez debe dinero): *Eso sí que no* (sobreentendido «puede ser» o «se lo consiento»).

Lo dicho por el interlocutor queda rechazado con especial energía por el imperativo *¡quita!, ¡quite usted!,* a menudo reforzado con un *¡por Dios!* o un *allá* pospuesto. Es el mismo *¡quita!* que se emplea, por ejemplo, para ahuyentar a un perro. En sentido figurado, como fórmula negativa es, según DA, «Expresión familiar que se emplea para rechazar a una persona o reprobar por falso, desatinado o ilícito lo que dice o propone». CC 21 Felipe (que ha obtenido de Melquiades una colocación o más bien cree tenerla): *Disponga usted de mí como de un esclavo.* —Melquiades: *¡Q u i t e   u s t e d ,   hombre,   q u i t e u s t e d! Si no vale la pena.* Melquiades se había hecho pasar por un personaje encopetado, y como tal, ha dado a Felipe, que le asediaba, un destino del que no disponía en absoluto; y claro, el agradecimiento del pobre diablo le ponía en un apuro muy grande. VM 11 Álvaro: *Tú en mis circunstancias harías lo mismo, papá.* —Marqués: *¡Q u i t a ,   q u i t a!, yo en menos de cinco mil pesetas* (no lo daba). NV 33 Carmen: *No te enfades, hombre.* —Antonio: *¡Q u i t a, tonta, si no me enfado, y contigo, Dios me libre!* Úsase como rechazo muy enérgico la clausulilla *¡quite usted de ahí!* (E. LORENZO, pág. 177). De *¡qué va!* hablaremos más adelante (págs. 212-213).

Algunas fórmulas de n e g a c i ó n   h u m o r í s t i c a. *¡Narices!,* que probablemente alude a *nada,* con la que tiene de

común la primera sílaba. EMH 49 *¿Que le respetan?* ¡*N a r i -
c e s !* Variantes: ¡*Nones!* [20] (citado en DA sub voce *naranja),*
que se explica probablemente como plural de *no;* idéntico
origen que ¡*narices!* (alusión a la primera sílaba de *nada)* tiene
¡*naranjas!* [21], cuyo significado define DA así: «Sirve también
para negar, caso en que equivale a *nones.* Dícese también
¡*naranjas chinas!*» (amplificación humorística de ¡*naranjas!).*
El DM cita: *Todo eso son naranjas de la China;* en fin, ¡*pamplinas!,* muy usual en Madrid [22]. *Pamplina* es originariamente el
nombre de una mala hierba, con lo que queda explicado el
sentido de la palabra como negación (= 'bobadas, desatinos').
EMH 52 Sole: *Tie usté un modo de mirar que...* —Antonio:
¡*P a m p l i n a s !* ¿*Me va usted a convencer que a mis años y
con estos ojos tan pequeños...* (se iba usted a enamorar de mí)?
¡*Pues no faltaba más!* [23].

N a d a y *n u n c a* c o m o n e g a c i ó n. Con un *nada* se
niega la cosa en cuestión no sólo por su parte cualitativa sino
también por la cuantitativa. SC 9 Menéndez: ¡*Oiga usted! No*

---

[20] Unido a *pares, nones* significa 'impares'; así, *jugar a pares y nones*
(Slaby-Grossmann). *Estar de non* es 'sobrar, no tener pareja'.

[21] Comp. M. L. WAGNER, en ZRPh, XLIX, pág. 18: «Junto a la idea,
indudablemente ahí presente, de un *nada* atenuado» (lo mismo podría
decirse de ¡*narices!)* «nos encontramos con una de esas burlonas maneras
de repudiar que, aludiendo en la contestación a algo bueno de comer,
pasan a mofarse del interlocutor negándoselo a continuación».

[22] Es frecuentísimo también en el sentido de 'boberías, necedades,
zarandajas': *no me venga usted con pamplinas; eso son pamplinas; estoy
harto ya de pamplinas,* etc. En Venezuela, al lado de ¡*naranjas de la
China!,* se oye ¡*naranjas de California!* (AURA GÓMEZ, pág. 449).

[23] ¡*No faltaba* (o *faltaría) más!,* de uso tan divulgado, tiene, según la
situación del caso, valor intensamente afirmativo o negativo. VS 11 *...se
han creído que mi casa es una hucha. Pues, hija, n o f a l t a r í a m á s*
(sentido negativo: '¡era lo que faltaba!'). SC 49 Menéndez: *A mí que no
me hagan chocolate.* —Petronila: ¿*Y por qué no? ¡Pues n o f a l t a b a
m á s !* (sentido positivo: '¡naturalmente que sí!'). Se omite aquí la prótasis de una oración condicional irreal, y lo que se expresa es la apódosis, desglosada y convertida en fórmula estereotipada: 'si se diera ese
(o aquel) caso, no faltaría más'; idiomáticamente, '¡era lo que faltaba!'
(dicho con ironía). Véase más abajo, págs. 233-34, y para el imperfecto
(faltaba), la n. 54.

creo que llame usted ruido a mis ejercicios musicales. —Carlos: *No, señor; n a d a de eso.* EUB 9 *¡Imbécil! ¡ N a d a de oculta-ciones!* Ibid. 32 *Desde luego yo corro con todo y n a d a de escatimar.* Ibid. 52 *No, no; n a d a de forzar la máquina* 'no emplear ningún acto de fuerza'. *Nada* equivale al francés «pas du tout» en: *¿Pero es de veras que no le molesto? — N a d a, hombre, ¿qué me va Vd. a molestar?* (*Nada* se articula aquí con particular energía, alargando y palatalizando la vocal tónica, que casi se acerca a la ä alemana.) *Nunca y jamás* extienden la negación incluso al futuro. EMH 23 Leonor (a su padre, que se dispone a salir a la calle como hombre-anuncio con una ridícula cabezota de cartón puesta): *No, papá, de ninguna ma-nera. ¡Tú de cabezudo, para que te apedreen los chicos! No, j a m á s [24], n u n c a.* Claramente se ve que *jamás* y *nunca* re-presentan una gradación fuertemente afectiva junto al *no* que antecede. SC 63 *¿Y todavía quiere que le pague? ¡ J a m á s, j a m á s, j a m á s!* (Comp. EMH 33 *No, papaíto; tú n o v a s, n o v a s y n o v a s.*) Esas reiteraciones y otras análogas sobre las que volveremos más adelante, se emplean a menudo en el habla afectiva. RAMÓN CARNICER, en Lh, pág. 61, cita el popular «(en) jamás de los jamases» (con *en* me parece haberlo oído y leído con más frecuencia). Añado la negación afectiva elíptica *¡ni idea!* (= 'no tengo ni una idea'). En ÁLVARO DE LAIGLESIA, CSA, pág. 198, leo: *—¿Y adónde vendrán? —N i i d e a (se encoge de hombros Nacho).* Otra forma de negación reforzada es *en absoluto* (eludiéndose *nada*, p. ej.: *—Doctor, ¿tendría in-conveniente [...] de que me operase él mismo aquí? —E n a b s o l u t o* (= 'no tendría el menor inconveniente') (MARTA PORTAL, «A tientas y a ciegas», pág. 251).

Nunca se halla frecuentemente acompañado de una frase que lo amplifica dándole mayor precisión, como, por ejemplo, *en mi vida,* cuyo sentido negativo se ha generalizado tanto que puede usarse en lugar de *nunca* y con idéntica función. SC 75

---

[24] El galicismo *jamás* casi no se usa más que en estilo enfático o paté-tico, y entonces indica gradación al unirse a *nunca,* pues suele ir después de éste: *¡no lo consentiré nunca, jamás!* Con más pasión aún suena en la expresión *jamás de los jamases* (cit. por SLABY-GROSSMANN).

En mi vida he tenido yo en Madrid tanto dinero reunido
(= 'nunca en mi vida')... EMH 27 ...*si no ha trabajado en
su vida. En mi vida* (= 'nunca') *he colgado una cortina*
(A. PASO, Ve, pág. 25). También aquí, como en los ejemplos
siguientes, cabe anteponer la frase omitiendo el *no* de la negación. — Variantes: EMH 20 *No me ha pasado otra en los
años que tengo*. SC 7 *No he visto un músico más inaguan-
table en los días de mi vida*. Otras variantes perifrás-
ticas de *nunca*, en parte anticuadas, en parte regionales, son:
en días de Dios, en días del mundo, en días de la vida; de uso
general, referido a una sola persona: *en lo que tengo (llevo)
de vida, en los años que tengo, en toda mi vida, en la vida*. De
idéntico modo pueden considerarse: *en toda la noche he pegado
ojo* = *no he pegado ojo en toda la n.; en todo el día he probado
bocado; en días de Dios se ha visto semejante monstruosidad.* —
Véase también WAGNER, reseña, pág. 116.

P e r í f r a s i s afectivas de la negación. En un lenguaje festivo ocurre con frecuencia un tipo de negación afectiva que
consiste en presentar (con *primero* o *antes*) algo normalmente
inverosímil, disparatado, incongruente, absurdo y aun mons-
truoso, como más hacedero que aquello que se niega. SC 13
Rafael: *...usted se queda tocando el cornetín, o se dedica a
hacer el amor a doña Nicasia* (a quien Menéndez no puede soportar). —Menéndez (que es un buen tragón): *P r i m e r o re-
nuncio al almuerzo*. En vez de *primero*, también *antes*. EUB 60
...querrían casarla con Macías. ¡ A n t e s lo mato! Este *antes*
puede ir determinado por un infinitivo dependiente de él: EUB
13 *... a n t e s de dar una campanada mayor que la de Huesca*[25],
me mato. Ibid. *Y yo me mataré cien veces a n t e s d e s a l-
p i c a r de lodo el noble escudo de mis antepasados*. Ocasionalmente el futuro hipotético aparece en la oración principal. EUB

---

[25] Alude esta frase a un hecho que se dice haber ocurrido en el
reinado de Ramiro II el Monje: este rey aragonés hizo ajusticiar a algunos nobles levantiscos, y después colgar sus cabezas en forma de campana «para que tal escarmiento sonase mucho» (A. MORENO ESPINOSA,
«Compendio de Historia de España»). *Dar una campanada* es lo mismo
que *hacer una sonada* 'hacer algo que produzca sensación o escándalo'.

29 *En cuanto a mi silencio, a n t e s que un servidor hablaría una de esas antiguas cornucopias.* Lo mismo podría haberse dicho en presente o futuro.

A este propósito citaremos los siguientes giros humorísticos que también significan 'nunca'. (Una cosa ocurrirá) *cuando las ranas críen pelo.* A los niños indiscretos se les tiene a raya con *tú hablas cuando meen las gallinas.* Ambos giros figuran en el DM. Otra variante: *...cuando vuelen los bueyes* (comp. pág. 162).

En ocasiones la negación afectiva adopta la forma de una pregunta hecha en tono de impaciencia, equivalente a una exclamación, y que puede aparecer escrita con este signo: LP 33 Julia: *Pero se va usted a incomodar.* —Luciano: *No, hija, ¿q u é h e d e i n c o m o d a r m e p o r e s o ?* ('no me incomodo de ninguna manera'). LP 10 Antón: *Es igual.* —Juan: *¿ Q u é h a d e s e r*[26] *i g u a l, hombre?, ¿q u é h a d e s e r i g u a l?* ('no es nada igual'). (Compárese el *qué* —en cuyo lugar debía esperarse más bien *cómo*— con la exclamación despectiva alemana «ach was!» '¡qué disparate!'). OM 10 *Empezó usted bien jovencita* (a servir). —Serafina: *¡Q u é r e m e d i o, señora* (me quedaba)! (= 'no había más remedio'). *Mi familia vino a menos*[27], aunque aquí la idea es de resignación ante lo forzoso, y, además, el hablante no recoge ninguna palabra del interlocutor. CC 20 *Yo deseaba guardar el incógnito, pero con esto ya es imposible. ¡Q u é l e v a m o s a h a c e r !*[28]. VS 34 Frasquito: *Buenos días, señor Talmilla. ¿Se ha descansado?*[29]. —Talmilla: *¿Q u é v o y a d e s c a n s a r, hombre?* Es popularísima la elipsis *¡qué va!* (sobreentendido: *a ser eso*, o cosa semejante, de acuerdo con la correspondiente situación, cuyo significado corresponde igualmente al citado alemán «ach was!»). «Fr.» 43 *A ver si vamos a perder el tren. —¡Q u é v a!* («a ser eso»). *Si hay tiempo de sobra.* RAMÓN M.ª TENREIRO, «La Esclava del

---

[26] Para *qué* + *haber de* + infinitivo, véase A. BRAUE, ob. cit., pág. 24.
[27] *Venir a menos* 'decaer, arruinarse'; p. ej., *un aristócrata venido a menos*.
[28] Véase A. BRAUE, ob. cit., pág. 25.
[29] El sentido es '¿ha dormido usted bien?' El deseo de que así sea se manifiesta por *¡que usted descanse!* (alem. «angenehme Ruhe!»).

Señor», pág. 95: *Quiere saber* (su amante) *si le ha olvidado.*
—*Dígale que sí.* — *¡ Q u é v a !* [30]. *Si sólo con hablar de él está
usted toda pálida y temblando.* En lugar del sencillo *no sé*
resulta de más efecto la pregunta-exclamación *¿qué sé yo?*
MP 82 *Ella era más natural que llorase. Pero ¿y* [31] *él? ¿Por qué
lloraba él?... ¡Q u é s é y o !* Úsase también para expresar perplejidad (SPITZER, «Wörter und Sachen», VI, pág. 206). A propósito de «seudo preguntas», es decir aquéllas que no piden ninguna respuesta, véase el estudio de BERNARD PY «La interrogación
en el español hablado de Madrid» (AIMAV, Bruselas, 1971, páginas 10 y 159 sigs.).

A veces el oyente enlaza con un *qué*... interrogativo una o
varias de las palabras dichas por el interlocutor, aquellas que
más le han disgustado, para rechazarlas con energía. OM 13
Magdalena: *Déjeme usted; vengo de un humor insufrible.* —Dolores: *Lo comprendo. Las modistas son una calamidad.* —Magdalena (que está nerviosa por otra cosa muy distinta): *¡ Q u é
m o d i s t a !* ¡*Si no he llegado a su casa!* Es que Magdalena,
mujer casada, ha tenido que volverse a casa huyendo de un
tenorio callejero, y ahora la sola mención de la modista (a
cuya casa no pudo llegar) tiene el don de exasperarla. CC 46
Melquiades: *Me ha cogido una pantorrilla.* —Bernardo: *¿Y
parecía un perro chico?* —Melquiades: *¡Q u é p e r r o c h i c o,
si era un real completo! Un mastín como un toro.* (El *perro
chico* [32] está aquí empleado como juego de palabras con la sig-

---

[30] Véase también R. LAPESA, loc. cit., pág. 204: «La negación *¡qué va!*,
más categórica y expresiva que el simple *no*, tiende a reemplazarlo en el
coloquio». Según AURA GÓMEZ, pág. 235, «es forma general de negar en
casi t o d o el mundo hispánico».

[31] Para la construcción *pero ¿y...?*, véase pág. 107.

[32] Hoy lo general es *perra chica* (véase nota 209). La gente del pueblo,
más que por pesetas y céntimos, cuenta por perras, reales y duros.
Además, distingue entre *perras chicas* 'monedas de 5 cts.' y *perras gordas*
'de 10 cts.', sintagmas ambos que admiten la elipsis de *perras*; de ahí el
empleo humorístico que presenta este ejemplo: A: *Bueno, hombre, para
ti la gorda* ('bueno, te daré la razón'). —B: *Y para ti la chica* ('claro que
la tengo'). Comp. *este libro no vale una gorda* 'nada'. Véase el artículo de
F. RUIZ MORCUENDE en «Homenaje a Menéndez Pidal»: «Perro chico y
perro grande». En ALFONSO PASO, JMM, ocurre: Laura: *Sí, hijo, para ti*

nificación popular de 'pieza de 5 céntimos', y relacionado con *real* = '25 céntimos').

Ahora bien, por lo general, el hablante no se limita sólo a rechazar la palabra que le molestaba, sino que, para poner además en ridículo al interlocutor, le añade otro elemento más, disparatado, de su propia invención (véase Spitzer, «Aufs.», pág. 208: «lo mismo podrías haber hablado de...»). Sucede a veces que en su excitación no se le ocurre ninguna expresión nueva, y entonces su afectividad se desahoga en una insensata repetición mecánica de la palabra que causó su enfado. PC 13 Lucas (francés que chapurrea el castellano): *Él dijo a moi que lee en los astros.* —Ramón: ¡ *Q u é a s t r o s , n i q u é a s t r o s , hombre!* Er dice que lee en las estrellas...* Ibid. 19 Rosendo: *¡¡Al casino!! ¡¡Al casino!!* —Gaspar: ¡ *Q u é c a s i n o , n i q u é c a s i n o !* El *ni* denota claramente que el sintagma precedente *qué* + sustantivo es sentido como negativo: 'nada de astros, nada de casinos' [33].

Sin embargo, lo corriente es que al hablante no le falte expresión de que echar mano como de objeto en que cebar su rabiosa negación. He aquí algunos giros que pueden servirle al efecto. LP 30 Luciano: *¿Y está equivocada la rasante? Lo que yo sospechaba.* —Ricardo (que está pensando en cualquier cosa menos en el plano): ¡ *Q u é r a s a n t e n i q u é t o n t e r í a !* La palabra *tontería* en este caso puede explicarse por la situación: Luciano había dicho que la rasante estaba mal, o sea que había hecho ahí una tontería. Pero, además, el enamorado so-

---

la p e r r a g o r d a ; es decir, que frecuente (y aun corrientemente) se o m i t e *perra*, pero no siempre. En un altercado se oye casi exclusivamente A. Bueno: *para ti la gorda;* a lo que B. replica: ¡*y para ti la chica!,* implicando el sentido: 'contigo no se puede (o 'no quiero') discutir'. En «Jarama», pág. 156, ocurre: *Que sí, hombre, que sí* —dice una joven— *que ya me doy por enterada. P a r a t i l a p e r r a g o r d a* (= 'no quiero discutir y no te contradigo').

[33] Actualmente, lo único usual para encabezar el segundo miembro es *ni.* En tiempo de Cervantes existía también el tipo *qué... o qué*: «Quijote», I, 4 *¿Q u é aposento o q u é nada busca vuestra merced?* Pero ya entonces lo más frecuente era la otra forma: «Quijote», I, 35, Sancho: *Y la sangre corría del cuerpo como de una fuente.* —Ventero: *¿Q u é sangre n i q u é fuentes dices, enemigo de Dios y de sus santos?*

brino, que tras muchos años de infructuosa búsqueda acaba de volver a ver a su amada, no tiene en este momento humor para atender a los reparos que le está poniendo su tío y que han de parecerle forzosamente pura incongruencia y «tontería». En otros casos el contexto no explica tan fácilmente la elección del término. PC 27 Pepe: *Pero bromas a un lao.* —Gaspar: *¡Qué bromas ni qué rábanos!* En *rábanos* bien podría ser que hayan influido representaciones obscenas. En A. DE LAIGLESIA, «Morir juntos», ocurre: Puede *que fueran aprensiones tuyas.* —*¿Qué aprensiones ni qué gaitas?* En LMPP 68 leo: *¡Pero qué político ni político!* (es decir, sin el *qué* del segundo miembro). Para más ejemplos, véase la página que sigue.

En efecto, en este tipo de frase, los elementos negativos introducidos con *ni qué...* son muchas veces palabras de significado obsceno, sobre todo en el lenguaje vulgar. El ejemplo citado, como todos los de este tipo, podría variarse con *¡qué bromas ni qué coño!; ...ni qué carajo!; ...ni qué cojones!; ...ni qué leche(s)!; ...ni qué puñeta!* [34]. C 41 *¡Qué perros ni qué leches!*

---

[34] Son giros que caben también dentro del tipo de las preguntas displicentes como *¿pero qué demonio te importa a ti?* Y así *¿qué diablos* (o *demonios*) *haces tú aquí?, ¿qué diablos* (o *demonios*) *quieres que le haga?, ¿dónde demonio* (o *diablo*) *lo dejaste?* etc. (véase también A. RABANALES, ob. cit., págs. 216-217). En lugar de *demonio* se usan vulgarmente cualquiera de los citados arriba: *¿qué coño, qué puñeta, qué cojones,* etc., *te importa a ti?* Comp. SPITZER, IU, 180, y el artículo del mismo autor «¡Polaina!», en ZRPh, t. 44, págs. 576 y sigs.: «no pudiendo encontrar un segundo miembro más apropiado, el hablante profiere un taco, poniéndolo en lugar de lo que buscaba» (pág. 577, n.). A propósito de *coño* dice A. RABANALES (ob. cit., pág. 286): «Los españoles son (en Chile) *los coños,* por el hábito que ellos tienen de emplear este vocablo como interjección, cuya significación sexual desconoce casi siempre nuestra gente.» Pasa algo parecido con *coña,* muy usado en Madrid, con el significado de 'burla', 'chirigota', 'cachondeo' y otros, p. ej.: *Eso te ha dicho en coña y no en serio.* Con el sentido de 'estropear' se emplea la derivación verbal *(d)escoñar* = 'chafar', 'estropear', p. ej.: *nos ha (d)escoñado toda la tarde el pedantón ese.* La labilidad y tendencia a desaparecer de la [d] inicial indica claramente el frecuente uso p o p u l a r de este verbo.

Sin embargo, no por eso ha de creerse que haya escasez de
otras expresiones «más decentes». EMH 19 Leonor: *¡Ay, señora
Calixta!* —Calixta: *¡Q u é s e ñ o r a C a l i x t a n i q u é n a r i-
c e s !* Ya vimos (en la pág. 209) *narices* (que alude a *nada*)
como fórmula negativa irónico-despectiva; también las otras
expresiones allí citadas pueden incluirse en este párrafo: *...ni
qué naranjas*; *...ni qué nones*; *ni qué pamplinas*, etc. VM 19
Álvaro: *Muy bien, tío. Muy ocurrente.* —Barón: *¡Q u é o c u-
r r e n c i a n i q u é c a l a b a z a !* (Comp. el conocido dicho
dar calabazas = 'dar una negativa'; alemán «einen Korb geben»)[35]. «Fr.» 37 *Pues yo creí que llevaba buenas trazas aquello
de la boda.* — *¡Q u é b o d a n i q u é o c h o c u a r t o s !*, que
se emplea igualmente (supongo que también con muchas variantes) en Venezuela. (AURA GÓMEZ, pág. 236). En uso novísimo,
parece que el segundo *qué* tiende a desaparecer —al menos
en España—. He podido comprobar esta tendencia también en
la novela estudiantil OC de ADRO JAVIER (3.ª ed., 1969): *¿Que la
poli* (= 'policía') *no tendría elementos? —¡Qué poli n i n i ñ o
m u e r t o !* (pág. 317). Ibid... *¿Qué vas a ver n i n i ñ o m u e r-
t o, caray?* (pág. 225). Ibid. *¡Qué farolas n i n i ñ o m u e r t o !*
Llama la atención que en los tres ejemplos de la misma novela
aparezca invariablemente *...ni niño muerto*, a pesar de tantas
variantes como hay (*...ni qué ocho cuartos*, *...ni qué regla de
tres*, el obsceno *...ni qué carajo*, etc., aunque, eso sí, se oye
todavía con más frecuencia *...ni q u é niño muerto*. Algunas
de esas expresiones procederán del teatro popular, donde originariamente estarían ligadas a determinadas situaciones de
las que luego pueden haberse independizado para correr de
boca en boca como frases hechas. El DM cita además: *¡ni qué
caracoles!*, *¡ni qué carga de leña!* (como eufemismo por *¡ni
qué carajo!*), *¡ni qué niño muerto!* (es decir 'muerto ya al
nacer, nacido muerto'), corrientísimo. Véase más sobre el particular en SPITZER, ZRPh, XLIV, pág. 577, nota. HE 33 *Todos
sois muy buenos.* —*¡Qué buenos ni qué... p e i n e t a s !* Los

---

[35] SPITZER interpreta *calabazas, melocotones*, etc., como «expresiones
de menosprecio», o sea especificaciones de *nada*.

puntos suspensivos ante *peinetas* indican el esfuerzo de la hablante (Paca) por «eufemizar» *puñetas.*

Este deseo de prolongar y con ello reforzar una negación se muestra en otras muchas construcciones que, esquemáticamente, quieren decir: 'ni esto ni lo otro' (algunas ya las hemos tratado en el capítulo II, pág. 192): VM 52 Fabia: *Usted no es infalible, señor Verdejo.* —Verdejo: *N i y o n i n a d i e.* EMH 61 Requiés: *¿Le gustan a usted las judías con orejas de cerdo?* —Leonor: *Yo no quiero nada con cerdos n i c o n n a d i e.* —Pollo: *Esta noche sí.* —Leonor: *Ni esta noche, n i n u n c a.* EUB 8 *...tengo orden de no interrumpirle por nada n i p o r n a d i e* 'en ningún caso'. Añado como no menos frecuente: *...ni nada,* p. ej.: *el enfermo no quiere leer, ni levantarse, ni hablar, n i n a d a.* Y así: *A fulano no le falta dinero, ni amigos, ni discos, n i d e n a d a* (el antónimo casi s i e m p r e va antecedido de la prepos. *de*: *le falta d e t o d o; ya puedo comer d e t o d o). Ni nada* se emplea también irónicamente: *¡Y que no tengo yo hambre n i n a d a!* = 'tengo muchísima hambre' (cit. por JOSÉ VALLEJO, pág. 384).

También puede aparecer invertido el orden de los respectivos miembros que integran la negación. En este caso 'nada' o 'nadie' han de entenderse como resumen de lo que a continuación viene especificado: 'nada (nadie) ni siquiera esto o aquello o lo de más allá'. A menudo, sin embargo, el primer miembro, o sea el que contiene el resumen *(nada, nadie)* queda suprimido o tan sólo sobreentendido. EUB 50: *El que te vea la cara dice en el acto: «este tío no se acuerda* (complétese: *de nada) n i d e c ó m o s e l l a m a d o n A l f o n s o X I I I».* Ibid. 70 *Se ha puesto al lado de esta familia de modo que no le aparta n i u n a l o c o m o t o r a.* PC 32 *En menos de veinte pesetas no se lo yeva n i e l a r s o b i s p o,* y VS 64 *...Ese verdugo no volverá a matar n i e l t i e m p o,* son ejemplos que muestran cuánto se presta nuestro giro para producir efectos humorísticos.

A este propósito advertimos que se ha de enjuiciar con alguna precaución el lenguaje de ciertos sainetes, por muy natural que nos pueda parecer, porque los autores de esta clase de producciones teatrales suelen buscar, claro está, efectos cómicos inéditos, llenando viejas fórmulas sintácticas de contenidos nuevos. Por lo demás, no hay que olvidar que es tan manifiesta la capacidad improvisadora del hombre español en general, que giros de los arriba citados pueden ser considerados como auténticamente populares[36].

Por otra parte, hay que tener en cuenta que, pese a la gran variedad de medios de expresión propios del lenguaje coloquial español, la gran mayoría del pueblo se conforma con sólo una parte relativamente pequeña de tan rico caudal, cuya selección depende de la individualidad y del medio social del hablante. Así, por ejemplo, si redujéramos uno de los giros humorísticos antes citados a una fórmula de uso corriente y moliente, diríamos, verbigracia, *no se acuerda n i d e l s a n t o d e s u n o m - b r e*, lugar común que todo español conoce. Sin embargo, esta fórmula, hoy tan familiar a todo el mundo, cuando se inventó y se dijo por vez primera, no dejaría de surtir un efecto que en la lengua actual desde luego ya no tiene. Igual sucede (para alegar otro ejemplo) con la fórmula mucho más vulgar, frívola y trivial *se ha puesto al lado de esta familia de modo que no le aparta n i D i o s*. También el ejemplo citado a continuación, *en menos de veinte pesetas no se lo yeva n i e l a r s o b i s p o* sería en el lenguaje vulgar reducible a la misma fórmula: *en menos de veinte pesetas no se lo yeva n i D i o s ;* en lugar de *ni Dios*, también *ni el nuncio* o *ni el señor nuncio de su Santidad* o *ni el emperador de la China* (menos gastado que el anterior). A estas fórmulas aún cabe añadir *ni nadie* o bien el bastante vulgar *ni la madre que le parió*. Dice O. DEUTSCHMANN, «Familia», 395: «La idea del linaje, de la descendencia o de la ascendencia llegó a ser en España cosa popular».

Entran en el mismo esquema algunas locuciones o sintagmas invariables como *este hombre no me gusta n i p o c o n i*

---

[36] Cfr. LÓPEZ ESTRADA, ob. cit., pág. 263: «Si en un principio la labor del autor fue recoger estos modismos del público y ofrecerlos en la escena con el prestigio que este lugar posee, hubo también inmediatamente el instinto creador del dramaturgo que, ya en la corriente de un gusto, improvisó nuevas fórmulas, que fueron incorporadas por el público a su sistema expresivo».

m u c h o ('nada'). OM 12 ...*no le soy indiferente n i m u c h o
m e n o s* , que se explica como adición a un *nada* omitido: «no
le soy (nada) indiferente ni...» ('nada indiferente ni mucho
menos que nada'). «Fr.» 18 *No es tonto, n i m u c h í s i m o
m e n o s* . «Fr.» 54 *Como que el alemán no le ha entrado en la
cabeza n i e n b r o m a* (hemos citado más variantes en la página 208). A veces aquí también se omite la cláusula que contiene la negación *no*. VM 73 Víctor (borracho): *Otro día segui-
remos la conversación, porque ahora, Fabia* (no la puedo seguir),
n i c o n a m o n í a c o [37]. EMH 41 Pura: *Lo que es ahora, eso
de levantar aquí un muertecito (levantar un muerto* 'ganar con
trampas en la ruleta')... —Sole: *¿Cómo levantarlo? N i i n -
c o r p o r a r l o s i q u i e r a* [38].

Aquí viene a propósito mencionar el sintagma tan corriente
ni que + oración de subjuntivo, analizado por SPITZER en
«Aufs.», pág. 89. VM 31 Cristóbal: *Pero ¿no es verdad que te
inyectas morfina? —Bautista: ¿Qué me voy a inyectar, so panoli?*
(= 'tonto, cándido') *...N i q u e e s t u v i e r a y o c h a l a o*
('no lo haría ni aunque...'). EUB 75 Primo: *Digo que si trae
más armas. —Rasconier: En mi cuarto tengo ochenta más.*
—Primo: *Señores, n i q u e f u e r a a t o m a r u n c a s t i l l o*
'(no hubiera tenido más armas) ni aunque...' Ibid. 85 Primo
(al oír tocar la campanilla para el desayuno y ver cómo se
abalanzan los huéspedes al comedor): *¡Caray! Pues n i q u e
h u b i e r a n t o c a d o a f u e g o* ... '(no hubieran podido correr
más) ni aunque...' En fin, LP 38 *¡Casar a mi chica con un mos-
trenco así, cuando la pretende ná menos que el jefe! N i q u e
f u e r a y o t o n t o.* '(Eso no lo haría yo) ni aunque'... (A esta
frase correspondería en alemán: «Da müsste ich schon auf den
Kopf gefallen sein», frase afirmativa; la española va más lejos
aún al sostener que ni aun en ese caso lo haría.) Como modismos

---

[37] En España el amoníaco es el socorrido remedio para despabilar a
los borrachos.

[38] *Juego de palabras. Incorporar* es 'reclinar el cuerpo que estaba
echado', y *levantar*, yendo más allá, 'poner en posición vertical'. En la
jerga del juego de ruleta, *levantar un muerto* significa 'ganar con trampas', y en consecuencia *ni incorporarlo* 'no ganar nada en absoluto'.

del mismo cuño citaré, del DM: *Ni que fuera robado* (se podría dar más barato). *Ni que fuera uno de piedra* (hubiera podido permanecer más impasible). *Ni que fuera uno mudo* (hubiera podido tolerarlo sin protestar). *Ni que fuera uno un santo* (podría aguantar algo así). *Ni que fuera yo un mono* (podría aguantar tanta burla). *Ni que hablara (uno) con sordos* (podría gritar más). *Ni que hablara en griego* (o *en latín,* o *en chino*)[39] (se me podría entender tan mal). *Ni que hablara uno a la pared* (le oirían menos). *Ni que tuviera monos en la cara* (me mirarían con más curiosidad). *Ni que viniera Dios del cielo* (lo creería). Con la variante: *ni que viniera mi padre del otro mundo.*

Todos estos giros han de considerarse como estereotipados. Por cierto que no necesitan ya ninguna aclaración complementaria y que todo español los entiende inmediatamente aunque la respectiva idea principal queda en ellos sin enunciar, siendo sumamente característico del español coloquial este modo indirecto o alusivo de expresión[40]. Como en este dicho tan típico del lenguaje popular madrileño: NV 62 Señá Susana (que se ha enfadado con su marido): *Déjame ya; y ahora vas a ir a la verbena c o n l a C i b e l e s* (es decir 'con quien te dé la gana, pero no conmigo'). La famosa fuente de la diosa aparece en muchísimos modismos[41].

---

[39] Esto me recuerda la corriente expresión *le han engañado como a un c h i n o .* Lo explico por ser el chino (tanto el hombre como su idioma) en opinión de la gente un extranjero «superexótico» y, por desconocimiento del español, despistado y muy fácil de engañar.

[40] Esa afición al decir indirecto y sugeridor explica muchos modismos difíciles de entender para los extranjeros; p. ej., el asturiano *ya te oyí* (sic!), líter. 'ya te he oído', o sea 'no te canses, que no te creo', o 'ya sé lo que vas a decir'.

[41] Alusiones a calles, edificios, monumentos y cosas típicas de Madrid salpican continuamente la conversación. Así, *¡a reírse de la mona del Retiro!* 'pero no de mí'; *un viento capaz de encajarle una pulmonía al caballo de la Plaza Mayor* (de la estatua de Felipe IV), etc. Tratándose de suicidios, es frecuente la referencia al *Viaducto* (puente sobre la calle de Segovia): *¡o Felipe, o el viaducto!,* exclama patética una joven por un amor contrariado ('¡o el amor de Felipe, o me tiro por el viaducto!'). El agua de Madrid viene del Lozoya (en la sierra de Guadarrama), y de ahí

Tienen un sentido de repulsa irónico-burlón también las frases optativas del siguiente tipo: *que te devuelvan los cuartos* (DM) «se dice a la persona que es engañada por otra en algún informe o noticia». *¡Que te aspen!*, o bien *¡que te emplumen!* (ambas alusivas a métodos de castigo medievales: aspar 'atar a uno a las aspas de un molino de viento', emplumarle 'untarle con pez y pegarle luego plumas de ave')[42], *¡que te monden!*, *¡que te fumiguen!* (método de desinfección medieval en previsión de contagios de peste), todas ellas expresiones «con que rechazamos o renegamos de una persona» (DM). VS 29 Corvina (vendedor de pescado, al preguntarle Frasquito el precio de su mercancía): *¿Le parese a usté tres pesetas er kilo?* —Frasquito: *¡Anda y q u e t e r i b e t e e n, Corvina!* (aquí *ribetear* 'guarnecer con cintas, etc.', es variante de *zurcir*). PC 18 *¿A qué* (quieres ir al casino)? *¿a oír hablá de póker, de fútbol, de tennis y de foxtró? ¡Q u e t e a f e i t e n, niño! Aquí se está más cómodo.* PC 41 Gaspar (desde lo alto de la Giralda, presumiendo; está tomándole el pelo a Crótido): *¡Valladoliz! ¿No estasté viendo que es Tarragona?... Irún... Marsella y aquello de más allá Buenos Aires.* —Crótido (enfadado): *¡Q u e l e*

---

el modismo humorístico *el* (sc. *vino de) Lozoya.* LÓPEZ ESTRADA habla, a este propósito, de «mitología madrileña». En A. PASO, *Ve*, pág. 79, ocurre: *Esto no es una playa, esto es La Gran Vía a la salida de los cines* (= 'inundada de gente'). Huelga decir que cualquier población tiene esa especie de «mitología» propia. Así, p. ej., según M. MORREALE (Res., página 133), en Ronda, los suicidas *se tiran al Tajo* (ese tan célebre que separa el barrio antiguo del moderno de dicha población). Menciono adicionalmente el conocido manicomio de *Ciempozuelos* cerca de Madrid, donde temen ir a parar, aunque sólo retóricamente, los que están experimentando algún grave disgusto que les hace exclamar *¡yo me vuelvo loco!* C 53 Lola (una vecina, amiga de María, al marido siempre borracho de la misma): *¡Pobre María! ¿Qué le has hecho?... ¡Sigue así, condenao, sigue así y verás qué gusto te va a dar cuando la veas en C i e m p o- z u e l o s!* Véase también el artículo del DR. ANTONIO DE LUCAS «Refranes y dichos madrileños» en RDTP, 1945, I, págs. 628-38. FRANCISCO TRINIDAD, pág. 141, cita de ARNICHES: *Como pa Ciempozuelos* (= 'loco de remate').

[42] Sin embargo, M. MORREALE (Res., pág. 117) me advierte que hoy *emplumar* evoca la 'pluma de escribir': «*emplumao* es el individuo que ha dado consigo en la cárcel después de pasar por plumas de abogados y jueces, o el que *está metido en algún lío* de esta índole».

frían a usted un azulejo!, variante humorística de la
corrientísima *¡que le frían un huevo!* (Sobejano). Otras variantes: *¡Que te zurzan!*, *¡que te den dos duros!*, *¡que te aguante
tu tía!* (E. LORENZO, pág. 148); M. MORREALE (Res., pág. 133)
añade: *¡(anda y) que te den morcilla, que te pelen o que te den
pal pelo!* A esta serie tan larga, F. YNDURAIN (art. cit. aquí,
pág. 410) añade el *¡que te ondulen!* del Madrid de los años 20 y
30, procedente de «un cantable de una revista archifamosa».
En un sabroso artículo titulado «Sobre 'madrileñismos'», en
FM, VII, 1967, págs. 287-297, dice F. YNDURAIN: «Estos dicha-
rachos tienen una vida efímera y suelen circular mucho más
allá de la ciudad, que si no los crea, los prestigia» (pág. 291).
Cita entre otros: *Toma, Jeromo, pastillas de goma*; *Toma del
frasco, Carrasco*; *Avelino, toma del recipiente cristalino*; *a ver
si va a poder ser*. Me atrevo a proponer que se distinga entre
esta clase de frases, que son más bien bordoncillos, y el «timo»
casi siempre r i m a d o y desprovisto de sentido lógico, como el
Que te frían un citroen de los años treinta (pág. 350). Véase
también la n. 1, donde cita ejemplos de ALFONSO PASO de los
que consigno otros en mi libro «El humorismo en el español
hablado», págs. 122-124.

Aparte de los giros arriba citados más o menos consagrados,
hay otras posibilidades para dar énfasis a un pensamiento
negativo, sin necesidad de recurrir a la negación propiamente
dicha. LP 21 *Mía* (= mira) *que montar yo esta maquinaria*
(se trata de una bicicleta). *¡A u n q u e   m e   d i e r a n   c i n c o
d u r o s !* (complétese: «no lo haría»). En ocasiones la frase
concesiva va precedida de un *ni*. VS 51 *No anda* (el reloj) *n i
a u n q u e   l e   d e n   u n   e m p u j ó n .* Nótese que aquí se emplea
el presente de subjuntivo; igual que en: VS 58 *...Yo le armití*
(= admití) *tres* (loros) *y a ese presio porque me dijo que estaban afónicos, pero ċatorse más, n i a u n q u e m e l o s p a g u e
a s i n c o   d u r o s .* En lugar de *ni aunque*, aparece también
ni aun + gerundio: VS 27 *...en Sevilla no me admitían en ninguna casa n i a u n r e g a l a n d o a l d u e ñ o e l T o i s ó n d e
O r o .*

Por lo demás, las frases concesivas con *aunque* pueden servir para poner de relieve tanto la afirmación positiva como la negativa. Cito del DM: *aunque bajara Dios del cielo* «propósito inquebrantable de una cosa», *aunque caigan capuchinos de bronce (aunque c. chuzos)* «aunque llueva a torrentes no desisto de mi propósito. Propósito inquebrantable». Lo cita también JOSÉ VALLEJO, pág. 366. Igual sucede con *aunque me hagan trizas, aunque me aspen* (véase arriba), *aunque me lleve Pateta* (el diablo), *aunque se hunda el cielo (el mundo; el universo),* o bien *aunque se junte el cielo con la tierra.* Todo esto significa «propósito firme de no ceder a una cosa». De análoga contextura son: (le encontraré) *aunque se meta en el fondo de la tierra, aunque se meta debajo de la tierra, aunque se meta por debajo de la alcantarilla;* finalmente, (llegarás tarde) *aunque te vuelvas galgo;* (no lo he de creer) *aunque lo diga el papa, aunque me lo diga con un cristo en la mano,* etc.

Equivalen semánticamente a una negación afectiva: *Así escarmentará vuestra merced —respondió Sancho—, c o m o y o s o y t u r c o. Voto a tal, así me deje yo sellar el rostro ni manosearme la cara c o m o v o l v e r m e m o r o,* ambos del «Quijote», I, 23 y II, 69 respectivamente. La copulativa *ni,* que enlaza con el segundo infinitivo dependiente de *dejar,* en lugar de la *y* que se esperaría, responde al sentido negativo de la frase (comp. la construcción *qué* + sustantivo + *ni qué...*). También este tipo da pie a la imaginación para idear comparaciones, a cual más estrambótica y absurda, de efecto cómico. El sentido de las siguientes, que tomo del DM, es: 'esto es tan poco posible como...' *Como ahora es de día, siendo de noche; como ahora llueven albardas* (o bien *capuchinos de bronce; — monedas de cinco duros; — zanahorias); como a mí me hacen obispo;* o, entre mujeres de otra generación, *como me veo el moño.*

Son modos de expresión afines, para el ningún éxito de una petición o cosa similar: VS 60 *Le he pedido a Rosario un sinapismo para ponérmelo en la nuca a ver si baja la congestión, y c o m o s i l e h u b i e r a p e d i d o c i n c o d u r o s...* ('no me lo ha dado'); EUB 45 *...hace un siglo que le he pedido a un*

*camarero mi desayuno y c o m o s i h u b i e r a p e d i d o m i l
p e s e t a s* (o *como si oyera llover*). VS 46 *Nada: oprimo el
botón del timbre y c o m o s i o p r i m i e r a u n o d e m i
a m e r i c a n a*[43] ('no viene nadie'). También: *y como si no;
y ni caso.*

En todos estos casos, como en tantos otros anteriores, el
pensamiento principal se expresa sólo indirectamente. En cuanto a la construcción, se explica como anacoluto que casi siempre se da también en la expresión directa. Por cierto que uno
de los ejemplos citados, en forma de expresión corriente, sería:
*...he pedido a un camarero mi desayuno, y n a d a, no me lo
trae.* Este *nada* provisional anticipa del modo más general el
resumen de la idea negativa, puntualizada posteriormente por
no me lo trae. Compárese «Fr.» 54 *Cuántas veces le dije yo a
Paco: «vamos a estudiar un poco de alemán...» Y n a d a, no
había manera de hacerle mirar siquiera el libro.* Pues bien,
en lugar de *nada* aparecen esas comparaciones humorísticas
con una acción que hubiera tenido el mismo resultado negativo. Por lo demás, serían perfectamente posibles los dos procedimientos. Es decir, la comparación introducida por *como,*
podría ir precedida de un *nada* preliminar a modo de «ritar-
dando». Al omitirlo, el autor de la comedia intensifica el efecto
inmediato del chiste. Este mismo chiste, en una conversación
de la vida diaria, se expresaría más cómodamente del siguiente
modo: *hace un siglo que le he pedido a un camarero mi desayuno, y n a d a, c o m o s i l e h u b i e r a p e d i d o m i l p e s e-
t a s.*

G. Sobejano me señala un neologismo popular hoy muy
extendido, como expresión de lo imposible: *que si quieres arroz,
Catalina.* Se trata indudablemente de una moderna amplificación humorística de un modismo bastante antiguo ya: *¡que si
quieres!* Éste representa una fórmula elíptica, desgajada de

---

[43] Originariamente *(chaqueta) americana,* a cuyo propósito *(chaqueta)*
menciono la derivación verbal *chaquetear* = 'desistir por cobardía de un
propósito que parecía firme' (= fr. *flancher,* 'acobardarse'). H. Schneider
lo cita para San Salvador con función a c t i v a = 'hacer huir a alguien'
(ob. cit., pág. 385).

preguntas indirectas al tenor de *me han preguntado*, o *fulano desea saber* o *me tiene sin cuidado*, etc., *que si quieres* (o no). Destacamos primero el carácter popular, por no decir vulgar, del dicho, confirmado por el *que* de uso estereotipado en el lenguaje vulgar tras los verbos dicendi y expresiones afines, y que ante *si* se omite en la lengua culta: *deseo saber s i quieres*. *Que si quieres* se emplea casi exclusivamente en un sentido irónico y negativo: «no hace falta preguntar que si quieres, porque ya sabemos (de sobra lo sabemos) que no quieres». De ahí el significado general e independiente del dicho, petrificado y equivalente a 'y nada', 'imposible', vulgarmente: *narices, naranjas, nones*, etc. Por cuanto a la amplificación *que si quieres arroz, Catalina*, de origen desconocido, le debo a mi amigo G. Sobejano el curioso dato de haberla encontrado en un artículo de ABC del 14 de septiembre de 1956, pág. 29, lo cual no quiere decir que no se usase ya hacia los años veinte. En la novela «La mina» de A. LÓPEZ SALINAS (Barcelona, 1960), pág. 88, encuentro: «[...] *ya lo hemos pedido muchas veces, pero q u e si q u i e r e s a r r o z , C a t a l i n a*». Otra negación afectiva, que cita también AURA GÓMEZ (pág. 208) para Venezuela, calificándola de «expresión un poco vulgar», es: *a mí que me registren*. La he oído también en Madrid, y significa que el hablante no ha tenido arte ni parte en lo que se está buscando o averiguando, p. ej.: A. —*Me han dicho que la llave la tienes tú*. B. —*Pues q u e m e r e g i s t r e n* (= 'a ver si la encuentran; yo aseguro que no la tengo'). AURA GÓMEZ (entre otros ejemplos) cita: —*Tú debes saber quién lo mató*. —*Q u e m e r e g i s t r e n*. Véase también JOSÉ IRIBARREN, ob. cit., pág. 241.

JURAMENTO Y CONFIRMACIÓN

Tienen valor, tanto negativo como positivo, las fórmulas afectivas de juramento y confirmación, cuya finalidad es corroborar una aserción, sea positiva o negativa. *Le j u r o a usted que...* se ha de entender muy rara vez literalmente, y no significa apenas más que 'le aseguro a usted que...' LP 33 Julia:

L e j u r o a u s t e d que creí que estaba sola. EMH 42 *Si lo atonto* ('si logro fascinarle') *os pago dos de Pomery extra. ¡ J u r a o !* ('podéis contar con ello'). Ahora bien, cuando se pretende expresar la idea de 'jurar' en un sentido literal, hay que reforzar el verbo mediante un modo adverbial como en EMH 36 (O retira usted lo dicho) *...o l e j u r o a u s t e d , p o r l a m e m o r i a s a g r a d a d e m i m a d r e , que uno de los dos se queda muerto aquí dentro.* El vulgo usa los modismos *¡ p o r é s t a s !* y *¡ m í r a l a !*, acompañándolos de un gesto que consiste en cruzar los dedos índice y pulgar de una mano. En vez de *mírala,* se oye con igual frecuencia el plural *míralas,* duplicidad que se explica por dos aspectos del gesto: en *mírala,* el hablante sólo piensa en lo que los dedos representan, es decir, en la cruz, mientras que *míralas,* aparte de eso, está influido por la idea de pluralidad de los dedos; habría de esperarse, según eso, *míralos,* pero lo esencial no son los dedos, sino lo que en aquel momento figuran: la cruz (de género femenino). EMH 45 (un jugador tramposo, a quien acaba de expulsar don Antonio): *¡Pero p o r é s t a s que vuelvo!* Se sobreentiende: *le juro a usted.* Ibid. 68 *...te juro que hoy la echo a la calle pa siempre, p o r é s t a s q u e s o n c r u c e s .* Ibid. 42 *Que poco puedo o p o r é s t a s* (os juro) *que a ese ispector le fascino yo.* Ibid. 26 *Y si estás tú aquí, de paso te descañono* ('te rompo los morros'), *p o r é s t a s* [44]. Todos estos hablantes representan tipos de las más bajas capas sociales; entre ellos, incluidos los gitanos, la forma con plural es la más usual. *¡Mírala!* expresa un requerimiento a mirar la cruz por la que se jura. PC 27 Mariquita: *Pero con er pelo de mi prima me tengo que bordar un festón en er delantá. Como yo me yamo Mariquita San y Día.* —Pepe: *Pero, Mariquita Sandía...* (Se llama Sanz Díaz, que pronunciado con la fonética andaluza resulta homónimo de *sandía).* —Mariquita (aún más molesta por la burlona alusión a su apellido): *¡ M í - r a l a !* (jura). La acotación escénica dice «jura», es decir, que

---

[44] Cf. G. CORREAS, «Vocabulario de refranes y frases proverbiales»: «hacer la cruz a uno es amenazarle» (cit. por M. MORREALE, IE, págs. 54-55).

besa el signo de la cruz formado con los dedos. Tenemos el plural en EMH 68 Marcos (que promete amonestar al padre de Leonor): *Y respetive a tu padre... le endiño una reprimenda que le quito de beber pa mientras viva. M í a l a s .* Lo mismo según Aura Gómez, vale para Venezuela (ob. cit., pág. 219, con una reproducción diseñada del gesto). Sobreentiéndese un verbo de juramento en muchas otras fórmulas similares como *¡por mi salud!* VS 20 *...ando dándole vueltas a una idea que como cuaje, no matan a esos infelices, ¡ p o r m i s a l ú !* Recordemos a este propósito *¡por la gloria de mi madre!* y otras de que ya hemos tratado en su lugar (capítulo I, págs. 116-117).

La «p a l a b r a d e h o n o r» desempeña un gran papel en el español coloquial, pero esta constatación debe entenderse en un sentido meramente cuantitativo, por cuanto cualquier niño de escuela suele jurar bajo «palabra de honor» haber dicho la verdad. Lo más corriente es suprimir el genitivo determinativo (comp. alemán: «ich gebe Ihnen mein Wort»). EMH 59 *Pero siento que sea usted el que me eche, p a l a b r a , porque le tengo a usted mucha simpatía.* Aquí como en la mayoría de los casos, *palabra* no significa más que 'en serio', 'de veras'. EMH 75 *...si yo me casase con usté ...no iba a estar tranquila, ¡ p a l a b r a !* Frente a ésta, la expresión completa produce un efecto más enérgico. MP 93 Celso (a Quica): *...P a l a b r a d e h o n o r . No soy un hombre malo, Quica.* Otro ejemplo (elíptico) de novela contemporánea: (una joven a su amiga): —*Con nadie lo paso mejor que contigo, p a l a b r a.* (J. M.ª Gironella, CV, I, pág. 171). *Es una escandalosa. Y una repipi como la copa un pino. No la aguanto, p a l a b r a.* («Jarama», pág. 52).

En español (lo mismo que en alemán y otras lenguas) se refuerza la idea de la veracidad de un hecho declarándolo tan seguro como otro del que nadie duda. VS 58 *Pero a ese canalla le saco yo los ojos c o m o m e l l a m o A u r e l i a .* Igual en «Fr.» 59 *Ese «Copita» acabará en un presidio, c o m o y o m e l l a m o C o n c h a .* Aquí encaja también el dicho bastante usual *como es de día* (DM). Al alemán «so wahr ich hier stehe» (literalmente 'tan seguro como que estoy aquí') corresponde en español (aunque sólo aproximadamente) _aquí donde usted me ve_. La diferencia está en que el español, al asignar en su expresión, por decirlo así, un papel al interlocutor, la hace más personal. (Véase capítulo II, págs. 168 y sigs.) PC 44 _¿Ya le han dicho a usté lo del libro que he escrito? Porque a q u í, d o n d e u s t é m e v e_ (hay que completar: _le aseguro que_...), _yo me he escrito un librito_. «Fr.» 34 _Pues a q u í d o n d e u s t é m e v e, digo y repito que Pérez es un sinvergonzón_... VS 11 Valenzuela: _Pues sí, señor; a q u í d o n d e u s t é m e v e, le traigo un destino a ese infeliz_. También se puede usar con referencia a una tercera persona: _ahí donde usted le ve, ahí donde tú le ves_ (E. LORENZO, pág. 148). M. MORREALE caracteriza acertadamente la clausulilla como «frase adverbial que ha perdido su valor locativo» (Res., pág. 133).

Una afirmación impugnada o contradicha por el interlocutor, se mantiene con un _n i m á s n i m e n o s_. Aquí, claro está, lo que más le importa al hablante es lo que dice en segundo lugar _(ni menos);_ con _ni más_ pretende únicamente acreditar su propia veracidad; lo mismo vale para _ni quito ni pongo_. OM 31 Rodríguez: _Ahí la tenéis: una futura Patti._ —Pilar: _No tanto, papá._ —Paco: _Sí, hija, sí, una Patti. N i m á s n i m e n o s_. Ocasionalmente se oye la variante jocosa _ni más ni mangas_.

El procedimiento más primitivo, característico de la gente sencilla, de reforzar o remachar lo enunciado es la simple manifestación de haberlo dicho: 'lo he dicho, y lo dicho, dicho está'. EMH (Marcos y Leonor tratan en vano de hacer desistir a Antonio de su propósito): Antonio: _Voy._ —Marcos: _¡Pero, don Antonio!_... —Antonio: _Voy, h e d i c h o_. Más adelante vuelve a declarar: _¡Voy, h e d i c h o! Y no contradecirme, ¡vaya!_

LA IRONÍA COMO MEDIO DE REALZAR ENUNCIADOS AFIRMATIVOS O NEGATIVOS

Ya hemos señalado arriba el hecho de que la lengua coloquial española tiene una particular predilección por los medios de expresión indirectos, sólo alusivos. Ello explica también la frecuencia de ciertos giros irónicos. Lo enunciado aparece en forma contraria a lo que se piensa, con lo cual esto resulta puesto de relieve con mayor nitidez[45]. Cuando, por ejemplo, en EMH 27, Mariano al ver a su ahijada exclama: *¡Pues no has crecío ni naa!*, quiere indicar todo lo contrario de lo que literalmente expresa, a saber '¡cuánto has crecido!' Luego, al abrazar efusivamente a Antonio, su viejo amigo de la juventud, le dice: *¡No te quiero yo na!* Añado: C 101 *¡Anda y que no eres exagerá!* (= 'eres muy exagerada'). También se da el caso inverso: expresión positiva con sentido negativo: OM 38 Rodríguez: *Sí, la música la distraerá a usted.* —Dolores: *¡P a r a c a n c i o n e s e s t o y y o !* Sentido: 'estoy para todo, menos para eso'. VM 18 Bautista: *Me dijeron que la tos había desaparecido y que de fiebre sólo tenía cuarenta y cinco grados* (!). —Dalmacio: *¡P u e s s í q u e e s t á m e j o r !* Abundan las expresiones irónicas con *pues sí*: *¡Pues sí que empezamos bien! ¡Pues sí que nos hemos lucido! ¡Pues sí que estás arreglado!*, etcétera.

Los imperativos irónicos tienen siempre valor negativo. «Fr.» 35 *Si parece usted un joven.* —*¡Fíese usted de las apariencias!* SC 5 Un viejecito muy aficionado a sus flores: (Los enamorados) *Se pasan las horas muertas hablando con las vecinitas del tercero y a veces se ponen de pie sobre las macetas... ¡C u i d e u s t e d l a s f l o r e s p a r a e s t o !*

Vamos a examinar ahora las fórmulas fijas que ha creado aquí la lengua. Ante todo una serie de adjetivos empleados con especial preferencia en sentido irónico, invirtiéndose su significado habitual. Así, *bueno, bonito, dichoso,* se usan en esta función precisamente para designar o calificar lo malo, lo feo, lo desagradable; en una palabra, aquello que nos contraría. «La ironía gusta de poner ante los ojos un engañoso paraíso, para luego destruir esa bella visión mediante la entonación, el gesto o la misma situación» (SPITZER, IU, 106). SC 62 *¡B u e n a*

---

[45] GARCÍA DE DIEGO, «Lingüística», pág. 353, define acertadamente la ironía como «paradoja semántica humorística»..., «el sentido es una adivinación para el interlocutor» (por ej., *¡bonito negocio!).*

la hemos hecho, Rafaelito! Ibid. 43 ¡Las gallinas en el semillero de los tomates! ¡B u e n o me lo van a poner! SC 46 Feliciano: Y por fin ¿qué ha sido? —Ruperto (partero ocasional): ¡Qué sé yo! Un chico... o una chica... No lo sé. ¡De b u e n h u m o r estaba yo para...! Ibid. 59 Pues, hombre, b u e n o fuera que trabajara para el obispo [46]. CC 40 ¿Marcharse ustedes? ¡B u e n o fuera! (también: ¡estaría bueno!). Oído por el autor: ¡B o n i t o susto me has dado! ¡B o n i t o precio! (DM). ¡B o n i t o genio tiene! [47]. OM ¡D i c h o s a chaqueta! ¡Qué incómodo me tiene! OM 42 ¡No parece la d i c h o s a receta! —El d i c h o s o tren que nunca llega a la hora. El d i c h o s o paraguas que siempre lo deja uno olvidado.

Citemos en lugar aparte: VM 17 Estamos d i v e r t i d o s con el morfinómano (se trata de un criado dormilón). La que se case con éste estará d i v e r t i d a [48] ('es de compadecer'). «Fr.» 50 Y luego haberlo confiado a aquel sastrecillo de mala muerte [49] que se lo ha echado a perder d e l o l i n d o ... También zurrarle a uno la badana (zumbarle la pandereta) d e l o l i n d o. El toro le zarandeó d e l o l i n d o. Es decir, que los verbos a que se une de lo lindo designan preferentemente acciones de efecto desagradable o destructor. De lo lindo corresponde exactamente al latín coloquial pulchre (J. B. Hofmann, ob. cit., pág. 71).

Es curioso el uso irónico de menudo, que en esta función significa 'grande, bastante, mucho, fuerte', etc. EUB 60 Segundo (creyendo que Clara ha perdido la memoria): Se deja (besar).

---

[46] Trabajar para el obispo es 'trabajar sin cobrar nada'. Las jerarquías eclesiásticas tenían fama de considerar el trabajo que por ellos se tomaba la gente como prestación natural y obligada (Sbarbi).

[47] S. Fernández Ramírez, ob. cit., pág. 142, hace notar la anteposición del adjetivo en estos casos.

[48] En vez de está divertido también: está apañado, está aviado, está arreglado (Sobejano), está (o va) listo, está (o va) fresco, está (o va) (bien) servido, va a bueno, etc. Comp.: La muy imbécil se creía que me la iba a dar. Sí, sí... ¡E s t a b a l i s t a! (Cela, ob. cit., pág. 23). Otro ejemplo: Estoy l i s t o de comer hoy = 'ya no comeré' (por falta de ganas o sobra de disgustos).

[49] Para de mala muerte, véase pág. 325.

No recuerda lo que es un beso. ¡ M e n u d a bicoca! [50]. EMH 44
Antonio: *Ya te decía yo que era un hallazgo.* —Paco: *¡ M e -
n u d a arquisición!* EMH 66 *¡Y m e n u d o puro!* «Fr.» 36 *¡ M e -
n u d a* [51] *plancha me tiro yo si no viene!...* En todos estos
ejemplos, *menudo* podría sustituirse por *valiente, bueno* o *bonito,* o simplemente por *¡vaya! (¡vaya bicoca!,* etc.), o *¡qué...!*
(Véase capítulo I, págs. 77-78). Sin embargo, *menudo* no admite variantes en *¡Menudo es mi hermano!; ¿Mi tía?, ¡menuda
es ella!; ¡Menudos son esos militarotes!; ¡Menudo es nuestro
alcalde (como para permitir semejantes espectáculos)!,* etc. Advertimos en todos estos ejemplos (excepto el último por la
aclaración de que va acompañado) un margen semántico muy
amplio. Lo único que tienen de común es el s e n t i d o n e g a -
t i v o de *menudo* en conexión con el respectivo sustantivo a
que se refiere. Todo lo demás depende de la situación de cada
caso. Así, *¡menudo es mi hermano!* puede referirse al hecho
de que n o le gusta el trabajo; la tía del segundo ejemplo, a
lo mejor muy severa, t i r a n i z a al sobrino; a los militarotes
cabe reprochárseles su f a l t a de interés por las cosas del espíritu y al alcalde del último ejemplo su e s t r e c h e z de
miras. Total, que en todos estos casos *menudo* alude a una
cualidad n e g a t i v a de la persona a que se refiere, pudiendo
significar: *¡menudo holgazán!* (de mi hermano), *¡menuda tira-
na* o *carcelera!* (de tía), *¡menudos bárbaros* o *bestias!* (de
militarotes) *¡menudo beatón* o *fanático!* (de alcalde). Véase
también: E. Lorenzo, pág. 107 y Joaquín Montes, ob. cit., página 164.

Poco, usado irónicamente, no siempre tiene significado
inequívoco. PC 59 *Señores: que yo puedo acompañá a una*

---

[50] De *Bicocca,* nombre de una pequeña fortaleza situada entre Lodi
y Milán, donde en 1522 las tropas de Carlos V resistieron el asedio de los
franceses mandados por Lautrec (José M.ª Iribarren, ob. cit., pág. 432).

[51] Es curioso que el Dicc. de la Acad., a pesar de sus frecuentes con-
cesiones a la lengua popular, no recoja este sentido irónico, tan corriente,
de *menudo.* Nótese que los adjetivos citados se anteponen al sustantivo
cuando están usados con dicho sentido (arriba n. 47); en cambio, tomados
en su significado literal, van pospuestos: *la gente menuda* 'los niños',
'la chiquillería'.

señorita. *¡Pues he acompañao yo a p o c a s!* (= 'a muchísimas'). CC 21 *¡Ya soy todo un señor empleado! P o q u i t a importancia que me voy a dar en casa del boticario.* P 22 *P o-q u i t o que se han reído de mí en la peluquería.* El *que* de los dos ejemplos últimos se podría explicar por influencia de estas comunísimas variantes: *¡La importancia q u e me voy a dar!*, *¡lo q u e se han reído de mí!* SC 60 *¡Jesús! ¡Lo q u e se ha comido ese Menéndez!* Lo mismo vale para *flojo* en NV 66 *Pues f l o j o gustazo que le has dado.* (Véase también SPITZER, «Aufs.», 103). Ahora bien, los mismos ejemplos son expresables también en forma negativa, sin que por ello varíe el sentido: *No se han reído poco de mí. No me voy a dar poca importancia ni nada*[51 a]. Es más: *poco* podría incluso ser suprimido, y entonces tendríamos el tipo de la negación irónica que equivale a una afirmación reforzada. CC 23 *¡Pues no me he puesto yo elegante!* significa exactamente lo mismo (prescindiendo del cambio de persona) que SC 22 *¡Anda!... ¡Pues no se ha puesto usted p o c o e l e g a n t e!* Este último ejemplo representa en mi opinión un cruce entre los dos tipos: *poquito elegante que se ha puesto usted* y *no se ha puesto usted elegante (ni nada).* (Comp. EMH 27 *Pues no has crecío ni naa.)* Aquí encaja: *...pues n o me tengo n á reído con ella, más graciosa era, a todo le sacaba punta.* (F. ÁVALOS, ob. cit., pág. 70), donde *ná* (= nada) significa *muchísimo.* A veces *mucho* también puede entenderse irónicamente. M 58 *¡Va a tardar m u c h o* (quiere decir: 'muy poco tiempo') *en saber to esto la niña que ha venío de fuera! ¡ M u c h o va a tardar!* Nótese que casi todas las expresiones empleadas en sentido irónico, debido a la particular entona-

---

[51 a] La frecuente añadidura i r ó n i c a *ni nada* cabe calificarla de parasitaria, p. ej.: *pues ¡no hemos trabaja(d)o hoy n i n a (d) a!* (= 'hemos trabajado muchísimo'); *no es cuco el tío ese n i n a (d) a* (= 'es muy astuto'). JOSÉ VALLEJO (pág. 384) cita de MUÑOZ SECA: *Y que no tengo hambre n i n a* (= 'tengo muchísima hambre'). De CARLOS ARNICHES («Es mi hombre») cito: *Pues no has crecio n i n a a.* El empleo irónico también se extiende a *nadie.* P. ej.: *no era n a d i e* (que aquí significa todo lo contrario). Lo dice un limpiabotas, «hincha» de Manolete, al que consideraba el m e j o r torero de España. El ejemplo es de ÁNGEL M.ª DE LERA (ob. cit., pág. 328).

ción con que se pronuncian, suelen escribirse entre signos de admiración.

Cualquiera, empleado irónicamente, equivale a 'nadie, yo no sé quién'. PC 42 *¡C u a l q u i e r a le lleva la contraria!* ('nadie se atreve, ¿quién se atrevería a contradecirle?'). OM 53 *¡C u a l - q u i e r a le dice de lo que se trata!* «Fr.» 2 *C u a l q u i e r a resiste estos cambios de temperatura tan bruscos* [52]. También en función adjetiva se emplea a veces irónicamente. OM 25 Manuel: *Ya se irá usted acostumbrando* (a la caza). —Silverio: *¡Quia! C u a l q u i e r d í a vuelves a cogerme para una expedición de esta clase.* EMH 17 Leonor: *Si creí que te iba a pegar.* —Antonio: *No, hija... C u a l q u i e r d í a* [53] *se atreve.* En este uso, *cualquier día* está ya gramaticalizado significando 'nunca', lo mismo que el vulgarismo irónico *al instante:* «Modo vulgarísimo de renunciar a decir o ejecutar algo que nos proponen» (DM). VS 50 *¡A l i n s t a n t e iba yo a admitir a ese tío!* Úsase unas veces en sentido real y efectivo, otras irónicamente, la fórmula *¡no es moco de pavo!*, con la variante *¡no es grano de anís!* «para ponderar una cantidad a todas luces elevada» (E. Lorenzo, pág. 162).

Rematamos este párrafo recordando el ya citado (n. 21 de este capítulo) y frecuentísimo *no faltaba más* [54], puesto que

---

[52] S. Fernández Ramírez, ob. cit., pág. 428, cita *¡cualquiera entiende a las mujeres!* Añádase: *¡cualquiera sabe!* En Francisco Candel, «Pueblo», ocurre: *¡C u a l q u i e r a se muda* (= 'nadie'). *Además no tengo ropa* (pág. 45); cf. el sudamericano *¡quién sabe!* = 'no sé' (Kany).

[53] Esto me recuerda *el mejor día* = 'el día menos pensado, que para alguien ha de ser todo lo contrario', p. ej. (una señora quejándose de la criada): —*Trabaja cada vez menos. E l m e j o r d í a la echo y ya verá.* José Vallejo, pág. 372: *A éste lo planto yo e l m e j o r d í a.* Emparéntase con «el mejor día», con función y sentido parecidos, *a buena hora;* p. ej.: *A b u e n a h o r a me comía yo eso,* [...] *ni que me dieran quinientas pesetas.* (F. Candel, «Pueblo», pág. 20).

[54] El uso del imperfecto de indicativo en vez del condicional que se esperaría se explica porque la lengua popular, tratándose de oraciones de tipo irreal, prefiere en la apódosis ese tiempo: *si lo supiera me lo decía* 'me lo diría'. Cuando la acción se refiere al pasado, también se usa el imperfecto: *si lo hubiera sabido, me lo decía* 'me lo habría (o hubiera) dicho'. *Si yo te contara, menuda novela e s c r i b í a s tú.* (F. Candel, «Pueblo», pág. 52). En A. Paso, JP, pág. 64, leo: *Pues yo que tú* (= 'si

también se ha de interpretar irónicamente. SC 43 *¡Matarme las gallinas! Pues n o f a l t a b a m á s .* Tiene variante positiva (equivalente al alemán «das fehlte gerade noch!»). OM 63 Magdalena: *¿Si habrán despertado a Manuel nuestros gritos?* —Silverio: *Pues era l o q u e n o s f a l t a b a .* Otras: *¡lo único que (nos) faltaba!, ¡eso faltaba!, ¡lo que faltaba (para el duro)!,* variante humorística de *¡lo que faltaba!* (Sobejano). Compárese: *Oye, ¿y por qué regla de tres no quiere pagar?* —*Ya ve... Dice que se ha venido sin dinero.* —*Pues sí, l o q u e f a l t a b a p a r a e l d u r o . ¡Lo que sobran en este país son pícaros!* (Cela, ob. cit., pág. 39). En FJ de Alfonso Paso (pág. 44) encuentro: Rafael (catedrático): —*Usted, no tiene que aclarar nada. ¡ F a l t a r í a m á s !* (aquí = ' n o faltaría más'). Véase también E. Lorenzo: «...las (frases) de valor irónico como *¡no tiene dinero!* = *tiene muchísimo dinero*» (pág. 48). Aquí encaja también la frase «un tanto desgarrada» *¡éramos pocos y parió la* (o *mi*) *abuela!* para lamentar o censurar la a b u n d a n c i a o e x c e s o de personas en un sitio. E. Lorenzo, pág. 148, cita además: *N o sabe n a d a de latín* = 'sabe muchísimo latín'. Claro, que el respectivo valor semántico de tales negaciones depende siempre del contexto y de la entonación del hablante.

EXPRESIONES ENFÁTICAS DE CANTIDAD

El lenguaje afectivo, con su afán de realzar la expresión, ha creado numerosas designaciones para exagerar cantidades [55] e

---

estuviera en tu caso'), *i b a al médico*. Con todo, se oye a veces en la conversación *no faltaría más*, pese a ser forma más literaria. Gili Gaya, en «Imitación y creación en el habla infantil» (Madrid, 1961), pág. 30, aduce como ejemplos de tipo popular: *Si me lo d e c í a , le d a b a una bofetada; Si me t o c a b a la lotería, me c o m p r a b a un coche;* o sea, que también en la prótasis se emplea a veces el imperfecto (coincidiendo con el uso correcto en francés: *s'il me le d i s a i t ...; si je g a g n a i s à la loterie...*).

[55] Véase, ante todo, el monumental estudio de Olaf Deutschmann, «Untersuchungen zum volkstümlichen Ausdruck der Mengevorstellungen im Romanischen», especialmente la 3.ª parte, Hamburgo, 1953.

hiperbolizar la idea de intensidad. Distinguimos dos grupos: Uno positivo, para expresar GRANDES CANTIDADES o altos grados de intensidad; y otro negativo, para designar cantidades pequeñas y mínimas, que muchas veces no pasan de ser circunloquios de la idea 'nada'. Del primer tipo, las gramáticas y métodos al uso apenas si registran más que *un sinnúmero de, infinidad de* y *multitud de* (más bien literarios), añadiendo si acaso la «regla» según la cual las designaciones de cantidad no han de ir acompañadas de artículo. Pues bien: en la expresión predominantemente culta y objetiva, puede no haber necesidad de enunciar el concepto de 'una gran cantidad' de otra forma que empleando las expresiones citadas; en cambio, en el lenguaje corriente éstas resultan demasiado débiles y descoloridas. Ciertamente cabe decir incluso en el lenguaje hablado, *se lo ha dicho un sinnúmero (infinidad) de veces* («Fr.» 19), tratándose entonces a lo sumo de 'muchas' o aun de 'varias' veces. Ahora bien: para expresar la idea de 'innumerable', el lenguaje común recurre a otros medios de más sugestivo efecto, por ejemplo, «Fr.» 17 *¡Cuidado con las veces que se lo he dicho!* interpretado por SPITZER 'atención a las veces...' M 79 *¡Cuidao si han venío forasteros!* ('qué cantidad de forasteros...'). No surte menos efecto el sencillo *¡las veces que...!*, giro que apela a la imaginación del oyente dejándole figurarse por sí mismo la magnitud, la cantidad, incluso la cualidad de la cosa en cuestión... [56]. Mientras que *sinnúmero* o *infinidad* pretende objetivizar intelectualmente la idea de lo infinito, la otra forma de expresión *(las veces que...)* se lo hace intuir y aun sentir subjetivamente al interlocutor. EMH 47 *¡El miedo que está pasando!* ('hay que imaginárselo'). OM 9 *¡Los enredos[57] que se traía aquella mujer!* El particular atractivo de esta ex-

---

[56] Véase también: S. FERNÁNDEZ RAMÍREZ, obra citada, pág. 320.

[57] *Enredos* (de *red*) 'intrigas', 'embrollos', 'líos amorosos', etc., sólo es aquilatable en su exacto sentido dentro del contexto correspondiente. Dígase lo mismo de *enredar*, que en general significa 'enmarañar', 'travesear'. *No enrede usted* 'no se mezcle en esto'; *enredarse de palabras* 'enzarzarse en una disputa' (SLABY-GROSSMANN); *el diablo, que todo lo enreda* 'que en todo mete cizaña'.

presión reside en que puede expresar no solamente la cantidad sino también la cualidad de una cosa; por ejemplo, ¡ *l a s c o s a s que me contaron!* lo mismo puede indicar 'muchas cosas' que 'cosas malas (o graciosas, tristes, etc.)'. Lo mismo cabe decir respecto del neutro *lo que* + verbo: ¡ *l o q u e me contaron!*, en cuya expresión *lo que* puede considerarse como variante de *cuánto*. PC 25 ¡*Chiquillo, l o q u e nos vamos a reír!* EMH 42 ¡ *L o q u e has tardao!* Ibid. 60 ¡ *L o q u e cuesta vivir!*, sobreentendiéndose en todos estos casos una oración principal como «no se imagina usted», «no te figuras», «sabe Dios» u otras. VM 33 *Lástima que lo matara, porque s a b e D i o s los meses que le habría costado el amaestrarlo.*

Recuérdense en relación con esto las construcciones citadas al fin del capítulo anterior (pág. 194: *para lo que..., con lo que...* PC 68 ¡*Qué lástima, Dios mío...!* ¡ *C o n l o q u e a mí me gustaba este hombre!* PC 19 *M'ha partío a mí por la mitá*[58] *er niño este. C o n l o c r e í d o q u e*[59] *yo estaba en que había de sé ingeniero...* Aquí *lo* sirve para resaltar el adjetivo. Obsérvese, además, cómo en todos estos giros se entrecruzan las ideas de cantidad, grado e intensidad.

Tenemos otra designación afectiva de cantidad típicamente coloquial en SC 51 ¡*Y v a de forasteros!*, quizá originariamente: 'y va (u n a) de forasteros'. Comp. EMH 55 *...Les voy a dar u n a d e b o f e t á s que va a tener que hacer las particiones un notario,* donde *una* se refiere también a un sustantivo de cantidad, probablemente *porción* o *cantidad*. CC 12 *...con los ojos le he dicho u n a p o r c i ó n*[60] *de ternezas.* Ibid. *U n a p o r-*

---

[58] *Partir a uno por la mitad* (o, más frecuente, *por el eje)* 'chafarle, aguar sus planes o intenciones'.

[59] Véase a este propósito (si bien desde otro ángulo de vista) el estudio de E. Alarcos Llorach, publicado en «Strenae» (Filosofía y Letras, t. XVI, págs. 21-29), «*¡Lo fuertes que eran!*».

[60] En el lenguaje vulgar, *porción* se emplea con género masculino (M. Muñoz Cortés, ob. cit., pág. 86): *había u n porción de gente.* Supongo que se explica por analogía con formas aumentativas como *notición, fortunón* y otras, todas ellas de género masculino. Sobre todo en Andalucía se oye con frecuencia: *u n a p i l a* (o *un pilón)* de escaleras, de casas, de veces, de tonterías, etc.

c i ó n de cosas. Por lo demás es muy frecuente la omisión del sustantivo de cantidad [61]. VS 65 *¡ L a d e d r a m a s que se han desarrollao en este hotel!* EUB 16 *¡ L a d e p r e o c u p a c i o - n e s que se va a quitar de encima!* J. JOAQUÍN MONTES (ob. cit., pág. 162): «El giro *la de...* se refiere a cantidad y se emplea con alguna frecuencia: *l a d e coches que hay; l a d e veces que he llorado en ese cuarto.* En cambio: *¡hay u n a d e coches!; ¡he visto u n a d e taxis libres!* (= una cantidad de)». En el giro *¡y va de forasteros!* ya no puede chocar sino el verbo. Para explicarlo recordaré expresiones como *ahí va* o mejor *¿cuántos van hasta ahora?* (al contar). SC 51 Policarpo (que ha observado ya una enorme afluencia de extraños en la casa parroquial, al presentarse otro visitante nuevo): *Este debe ser el curita nuevo. ¡Y v a de forasteros!* P 8 Leandro (que ya había chocado con el camarero, cuando al poco rato tropieza con Pérez; el reflejo lingüístico de este contratiempo es): *¡Canastos! ¡Y v a de en-contrones!* La *y* se explica psicológicamente: '(Ya he tropezado con uno) y ahora me sucede otra vez'.

D e s i g n a c i o n e s d i r e c t a s , p u r a s , d e c a n t i d a d . Ya hemos consignado *porción* con el mismo significado que *montón.* EMH 58 Antonio: *¿Les ha hecho a ustedes gracia?* —Jarritas: *¡ U n m o n t ó n !* [62]. Chocan bastante más al extranjero expresiones como *enormidad, barbaridad, atrocidad, horror,* y más aún *burrada* y *disparate.* (En alemán, las ideas en ellas contenidas sólo se pueden reproducir adverbialmente como determinantes de «viel» = 'mucho': «enorm viel», etc.) VM 14 Álvaro: *¿Está un poco reblandecido, no?* —Dalmacio: *¿Cómo un poco? ¡U n a a t r o c i d a d !* «Fr.» 14 *Me ha gustado u n a e n o r m i d a d* [63]; o bien *u n h o r r o r ;* igualmente *hoy he trabajado u n h o r r o r.* LUIS FLÓREZ, en su obra citada (pági-

---

[61] Véase S. FERNÁNDEZ RAMÍREZ, ob. cit., págs. 320-321.

[62] Citaré además la locución adverbial *a montones,* de valor atributivo: *la chica tiene pretendientes a montones.* Es muy usado *a granel: Fulano tiene alumnos a granel.* Otras variantes: *a esportones* (aumentativo de *espuertas), a sacos, a patadas,* etc. E. LORENZO (pág. 149) añade el galicismo *a tutiplén* y *a barullo.* Véase también A. MELENDO, ob. cit., pág. 21.

[63] Otro sinónimo moderno de *enormidad* es *una porrada* (E. LORENZO, pág. 149).

na 224), recoge como de Colombia había _u n a b e s t i a l i d a d_
de gente, que también se dice en España. Véase FÉLIX RESTREPO,
obra citada, págs. 37 y 50; y FERNÁNDEZ RAMÍREZ, pág. 184.
En el habla llana, por ejemplo, entre estudiantes, se oye _fulano sabe_
_u n a b a r b a r i d a d_ de cosas, sabe _u n a b u r r a d a_ de latín.
En CV de J. M.ª GIRONELLA, pág. 118, ocurre: [...] _se gastó_
u n a b u r r a d a en el regalo de boda. EUB 65 Primo: _Y oiga_
usted, ¿esa Clara tiene dinero? —Ricordi: _U n d i s p a r a t e_[64].
El prurito de lucir siempre expresiones nuevas, obliga a la
incesante creación de modismos que vienen a desplazar a los
antiguos más gastados. Llama la atención el uso de _un rato_
(que normalmente designa un corto espacio de tiempo), con el
sentido de 'muchísimo': _de esto mi amigo sabe u n r a t o (largo)._
También se emplea en función adverbial. E. LORENZO (pág. 148)
cita: _está u n r a t o cansado_ («muy c.»); _¿Han bebido bastante?_
_—¡U n r a t o!_ (= «mucho»). En «Jarama», pág. 159, ocurre:
U n r a t o l a r g o de correa (= 'muchísima paciencia') _hay que_
tener. Y aun se echa mano del diablo «para designar todo lo
extraordinario que despierte un movimiento de contrariedad»
(O. DEUTSCHMANN, «Mengevorstellungen», pág. 104); por ejemplo,
esta maleta pesa (como) u n d i a b l o (d e m o n i o). De la
esfera religiosa proviene: _u n r o s a r i o d e_ = 'una cantidad
de cosas concretas y abstractas que se suceden en serie más o
menos larga e ininterrumpida', p. ej.: _un r o s a r i o de auto-_
móviles, de tiros, de preguntas, etc., etc. En ANA MARÍA MATUTE,
«Primera Memoria», Barcelona, 1959, ocurre: _Iba nombrando_
estrellas y estrellas: le salían r o s a r i o s de estrellas por la
boca (pág. 172).

Huelga decir que aquí se abre un campo muy ancho para
los saineteros. Sirvan de ejemplo unas muestras procedentes
de una comedia, conocida por casi todo español de su época:
«El verdugo de Sevilla», de MUÑOZ SECA, pág. 5: _Eso va a ser_
u n r í o de oro (muy usual). Ibid. _Eso va a ser u n a c a t a r a t a_
de pesetas. Doña Nieves, la patrona de la casa de huéspedes,
con su habla tan pintoresca, se deshace en las siguientes efu-

---

[64] Las expresiones de lo espiritualmente anormal son de índole fuertemente afectiva. (O. DEUTSCHMANN, ob. cit., pág. 256 (36).)

siones de su corazón agradecido: 17 *U n a m i l l o n a d a de
gracias.* Lo corriente, que hubiera sido *un millón,* queda sobre-
pasado por esta nueva troquelación. 7 *u n c i c l ó n* (!) *de gracias;* o aún: 17 ...*s e i s g e n e r a c i o n e s de agradecimiento.*
En EUB 11 aparece: *U n m u n d o e n t e r o de gratitudes para
ti.* Otras creaciones individuales: VS 65 *Pero ¿por qué me ha
metido esa señora e s e s a c o de bolas? Bola,* que en el habla
familiar significa 'mentira', 'embuste', ha engendrado *un saco*
por la representación de bolas concretas. En EUB 68 pregunta
Primo entre asombrado y enfadado: *No sé a qué viene ese
d e s t r i p a m i e n t o de risa...* De *reírse las tripas,* uno de
los muchos giros con los que se designa en lenguaje corriente
la risa intensa (véanse págs. 268 y sigs.), nace la expresión reforzada de Primo. M. DELIBES usa con frecuencia: *reírse l a s
m u e l a s .*

Una de las locuciones más frecuentes para expresar la cantidad es *la mar*[65]. La expresión es popular a diferencia de *un
mar de,* más bien literaria, en el modismo *estar hecho un mar
de lágrimas* (DR). P 12 Chico: *Perdona, pero estoy metido en
u n m a r de confusiones*[66]. *Un tío... una chica... un minero...
una viuda... un amor... Esto es un rompecabezas*[67]. Muy otro,
desde el punto de vista lingüístico-psicológico, es el caso de
la mar, casi vulgar en «Fr.» 19 *Vimos l a m a r de cosas bonitas*
('una gran cantidad') y que comunica a los adjetivos con quienes se combina un sentido superlativo: «Fr.» 10 *Estará l a m a r
de contento.* En *aquella chica era la mar de bonita, la mar* no
designa cantidad, constituyendo un elemento adverbial equivalente a *muy.* NV 27 Carmen: *¿Está muy animao el barrio?*
—Petrilla: *L a m a r (de animado).* «Fr.» 53 *¿Y qué, se han*

---

[65] Véase O. DEUTSCHMANN, «Der Vergleich», Hamburger romanist. Stu-
dien, Serie A, t. 42, Serie B, t. 25, Hamburgo, 1955, págs. 205 y sigs.
(«*Meer* als Ausdruck für die Begriffe *viel* und *sehr* im Romanischen»).
Para la diferencia entre *el mar* y *la mar,* FERNÁNDEZ RAMÍREZ, ob. cit., página 159.

[66] Pertenece al lenguaje coloquial de retórica barata *me sume usted
en un mar de confusiones.*

[67] O bien *un quebradero de cabeza,* de donde *evitarse quebraderos de
cabeza.*

divertido ustedes? —*L a m a r* (= 'mucho'). Con el mismo valor
que *la mar* en *me gusta esto la mar,* se emplean en un lenguaje
más llano aún, los citados (págs. 237-238) *una enormidad, un
horror,* etc. De algún tiempo a esta parte, sin desplazar *la mar de,*
se ha puesto de moda *la tira de,* p. ej. *¡l a t i r a d e coches que
vienen infestando los sitios más pintorescos de España!* Como
la mar de, se usa rarísima vez con artículo indefinido y c a s i
exclusivamente (¡todavía!) por la generación joven. El autor
del artículo «La tira» en «Papeletas para un argot de hoy»
(n.º 400 de «La Estafeta Literaria») aduce como ejemplos:
—*¿Tienes mucho trabajo esta semana?* —*L a t i r a; ese tío sabe
l a t i r a* (= 'muchísimo'). Véase también JAIME MARTÍN, «Diccionario de expresiones malsonantes del español», Madrid, 1974,
pág. 263.

Otras expresiones de cantidad muy populares son: *una pasada* (generalmente, sobre todo en Andalucía, *pasá) de gente*
'muchedumbre'; *una patulea* o *una gusanera de chiquillos;
una montaña de duros* (Sobejano), *un porrón de;* p. ej.: *hace
u n p o r r ó n de años que murió* («Jarama», pág. 112).

'Largo tiempo' hiperbólicamente viene a ser *un siglo.* EUB
45 ...*hace u n s i g l o que he pedido... mi desayuno.* «Fr.» 53
Hace u n s i g l o que no le veo el pelo... En vez de *siglo* también *medio siglo;* o bien (correspondiendo al alemán «eine
(halbe) Ewigkeit»), *una eternidad, media eternidad.*

A continuación algunas designaciones de v a l o r : OM 35
Me gasto u n d i n e r a l[68] *en música.* «Fr.» 19 *Me ha costado
u n s e n t i d o* ('uno de los cinco sentidos'); y por un prurito
de encarecer más aún la expresión: en vez de uno, *los cinco
sentidos.* Una gradación semejante representa frente a *me ha
costado un ojo de la cara* (ya en CERVANTES, «Quijote», II, 21
...*perlas blancas... que cada una debe valer u n o j o d e l a
c a r a), me ha costado l o s d o s ojos de la cara.* Añado: *me
va a salir por un ojo de la cara* (= 'carísimo') y el obsceno
costar o *valer algo* o *alguien un cojón* = ser de mucho precio

---

[68] *Dineral* fue originariamente imitación humorística de vocablos como
almendral, patatal, cañaveral, garbanzal, etc. Más detalles sobre el sufijo
-al en M. L. WAGNER, VKR, III, 1.

o mérito (cit. por C. J. CELA, en «Papeles de Son Armadans», t. XLIV, núm. CXXXI, pág. 153). Ya en el «Quijote», II, 71, ocurre *un Potosí* significando algo muy valioso: *el tesoro de Venecia y l a s m i n a s d e l P o t o s í fueran poco para pagarte* (alusión a las minas de plata —hoy agotadas— del Potosí, Bolivia, entonces riquísimas). Una persona o cosa valiosa vale *un Potosí.* Variantes: *vale un imperio, un mundo, un Perú, un tesoro* (DM); otras: *fulano vale más oro del que pesa...*, *todo el oro que hay en el mundo;* además, *el oro y el moro* [69], esto último en *prometer el oro y el moro* [70]. La carestía de las subsistencias se expresa hiperbólicamente con *todo está por las nubes* (Sobejano). Comp.: *La vida e s t á p o r l a s n u b e s* (CELA, ob. cit., pág. 215).

Otro medio expresivo muy popular para expresar el concepto de 'mucho, muchísimo', es la c o m p a r a c i ó n [71], con sus ricas posibilidades de despliegue humorístico. «Fr.» 29 *Ese tío tiene más trampas* ('deudas') *q u e p e l o s e n l a c a b e z a*, también ...*que granos una paella* (típico plato valenciano de arroz). «Fr.» 55 *Tiene más pánico* [72] *al trabajo q u e a u n m i u - r a* (los toros de la ganadería de Miura tienen fama de muy

---

[69] Para *el oro y el moro*, vid. J. MORAWSKI, «Les formules rimées de la langue espagnole», RFE, XIV (1927), pág. 115. Además: PAUL M. LLOYD, «Some reduplicative words in colloquial Spanish» (en «Hisp. Review», vol. XXXIV, April 1966, nr. 2, págs. 135-142).

[70] *Prometer*, a más de en su sentido corriente, se emplea en el lenguaje hablado también con el de 'afirmar, asegurar', como en la novela de MIGUEL DELIBES, «Cinco horas con Mario» (págs. 150, 164, 169, etc.). Según B. SÁNCHEZ ALONSO, ya lo empleaba con esta sign. Gracián (véase: «Sobre Baltasar Gracián», ob. cit., pág. 218). Sobre el uso moderno: *te lo prometo*, en lugar de *te lo aseguro*, véase R. CARNICER, Nrl, página 289: «[...] es en nuestros días cuando más acusadamente se manifiesta, sobre todo entre la gente joven y amanerada», p. ej., el coronel Rivero exclamaba: *ese hombre es el diablo y os p r o m e t o que tengo datos que me permiten hablar así* (J. M.ª GIRONELLA, CV, I, pág. 161). Ocurre con particular frecuencia en MIGUEL DELIBES, CHM.

[71] Véase también LUIS FLÓREZ, «Lengua española» (Bogotá, 1953), el capítulo «Hipérboles del habla popular colombiana» (pág. 183-188).

[72] Nótese que *pánico*, a diferencia del alem. «Panik», es propio no sólo de la lengua familiar, sino incluso de la vulgar.

bravos y peligrosos). SC 19 *Sabe más que Merlín*. Son extraordinariamente numerosas estas comparaciones con personajes
populares, reales algunos, otros, la mayoría, imaginarios. «Fr.»
12 *Sabe más que Lepe*, «aplícase a aquella persona que sabe
mucho, particularmente en gramática parda ('sabiduría de la
vida práctica'), con alusión a este personaje legendario [73], de
cuya genealogía, así como de la de otros análogos, no hablan
nada los reyes de armas» [74] (DR). Una ampliación humorística
obtenida por «consociación» (según SPERBER), y muy corriente
es: *sabe más que Lepe, Lepijo y su hijo* (DR). EUB 51 *Este
señor Teruel zascandilea m á s q u e u n a g e n t e e j e c u t i v o.*
(Por *zascandil* se entiende un hombre que se mueve mucho de
aquí para allá, sin hacer nada útil.) «Quijote», I, 4 *...os tengo
de hallar aunque os escondáis m á s q u e u n a l a g a r t i j a.*
Ibid. II, 19 *Corre c o m o u n g a m o y salta m á s q u e u n a
c a b r a.* En el habla frívola vulgar —la cual, insistimos en
ello una vez más, se usa ocasionalmente, incluso en la conversación familiar de gentes cultas— se dice mucho *sabe más que
Dios, trabaja más que Dios, se aburre* (!) *más que Dios* [75], etc.

---

[73] Disiente J. M. IRIBARREN, ob. cit., pág. 335, que hasta nos indica el
año de nacimiento de tal personaje: don Pedro de Lepe y Tirantes (1641),
famoso en la época por su catecismo y que llegó a ser obispo de Calahorra
y la Calzada: «hombre de gran cultura y de privilegiada inteligencia».

[74] Véase MONTOTO Y RAUTENSTRAUCH, «Personajes, personas y personillas
que corren por las tierras de ambas Castillas», Sevilla, 1882, 3 ts.; F. SÁN-
CHEZ ESCRIBANO, «Más personajes, personas y personillas del refranero español» (Hispanic Institute, New York, 1959), y JULIO CASARES, ob. cit., página 223. En la novela de ÁVALOS, ob. cit., pág. 17, leo: *Déjame en paz,
que eres más tonto que A b u n d i o,* uno de t a n t í s i m o s personajes
que ignoramos si existió jamás, como no fuera en la imaginación popular.

[75] Ya hace mucho que *más que Dios* ha cristalizado en un cliché
lingüístico con el significado de 'muchísimo', 'extremadamente'. Y eso
que en *trabaja más que Dios* cabe ver una alusión a la divina 'potencia
creadora'; en su supuesto aburrimiento, un estado de ánimo —según
piensa la ingenua fantasía popular— nacido de la soledad: *más solo que
Dios,* pues no hay más que un solo Dios; e incluso en *suda más que
Dios,* tan insólito y vulgar, podría haber evocación de las angustias de
Cristo en Getsemaní. Véase también el estudio de GEORG WEISE, ob. cit.

No rara vez se elide el término de comparación, por ejemplo: *tiene más trampas...* (sobreentendido, p. ej.: *que pelos en la cabeza*, u otra comparación por el estilo), donde *tiene más trampas* es sentido como aposiopesis, pronunciándose con entonación ascendente, ortográficamente indicada mediante puntos suspensivos. Esta cláusula incompleta que se explica por el baldío esfuerzo del hablante en busca de una comparación apropiada, se ha gramaticalizado (WAGNER, en ZRPh, 44, pág. 592: «Mientras en tales frases... aún se trasluce la idea de comparación, la lengua coloquial va más allá, empleando, en frases afirmativas, *más* casi con el valor de *muy*»). Volveremos sobre el particular más detalladamente en el capítulo IV.

La idea de medida se expresa mediante perífrasis con una oración consecutiva: EMH 16: *...tiene usté razón que le sobra* 'tiene (tanta) razón que aún le sobra'[76]. «Fr.» 19 *Tiene (tantas) condiciones que le sobran.* Aquí encajan dichos como *está que trina; está que bota, está que muerde* 'está en un estado tal, que trina, salta, muerde', expresando el paroxismo del furor. E. LORENZO (pág. 149) sugiere añadir *está que bufa* y *está que se sube por las paredes.* Del lenguaje deportivo (o sea, del ingl. *to shoot*, que, además de 'disparar', 'tirar', significa 'marcar un gol') viene el anglicismo *'chutar'* en *fulano va que chuta* (= 'está muy bien', 'se halla en óptimas condiciones'.) —*¿Qué clase de tabaco fuman ustedes? —De la Tabacalera* (= 'tabaco ordinario') *y vamos que chutamos.* En ADRO XAVIER, ob. cit., pág. 280, leo: *Contentaros* [infin. con función de imperat.] *con doce y vais que chutáis.* Ibid., pág. 95: —*Me llaman José Román, pero para ti: Pepe, y voy que chuto.* En ALFONSO PASO, Ve, ocurre: [...] *de siete a ocho duermes que te mondas* (pág. 30).

FRASES AFECTIVAS PARA INDICAR CANTIDADES ÍNFIMAS, O PERÍFRASIS DE LA IDEA DE 'NADA', 'ABSOLUTAMENTE NADA'. — La idea de 'nada' se encarece enfáticamente mediante comparaciones con objetos sin valor, identificándola con ellos, procedimiento por el

---

[76] E. LORENZO (pág. 149) me recuerda el popular *tiene usted más razón que un santo,* al cual añado la variante *(más r.) que el papa.*

cual queda como concretizada [77]. Así se explica que, por ejemplo, «Fr.» 16 *A mí me importa u n b l e d o* [78] sea de mayor efecto que *no me importa nada en absoluto,* a pesar de que, en lógica rigurosa, *bledo* (del lat. *blitum)* siempre es algo más que nada. (Lo mismo vale para el alemán «Pfifferling», «Deut» y similares.) En su calidad de abstracto, *nada* nunca puede surtir efecto de tanta eficacia como el nombrar cualquier objeto concreto de valor nulo con que se compare y que en la apreciación subjetiva del hablante significa 'menos que nada'. Los respectivos sustantivos de comparación son mucho más numerosos que en alemán. Las variantes más empleadas de *bledo* son: *un comino, un pepino, una patata, un pito* (o *tres pitos).* El DM trae además: *me importa un pimiento, una higa, un pitillo* [79], *un rábano, una chita* [80]. Quedan aparte, por intencionadamente vulgar, *una mierda* (recogido en el DM), por irreverente *una hostia,* por obsceno *un cojón* [81] (CAMILO J. CELA,

---

[77] Cosa que ya tiene sus analogías en el latín coloquial (J. B. HOFMANN, ob. cit., pág. 81). Para el español antiguo, véase E. L. LLORENS, «La negación en español antiguo», Madrid, 1929, págs. 185-192.

[78] DÁMASO ALONSO (en W. V. WARTBURG, ob. cit., págs. 225 y 186) señala la indiferenciación semántica de todos estos nombres: *bledo, comino, rábano,* etc., «no tienen más sentido que el de vagas alusiones a cosas sinvalor». *Bledo,* según el diccionario de SOPENA es «una planta salsolácea», cuyas hojas se comen cocidas. Dice con razón AMBROSIO RABANALES en «Introducción al estudio del español de Chile» (Univers. de Chile, pág. 82), que «el capítulo más caótico de la lexicografía española, aun dentro de la propia España, son los nombres de flora y fauna [...], que varían, no ya de región en región, sino de aldea en aldea».

[79] Derivado humorístico de *pito,* por semejanza de forma entre este objeto y el cigarrillo.

[80] Del juego de la chita o taba procede el giro *dar en la chita* 'dar en el hito'. Todos los diccionarios incluyen, dentro del artículo dedicado a *chita,* el modo adverbial *a la chita callando* 'con mucho silencio, sin meter ruido', cuya etimología, sin embargo, es otra, pues se trata de una de tantas interjecciones para imponer o reclamar silencio; cf. *¡chitón!* y *¡chito!,* ambas derivadas —así como el *chistar* cit. en la pág. 248— de la forma interjectiva *¡chist! (¡chss!).*

[81] Que parece contradecir el empleo señalado (por Cela) pocos renglones más arriba en el ejemplo *es una vajilla buena, pero cuesta un cojón;* pero es que en *me importa un c.,* la palabrota tiene un fuerte sentido negativo de rechazo, casi interjectivo. En vez del vulgar *¡mierda!*

art. cit. aquí, pág. 204). Todas estas designaciones de cosas «de señaladamente poco valor» se asocian de preferencia con *me (le, nos,* etc.) *importa (un bledo, una chita,* etc.), y también a *se me (le, nos,* etc.) *da (una higa, una patata,* etc.); por ejemplo: *se le daba un pitillo de aquella carta.* «Fr.» 8 *No tiene n i p i z c a de formalidad (pizca* 'pedazo insignificante'). Ibid. 19 *Este hombre no tiene n i p i z c a de sentido común.* EMH 41 *Parece mentira, u n a p i z c a de hombre.* «Fr.» 19 *No tiene n i u n á p i c e de patriotismo...* ('ni huella') ...*Apex* 'bonete (de sacerdote) puntiagudo', ya tuvo en latín la significación 'pico extremadamente agudo de un objeto'[82]. «Fr.» 19 *No sabe* (más corriente: *no dice) n i p í o*[83] ('ni piar') con las variantes *(no sabe) ni torta, ni pun, ni palote, ni un pimiento* (E. Lorenzo, pág. 149); yo añado: *ni una pajota.* La frase: *no sabe hacer la o con un canuto,* también citada por E. Lorenzo, la oí hace treinta años en Andalucía (Granada). «Fr.» 43 *Aquí ya no cabe n i u n a l f i l e r.* —*Un puñado* (lo mismo que el alemán «eine Handvoll') sólo en situación determinada se hace inequívoco: *un puñado de duros* lo mismo puede significar una gran cantidad que unos cuantos duros. Sólo la entonación y el contexto respectivos dan la clave.

El uso de *punto* en «Quijote», I, 8: ...*sin detenerse u n p u n t o,* o Ibid. 65: ...*sin faltar u n p u n t o a la verdad del caso,* recuerda al francés «ne point». Aún hoy se oye a veces en Andalucía. También el francés antiguo «ne... mie» tiene una

---

(fr. merde!) se oye el eufemismo *miel,* o, más enfático [me importa] *una m i e l fresca* (de una carta de José Polo).

[82] Según M. Morreale, *ápice* es variante culta de *jota,* y ambos de origen bíblico: Mat. 5, 18: «jota unum et unus apex», que J. de Valdés traducía «una *jota* o un *ápice*».

[83] *No dijo ni pío* (o *ni pío dijo*), según Juan M. Lope Blanch, ob. cit., pág. 78, se refiere originariamente a una muerte repentina. Puede significar también: *no dijo una sola palabra* con la variante popular: *no dijo ni esta boca es mía* (pág. 248). Como negación afectiva al lado de *no sabe (ni) una jota, (no tiene) ni idea,* y otras, se ha puesto de moda *ni pun,* p. ej.: *es usted uno de esos gallegos de pura cepa, que sienten morriña en cuanto se alejan de su terruño. ¿No es así? —Pues no, señor, no es así. De morriña, ¡n i p u n!* (Se escribe con *m* o con *n,* pero se pronuncia casi siempre: *ni pun*).

correspondencia en el español coloquial: «Quijote», II, 50 ...*no sé leer m i g a j a*. En la actualidad la palabra se usa casi exclusivamente en la forma *miaja* significando 'un bocado', 'un poco'. P 3 Camarero: *La obligación de usted debiera ser otra.* —Rita: *¿Cuál?* —Camarero: *Quererme u n a m i a j i t a*[84]. EMH 75 ...*uno tié s u m i a j a de partido...* ('éxito con las mujeres'). EMH 59 *Hasta de aquí a u n a m i a j a ,* 'hasta ahora'.

Desde el punto de vista sintáctico es curioso «Fr.» 16 *A mí me importa m a l d i t a l a c o s a .* El giro es muy antiguo, encontrándose ya en el «Lazarillo», I: *... comenzaba la fuentecilla a destilarme en la boca, la cual yo de tal manera ponía que m a l d i t a l a g o t a se perdía* (es decir 'juro que no se perdía...'). SC 38 *Yo no le encuentro m a l d i t a l a g r a c i a .* También ocurre elípticamente: A: *¿No le encuentras gracia?* —B: *M a l d i t a ;* estudiado por SPITZER en «Literaturblatt für germanische und romanische Philologie», VI, pág. 211. En ocasiones se introduce *de Dios* como complemento de *maldito: ...de no servir para m a l d i t a d e D i o s la cosa* (PÉREZ DE AYALA, «Política y Toros», pág. 50, citado por M. L. WAGNER). Véase también S. FERNÁNDEZ RAMÍREZ, obra citada, pág. 143, nota 1. Es frecuentísimo *maldito (el) caso: Su tía Lolita está como distraída. Alfredo sospecha que no le está haciendo m a l d i t o e l c a s o* (CELA, ob. cit., pág. 186). Añado: *Esos colegios, m a l d i t o si valen para algo,* o *m a l d i t o para lo que valen.* F. RODRÍGUEZ MARÍN incluye la expresión en «Modos adverbiales castizos y bien autorizados» (Madrid, 1931, pág. 57) con la oportuna cita de Villalón, «Viaje de Turquía» (ap. «Autobiografías y memorias», pág. 10): *...m a l d i t a l a c o s a (que) la aprovecha pedir ni importunar.*

En conexión con los citados sustantivos para encarecer el escaso valor de una cosa o de una persona, hacemos observar la predilección por los numerales dos, tres y cuatro: *No vale t r e s pitos,* etc. (véase más adelante, pág. 369). También se impone aquí la comparación con monedas[85] de poco valor:

---

[84] En andaluz, *una mijita* o *mijiya (mijilla).*

[85] Valdría la pena hacer un estudio más exhaustivo que el de C. CLAVERÍA titulado «Algunas designaciones jergales del dinero» («Correo Eru-

no vale un céntimo, no vale una perra chica, no vale una gorda, no vale d o s céntimos falsos (!). VS 33 ...*todas estas antigüedades que le coloca el ciceroni no valen c u a t r o perras chicas.* Refiriéndose a personas se dice: *no vale lo que costó bautizarle; no vale lo que un gorrión; no vale el pan que come,* etc.

Para expresar la e x t r e m a p o b r e z a de una persona se emplea la fórmula *no tiene* + objeto, que, una vez más, brinda toda clase de posibilidades de improvisación a la imaginación del hablante, prevaleciendo como complemento los nombres de moneda que también aquí hacen el gasto: *no tiene dos pesetas (una peseta, un céntimo, un real, un cuarto, un ochavo, una perra, ni cinco,* etc.). Aumenta la evidencia de la pobreza al añadirse, *en el bolsillo,* con lo que la expresión resulta reforzada. Lo mismo cabe decir respecto de amplificaciones humorísticas como *no tiene un céntimo partido por medio* [86]. Aún más allá van expresiones como *no tiene más que el cielo y la tierra* [86]. «Fr.» 29 *No tiene dónde caerse muerto y no tiene adónde volver la cara* (DM) recuerda la frase evangélica (Lucas, IX, 38): «el Hijo del Hombre no tiene dónde reclinar la cabeza».

'N a d a' e n c o n e x i ó n c o n v e r b o s d i c e n d i. *No decir chus ni mus* [87] ('ni una sílaba). En vez de *chus* se emplea

dito», V, 1952, págs. 234-235), sobre el dinero en general, y de monedas en particular. Aquí sólo unas cuantas de las que más se oyen. Para d i n e r o : (los) *cuartos,* (los) *monis(es), pasta, guita,* el git. *parné; tela,* con la deformación lúdica *telángano;* para p e s e t a : *pela, cala, beata* (véase «El humorismo en el español hablado», pág. 34), *castaña, leandra;* un d u r o (cinco pesetas) es un *machacante;* u n b i l l e t e d e m i l p e s e t a s es *una sábana* o *un verde,* que alude al color, como *un azul* al de un billete de quinientas pesetas. Véase también JAIME MARTÍN, ob. cit., pág. 317. Designaciones jocosas para el acto de p a g a r : *soltar, apoquinar,* y aun *sacudir la pasta.* Tres ejemplos de una sola novela, «Pueblo», de FRANCISCO CANDEL: ...*el trabajito ese no se hace a menos que s a c u d a n l a p a s t a* (pág. 100); [...] *la* (= le) *tendré que s o l t a r l a p a s t a* (página 137); *déjese de rollos y s u e l t e l a t e l a* (pág. 176). Al lado de *soltar la guita* o *la pasta,* he oído con particular frecuencia: *aflojar la mosca* y *apoquinar* (= 'pagar') *los cuartos.*

[86] Expresiones de poco uso hoy (Sobejano). En vez de *no tener más que,* también se dice *quedarse con: S e q u e d a* (la viuda y los huérfanos) *con el día y la noche...* (BUERO VALLEJO, ob. cit., pág. 70).

[87] También raras actualmente (Sobejano).

también *tus*. Ambas voces sirven «para llamar a los perros» (DA); no tienen, pues, contenido conceptual de ninguna clase. Igual vale para *sin decir oxte ni moxte* [87]. La interjección *oxte*, poco usual, «se emplea para rechazar a persona o cosa que molesta, ofende o daña» (DA). Otras variantes: *sin chistar palabra*, cuyo verbo se ha creado sobre la interjección *¡chist!* empleada para imponer silencio. Y así: *sin chistar ni mistar* [87] (DA), con la variante *sin paular ni maular* [87] (DA). Ni *mistar* ni *maular* existen como palabras independientes, sino únicamente en combinación con *chistar* y *paular* (ésta, cruce de *hablar + parlar*). En todas estas expresiones se manifiesta una señalada «predilección por la rima», según SPITZER («Stilstud.», I, 105) un rasgo muy popular y naturalista [88]. Lo más oído actualmente son abreviaciones de dichas fórmulas: *sin decir ni mus; sin chistar*. Y también *sin decir ni pío*.

Mencionemos por fin: *sin decir (ni) jota*, y, en relación con ésta, *no entender jota* [89], o los muy corrientes hoy: *no entender una patata* (o *ni papa*), *no entender ni torta* (en el habla irreverente, *ni hostia*), y, particularmente en Madrid, *ni gorda*, es decir, *ni una perra gorda* (según M. L. WAGNER); *no saber jota* (DA) y *sin faltar jota* (DA), equivalente a 'sin faltar una coma'. En las locuciones con *jota*, esto indudablemente no se refiere a la letra *j* sino a la iota suscrita del alfabeto griego, y este detalle demuestra que dichas locuciones, hoy archipopulares, son de origen erudito, probablemente bíblico. Tiene neto cuño popular *sin decir esta boca es mía* 'no diga Vd. media palabra; como si no tuviera usted boca'.

Un dedo, dos dedos, cuatro dedos 'el ancho de un dedo, etc.', son otras tantas designaciones de medida muy frecuentes para encarecer extensiones excesivamente pequeñas. PC 17 (Acotación escénica): *tiene una cara de bestia que asusta: u n d e d o*

---

[88] Comp. formas como *tejemaneje, tiquismiquis*, o el fr. «pêle-mêle», por sólo citar algunas. Al mismo grupo pertenecen los giros *andar de la ceca a la meca, leer de cabo a rabo, saber una cosa c por b*. Véase J. MO-RAWSKI, «Les formules rimées de la langue espagnole», RFE, XIV, 1927, y D. ALONSO, en W. v. WARTBURG, ob. cit., pág. 133, n. 97.

[89] Véase pág. 244.

de frente, el pelo cerdoso, etc. Se oye con más frecuencia *d o s dedos de frente: Fulano no tiene (más que) dos dedos de frente,* 'es de pocas luces'. EMH 69 *La baraja* ('el vicio del juego') *tiene detrás una mujer y a d o s d e d o s* (= 'muy cerca') *una botella.* Otras posibilidades: VS 67 *Claro, que de ser lo que es usted a descerrajar baúles hay el canto de u n p a p e l d e f u- m a r*[90]. Con objeto de comparación semejante: EMH 48: ...*se me ha sentado una señora, pero guapísima, a la distancia de u n p a p e l d e s e d a.* Es muy frecuente *el canto de un duro,* a cuya imitación deben de haberse formado secundariamente los giros precedentes, más atrevidos. LC 31 *E l c a n t o d e u n d u r o me faltó*[91] *para salir y pegarle una bofetada.* 'Un poco' se expresa también (hoy rara vez) por *un adarme,* unidad de peso medieval de origen árabe. VS 67 *Yo creí que tendría u n a d a r m e*[92] *de decoro.*

Pequeñas cantidades de dinero, y en ocasiones también grandes sumas en expresión irónico-eufemística, se designan con *pico.* Así, en EUB 34 se llama *piquillo* a una deuda de 50.000 pesetas, cantidad fabulosa por entonces. En SC 10 *Repito a usted que no me marcho de esta casa mientras le deba a usted ese p i q u i l l o;* el tal *piquillo* asciende a varios cientos de pesetas que para el pobre músico que lo dice representan una suma inalcanzable. Tiene su valor literal en SC 67 *Le di los cuarenta duros y u n p i c o para el viaje...* A este propósito mencionaré

---

[90] Los cigarrillos de la tabacalera española suelen ir envueltos en mal papel, por lo que la mayoría de los fumadores se lo cambian por otro mejor. A este continuo uso de los papeles de fumar se debe la frecuencia del giro arriba citado.

[91] Esto recuerda el divulgado *es lo que faltaba para el duro,* para el cual véase pág. 198. Aquí encaja también el irónico *faltaría más* = 'no faltaba más', p. ej. —(...) *usted no tendrá inconveniente, ¿verdad? que dejemos las bicis aquí* (...) —*Pueden hacer lo que quieran; f a l t a r í a m á s* («Jarama», pág. 15).

[92] *Adarme* me recuerda el típico dicho popular *más vale un a d a r m e de favor que un quintal de justicia.* Conste además que *adarme* (de origen árabe) como otras designaciones antiguas de monedas y medidas, suelen perdurar en la fraseología mucho más allá de cuando se usaban en su tiempo, p. ej.: *tal cosa no vale un o c h a v o o un m a r a v e d í; no tengo c u a r t o s,* con analogías en otros idiomas.

a las tres y p i c o («Fr.» 22) 'poco después [93] de las tres'. *Pico* se emplea además para expresar un número indeterminado superior a un decimal: *el joven tendría veinte y pico de años* (o *veinte años y pico)..., trescientos y pico de oyentes.* Compárese: *Tendrá cincuenta años y pico; bueno, muy pico* 'cerca de los sesenta'.

Para recalcar lo corto de un espacio de tiempo sirve *en un abrir y cerrar de ojos* que ya aparece en el «Quijote», I, 17: *...yo haré ahora el bálsamo preciso con que sanaremos e n u n a b r i r y c e r r a r d e o j o s* [93 a] ('en un instante'). Las variantes de esta expresión son casi todas de origen religioso. *En un decir amén* 'en el tiempo que se necesita para decir amén' (SPITZER, «Aufs.», 214 y sigs.). *En un santiamén.* «Me parecen vestigios del rezo de carretilla todos los casos en que aparece como unidad de tiempo el nombre de una oración: *...en un santiamén* es un «étalon» compuesto de dos palabras casualmente unidas, pero sin ligazón sintáctica *(in nomine patris et filii et spiritus) s a n c t i a m e n.* Sobre todo el nombre de Jesús o el padrenuestro (también el credo) aparece como unidad mínima de tiempo» («Stilstudien», I, 142) [94]. Pertenecen a este tipo

---

[93] En cambio, *poco antes de las tres, sobre las tres, a las tres menos minutos.*

[93 a] Véase: TOMÁS SALVADOR, ob. cit., pág. 167.

[94] «Se habrá observado —dice SPITZER— que precisamente España, tierra del más fervoroso catolicismo, es la que más prodiga la aplicación burlesca de las fórmulas eclesiásticas a lo cotidiano. Es que la misma impregnación religiosa da origen a una irradiación lingüística especialísima, lo mismo que ocurre en el ámbito mental de una actividad o profesión determinada, donde la lengua de sus miembros se entreteje continuamente con los términos de esa profesión» («Stilstud.», I, 144). Aquí encaja la mención de otro vocablo de origen «inconfundiblemente litúrgico», el burgalés *tumbítulos* = lat. 'tuum vitulos' del célebre salmo penitencial, cuyo último versículo dice: «tunc imponent super altare t u u m v i t u l o s» (final de los oficios llamados de las tinieblas). «A los pocos segundos de apagarse los últimos ecos de estas palabras, nos dice MANUEL RABANAL en su delicioso libro (págs. 297-299), se apagaban las luces del templo y se hacía... un sordo estrépito, al que, en los pueblos, solía sumar la chiquillería su fragorosa colaboración de carracas.» De ahí *tumbítulos* = jaleo, estruendo, alboroto, etc., p. ej., *¡menudos tumbítulos que armó el buen señor!; está visto que tiene ganas de tumbítulos,* etc.

*en un decir Jesús; en un credo; en menos que se dice un
credo; en menos que se reza un padrenuestro (un avemaría)* [95];
y el humorístico *en menos que se santigua (persigna) un cura
loco.* Véase también JULIO CASARES, «Introducción...», pág. 223.
Añadamos: *en menos que canta un gallo; en un periquete* «un
brevísimo espacio de tiempo» (DA), probablemente formación
festiva sobre *Perico,* diminutivo popular de Pedro. *En un dos
por tres* [96]. EMH 42 *...a ese le veis, a n t e s d e n a a* ('en poquí-
simo tiempo') *de rodillas y a mis pies.* PC 51 *Mujer, yo he oído
que, h a s e n a* ('hace un momento, ahora mismo'), *te estaba
diciendo reina.* En vez de *hace nada* también *ahora mismito* y
ahora poco. Véase también A. RABANALES, ob. cit., pág. 278.

PROCEDIMIENTOS EXPRESIVOS PARA
PONER DE RELIEVE UNA ACTIVIDAD

Tenemos que ver ante todo en qué clase de ideas verbales
se siente la especial necesidad de intensificar la expresión. En
cuanto se trata de RELACIONES TRANSITIVAS, observamos que, en
general, son los verbos que expresan en el más amplio sentido
de la palabra la actividad destructora sobre personas o cosas;
al tratarse de ideas verbales intransitivas, encontraremos en
forma afectivamente realzada principalmente las que designan
movimientos del ánimo, como ira, miedo; emociones placente-
ras. En resumen, las pasiones más elementales, como odio y
amor, simpatía y antipatía, veneración y desprecio, adhesión y
recusación, son, como vamos a ver, las que se manifiestan en
el lenguaje coloquial de modo particularmente expresivo.

Primero las numerosas expresiones que hay para la idea de
d e s t r u c c i ó n (matar, pegar, destrozar, lesionar, etc.). En el

---

[95] Según H. LAUSBERG (Res. en la rev. «Archiv f. d. Studium d. neueren
Spr.», col. 110, fasc. 135), todas estas expresiones provienen de la vida
conventual (EDOUARD SCHNEIDER, «Les Heures bénédictines», Ollendorff,
Paris, 1920).

[96] *En un dos por tres* ocurre ya en Quevedo (F. YNDURAIN, ob. cit.,
pág. 111).

lenguaje diario el verbo *matar* pierde con frecuencia su significado propio: *¡me ha matado!* se emplea a veces con igual sentido que *¡me ha fastidiado!*, vulg. *me ha partido por el eje,* 'me ha hecho un grave perjuicio' (comp. alemán «er hat mich ruiniert, kaputt gemacht»). Dícese irónicamente: *...y a mí (a nosotros, a los demás,* etc.) *que me (nos, les,* etc.) *parta un rayo;* p. ej.: (...) *¡qué bien te sabes coger el mejor sitio!* (...) *A los demás q u e n o s p a r t a u n r a y o* (= 'te tiene sin cuidado dónde nos sentamos') («Jarama», pág. 29). Así se explica el juego de palabras de EUB 11 Segundo (cuyo conato de suicidio ha sido frustrado por el amigo que le salvó): *¡Qué has hecho!* —Guzmán: *Hacerte vivir.* —Segundo: *¿Hacerme vivir?... ¡Desgraciado de mí! Haciéndome vivir m e h a s m a t a d o* [97] ('me has hecho el mayor perjuicio'). Lo mismo que se dice hiperbólicamente: *si se entera mi jefe me mata,* o cuando, al conocer el elevado precio de una comida, los consumidores comentan: *¡Nos ha matado!* 'nos ha arruinado'. SC 67 Menéndez (con burla a su patrona): *¡Ahora a Madrid! ¡A m a t a r* (también: *reventar) de hambre a los pupilos!*

Para la idea de la matanza verdadera, la lengua coloquial echa mano de otras expresiones más fuertes. CC 45 *¡Nos escabechan!* [98]. La fuerza de la expresión está en que en ella, la

---

[97] Lejano eco profano de frases místicas, como aquellas celebérrimas de Santa Teresa:

> Vivo sin vivir en mí
> y de tal manera espero
> que muero porque no muero.

Y la paráfrasis correspondiente de San Juan de la Cruz:

> ...y sin Dios vivir no puedo.
> Pues sin él y sin mí quedo,
> este vivir ¿qué será?
> Mil muertes se me hará,
> pues mi misma vida espero,
> muriendo porque no muero.

(«Obras completas», edic. de Pedro Salinas, pág. 31).

[98] Entre estudiantes, *escabechar* (y *salir escabechado*) es 'suspender en un examen', lo contrario de *aprobar* o *pasar.* Junto a *escabechar* se usan *cargar* (o *cargarse), revolcar* (o *dar un revolcón), no pasar, catear,*

muerte se da ya por supuesta (pues no se escabecha a un animal vivo); lo mismo sucede en EUB 72 ...*me apiolan*⁹⁹. *Apiolar* significa «atar un pie con el otro de un animal muerto en la caza, para colgarle por ellos» (DA). Para más detalles sobre *apiolar* = 'matar', véase JUAN M. LOPE BLANCH, ob. cit., pág. 73, § 6. En lenguaje estudiantil, en lugar de los pasivos *ser suspendido* y su antónimo *ser aprobado* (en una asignatura), es corriente decir, p. ej. *suspendí mate* = 'me suspendieron', 'me catearon', 'me escabecharon en matemáticas', con los antónimos (en vez de *me aprobaron en latín*, etc.: *aprobé latín*). Véase también R. CARNICER, Lh, págs. 34-35. Un análogo cambio de régimen se observa en el familiar *q u e d o este libro* en lugar del más correcto *m e q u e d o c o n este l.* VS 66 *Con poco que haga m e d e s e m p a d r o n a* es creación ocasional: si *empadronar* es 'inscribir en el registro', *desempadronar* es 'borrar, dar de baja', lo que una vez más presupone que ya ocurrió la muerte. En todos estos casos el acto respectivo se da por cumplido ya. Los tres verbos citados en este empleo, podrían añadirse como nuevos datos al material analizado por SPITZER en su estudio «Fait-accompli-Darstellung» (en «Jahrbuch für Philologie», II, págs. 270 y sigs.). Aquí encajan modos de expresión como en «Fr.» 30 *Le disparó un pistoletazo que le dejó seco en el acto;* el resultado de la acción fue que quedó muerto inmediatamente. A veces se nombra sólo una parte del cuerpo contra la que va dirigida la destrucción. VS 68 *Sinapismo le chafa el cráneo...* EUB 50 *...yo le aplasto el cráneo,* dos

---

dar un cate, tumbar y *dar calabazas,* además de *salir suspenso, llevarse un suspenso* y, humorísticamente, *llevarse un sobresaliente con tres eses.* (Un estudiante a su compañero): (...) *y tú e s t á s c a r g a d o. No han firmado las notas aún, pero estás s u s p e n d i d o* (FJ 25). En vez de 'suspendido', 'cargado', etc., se dice en México *tronado* (cf. en E s p a ñ a : *tal empresa ha t r o n a d o* = '...ha quebrado').

⁹⁹ A propósito de *apiolar,* se usa con idéntico significado también en Méjico. Véase JUAN M. LOPE BLANCH: «Algunas expresiones mexicanas relativas a la muerte» (NRFH, XV, 1961, págs. 69 y sigs.). «Escabechar», dice el mismo autor, pág. 75, § 10, poner en escabeche como a los pescados (lo cual implica una muerte previa) «es uno de los eufemismos festivos más populares en México y en cualquier región donde se hable español».

variantes humorísticas del más gastado e incoloro *romperle a uno la cabeza;* y esto, a su vez variado por *romperle a uno el bautismo* («Fr.» 57), es decir, la parte del cuerpo que recibe el agua bautismal (la cabeza); *romperle* (o *partirle,* o *estropearle) a uno la cara* y *romperle la crisma.* Es popularísima la ingenua asociación de *romper* con nombres a b s t r a c t o s : *romperle a uno el alma* y *la estampa,* es decir 'la figura entera'. EMH 70 Antonio (refiriéndose a un pistolero peligroso): *Te pega un tiro y te estropea la piel y el terno* (obsérvese la humorística inversión del orden, contrario a la realidad, así como el empleo del término *terno* [100] 'traje de tres prendas' de tan cómico efecto en esta situación). Entre el vulgo es corriente la amenaza *te voy a sacar las tripas;* también, *las entretelas.* M. L. WAGNER, en su reseña cita, entre otros, *despachar* y *mandar al otro barrio* 'al más allá: matar', a los que agregamos *cargarse* [101] *a uno, dar el pasaporte, dar el paseo* [102], *liquidar, eliminar. Dar el pasaporte,* ocasionalmente *pasaportear a alg.,* significa también 'mandar a paseo' o (más fuerte) *echar a alguien con cajas destempladas.* JOSÉ VALLEJO (pág. 365) cita *dar (la) boleta* como «más popular»; pero hoy apenas ya se oye, probablemente por ser el *pasaporte* más generalizado como documento y por lo tanto más popular que antes. Además: *retorcer el pescuezo* (como se matan las aves) que también, según LOPE BLANCH (pág. 72), se usa en Méjico. Y *quitar el pellejo* con su antónimo *dar, entregar el p.,* que Blanch califica de «expresión española general» = 'morir'. En cambio: *despellejar a alg.* [*vivo*] = 'hablar mal de él'. *Sacarle a uno las*

---

[100] Cf. alemán «jemandem den Frack verhauen».

[101] H. SCHNEIDER (Res., pág. 359) nos advierte que modernamente c a r - g a r s e puede referirse también a o b j e t o s (= romper, estropear, destruir). Como ejemplo cita: *Hombre, ya me estoy cargando esto* (e. d., el forro de un libro al desenvolverlo el hablante con prisa y descuidadamente). La polisemia del verbo *cargar* también ha llamado la atención de A. ROSENBLAT para Venezuela; véase el párrafo «cargar» en la ob. cit., págs. 42-45.

[102] O irónicamente eufemístico con diminutivo *dar el paseíto* o *el paseíllo,* evoca las trágicas circunstancias en que se empleaba durante la guerra civil (M. MORREALE, Res., págs. 117-118).

tripas y *abrirle en canal* también mencionados por BLANCH, son igual de populares en la península *(sacar las tripas* preferentemente como a m e n a z a : *¡te vi (= 'voy') a sacar las tripas!)* Es muy corriente (al menos en España): *Estaba gritando c o m o s i l e a b r i e r a n e n c a n a l.* También la mayoría de las designaciones de la muerte voluntaria *(suicidarse* en el lenguaje culto, *matarse* en el lenguaje familiar) se concreta en una determinada parte del cuerpo. Junto al corriente *pegarse un tiro* se oye mucho *levantarse la tapa de los sesos.* VS 63 *...se destapa el cráneo.*
Otras expresiones que designan el acto de matar se basan en imágenes equivalentes al alemán «kurz und klein schlagen». EUB 85 *Pues si me lo dice a mí, le h a g o p o l v o . Hacer polvo* se dice muchísimo lo mismo de personas que de cosas. VS 63 *...Si cogiera ahora mismo al que lo ha propinado* (el golpe) *le h a c í a* [103] *p a v e s a s . Hacer cisco,* dicho de cosas frágiles como cristal, porcelana, etc., es aplicable también a personas. VS 64 *Éste lo hace trizas.* También *hacer astillas; hacer papilla; hacer migas.* Creaciones ocasionales humorísticas: *hacer carne líquida; hacer puré (de patatas); hacer harina (Nestlé)* y otras semejantes. En A. DE LAIGLESIA, CSA, pág. 238, ocurre: *se le h i z o p u r é su smoking.* JOSÉ POLO me indica por carta *hacer cénico,* con el mismo significado. Supongo que *cénico,* en realidad, es *fénico,* lo mismo que *Celipe = Felipe.* Esta confusión de [c] ante [e] o [i] y [f], dos sonidos a c ú s t i c a m e n t e casi idénticos, se da también en otros idiomas: la [ϑ] griega, en el nombre de pila Θεόδωρος (Teodoro), en ruso dio [f]: *Feodor.* Los niños ingleses, en vez de *think* pronuncian «fink» (como muchos rusos al hablar inglés). Una seudoerudita latinización del vulgar *hacer polvo* dio *pulverizar* [104] (corriente sobre todo

---

[103] Para el imperfecto en vez del condicional *(haría),* véase nota 54 de este capítulo.

[104] Otros seudocultismos semejantes: *holgazanitis, gandulitis, mieditis,* formados jocosamente con el sufijo *-itis* para designar o «diagnosticar» al 'atacado de holgazanería...', etc. También *sablista* 'el que vive del sable (o d a s a b l a z o s)', es decir, el que pide dinero con el sano propósito de no devolverlo en su vida; *burrología, asnología;* así, *Fulano es un gran burrólogo (asnólogo)* 'un burro (o un asno) de marca mayor que se cree

entre estudiantes). Los participios *hecho polvo, hecho pavesas, hecho trizas, hecho astillas, hecho papilla, hecho migas,* significan en principio 'roto' en el sentido más literal de esta palabra, pero también, 'rendido de cansancio', 'muy apesadumbrado', o cosa semejante; por ejemplo: *llegué a Madrid h e c h o t r i z a s. Esa noticia me ha dejado h e c h o m i g a s* [105].

Si examinamos los recursos que tiene la lengua coloquial para traducir la idea de ' p e g a r , a b o f e t e a r ' nos encontramos con una cantidad poco menos que inagotable de posibilidades expresivas. En el «Quijote» aparece *vapular* [106] (o *vapular)* como simple verbo afectivo en el sentido de 'dar palos'; también en el sentido figurado de 'criticar a uno'. De *palo, dar palos* se ha derivado *apalear* [107], que también ocurre en el «Quijote», I, 19: *Don Quijote los a p a l e ó a todos. Pegar* se usa principalmente en el sentido de 'golpear': *pegar a un perro;* pero puede tener también un objeto próximo y otro remoto: *pegarle a uno una bofetada.* (Comp. alemán «jemandem eine kleben»). En sentido distinto se usa: *pegarse una vida padre,* o *una vidorra; pegarse un susto; no he pegado ojo en toda la noche.* Ahora bien: como se dice también *pegar un sello,* esta significación en combinación con la anterior da pie al retruécano *Fulano es más infeliz que un sello de correo, que todo el mundo le pega.* En vez de *pegar,* que en lenguaje vulgar puede tener

---

sabio'. La misma formación que *sablista* presentan *cobista* (de *dar coba* 'adular'), *bromista* (de *dar bromas* y *bromear), juerguista* (de *juerga), camorrista* (de *armar camorra),* formados sobre la pauta de *nacionalista, socialista,* etc. Véase BEINHAUER, «El humorismo en el español hablado» (págs. 149-151). En «Jarama», pág. 34, ocurre: —*¡Vaya una g a n d u l i t i s que traemos todos esta mañana!*

[105] En cambio, se dice en sentido elogioso que, p. ej., un 'libro bien hecho e interesante, sustancioso', etc., tiene *mucha miga.* Por otra parte, un asunto 'difícil de resolver' o 'que se las trae', también puede *t e n e r m á s m i g a que un pan de cinco kilos* (T. SALVADOR, ob. cit., pág. 89). Me recuerda el popular: *esto es el d e s m i g u e* = 'el disloque' o sea 'el colmo de los colmos', etc.

[106] En el latín coloquial *vapulare* significa 'gemir', 'recibir una paliza' (HOFMANN, ob. cit., pág. 11).

[107] En este sentido, *apalear* viene de *palo;* hay otro *apalear,* derivado de *pala: apalean el oro* (= son enormemente ricos).

complementos como *un grito, un salto, un susto,* se usa también *dar,* más descolorido, sobre todo en el *dar palos,* citado incidentalmente más arriba, el que a su vez alterna con *dar de palos,* igual que *dar (de) bofetadas* y otros. La idea de 'dar una bofetada' puede alcanzar varios grados afectivos mediante modificaciones verbales: *dar una bofetada;* siendo más fuerte: *pegar una bofetada;* y más aún: *arrear o atizar una bofetada.* (Comp. las interjecciones *¡arrea!* y *¡atiza!*) (En alemán se da «eine geben», «eine verabfolgen», «eine kleben», «eine herunterhauen», «eine spritzen» y otros semejantes.) A esta serie se asocian con el mismo significado *endiñar* y *endilgar, propinar, encajar, largar* y *asestar: propinar (o endiñar) una paliza; asestar una puñalada,* y otros semejantes [108]. *¡A ver si te arreo un sopapo!* (C 24).

Son varias las designaciones de clase de golpe usadas como complemento de los verbos citados. La sola palabra *golpe* (fr. «coup»), con estar poco cargada de afectividad, también se emplea al efecto en la lengua coloquial [109]. En lugar de *bofetada* se oye más frecuentemente *bofetón;* siendo de eficacia más «concreta» *torta, chuleta, galleta* y el irreverente y frecuentísimo *hostia,* asociados todos ellos a la representación de objetos redondos y aplastados. Añado C 61 *¿A que te arreo una c h u - f a?* Ibid. 106 (nota escénica) *Nacho (saltando a pídola) le da*

---

[108] En el lenguaje de los «porrazos» son «cultos»: *propinar* (añado el irón. *administrar)* una bofetada, *asestar (= dar* o fam. *pegar)* una puñalada. En cambio, son populares: *largar, arrear, endiñar una bofetá, guantá* o *guantazo, trancazo...* y un sinfín de otras expresiones más o menos propias de cada sector y ambiente (M. Morreale, Res., pág. 119). A propósito del arriba mencionado *torta* ('golpe'), recuerdo haber leído en un editorial de ABC comentando la visita de De Gaulle a Somalia: *Este t o r t a z o al general...,* etc.

[109] Por ej., *dar el gran golpe* 'llevarse la palma' (fr. «*décrocher la timbale*»); *dar golpecitos en el hombro* 'mostrarse amistoso'; *un golpe formidable de Fulano* 'una gran ocurrencia' (cf. alem. «Schlager»). *Golpe* vuelve a su sentido literal en *de golpe y porrazo* 'súbita, inesperadamente' y en el descolorido verbo *golpear.* Se oye ahora muchísimo *no dar golpe* 'no trabajar': *¿Qué va a hacer una mujer como ésa, con setenta y cinco pesetas de pensión y un hijo que n o d a g o l p e?* (Buero Vallejo, ob. cit., pág. 57).

un buen l i q u e al trasero a Agustinillo. EUB 61 *Dentro se oye una ensalada de t o r t a s .* Además, casi siempre juega cierto papel, según M. L. WAGNER (reseña cit., pág. 118), la burla que se hace del interlocutor recordándole cosas de comer; véase: *Como que una servidora, la comida no la ve más que en amenazas: «Que te doy dos tortas, que te doy un capón, que te ganas una chuleta»* (C. ARNICHES, «La Chica del Gato», II, 11). JOSÉ POLO me recuerda: *dar a alg. un r e v é s = 'sopapo, bofetada que se da* con la parte externa de la mano'. En Madrid creo haber oído: *te viá (= voy a) dar una castaña,* con el aumentativo *un c a s t a ñ a z o .* C h u l e t a , en lenguaje estudiantil, a más de 'bofetada' significa 'un libro o un papel de que los estudiantes se valen fraudulentamente en el examen para copiar', p. ej. (D. Rafael, catedrático, encargado de la vigilancia en un examen): *¿[...] Estaba usted copiando?* —Juan (estudiante): *No. Regístreme, por favor.* —Aurora (una «acusica»): —*No tendrá la c h u l e t a ya* (ALFONSO PASO, Ve). La palabra *guantazo* (y *guantá,* vulgar) para «bofetada» responde a la representación humorística de los guantes de boxeo. EUB 61 *Por cada g u a n t a z o que se le arree dan diez pesetas.* Al *puñetazo* o sea el golpe en la cara con el puño se le llama *mojicón, capón, sopapo* o *cachete.* PC 17 *Le da un c a p ó n a Rosendito y le hace entrar casi de cabeza.* El bollo madrileño llamado *mojicón,* tiene igualmente la significación humorística de 'golpe, bofetada'. La nota característica de todas estas expresiones es la imprecisión y, por lo tanto, la poca diferencia que media entre unas y otras, fenómeno que se da en todas las expresiones intensivas, de las que coexisten tantas con igual o parecida significación, debido a que la constante busca de efectos inéditos produce una novedad tras otra. De *sobar el pellejo* y *tundir el paño* así como *zurrar la badana, curtir la piel,* se derivan: *dar o sacudir una soba (una tunda, una zurra),* todas con el significado 'propinar una paliza'. Añádanse *confites* 'azotes' y *somanta* (M. L. WAGNER, reseña, pág. 118). Son más inequívocas denominaciones de golpe en la boca o la nariz: *morrada* [110] (de

---

[110] *Morrada* y *moquete* apenas se oyen hoy (Sobejano).

morros [111] «saliente que forman los labios, especialmente los que son abultados y gruesos») y el naturalístico *moquete* (derivado de *moco*) [112].

El golpe dado con el pie se llama *puntapié* (de 'la punta del pie') o *patada* (de pata). *Echar a puntapiés (a patadas)* 'obligar a salir a golpes'. *Una paliza* (de *palo*) es toda una serie de golpes dados con un palo. *Una solemne paliza* [113] es como si fuera 'propia de los días de fiesta, es decir extraordinaria, o dada a conciencia, como si se tratara de un acto solemne'. CC 43 *Es fácil que nos den una p a l i z a*. VS 72 *Le a t i z a u n c a t e* [114] *a Bonilla que casi lo tumba*. La expresión es andaluza. PC 67 *...le viá* (= *voy a*) *dar u n t r a n c a s o que va usté a está buscando la cabeza una semana*. VS 66 *He sido la causa de ese trompazo* (de la trompa del elefante) *que le han arreado*. Los maestros de escuela suelen dar golpes con el puntero 'vara para señalar en el mapa' o con la palmeta, de donde se derivan *punterazo* y *palmetazo*. Al igual que éstos, hay muchos otros nombres formados con el sufijo *-azo*, que tiene precisamente la significación de 'golpe dado con' el objeto a cuyo nombre se agrega el sufijo. De *vara, varazo; regla, reglazo; puño, puñetazo* (formado sobre *puñete); silla, silletazo* (sobre *silleta*) y *sillazo; escoba, escobazo; botella, botellazo; culata* [115], *culatazo; bayoneta, bayonetazo*. Añado: *pegarse un trastazo* ('chocar o caer violentamente'); en vez de *trastazo*, también *porrazo*. (Véase

---

[111] *Estar uno con una cuarta de morros* 'muy enfadado' es ampliación humorística de *estar de morros* (= 'estar de mal humor'), esto último citado por D. ALONSO, en W. V. WARTBURG, ob. cit., pág. 222, n. 179. También ocurre en singular: *Laurita frunció e l m o r r o* («Colmena», pág. 142).

[112] Y de éste, a su vez, *mocoso, mocosa (mocosito, mocosita)* = 'joven inexperimentado, que presume de saber de lo que no entiende'.

[113] *Darle a uno un palo* (o *una paliza* o *un tortazo) en el periódico* 'censurarle allí acremente'.

[114] Probablemente de *catar* 'probar, saborear', en su forma de imperativo de cortesía sustantivado. Mi interpretación es ésta: '¡Cate usted cómo sabe!'. De ahí derivan *cate* 'suspenso', *catear* 'suspender', entre estudiantes. (RODRÍGUEZ MARÍN, edic. del «Quijote», Clás. La Lectura, 1922, I, pág. 232, n.)

[115] De ahí: *le salió el tiro por la culata* 'le salió la cosa al revés de lo que pensaba'.

también pág. 294). Y modernamente, en lenguaje vulgar, *guarra-zo* («Jarama», pág. 28). Se dice *a puñetazos, a culatazos;* sin embargo, cuando la expresión va unida con el adjetivo intensificativo *limpio,* aparece invariablemente en singular: *se disputaban los billetes a p u ñ e t a z o l i m p i o; andar a c o d a - z o l i m p i o.* En M. DELIBES, CHM, pág. 124, la protagonista elogia la «hombría» de un amigo, a cuya esposa cierto tipo había osado mirar y que entonces *le pegó a p e s c o z ó n l i m - p i o, muy en hombre, como hay que ser.* La mujer de un borracho le pega *a escobazo limpio.* De otra designación de golpe, *coscorrón,* se deriva la paráfrasis humorística del bíblico «lo que el hombre sembrare, eso recogerá»: *siembra coscorrones y recogerás sabios,* «principio educativo» que burlonamente se imputaba a los malos maestros; *pescuezo* (lat. *post coccium)* dio *pescozón.*

El modismo *zumbarle a uno la pandereta* (DM) supone la comparación humorística de ese instrumento con la piel del cuerpo sobre la que se descargan los golpes. (De ahí el erudito festivo *panderetólogo* 'entendido en golpes'). En CC 31 *...nos van a z u r r a r l a b a d a n a,* comparación con la piel de cabra o de oveja curtida (comp. alemán, «einem das Fell gerben»). Se anticipa el resultado de la paliza en expresiones como «Fr.» 30 *Te voy a dejar el cuerpo negro,* o *dejarle a uno como un Cristo* (DM), más frecuente (dejarle o ponerle a uno) *como un Ecce Homo* (E. LORENZO, pág. 150) ('maltratarle'); también *ponerle a uno como un Cristo* (DM), o *como la túnica de Cristo* (DM), o *ponerle a uno el cuerpo como un cordobán* ('piel de oveja curtida') y, la más frecuente de todas, *como una breva.* Añádanse *deslomar; medir las costillas,* alusión a la vara de medir con que se dan los golpes; y para terminar las variantes *romperle a uno las costillas* y *sobarle las costillas.*

Expresiones enfáticas del a t a q u e c o n p a l a b r a s: en el capítulo I, págs. 49 y sigs., hablábamos de insultos; aquí lo que nos interesa es el a c t o d e i n s u l t a r en sí. Se expresa generalmente a base de variantes del tipo citado arriba: *ponerle a uno como...,* sólo que el giro correspondiente no se ha de entender físicamente, sino en sentido figurado. El DM trae:

ponerle a uno como un estropajo; —como un harapo; —como un trapo; —como un pingo; —como chupa de dómine [116]; *—como un zapato* (que siempre está en contacto con la suciedad); *—como un guiñapo; —como ropa de pascua,* que se ha de entender irónicamente, lo mismo que el irónico *ponerle a uno de oro y azul; —como hoja de perejil* (= o sea, *verde,* que explicamos más abajo). *Ponerle a uno de vuelta y media...* que tiene que girar sobre sí mismo (a resultas de un golpe recibido); *ponerle a uno verde,* con la variante humorística *ponerle a uno morado,* se deberá a representaciones comparables al alemán «schwarz und blau schlagen», literalmente 'golpear hasta dejar a uno negro y azul'. Finalmente, *ponerle a uno a la altura del betún, a los pies de los caballos* (Sobejano); *ponerle a caer de un burro, ponerle tibio, ponerle bueno* (irónico). También: *apearle a uno de su burro;* de ahí: (...) *no lo vas a a p e a r de su convencimiento* = 'no lo vas a convencer de que le falta razón' («Jarama», pág. 164).

Los conceptos referentes al complejo verbal 'i r r i t a r, e n c o l e r i z a r, d i s g u s t a r ', etc., también están en la expresión afectiva menos diferenciados entre sí que en la lengua escrita, más intelectualizada, pudiendo considerarse prácticamente como sinónimas voces como *pincharle* (a uno) (aplicado a lo moral), *molestar, irritar* (en el habla popular de Madrid *inritar* [117] por confusión de prefijos) y *fastidiar,* sin olvidar el obsceno pero usadísimo *joder* [118]. De las corridas de toros pro-

---

[116] Antiguamente los maestros de escuela estaban tan mal pagados que se hizo proverbial lo roto y descuidado de su indumentaria. *—Dómine* es el vocativo latino de *dominus,* con el que se dirigían los alumnos al maestro en la Edad Media. A este propósito véase también el interesante estudio de C. HERNANDO BALMORI, «Chupa de dómine», en «Homenaje a Dámaso Alonso», II, págs. 233-239.

[117] Y no sólo en el habla popular de Madrid. Según M. MORREALE (Res., pág. 118) se oye igual en Málaga como única forma que usa la clase obrera: *Hay días que me levanto inritaíllo.* En «Los clarines del miedo» de A. M.ª DE LERA, ob. cit., pág. 470, ocurre: *—¡Calla, hombre, que tengo u n i n r i t e!* O sea que del popular «inritar» se deriva el substantivo *(el) inrite.*

[118] *¡No me fastidies! (jodas, revientes, chinches, jorobes,* etc.), que se pronuncia con fuerte acento prosódico en la *o* de la negación, significa,

ceden frases como *torearle a uno* (DM) 'acosarle, burlarse de
él'; *ponerle a uno banderillas* (DM) 'encolerizarle' y *quemarle
a uno la sangre* 'ponerle furioso' (tal vez alusión a las antiguas
«banderillas de fuego» con que se castigaba a los toros mansos
para estimularlos) [119].

Para expresar la idea de 'rechazar a alguien (violentamente)'
se dan en la lengua coloquial innumerables variantes de un
solo y mismo tipo: *vete (vaya usted; váyase usted) a paseo* (o
a tomar el aire (a prop. de *aire* véase T. SALVADOR, ob. cit., a
partir de pág. 309), o *a tomar viento fresco,* lo que originariamente sólo se diría a un borracho). Lo mismo significa *mandar
(vaya usted) al quinto infierno* (obsc. *al quinto coño), al cuerno,*
o *a freír espárragos (monas, azulejos).* En «Jarama», pág. 155,

entre buenos amigos, 'no digas bobadas', 'a otro perro con ese hueso', etc.,
y no es más que un reflejo de incredulidad o rechazo ante lo oído. En
vez de *no me (nos) c h i n c h e s,* se oye con el mismo sentido: *no seas
c h i n c h e* («Jarama», pág. 29). Un amigo español me contó esta divertida
anécdota, de sus tiempos de servicio militar:

Entre los reclutas había uno tan rústico y desmañado que el capitán
no tuvo más remedio que pedir su licencia. Pero, antes de acceder a ello,
el mismo coronel del regimiento hubo de convencerse personalmente de
la inutilidad de aquel infeliz, pues al comunicarle: «Vuélvase a su pueblo,
porque aquí no nos hace usted falta para nada», el pobre recluta, en el
estupor que le producía tan feliz como inesperada noticia, contestó con
una estúpida sonrisa: *¡No me joda!*

A propósito de *hombre, no me jodas,* H. SCHNEIDER (Res., pág. 359) cita
una graciosa variante individual, humorísticamente «erudita»: *¡no me
cohabites!* Añádase: *¡no me jeringues!* Otra variante jocosa ocurre en
A. M.ª DE LERA, «Bochorno» (ob. cit., pág. 762): *Mira, Juanito, no «f o r -
n i q u e s».*

Expresiones relacionadas con el servicio militar: *ir soldado, cargar
con el chopo* 'fusil'; *hacer la mili* (de *milicia); militarote; el brigada*
'suboficial'; *sargentón (una sargentona, o un sargento de Caballería)* 'mujer
hombruna y autoritaria'. Comp.: *su madre es u n s a r g e n t o d e C a -
b a l l e r í a que no hace más que gritar* (CELA, ob. cit., pág. 208).

[119] Más datos sobre términos y expresiones procedentes de la vida
taurina, en JOSÉ M.ª DE COSSÍO, «Los toros», II, págs. 238-242; WILHELM
HANISCH, ob. cit., y WILHELM KOLBE, ob. cit. Hoy están prohibidas las banderillas de fuego, y con ello parece asegurada la decadencia del giro
ponerle a uno banderillas de fuego. A más de estar anticuado, se entiende
hoy en sentido alusivo a los «cuernos» que le pone al marido una mujer
ligera de cascos (M. MORREALE, Res., pág. 122, n. 11).

ocurre: *Que te frían u n c h u r r o .* Hay en esto último una
invitación irónica a hacer algo incongruente, inútil o absurdo,
con lo cual el hablante indica que incluso tales absurdos le
parecen más razonables que lo que de él se pretende. *Mandar
(vaya usted) a escardar cebollinos.* Mandar a espigar (trabajo
penoso e ingrato); —*a hacer (más) guiños (que lentejas dan
por un duro);* —*a espulgar un galgo;* —*a capar ratones* (o
moscas); —*a hacer gárgaras (con estiércol)* [120]; más grosero:
mandar a la porra y los vulgarismos obscenos *a la puñeta* (o
a hacer puñetas) o *al carajo.* Vaya usted a la mierda queda
eufemizado por el mero nombre de su letra inicial: *vaya usted
a la eme* [121]; y, para compensar lo que la expresión pueda perder de fuerza con el adecentamiento, se le añade: *a la eme
g r a n d e .* Presentan modificaciones de tipo adverbial: *vaya
usted con viento fresco;* —*con mil diablos (demonios);* —*con
mil demonios y el portero* [122] (ampliación humorística).

Para estudiar las expresiones verbales de TIPO INTRANSITIVO,
distinguiremos dos grandes grupos: las de emociones agradables (placer, deseo, admiración) y las desagradables (repulsa,
aborrecimiento, enojo, etc.).

'A m a r m u c h o '. SC 51 *Esta vida campestre m e e n t u -
s i a s m a .* EMH 18 Antonio: *¿Le gustó el traje a la señora
Calixta?* —Leonor: *Se ha quedado e n t u s i a s m a d a .* SC 19:
...tiene un tío que le quiere c o n d e l i r i o ('apasionadamente'). PC 39 M. Luisa: *¿De verdad que no te gusta Sevilla?* —Crótido: *C o n d e l i r i o* (complétese: *me gusta). Estoy encantado.*
Lo mismo que en alemán y otras lenguas, las expresiones relativas a la pasión amorosa se realzan enfáticamente relacio-
nándolas y aun identificándolas con la idea del enajenamiento
mental. M 51 *A mí m e e m b o b a* (esta muchacha); algo más

---

[120] Esto recuerda el llamado *trago sueco* («Schwedentrunk») de la
guerra de los Treinta Años, tortura consistente en abrir violentamente la
boca de la víctima y hacerle tragar estiércol líquido.
[121] En ADRO XAVIER, OC, pág. 262, leo: *Todo era falsía, u n a e m e .*
[122] El portero de las casas de vecindad no suele tener muchas sim-
patías. Todos los vecinos dependen en más o menos de su benevolencia,
y por eso mismo le echan tantas maldiciones.

literario: (esta mujer) *m e e n l o q u e c e .* Son variantes más
o menos vulgares: ...*me vuelve tarumba (guillati, chalao, chalupa); me chifla,* o, según que se haga figurar como sujeto de
la oración al amante o al objeto del amor: *fulano está* (o *anda)
chalao por*..., junto a *enamorarse de, encapricharse de, en-
calabrinarse de, pirrarse por,* humorístico-vulgar *despepitarse
por* (este último, como variante de *consumirse, desvivirse).*
Los participios pasivos también de estos verbos son emplea-
bles de igual forma que la serie constituida por *tarumba, guillati,* etc.; gozando de predilección particular las construcciones con el verbo dinámico *andar: Fulanito anda despepitado
(encalabrinado) por Zutanita. Enamoriscarse* tiene el mismo
matiz de fugacidad con respecto a *enamorarse* que *amoríos*
frente a *amores.* Recientemente se ha introducido el anglicismo *flirteo* y *flirtear* [123] *(con).* Figura como sujeto el ser amado
en *fulana* (o *fulano) le tiene sorbido los sesos* (o *el seso,* o *la
sesera),* literalmente 'le ha absorbido la masa encefálica y dejado sin juicio'. Compárese: D. Manuel: *Ese Fernando os t i e -
n e s o r b i d o e l s e s o a todas, porque es el chico más guapo
de la casa* (BUERO VALLEJO, ob. cit., pág. 33). *Julita, la mayor,
anda por aquellas fechas muy enamoriscada de un opositor a
Notarías que le t i e n e s o r b i d a l a s e s e r a* (CELA, ob. cit.,
pág. 166). Y viceversa, con el amante como sujeto: *(se) bebe
los vientos por ella,* literalmente 'aspira con avidez el aire que
ella respira', «frase muy antigua, usada ya por Quevedo» (F. YN-
DURAIN, ob. cit., pág. 106). *Le ha torcido el cuello,* infrecuente
hoy, corresponde al alemán «sie hat ihm den Kopf verdreht».
LP 32 *E s t o y l o c o por esa mujer.* Ibid. 40 *¿Pero qué muchacha es la que ha estado aquí, la que ha llegado a t r a s t o r -
n a r m e e l j u i c i o?* VS 59 *Hay una Salomé que m e h a
q u i t a d o l a c a b e z a* (nótese el chiste verbal de circunstancias). SC 16 *Esa muchacha m e t i e n e* (también, *me trae,* o
me vuelve) l o c o , señora. Verbo con determinantes adverbiales: *gustarle* a uno una cosa o persona *con locura,* o *con delirio,* o *a rabiar.*

---

[123] Para más anglicismos (en gran parte más o menos castellanizados),
véase RICARDO J. ALFARO, «Diccionario de anglicismos» (ob. cit.).

Me muero por, que originariamente expresaba una desmedida preferencia por una cosa, se ha desgastado tanto por la frecuencia del uso que, p. ej., *me muero por las aceitunas* ya no significa más que 'me gustan muchísimo', al igual que ocurre en LP 18 *M e m u e r o p o r las melodías asturianas.* El francés emplearía «adorer». El español *adorar* tiene un empleo análogo, pero más bien se usa con personas. VM 70 *...yo a d o r o a Hortensia.* VS 12 *...la gente s e m a t a* (o *s e p e g a) por ir a este tupi* ('cafetucho')[124]. Comp. la expresión alemana «die Leute schlagen sich darum...», literalmente 'la gente se pega por...'. Añado de la cosecha de JOSÉ VALLEJO, ob. cit., pág. 367: *querer a cegar* (= 'ciegamente'), p. ej. —*¿No tienes un marido que t e q u i e r e a c e g a r?* (MUÑOZ SECA, «El ardid»).

'A b o r r e c e r i n t e n s a m e n t e'. No son menos variadas las expresiones para el desagrado. EUB 19 *La madre es una señora insufrible que c r i s p a l o s n e r v i o s.* También se dice *crispar* sólo, y es frecuente *me tiene (trae, pone) nervioso.* VS 6 *¡Ay, qué condenación de reloj* ('maldito reloj')!, *m e t i e n e (trae) f r i t a* (literalmente, 'me tiene hirviendo de ira'). Responde a una representación parecida: VS 33 *Calle usted, hombre, a mí se me e n c i e n d e l a s a n g r e.* Variante: *me quema la sangre* (tal cosa). También se dice *arder (temblar) de coraje.* Una de las expresiones más corrientes de la idea 'no soporto (a una persona)' es *no le puedo ver,* a lo que frecuentemente se añade *ni en pintura* o *ni pintado.* El motivo del enojo afecta a ciertos órganos: *me revuelve la bilis* (o *el estómago); me estomaga esta niña* 'me patea el estómago', y de ahí *un tipo estomagante* 'antipático'. En vez o al lado de *me estomaga (Ese tío me estomaga* C 33) se ha puesto de moda el mejicanismo *me cae gordo(a)* (R. LAPESA, ob. cit., pág. 206, y E. LORENZO, pág. 150); antónimo de *me cae simpático,* «modismo en Madrid y en Bogotá» (LUIS FLÓREZ, BACol, XVI, 1966, página 243). Lo mismo significan: *no puedo tragar a Fulano* (o *Fulano se me ha atragantado); ese tipo me da cien patadas*

---

[124] «Tupi» viene de «tupinamba», tribu india del Brasil. Véase RUIZ MORCUENDE en «Homenaje a Menéndez Pidal», II, págs. 211-12, Madrid, 1925.

'me resulta insufrible'. También: *estas mujeres me cargan* 'no las soporto'.

Es interminable la lista de cosas que figurativamente se a r r o j a n   p o r   l a   b o c a cuando se está airado: *echar chispas* (DM), *echar hiel* 'veneno, bilis', *echar sapos y culebras* 'insultar furiosamente' *echar rayos y centellas, echar venablos, echar lumbre* (DM). En Fr. Candel, «Pueblo», pág. 212, ocurre el obsceno: *Hubieras visto* (= ' s i hub. v.') *cómo e c h a b a n   l e c h e s los tíos del camión.* Y no sólo por la boca, sino también por los ojos: *echar sangre por los ojos, echar chispas, echar fuego* (también *bombas,* o *lava) por los ojos* (DM). Lo mismo significa *echar pestes* (DM) (que viene de *pésetes*). M. L. Wagner, en ZRPh, 49, 1, pág. 21, nota, cita igualmente *echar ajos y cebollas,* o sea, blasfemias de toda clase. «En España se dice *echar ajos* en el sentido de 'tacos', es decir, usar los conocidos juramentos en *-ajo (¡carajo!).* Ese *-ajo,* a modo de retruécano, se identifica con su homónimo *ajo* 'fruto de la planta aliácea', resultando por «consociación» (en el sentido de Sperber) la ampliación humorística *ajos y cebollas.* De análogo modo se obtiene otra imagen comparando una acumulación de tales groseros juramentos en *-ajo,* con *ristras,* de donde *echar ristras de ajos».* Todas estas expresiones se usan en forma durativa: *está echando rayos, está echando venablos.* En lugar del gerundio se usan variantes con frase consecutiva: *está que echa rayos,* etc. Añadiré: «Fr.» 51 *Si estoy que boto* (también *brinco,* o *muerdo),* es decir: 'estoy tan furioso que...'. F. Ávalos, ob. cit., pág. 38: *Está que muerde.*

' E n f a d a r s e   m u c h o '. SC 19 *A mí los hombres tontos me r e v i e n t a n* [125] (literalmente, 'me hacen estallar'); menos frecuente, *me vuelan* [126] (comp. alemán «ich könnte in die Lüfte

---

[125] La persona *reventante* es aquella a la que no podemos tragar. *Reventar,* como intransitivo, es 'estallar', aplicado primero a los cuerpos explosivos, y después, coloquialmente a giros como *reventar de hambre* o *tener reventado de hambre (a alguien).* En lugar de *hambre,* en lenguaje popular, festivo, se emplea *gazuza,* según Corominas «de origen desconocido» (supongo que gitano).

[126] *Volar,* transit., significa 'hacer saltar por los aires': *volar un puente,* etc.

gehen»). Además: *una cosa* (o un individuo) *me marea* ('me fastidia', 'me ataca los nervios'). «Fr.» 14 *A mí me m a r e a n esos conciertos de aficionadillos.* Del mismo modo se usan *fastidiar* y el obsceno *joder: me j o d e a mí esto* ('me molesta tal cosa'), diciéndose vulgarmente incluso *me j o d e a mí la tía esa* ('me molesta extraordinariamente esa mujer'), ejemplo este que demuestra la poca o ninguna conciencia que el hablante tiene ya del significado originario del verbo (= lat. «futuere»). LP 28 *El rasgar de la seda me p o n e f u e r a d e m í,* que alterna con *esto me s a c a d e q u i c i o* (o *me desquicia). Sacarle a uno de sus casillas* se corresponde exactamente con el alemán «Jemandem aus dem Häuschen bringen».

Aluden a visibles alteraciones físicas producidas por la ira *ponerse* uno *como* + objeto de comparación apropiado 'enfurecerse igual que...'. *Ponerse como un toro* (DM); — *como una fiera;* — *como una hiena;* — *como un basilisco;* — *como un tigre,* etc. *Como* se sustituye a veces por *hecho* (= 'convertido en'), de forma que la idea de conversión al respectivo estado viene en realidad expresada doblemente. Pero es que esas construcciones con *hecho* del tipo *hecho un toro, hecho una fiera,* se conceptúan como meros adjetivos, es decir *se puso hecho un toro* = 'se puso furioso'. EMH 14 Antonio (esperando al portero, a quien no puede pagar el alquiler): *¡Dios mío! se va a poner h e c h o u n a f i e r a.* De ellas hablaremos más adelante.

Como verbos afectivos con la significación de 'enfadarse vivamente', la lengua coloquial usa *cabrearse* (de *cabra),* p. ej.: *no le hables a mi hermano, porque está (muy) c a b r e a d o* (= 'encolerizado'). En el caló mejicano, *cabriarse* (= 'cabrearse') significa 'ponerse nervioso'; en *lunfardo* (dialecto porteño de Buenos Aires) es sinónimo de 'recelar', 'desconfiar' (H. Schneider). *Amostazarse* (de *mostaza), amoscarse* y *mosquearse* (de *mosca* [127], como exponente de lo pesado, de lo incómodo), *picarse* (cf. *quien se pica, ajos come),* prefiriéndolos al simple

[127] Recuerdo la popularísima expresión: *aflojar la m o s c a* (= 'pagar').

enfadarse [128] por su mayor fuerza expresiva. Es de origen culto (probablemente del lenguaje estudiantil) *sulfurarse* 'ponerse amarillo de ira' (siendo *sulfuro* la designación erudita y latinizante del tradicional *azufre)*. Véase n. 138 de este capítulo. ' R e í r   m u c h o '. EMH 25 ...*nos hemos   m u e r t o   d e   r i s a*. Ibid. 54 *Se va a m o r i r d e r i s a*. PC 22 Pepe (fatigadísimo de reír y apretándose el vientre): *¡Ay, que me m u e - r o !* [129]. VM 14: *...es una cosa que m a t a d e r i s a*. VM 60 *Chica, yo me río con él* (tanto) *que m e   d e s t r o z o* (también

---

[128] Lo contrario de *enfadarse* es *desenfadarse* 'olvidar el enfado'; de quien posee en alto grado esa dichosa facilidad cabe decir que *tiene buenas desenfadaderas*, voz ésta formada sobre *entendederas* 'facilidad de aprehensión'. El sacerdote poco exigente en dar la absolución a sus fieles *tiene buenas absolvederas;* el buen predicador *tiene buenas predicaderas;* el profesor que explica bien *tiene buenas explicaderas;* quien sabe quitarse de encima fácilmente a tipos molestos *tiene buenas despachaderas;* quien concilia el sueño con prontitud *tiene buenas dormideras*. ELISA PÉREZ, ob. cit., pág. 481, interpreta *calladeras*, n. fem., como «silencio prolongado» (?); no recoge, sin embargo, *tener buenas calladeras* 'saber callar a tiempo' 'ser persona discreta'. E. LORENZO añade *tener buenas tragaderas* = «ser poco escrupuloso, poco escogido». Ello me recuerda *tener (unas) tragaderas de burro* = ser excesivamente crédulo o, como popularmente también se dice, *comulgar con ruedas de molino*, p. ej., *yo no comulgo con ruedas de molino* = *¡a otro perro con ese hueso!* (algunos añaden: *que éste ya está muy roído).* T. SALVADOR, ob. cit., pág. 285: *tener buenas aguantaderas*, variante popular de 'tener mucho aguante'. En A. M.ª DE LERA, «La boda», pág. 63, leo: [...] *como los civiles* (= 'guardias') *tienen tan malas a g u a n t a d e r a s* .
[129] Son giros frecuentísimamente usados en imperfecto: *nos moríamos de risa; se moría de miedo, frío, calor, hambre,* etc. *Morir* sirve para encarecer fuertes estados afectivos: «Fr.» 33 *Por poco me muero de susto*. OM 51 ...*un niño... muerto* (o *muertecito) de miedo*. Otras hipérboles basadas sobre la misma idea: VM 40 *No sabes el peso que se me ha quitado de encima. Desde ayer n o   v i v í a*. AH 18 *Hijo mío, las moscas n o   m e   d e j a n   v i v i r*. PC 54 ...*s'ha enamorao de una de ellas y e s t á q u e n o   v i v e*... Algo semejante ocurre en *hasta que no vuelva mi hijo, n o   v i v o*. Aquí encaja también *desvivirse* por 'consumirse por': *nuestra madre se desvive por nosotros. —Muerto de risa* significa, además de lo que ya sabemos, 'intacto, sin que nadie lo toque', sentido de lo más sorprendente y que se aplica a cosas: *ahí tienes mi violín muerto de risa* 'sin que yo lo toque'; *sus libros... ¡muertos de risa!* 'sin que se preocupe de ellos', o, humorísticamente, *no los saluda ni por el forro*.

me pongo malo) se basan en la misma idea que el alemán «sich totlachen» o «sich krank lachen». Similares: *desternillarse de risa, descoyuntarse, descuajaringarse.* Aluden a lesión de determinadas partes del cuerpo causadas por el mucho reírse: *partirse el pecho de risa, reírse las tripas* (propiamente 'echar fuera el intestino al reír'). VS *El otro día me explicó a mí ese invento y me* [130] *se* (sic) *r a j ó l a b o c a d e r e í r m e .* Añádanse: *darse una panzada de reír, hartarse de reír.* Sólo en la intimidad de la amistosa llaneza cabe decir: *te m e a s de risa oyéndole; es para m e a r s e* [131] *de risa,* o *es el m e a r s e de risa,* lo mismo que *te c a g a s de risa,* con variantes parecidas. Se refieren a la actitud externa del que ríe intensamente: VM 48 *... s e t i r a b a d e r i s a* (por el suelo); *revolcarse de risa, apretarse las costillas (el vientre) de risa* y el muy corriente *troncharse de risa.* Como refuerzos adverbiales unidos al verbo tenemos: *reírse a mandíbula batiente* (DM) (es decir, 'hasta hacer sonar las mandíbulas'), *reírse a carcajadas* o *a carcajada tendida, reírse a pierna suelta* (DM) (levantando las piernas al aire), *reírse a todo trapo* [132], esto último equiparado en el DA con la expresión marinera *reírse a toda vela.* Hoy es frecuentísimo *mondarse de risa* [133], sin olvidar la expresión, tan en boga estos años, *es la monda* 'el colmo de lo ridículo' (Sobejano); *la remonda* 'el colmo de los colmos'.

---

[130] La metátesis *me se* en vez de *se me* es muy frecuente en el lenguaje vulgar. F. TRINIDAD, ob. cit., aduce muchos ejemplos de ARNICHES. Recuerdo haber oído en Madrid: *m e s e ha olvidado;* en Andalucía: *m e z ' ha orviao.* Véase también: ANTONIO QUILIS, ob. cit., pág. 372.

[131] En cambio: *mearse fuera del tiesto* (muy frecuente) = 'salirse fuera de la cuestión', 'divagar' (PASTOR y MOLINA, ob. cit., pág. 63).

[132] Citemos aún la comparación hiperbólica donde entra *reírse* como cliché: *he visto unos paisajes, que m e r í o de los Alpes y de los Pirineos y de todo lo que tanto ponderan por ahí...* 'que, al lado de aquéllos, los demás son cosa de risa'; *en San Sebastián vi cada mujer, que m e r í o de todas las elegancias de París* (para *cada,* véase pág. 400). *Desde que oí a Oistrach, m e r í o de todos los concertistas de violín habidos y por haber...*

[133] También se usa elípticamente: *¡Nos vamos a m o n d a r, verás!* (C 37). M. MORREALE (Res., pág. 127) añade: *hartarse de reír; reírse hasta echar la última muela.* Antónimo: *hartarse de llorar.*

Por el contrario, son menos numerosas las expresiones para la idea del 'l l o r a r   m u c h o '. Se limitan esencialmente a las respectivas modificaciones adverbiales del verbo: _llorar sin consuelo_ o _desconsoladamente_ (DM), más literario; _llorar a lágrima viva_ (DM), que probablemente se explica como representación del visible rodar de las lágrimas. Es muy naturalista _llorar a moco tendido_ o _a moco y baba_ (se dice del berrinche de los niños). Con cambio del verbo: _hacer pucheros, soltar el trapo, abrir la fuente_ (o _la espita_) _de las lágrimas_, donde las dos últimas indican el comienzo de la acción. De comparaciones tenemos: _llorar como una fuente; como una Magdalena_ (DM); — _como una criatura;_ — _como un chiquillo._ Se llega hasta la identificación del sujeto con el objeto de comparación en: _estar uno hecho_ (o hasta _ser_) _una Magdalena_ (alusión a María Magdalena) y _estar uno hecho un mar de lágrimas_ (DM).

Fuera de todos estos casos tratados hasta ahora, o sea expresiones de las pasiones más primarias, donde más se siente la necesidad de dar relieve o énfasis a la idea verbal es cuando la actividad de que se trata provoca la burla del prójimo.

El 'c o m e r   c o n   e x c e s o ' lo expresan verbos como _engullir, tragar_ [134], _zampar_ 'comer con monstruosa rapidez y en

---

[134] Al que come desaforadamente se le llama _tragón_ (fem. _tragona)_, o se dice que _está hecho un tragón_. Este sufijo aumentativo _-ón_ da lugar a muchas voces, derivadas de verbos, especte. de la 1.ª conjugación, las cuales designan al que ejerce en alto grado la actividad correspondiente. Así, de _empollar_ 'estudiar mucho', se deriva _empollón_. Igualmente, _replicón, preguntón, matón, acusón, abusón, sisón_ (y _sisona_, especialmente dicho de las chicas de servir), _mirón; comilón (comilona_, fem., puede significar además 'comida pantagruélica'). _Una muchacha_ ('sirvienta') _rompilona_ es la que rompe mucha vajilla. De _dormir_ se deriva _dormilón;_ de _cagar, cagón;_ de _guasear, guasón;_ de _burlarse, burlón;_ de _faltar_ uno a su palabra, _faltón;_ de _machacar, machacón;_ cf. _con machacona insistencia;_ de _responder_, más bien voz literaria, se ha formado la popular _respondón: le salió la criada respondona_, viene a significar lo mismo que _le salió el tiro por la culata_, o sea 'al revés de lo que pensaba'. «El lenguaje popular para formar palabras nuevas usa el sufijo _-ón, -ona_, que sirve (a más de aumentativo) para designar a personas que acostumbran ejecutar con preferencia una acción o que poseen en alto grado una cualidad, o que se caracterizan por una particularidad que llama la

cantidad'; *hincharse* [135], *atiborrarse, forrarse* [136], vulgar *atiforrarse* (cruce de *atiborrarse* y *forrarse*), y *atracarse*. Otras variantes: *embuchar* (de *buche*), *embaular* (de *baúl*), al lado de *llenarse (atiborrarse) la andorga (la barriga, la panza* y *el bandullo)*. Procede de la jerga estudiantil el latinismo *manducar* (se refiere originariamente a la enorme boca de la máscara teatral del Manducus latino). Son de puro origen gitano: *tragelar*, influido por *tragar* (C. CLAVERÍA: «En torno a una frase en caló de Don Juan Valera», HR, XVI, 1948), y el gitanismo *jamar*, de uso irónico (C. CLAVERÍA, obra citada, pág. 119). En vez de *atracarse* es corriente *darse* (pop. *pegarse) un atracón (o una panzada) de* + objeto, por ejemplo: *nos hemos dado un atra-*

---

atención de los demás» (C. CLAVERÍA, NRFH, 11, 1948, pág. 374). Añado como muy populares: *un tío r e v e n t ó n* (= que 'revienta' o 'molesta en sumo grado' a sus semejantes); *un vino p e l e ó n* es un vino malísimo que al que lo bebe le da ganas de 'pelearse' con todo el mundo.

[135] Mencionemos de *hincharse* dos derivados muy populares: 1) *¡le tengo u n a h i n c h a a ese tío...!* (= una gran antipatía, un odio feroz); en este estado pasional, al colérico se le «hinchan», p. ej., los músculos y a veces las arterias del cuello; 2) del lenguaje deportivo: *u n hincha* (= un aficionado fanático, sobre todo al fútbol; según L. FLÓREZ, ob. cit., pág. 231, aun fuera del campo deportivo: alguien es *hincha de Beethoven,* como los miembros de cierto grupo político son *hinchas* de determinada filiación política). La explicación del contrasentido semántico (odio-afición) la veo en que *e l hincha* futbolístico suele tenerle *u n a h i n c h a* rabiosa a la parte de quienes él no sea *hincha.* También lo cita TOMÁS SALVADOR, pág. 172. Últimamente, en lugar de 'hincha', se ha puesto de moda *forofo,* con idéntico sentido: *un f o r o f o del Atlético,* lo mismo que *un f o r o f o de la música clásica, del yoga,* (jocosamente) *del copeo,* etc., etc.

[136] Al recordar «la función intensificativa de ciertas frases verbales», E. LORENZO (pág. 141) cita *forrarse a, hincharse a* «de uso muy extendido». Añado: *hartarse de,* diciéndose: *fulano se hincha, se forra* o *se harta d e* ganar dinero. En HE 25 ocurre: (...) *con la agencia esa que ha montado se está f o r r a n d o e l r i ñ ó n.* En C 22 encuentro: *un tío forrao de millones.* GRACIÁN, en el «Criticón», III, 2, usa *«aforrarse»,* que supongo se dice hoy popularmente también al igual de *«afusilar»* en vez de *fusilar, «atorear»* por *torear* y otros muchos (véase BENITO SÁNCHEZ ALONSO, «Sobre Baltasar Gracián», RFE, XLV, págs. 161-225). *¡Vivan las cortezas de gorrino! Y que nadie se a r r a s q u e* (= 'se rasque'; alude al dicho popular 'a quien le pique —'se dé por aludido'— que se r a s q u e'), *que no va con segundas* [sc. intenciones] (L. OLMO, ob. cit., pág. 134).

cón de uvas 'hemos comido uvas hasta hartarnos'; la expresión se aplica a goces de todo tipo: *un atracón de cine (de novelas, de viajes, de dormir,* etc.). Por lo demás, el propio verbo *comer* admite toda clase de complementos adverbiales o comparaciones: *comer por siete* (DM); *comer uno como si no se hubiera desayunado en tres semanas* (DM); *comer como un Heliogábalo* (DM); *comer como una fiera* (DM), y muchísimos otros (véase Beinhauer, «El humorismo en el español hablado»). Oído por el autor: *comer como* (o *más que) una lima; — como un descosido; — como chico de esquilador; como un cavador.* Un hombre muy necesitado es capaz de *comerse los codos de hambre* (o sea la parte más descarnada de los brazos). Aquí cabe mencionar dos significaciones figuradas, muy originales, ingeniosamente empleadas por el pueblo: 1) *comer* = extremar apasionadamente la acción dedicada a un objeto: (el que tiene mucha afición a un instrumento de música) «*se c o m e el violín*», «*se c o m e el piano*», etc.; (un lector muy apasionado) «*se c o m e los libros*»; (una persona muy religiosa) «*se c o m e los santos*». B. Sánchez Alonso (ob. cit., pág. 198) aduce un ejemplo de Gracián que en «El Comulgatorio» dice: (los egipcios) «*se c o m í a n los dioses que adoraban...*» (falta ind. de la pág.). Es muy popular también: «*fulano* (enamorado de Zutana) *se la c o m í a con los ojos*». 2) Originalísimo me parece el uso de *comer* en: (la chica tenía) *unos ojos que le c o m í a n toda la cara* (es decir, tan grandes que se la ocupaban toda); (el niño llevaba) *una gorra tan grande que le c o m í a toda la frente.*

'B e b e r m u c h o'[137] está en íntima relación con la idea de 'emborracharse', para cuya expresión sirven tantos circunlo-

---

[137] Frente a la riqueza de comparaciones del tipo *comer más que +* sust. (generalmente nombre de animal), choca la escasez de ellas con *beber* (apenas hay más que *beber más* (vino) *que un mosquito,* o *beber más agua que un mirlo),* pero ello se explica simplemente porque ni el inmoderado beber ni el alcohol son observables en el mundo animal. Sin embargo es corriente *beber c o m o u n c o s a c o,* que ocurre en J. M.ª Gironella, CV, I, pág. 58. En lugar de *beber* se dice humorísticamente *soplar,* p. ej.: —*Pues (Daniel) se ha puesto a s o p l a r que da gusto* («Jarama», pág. 34). (...) *un par de señoritos s o p l a n d o coñac* («Colmena», pág. 142).

quios verbales (junto al incoloro *emborracharse*) como sustantivos hay para designar la borrachera: *coger* (o *pillar*, o *agarrar*[138], o *enganchar*) *una mona;* —*una zorra;* —*una perra;* —*una mierda;* —*una curda;* —*una turca*[139]; —*una merluza;* —*una tea;* —*un tablón* (tabla pesada, que entorpece el andar del que la lleva), y muchos más; *turca* y *curda* son originariamente adjetivos (sobreentendido *borrachera).* Es muy corriente *una cogorza* (según M. L. WAGNER, Reseña, pág. 118, del latín «confortium» = español antiguo *cogüerzo, cohuerzo* 'banquete funeral', «con cuyo motivo la gente se solía embriagar»); *tajada;* por fin *toña,* C 59, *bufa* (J. POLO), *pítima*[140] y *trompa* (Sobejano). *Coger un casco,* y —*una papalina* son expresiones de las que, según M. L. WAGNER (siguiendo la explicación de RIEGLER, ZRPh, XLII, 248, nota), aluden a una incomodidad de la cabeza causada por el peso de una gorra; añadiré *toquilla;* —*una mordaga* o bien *mordaguera,* expresión de argot, de origen desconocido. — También se dice *coger (pillar) una chispa: ser uno una chispa* significa «ser muy vivo y despierto» (DA), aplicado aquí a la animación del «achispado» (sobre el verbo *achisparse,* véase capítulo II, nota 70); —*una melopea,* del erudito *melopeya,* en alusión humorística al monótono canturreo del borracho. En Asturias es muy frecuente —*una moña,* pequeño pañuelo que algunos toreros llevan anudado a la cabeza y cuyo empleo figurado se explica de modo análogo a *casco* y *papalina.*

---

[138] En función de adjetivo, *agarrado* (pronunciado casi siempre «agarrao»), se usa popularmente con el significado de 'tacaño', o (más fuerte) *«un puño en rostro».* «Un individuo así», según la profesora M. MORREALE (Res., pág. 127), «tiene el ombligo 'encogio' y *pa que suelte una gorda hay que darle en el codo*; siempre está *barriendo pa dentro,* porque *too lo quiere pa su hocico*; muy a diferencia del *rumboso* (= 'generoso'), que *no tié* (= 'tiene') *naa suyo».*

[139] Esta forma la explica plausiblemente M. L. WAGNER («Notes linguistiques sur l'argot barcelonais», pág. 53) como variante de *vino turco* = *v. moro* 'el puro o no bautizado'; y *curda,* como metátesis influida por nombres populares. (Véase también H. KRÖLL, ob. cit., pág. 156.)

[140] Ya GRACIÁN empleaba el vocablo con sign. de *«emplasto curativo»,* que hoy, en sentido figurado, sería *borrachera* («que cura de penas»); véase: B. SÁNCHEZ ALONSO, «Sobre Baltasar Gracián» (loc. cit., pág. 218). Además, J. M.ª IRIBARREN, ob. cit., pág. 50 y n. 1 (último párrafo).

Habría que añadir otras innumerables expresiones regionales;
una investigación tan cuidadosa como la llevada a cabo por
H. Kröll para el portugués: «Designações portuguesas para
'embriaguez'» (Coimbra, 1955), proporcionaría indudablemente
una cosecha igual de rica en territorio español. Pero, aquí nos
limitamos a expresiones conocidas en todas partes. En «Jarama» ocurre: (...) *te coges una garza de no te menees* (pág. 92).
Añadiré los eufemismos *estar apimplado, ajuma()o* (sobre todo
en Andalucía), *piripi, apaña(d)o* o *arregla(d)o, estar alegre, haber
bebido más de la cuenta* o *tener una copa de más.* El bebedor
enviciado (junto al simple *bebe) cuela, empina* (o *alza) el codo.*
En F. Candel, «Pueblo», pág. 200, leo: [...] *ha agarrado una
t r o m p a de miedo;* en Alfonso Paso, Ve: *Y usted está con una
t e a como un piano* (pág. 58). Comparaciones frecuentes: *más
borracho que una cuba* y *borracho como una uva,* aunque estos
objetos, sólo por asociación de ideas tienen relación con la
borrachera propiamente dicha; en cambio, *borracho como una
cabra. Cabra* como «objeto» o exponente de c o m p a r a c i o -
n e s aparece muy polisémico. Todos conocemos: *más l o c a que
una c a b r a* que parece contradecir: *más s e r i o que una c.*
o *más b o r r a c h o que una c.* Depende de las c u a l i d a d e s
que el hablante a b s t r a i g a de dicho animal, que da saltos
locamente imprevisibles; en cambio la «seriedad» se infiere de
su mirada i n v a r i a b l e m e n t e s e r i a pese a la «locura»
de sus imprevisibles s a l t o s , y a pesar de otras «imprevisibi-
lidades», iguales o al menos parecidas a las de un «borracho»,
el tertium comparationis es la veleidad de ese animal; *más
borracho que Noé* alude a la embriaguez de Noé (Génesis, 9,
21). *Dormir la mona,* o elípticamente, *dormirla,* es 'curarse uno
la embriaguez durmiendo', como *amonarse* es 'embriagarse'.
Finalmente la frase *tener buen (mal) vino* [141] significa compor-
tarse bien (o mal) en estado de embriaguez. Advertimos también el gran papel que desempeña el humorismo en la mayoría
de las expresiones relativas a la embriaguez (García de Diego,

---

[141] Análogamente, *tener buen (mal) perder* 'saber (o no) perder con
dignidad'.

«Lecciones», pág. 39). En Andalucía, el que tenga una o varias copas de más «entre pecho y espalda», tiene una *jumera* (= 'humera') o está *ajumao* (derivaciones de «humo», pronunciado con [h] aspirada). Véase también T. SALVADOR, pág. 307. A 'd o r m i r p r o f u n d a m e n t e', expresión más bien literaria, corresponden las siguientes en el campo del lenguaje coloquial: primero comparaciones con objetos que la conciencia lingüística tiene por símbolos de lo inerte (comp. alemán: «schlafen wie ein Sack»). «Fr.» 6 *He dormido como un tronco: —como una piedra; —como un leño* (DM); *—como un poste* (DM); *—como un ceporro* ('cepa vieja para leña'). Luego comparaciones con ciertos animales a los que el pueblo tiene en concepto de dormilones, con fundamento o sin él: *dormir como un lirón; —como un borrego; —como una marmota;* o con personas cuya buena conciencia es —también para el pueblo español (en alemán existe el proverbio «ein gutes Gewissen ist ein sanftes Ruhekissen»)— una buena almohada: SC 45 *...ahí está durmiendo c o m o u n s a n t o,* o, más frecuentemente, *como un bendito.* En EMH 8 se dice de un niño: *duerme como un angelito.* Otras modificaciones adverbiales de dormir son: *—a pierna suelta,* que ya conocimos más arriba en combinación con *reír* (pág. 265). «Quijote», I, 37 *...Su amo se estaba durmiendo a s u e ñ o s u e l t o* (como quien dijera 'dejaba correr libremente su sueño'). Ibid. II, 9: *Sus vecinos dormían y reposaban a p i e r n a t e n d i d a* (literalmente: 'con las piernas estiradas'; es decir: 'totalmente entregados al sueño'). *Estar en siete sueños* [142] es otra expresión para la idea de 'dormir profundamente'. Para terminar, los modismos: *descabezar un sueñecito* 'dar unas cabezadas', *dormir la siesta* (a la tarde) y *dormir la canónica* antes de comer (también llamada *siesta del carnero);*

---

[142] Este puro refuerzo numeral cuantitativo para destacar la idea cualitativa se da en *tiene siete vidas como los gatos.* Apunta en la misma dirección cuantitativa *tiene mucha cabeza* (véase BEINHAUER, «El humorismo en el español hablado»). La atracción popular por el numeral citado se observa también en *come más que siete* y en *es un matasiete* 'un fanfarrón'. Para *hacerse un siete,* comp. pág. 405. Añado: *es un charrán de siete suelas,* y, con otro numeral, *tengo más sueño que o n c e v i e j a s.*

quedarse traspuesto; quedarse roque, del que ya hemos hablado.

La idea de 'e c h a r   a   c o r r e r', 'escapar', 'huir', al igual que en otros idiomas, ha dado origen en la lengua coloquial española, a numerosas expresiones humorísticas. «Quijote», I, 21: *...puso l o s   p i e s   e n   p o l v o r o s a   y   c o g i ó   l a s* (complétese: *calzas) d e   V i l l a d i e g o* [143]. EMH 34: *¿Y qué, la gallina esa que tenían ustedes recogida ha puesto p i e s   e n   p o l - v o r o s a ?* [144] (comp. alemán «sich aus dem Staube machen»). Lo mismo significan *tomar soleta* (DM) o bien *apretar* (o *picar) de soleta* «pieza de lienzo u otra cosa análoga con que se remienda la planta del pie de la media o calceta cuando se rompe» (DA), que recuerdan el alemán «sich auf die Socken machen». VS 46 *En cuanto vea asomar una cabeza le endiño* ('le doy un golpe'), *s a r g o* (salgo) *d e   n a j a   y averigua quién te dio* [145]. En vez de *salir de naja,* jergal y avulgarado, se emplea, junto al verbo de ahí derivado, *najarse* (más vulgar que el muy corriente *largarse),* la variante *salir de estampía* (pronunciación vulgar de *estampida* 'estampido') (cf. al. «wie aus der Büchse geschossen»). QNSF 78 *...en cuanto supe que estaba allí el auténtico Monturot s a l í   d e   e s t a m p í a y he venido andando.* En lugar de 'largarse', en Andalucía se dice también *tomar el zuri* (JOSÉ POLO). Estas expresiones, con ser casi todas de origen argótico, las usan en la conversación festiva incluso gentes cultas, por lo cual su conocimiento se hace imprescindible para quien quiera estudiar el español coloquial. Añadiré: *salir de pira* (que RAFAEL SALILLAS, obra citada, pág. 330, hace derivar del indostánico «p'hirna» 'andar, caminar, huir' que en caló

---

[143] Sobre el origen de este modismo hay diversidad de opiniones que pueden verse recogidas en JOSÉ M.ª IRIBARREN, ob. cit., págs. 178 y sigs.

[144] Probablemente elipsis de origen humorístico de *vía polvorosa* (= carretera), a imitación de *vía láctea, vía crucis, vía férrea,* etc. Lo cita también J. MORAWSKI en «Les formules allitérées de la langue espagnole» (RFE, XXIV, pág. 151). En el artículo de WALTER STARKIE «Cervantes y los gitanos» (en «Anales Cervantinos», 4, 1954, pág. 169), leo: *Don Martín* [...] *profirió tantas amenazas contra el licenciado que éste tuvo miedo y tomó las c a l z a s de Villadiego.*

[145] Para *y adivina quién te dio,* véase pág. 428.

habría dado *pirar)*. Junto a la forma reflexiva *pirarse* = 'largarse', se oye muy frecuentemente *pirárselas: se las piró* 'salió huyendo' (M. L. WAGNER, ZRPh, XXXIX, 1919, pág. 543); C 41 *¡Me las piro, Juanillo!* En fin, *darse el piro* [146] [junto a *darse* (o *pegarse) el bote*]. Encareciendo especialmente la celeridad se dice *irse (marcharse, largarse, najarse, pirarse) como una exhalación* y *como alma que lleva el diablo* (EMH 82), esta última de la esfera religiosa. En nuestra era de records deportivos y técnicos ha nacido *marcharse a ciento por hora* ('a la velocidad de 100 kilómetros por hora'). EMH 45 *...tenga la amabilidad de movilizarse a noventa por hora con rumbo a la vía pública*, expresión festiva ocasional. M. MORREALE (Res., pág. 127), añade el humorístico *correr uno como si le quemaran el culo*. De otras variantes para designar la misma acción, a las que alude M. L. WAGNER, Reseña, pág. 119, citaré las más corrientes: *tomar el olivo* [147] (explicado por W. KOLBE, obra citada, pág. 112); *ahuecar, o ahuecar el ala* (o *las alas)*, es decir, 'salir volando'; *tomar la del humo* (y *la del cuervo)* 'irse, largarse, desaparecer pronto'; *tomar el portante* se aplicó originariamente a la andadura de un caballo, hoy va asociado erróneamente con la idea de «puerta» *(tomar la puerta)* [148] (J. M. IRIBARREN, obra citada, pág. 54); *tomar el trote, salir disparado* (como de una escopeta) e *irse a escape* (o *escapado)* 'a toda velocidad'. Añado: *salir pitando; salir zumbando*. G. Sobejano me recuerda *guillarse*, de origen gitano (C. CLAVERÍA, obra citada, pág. 157). Queda precisado el verbo mediante frase consecutiva en *Correr uno que se las pela: ¡Qué miedo tiene el desgraciado! ¡Míalo (= *míralo)! *¡Corre que se las pela!* La idea de 'partir' se expresa gráficamente por *liar los bártulos*

---

[146] C 47 *...Si me doy el piro de aquí* (para ir a Alemania), *es por arreglar las cosas*. A propósito del gitanismo *pirárselas* = 'fugarse', 'escaparse', véase también M. L. WAGNER: «Apuntaciones sobre el caló bogotano», BICC, VI, 1950, pág. 208. Véase también el interesante artículo de F. C. SAINZ DE ROBLES en «Yelmo», n.º 17, abril-mayo 1974, pág. 37, titulado «Los alegres corruptores».

[147] Comp. *cada mochuelo a su olivo* 'cada uno a su sitio'.

[148] M. MORREALE (Res., pág. 117) incluso ha oído la «explicación» popular: 'por ser la puerta grande'.

y *liar el petate*. Ambas expresiones se emplean también como jocosos circunloquios eufemísticos de 'morir'. Además: *quedarse fiambre* (= 'carne fría, cadáver'). Y así también *dejarle a uno fiambre* = 'matarle'. Para Venezuela, y gran parte de Sudamérica, véase Aura Gómez, págs. 314 y sigs. Véase también Dámaso Alonso, en W. von Wartburg, obra citada, pág. 232, nota 7. *Ya puede ir preparando la maleta* [149], 'no va a tener más remedio que marcharse', tiene analogía en alemán («er kann ruhig seinen Koffer packen») y otros idiomas.

INTENSIFICACIÓN AFECTIVA DE LOS EPÍTETOS

Tratándose de encarecer las cualidades fundamentales 'bueno' y 'malo', de acuerdo con los más primarios afectos de simpatía y antipatía, hay gran número de a d j e t i v o s cargados de afectividad en los que ya está contenida la idea del máximo superlativo. Una cosa grandiosa, excelente es una cosa *soberbia, magnífica, regia* y (frecuentísimo) *estupenda* [150]. Desde prin-

---

[149] En cambio *e l* maleta no tiene nada que ver con el cofrecito para llevar de viaje. Es deformación humorística de 'malo' y se usa para designar (o i n j u r i a r) a un 'torero m a l o y torpe'. En San Salvador, según H. Schneider, ob. cit., pág. 269, significa 'persona tonta'.

[150] Tendencia acusada del español actual es el cada vez más frecuente empleo del *adjetivo en función adverbial*. Comp.: *Tres mil pesetas te las presta f á c i l*. *Las vas a estar pagando toda la vida, pero te las presta f á c i l* ('fácilmente, en seguida') (Cela, ob. cit., pág. 230). *Es que yo no me chispo* (= 'emborracho') *tan f á c i l* (de Lera, «Los clarines del miedo», pág. 322). *Eso se dice f á c i l* (= 'es fácil decirlo') (A. de Laiglesia, CSA, pág. 159). Uno de los adjetivos más usados con función adverbial es *igual*, p. ej.: *Los hindúes son i g u a l de sucios que los negros; el chino, el húngaro y el turco, todos son idiomas i g u a l de difíciles. Estamos i g u a l que antes*. En F. de Ávalos, ob. cit., pág. 24, leo: *Me da lo mismo acostarme pronto que tarde, siempre tengo i g u a l d e sueño*. En cambio se dice siempre: *Gracias, i g u a l m e n t e*. A cada paso se oyen: *Su padre le ata c o r t o; Ellos viven d o b l e mejor que nosotros; Esa chica canta b á r b a r o* 'estupendamente'; —*Sí, hombre: estoy de acuerdo en que con el grupo se pasa b á r b a r o*. Al inglés «fair play» corresponde: *Eso no es jugar l i m p i o* (Gironella, CV, II, pág. 354). Esto me recuerda el también frecuente: *fulano no es trigo l i m p i o. Trabajar f u e r t e:*

cipios del siglo tuvo bastante éxito el germanismo *colosal.*
«Fr.» 31 ¿*Qué tal estuvo Manén?* (famoso violinista español).
—*(Estuvo) colosal* (o bien *formidable, hecho un coloso* o semejantes). En conversaciones más o menos frívolas entre ca-
maradas, se oye a cada paso el adjetivo obsceno *cojonudo,* cuya
significación originaria, empero, apenas si es sentida ya, como
claramente se deduce de *una hembra cojonuda* 'una mujer imponente, maravillosa'; en lugar de *cojonudo: pistonudo* y, en
Suramérica, *macanudo.* Refiriéndose a una mujer muy hermosa, etc., se oye *¡qué bárbara!* (CELA, ob. cit., pág. 178); también
tratándose de objetos, se emplea como expresión ponderativa
una cosa bárbara [151]. Otras expresiones de este tipo, que significan más o menos lo mismo son *morrocotudo,* por ejemplo:
una propina, una paliza morrocotuda; típicas de Madrid: *despampanante* [152] y *bestial,* por ejemplo: «Fr.» 49 *Chico, te has*

no le dés (= 'pegues') *tan f u e r t e* (en vez de 'fuertemente'); por fin:
hablar l a r g o y t e n d i d o. En ADRO XAVIER, ob. cit., pág. 91, ocurre: [...],
y se besan l a r g o. En ALFONSO PASO, Ve, pág. 75, leo: *A este pueblo le
pasa lo que a los niños, que crecen demasiado r á p i d o.* La novela la
acabo de leer r á p i d o 'rápidamente' (C 22 *Avisa* (imperat.) *al señor
Paco. ¡ R á p i d o!*); en BUERO VALLEJO, IT, pág. 52: *Usted es Irene, s e -
g u r o; Lo hemos pasado e s t u p e n d o,* etc. Véase R. LAPESA, loc. cit.,
pág. 203: *esta pluma escribe f a t a l; ¿cuándo la arreglarán d e f i n i -
t i v o?* (creo que es *e n* definitiva, o sea que la preposición ha sido
f o n é t i c a m e n t e absorbida por la [n] final de arreglarán). En la novela de F. ÁVALOS (ob. cit.) encuentro: *No lo sabemos todavía f i j o* (página 6); *Si al menos tuviera suerte y se casara un poco r e g u l a r.* Merece párrafo aparte el invariable *medio* en: *una fruta m e d i o podrida;
una casa a m e d i o construir* (= 'edificada a medias'). En función puramente adverbial aparece en: *El hombre m e d i o se inclina* (F. CANDEL,
«Pueblo», pág. 166); *Está él con* [...] *una enorme copa que m e d i o se
le cae* (ibid., pág. 36). E. LORENZO, pág. 47, n. 20, cita: *Los políticos los
m e d i o admiran y los m e d i o temen;* o sea que *medio* en esta función
equivale a *casi.*

151 Seguramente habrá que partir aquí de la comparación *como un
bárbaro,* por ejemplo en *comer como un bárbaro* 'comer sin tino ni
medida'. *Una cosa bárbara* sería, pues, 'desmedida o terriblemente bella,
fea', etc., según los casos. Explicación semejante la da GARCÍA DE DIEGO,
«Lingüística», pág. 341.

152 Y no sólo en Madrid; en la novela de ambiente vasco «La úlcera»,
de J. A. DE ZUNZUNEGUI (Madrid, 1949), se lee: *¡Verá usted!: la número*

comprado un traje bestial (bárbaro) 'formidable', o bien *brutal* [153]. De tales expresiones y otras similares a las que constantemente se están sumando otras nuevas, para volver a desaparecer tras breve vigencia en la moda lingüística, he dejado consignadas aquí incluso algunas creaciones ocasionales, para mostrar cuántos medios se emplean para lograr efectos momentáneos. Además de: *imponente, estupendo, divino, celestial* (ocurre en el frecuente modismo: *esta es la verdad y lo demás es m ú s i c a   c e l e s t i a l* . Véase el artículo cit. de Sainz de Robles, «Los alegres corruptores», págs. 37-38), *espectacular, maravilloso, fantástico, fenomenal* (y *fenómeno,* como adjetivo [154]), *sensacional,* se ha puesto de moda el vulgarismo *chanchi: hemos visto una película c h a n c h i* 'extraordinaria'. En A. de Laiglesia, CSA, pág. 293, ocurre: [...] *porque ropas y de-*

---

trece (modelo de una casa de modas) *es algo despampanante.* Jaime Martín, ob. cit., pág. 293, cita: *curvas d e s p a m p a n a n t e s* . Se trata de una creación macarrónica, afín a expresiones como *¡ni que fuera el archipámpano de Sevilla!,* dignatario puramente fantástico con el que se compara a una persona petulante y engreída.

[153] Lo mismo ocurre en Bogotá (Luis Flórez, ob. cit., pág. 49); otros «ponderativos» usuales en Hispanoamérica, ibid., pág. 188.

[154] Avelino Herrero Mayor, en «Problemas del idioma», Buenos Aires, 1945, págs. 71-74, arremete sañudamente contra el empleo de *fenómeno,* en Buenos Aires, por lo visto ya usado desde hace más de veinte años. Pero en vez de exterminar el «barbarismo» no ha conseguido sino verlo extendido también por Madrid. Herrero cita: *¿Se ha dormido bien?* — *¡Se durmió... fenómeno!* En OC de Adro Xavier, pág. 23, leo: [...] *debajo de una capa de insubstancialidad* [...] *de la juventud, hay tipos f e n ó m e n o* . Otros «disparates» o dislates modernistas para expresar lo 'extraordinario' son *superferolítico,* y aun *superfláutico* (Tomás Salvador, ob. cit., pág. 82). En CHM de M. Delibes, pág. 68, leo: [...] *Elviro* [...] *con aquel aire tan s u p e r f e r o l í t i c o...* (Yo me abstengo en absoluto de valorar, ateniéndome e x c l u s i v a m e n t e a lo que oigo y leo). De modo que se usa también como adverbio (= en grande, o, según expresión de la generación joven, *«a base de bien»,* a cuyo propósito cito F. de Ávalos, pág. 56: —*Una merienda para las tres... Pero a b a s e d e b i e n) .* F. Trinidad, pág. 133, cita de Arniches: *Comimos a b a s e d e filetes. —¿Aceptas?* (le pregunta un joven a una chica. Y ésta): *Bueno. Pero a b a s e d e no volver muy tarde* (A. de Laiglesia, CSA, págs. 183-84). En EPH de F. Candel, pág. 9, ocurre: [...] *una verdadera juerga a b a s e de soplar* (= 'beber') *hasta entromparnos.*

corados de alquiler [...] *no hay quien haga arte c h a n c h i.*
Véase también A. RABANALES, ob. cit., pág. 275. Está muy difundida la expresión ponderativa *por todo lo alto: un caballero, una boda, una festividad,* etc., *por todo lo alto.* Un ej. de GIRONELLA: *En el Gobierno Civil la fiesta fue por todo lo alto* («Ha estallado la paz», pág. 522).

Un librero madrileño inventó y lanzó con gran éxito el camelo seudoerudito *sicalíptico* [155], incluido hoy hasta en los diccionarios oficiales. A todo esto se agrega *fabuloso* (comp. alemán «fabelhaft»): *un negocio fabuloso* (también: *redondo); una actriz fabulosa.* Del lenguaje mercantil proviene *superior, una clase superior* (también *superfina).* EMH 75 ...*van ustés a hacer una parejita s ú p e r* [156], abreviatura argótica de *superior* ('una parejita de primera'). *Grande,* antepuesto al sustantivo, también tiene valor de superlativo: PF 6 ...*es un gran sistema.* SC 36 *es una g r a n cocinera* [157]. Otros ponderativos: *delicioso, excelente, intachable, impecable, buenísimo,* p. ej.: *una camisa impecable* 'sin mancha', *una técnica impecable* ('esmerada'); *inmejorables recomendaciones, una habilidad insuperable.* Es muy variado el empleo ponderativo de *loco* (que se corresponde con alemán «wahnsinnig»): «Fr.» 20 *ha tenido usted una suerte l o c a* (también: *bárbara)* (alemán: «wahnsinniges Glück»). EMH 28 ...*una prisa l o c a.* Junto a *un éxito l o c o* [158], también un *éxito ruidoso, clamoroso, espectacular, resonante, monumental, bárbaro, fantástico, fenomenal, fabuloso, sensacional.* Se califica el mucho calor como *calor infernal*

---

[155] Más pormenores en el artículo de RUIZ MORCUENDE, RFE, 1919, página 394.

[156] Frecuente también en función adverbial; por ejemplo, *hablar superiormente (bien).* O, en vez de ello, *admirablemente* y *divinamente: estar uno divinamente bien* (de salud). De un artista de circo se dice: *trabaja divinamente.*

[157] Cf. GARCÍA DE DIEGO, «Lingüística»: «La ponderación esfuma lentamente el sentido concreto de las palabras, que asumen un vago sentido ponderativo».

[158] Refiriéndose a p e r s o n a s *(tú estás l o c o),* al lado de variantes como *chala(d)o, chalupa,* y otras, se usa hoy el galicismo *estar g a g a* (J. POLO).

(o *achicharrante*) [159]. El mismo adjetivo se aplica al ruido: *un ruido infernal* (en alemán «Höllenlärm»). Un 'error grave' es una *falta garrafal*. Para el significado de este adjetivo hay que partir de *cerezas garrafales* («Dícese de cierta especie de guindas y cerezas m a y o r e s y menos tiernas que las comunes», DA), según M. L. WAGNER, Reseña, pág. 120, se aplica también a *error, fallo* y *mentira;* en vez de *una mentira garrafal, una s o l e m n e mentira,* como igualmente se dice *una solemne injusticia* ('monstruosa'). El irónicamente empleado *solemne* como elemento de refuerzo, aparece sobre todo antepuesto a designaciones injuriosas, p. ej.: *fulano es un s o l e m n e sinvergüenza, embustero, majadero,* etc. *Solemne,* a su vez, es reforzable añadiéndosele: *de toda solemnidad,* y en este caso, posponiendo el adjetivo, p. ej. *es un mentiroso s o l e m n e d e (toda) s o l e m n i d a d.* También se oye: *aquello fue un fracaso de s o l e m n i d a d* (= 'un solemne f.'), *un escándalo d e s o l e m n i d a d,* etc. La ironía de *solemne, solemnidad* está en que la «solemne» seriedad de un acto público en h o n o r de un personaje contrasta aquí estridentemente con que éste es injuriado o apostrofado, también con «solemne» seriedad. En la cit. novela de ADRO XAVIER, pág. 105, encuentro: *Como el Gobierno era un cándido d e s o l e m n i d a d ...* En DÍAZ DE ESCOBAR, «Cuentecillos de mi tierra», pág. 11, leo: [...] *la hija única, para no desmerecer de la casta, era un s o l e m n e mamamarracho. —Son unos s o l e m n e s cornudos* (JOSÉ LUIS MARTÍN VIGIL, TB, pág. 9). A una fuerte lluvia se le llama una *lluvia torrencial* [160] («Fr.» 3). Al francés «affreux», inglés «awful»,

---

[159] No deriva de *chicharra* (aunque *cantar la chicharra* significa 'hacer mucho calor'), sino, según COROMINAS, de una raíz onomatopéyica *chich-* (que también recuerda vagamente el canto del animalito). Menciono de pasada otro significado de *cantar* = 'confesar traicionando a los cómplices', 'chivatar', 'dar el chivatazo'. Úsase con esta acepción también en San Salvador (H. SCHNEIDER, ob. cit., pág. 380) y presumiblemente en todo el ámbito hispanohablante.

[160] Otras frases relativas a la lluvia intensa: *llueve a cántaros (a cubos; a torrentes; a mares); está diluviando; esto es el diluvio.* E. LORENZO añade: *llovía más que el día que enterraron a Bigotes* (o *a Zafra*); *están cayendo chuzos de punta* (pág. 152).

alemán «schrecklich», corresponde *tremendo, horrible, pavoroso, espantoso, horroroso.* EMH 78 *¡Ah! El matón ese tan t r e m e n - d o que me contaste el otro día.* SC 15 *Yo le tengo un miedo h o r r o r o s o,* o *un miedo espantoso,* más vulgar, *un pánico tremendo;* con un nivel más elevado, si bien dentro de lo coloquial: *un miedo cerval,* junto a *un miedo espantoso.* «Fr.» 2 *Hace un frío t r e m e n d o (negro);* en su lugar se ha difundido mucho el vulgarismo *un frío d e m i e d o* [161] (véase pági-, na 326), y *un frío bárbaro.* Una tarea muy penosa es un trabajo *ímprobo* o *infame. Hace un tiempo perro* tiene correspondencia en el alemán «Hundewetter». CC 13 *Está p e r d i d u* (sic) *el servicio de corredus* (= correos; lo dice un gallego), quiere decir en muy mal estado. *Perdido* se usa también en sentido de 'estropeado', 'ensuciado', p. ej.: *el niño* (en un viaje en automóvil) *se mareó y nos puso el coche p e r d i d o; se ha puesto usted el traje p e r d i d o* (de aceite, de color, etc.). A un hombre vicioso (o «perdido») es (¿o era?) frecuente llamarle un *perdis* o *un bala (perdida). Perderse* (en su sentido más directo) significa 'extraviarse' (de objetos) y 'desorientarse' (de personas). *Sin perder ripio* (= 'detalle'). *Perder el juego,* a más de en su sentido literal, se emplea metafóricamente con el de *llevar las de perder* (p. ej. a los ojos de una mujer) = 'salir derrotado' (también se puede referir a una discusión, etc.). Un hombre puede *andar p e r d i d a m e n t e enamorado.* Para algunos (o para muchos) las mujeres son su *perdición* (= 'ruina'). En el habla enfática se emplea el latinismo *pésimo* [162]: *un libro*

---

[161] En vez de *de miedo* (más fuerte): *de espanto* (cit. por R. Lapesa, ob. cit., pág. 205); y de cuño reciente: *(La chica) ¡está de pecado!* (F. Yndurain, art. cit. aquí, pág. 336). El auténtico *miedo* provoca la burla y el desprecio, tratándose de un hombre que se guardará muy bien de confesar en la situación que sea, que *le ha entrado m i e d o.* La palabra tiene una serie de sinónimos más o menos humorísticos, e. o. *canguelo* y *jindama* (de origen gitano); *cagalera,* (también = *diarrea). —M. soltó a su hijo una filípica d e c a t e g o r í a* (Gironella). *Está como un tren* dicen hoy los jóvenes madrileños para ponderar una belleza femenina (A. Rosenblat, «El castellano en España y el castellano en América», pág. 21).

[162] Refiriéndose a los superlativos orgánicos, R. Carnicer (Lh, pág. 263) observa que «se advierte una popularidad mayor en los negativos *(pé-*

(o *vino*) *pésimo;* para expresar la peor calidad, la lengua coloquial usa *infame*, normalmente propio de la lengua culta;
p. ej., *tengo una pluma infame;* o *imposible: esta calle está
imposible* ('en muy mal estado'). De la misma manera, *indecente* tiene, junto a su significación culta 'inconveniente, impropio, indecoroso', otra propia del lenguaje hablado, significando 'malo, detestable', por ejemplo: *está esta calle i n d e -
c e n t e de lodo y de barro,* junto a *desastroso,* y *catastrófico.*
Desde los años 20, se ha venido haciendo popular *fatal* en el
sentido de 'insoportable, insufrible': *el borracho se puso f a t a l
de machacón y de pelmazo; se presentó con un traje f a t a l.
Bombita* (un torero) *estuvo f a t a l.* (Llamó también la atención al b o g o t a n o J. JOAQUÍN MONTES, ob. cit., pág. 164).

Adjetivos de afectividad escasa cobran sentido superlativo
mediante SUFIJOS Y PREFIJOS. La terminación latinizante - *í s i m o*
se ha generalizado de tal manera en la lengua corriente que ya
no es sentida como culta [163]. Sin embargo, a diferencia del uso
latino, ya no se expresa con ella el más alto grado, sino únicamente un grado muy alto. Frente al corriente *muy* + adjetivo,
la formación orgánica con -*ísimo* es sentida como más expresiva. LP 17 Purificación (hablando de su sobrina): *Esta chiquilla hace de mí lo que le da la gana.* —Juan: *Porque es usted
muy buena.* —Julia (asintiendo y dando un beso a su tía):
B u e n í s i m a. Este *buenísima* frente al anterior *muy buena,*
constituye claramente un aumento de grado. Igual en SC 26
Ruperto: *¿Dice usted que las señoras de arriba son muy gua-*

---

simo, mínimo, ínfimo) que en los positivos *(óptimo, máximo, supremo).*
¿Se deberá esto a las condiciones críticas de los españoles que favorecen
el pesimismo?

[163] La evolución fonética normal habría dado -*esmo.* A ello apunta la
terminación vulgar -*ismo: muchismo, grandismo* (Madrid, etc.). En A. PASO,
FSA, pág. 26, ocurre: «*muchismo*» y «*feísmo*». Parece que -*ismo* (= -*ísimo*)
es propio del lenguaje vulgar en general (véase FERNANDO GONZÁLEZ OLLÉ:
«El habla de Burgos... y su situación actual», en «Presente y futuro de
la lengua española», vol. I, pág. 255). R. CARNICER, Nrl, pág. 39, advierte
que «las formas diptongadas (b u e n í s i m o en vez de *bcnísimo, f u e r -
t í s i m o, c i e r t í s i m o,* etc. —antes vulgares) determinan hoy el uso,
incluso de la inmensa mayoría de los e s c r i t o r e s actuales».

pas, eh? —Celestino: *G u a p í s i m a s .* La terminación *-ísimo* es aplicable incluso a *mismo: mismísimo,* forma que sirve para insistir de un modo especial en la identidad de una persona o cosa con otra: SC 38 *...Es usted el m i s m í s i m o demonio* ('personificado'). «Quijote», I, 35 *...Ahora no parece por aquí esta cabeza que vi cortar por mis m i s m í s i m o s ojos.* Comp. latín coloquial «ipsissimus» (HOFMANN, obra citada, pág. 91). También E. LORENZO, ob. cit., pág. 200, dice que «debe recordarse [...] la clara predilección —por más expresivo— del superlativo en *-ísimo* frente a la solución analítica con *muy: contentísimo = 'muy contento'.* Creo haber oído, y aun leído: en *u l t í s i m o caso; i n f i n i t í s i m a s veces* y otros por el estilo, que demuestran, si bien abusivamente empleado, la enorme predilección que disfruta este sufijo como medio expresivo. Así y todo, la doctora D.ª M. MORREALE (que tiene familia en Málaga) dice ser menos corriente de lo que yo sugiero el superlativo en *-ísimo,* por lo menos en A n d a l u c í a. Debemos considerar que la terminación *-ísimo,* lo mismo que en italiano *-issimo* (también poco empleada en el sur de Italia) es puro latinismo sin evolucionar (véase n. 163). En cambio, se emplea con frecuencia en t o d a España: *el m u y sinvergüenza, el mu* (= 'muy') *guarro,* etc. (Res., pág. 128). La popular afirmación *lo he visto con estos ojos* suele reforzarse añadiendo: *que se ha de comer la tierra* (en Venezuela: *...que se han de comer los gusanos* (AURA GÓMEZ, pág. 216).

El prefijo *r e -* ofrece otra posibilidad de superlativización del adjetivo; nos hemos ocupado de él en el capítulo I (págs. 44 y 105-106). NV 33 *...la madera de los montantes está r e s e c a .* No rara vez este prefijo aparece reforzado en *rete-* o *requete-.* OM 42 *Oye, escucha. ¡ R e t e m o n í s i m a !* Un grado más sería *requetemonísima* y aun, en broma, se diría *requetemonisísima.* SC 51 *¡Pero qué r e t e f i n í s i m o* [164] *es este señor cura!* Oca-

---

[164] También el adverbio *bien* admite gradación análoga: EUB 42 *Que tarde un año, muy bien; que tarde dos, muy requetebién.* VS 11 *...muy requetebién vestido.* Véase S. FERNÁNDEZ RAMÍREZ, ob. cit., pág. 127, y JOSÉ DE ONÍS, «La lengua popular madrileña en la obra de Pérez Galdós», en RHM, XV, 1949, pág. 359.

sionalmente el prefijo se aplica a una forma verbal: *eso se acabó y r e q u e t e s e a c a b ó*. Y además: *Aún no habían dado las doce*... —*Habían dado y r e q u e t e d a d o —insistió la mamá*. (A. DE LAIGLESIA, CSA, pág. 169). *Bien lo tenía pensado y r e q u e t e p e n s a d o* (A. M.ª DE LERA, «Los olvidados», página 246). *Todo estaba pensado y m u y r e q u e t e p e n s a d o* (CASTILLO-PUCHE, pág. 420). Véase también el artículo «Requeté» en J. M.ª IRIBARREN, ob. cit., pág. 540.

El prefijo griego *a r c h i -* se ha difundido [165] mediante formaciones originariamente humorísticas (SPITZER, «Stilstudien», I, 141: «el prefijo *archi-*, procedente a su vez de ambientes eclesiástico-jerárquicos, ha desarrollado un matiz paródico») (Comp. francés: «nous sommes archiprêts»): *architonto, archimalo, archifresco, archisabido;* recordamos: *archipámpano*, citado ya en este capítulo, nota 152.

También tienen muchas veces sentido superlativo los d i - m i n u t i v o s [166]. EMH 13 *Ya está bien e n v u e l t e c i t o* ('completamente'). Ibid. 17 ...*míralos* (los churros) *c a l e n t i t o s* ('muy calientes'). MP 80 ...*estaba p e r d i d i t a por tus pedazos* ('perdidamente enamorada de ti'). Ibid. 87 ...*los dos s o - l i t o s* ('completamente solos'). Otros ejemplos: *es i g u a l i t o que tú; los vi ayer muy j u n t i t o s*. M 63 Leonardo: *No ha habido más remedio que despedirlo.* —Malvaloca: *Y yo soy la p r i m e r i t a que se alegra.* También *mismo* en función adverbial es reforzable de esta forma: EMH 46: *L o m i s m i t o que si estuviera bailando un fox.* «Fr.» 3 *A h o r a m i s m i t o la traigo, señorito.* VS 30 *A h o r a m i s m i t o* ('hace un momento sólo') *me los quería pagá la Bisoja a onse reales.* «Fr.» 33

---

[165] HULTENBERG explica esta difusión porque *archi-* va antepuesto a muchos títulos y tratamientos (ob. cit., pág. 94).

[166] Según AMADO ALONSO, «Noción, emoción, acción y fantasía en los diminutivos» (ob. cit., págs. 195-229), muchos diminutivos españoles tienen función afectiva y sugeridora, lo cual, prácticamente, sin embargo, equivale a la superlativización. Estos diminutivos se cuentan, junto con las interjecciones, entre los medios más directos de efusión sentimental que posee el idioma. Para el uso en Hispanoamérica véase LUIS FLÓREZ, ob. cit., págs. 91 y sigs.

No sea (que) me caiga aquí m i s m i t o *como una pelota* [167].
Añadiremos: *lo mismito que yo.* «Fr.» 3 *Vamos muy p e g a -
d i t o s (a r r i m a d i t o s) a las casas.* M 24 *La hermana Piedad es muy* g u a p i t a. *'Lo mejor de lo mejor' se dice lo me-
jorcito.* NV 69 *Pues ya me tienes con* l o m e j o r c i t o *del
baúl.* OM 10 Dolores: *Ya se conoce* ('bien se ve') *que ha servido usted en buenas casas.* —Serafina: *¡Ah! sí, señora. En l o
m e j o r c i t o de Madrid.* (Véase LENZ, «La oración y sus partes», pág. 193.)

Se pueden reforzar afectivamente a d v e r b i o s o modos
adverbiales agregándoles una terminación diminutiva. OM 22
Sí, sí, que venga l u e g u i t o, l u e g u i t o (americanismo: 'en
seguida') [168]. VS 69 *Bueno, en* c u a n t i t o ('apenas') *el inglés
se eche a la cara al hércules, lo hace harina Nestlé* ('lo reduce
a papilla'). *En* c u a n t i t o *que vuerva* (= vuelva) *ar tayé* (taller)
será lo primero que haga ('inmediatamente'). PL 35 *Anda, tonta,
que quiero oírtela* (la canción) *aquí* c e r q u i t a ('junto a mí').
EMH 42 Sole: *...A ese le veis, antes de naa, de rodillas y a mis
pies.* —Pura: *Me parece que te falla* ('que te va a fallar'; se
trata de Antonio, a quien Sole pretende seducir). —Sole: *D e
r o d i l l i t a s y a mis pies, está dicho. De rodillas* está con-
cebido como una sola palabra, y tratado como tal. Lo mismo
ocurre con *de prisita* 'muy de prisa'. F. LÓPEZ ESTRADA, obra
citada, pág. 265: «El diminutivo... alcanza en el lenguaje popular una posibilidad de matiz mucho más delicado que en
lenguaje culto». JULIO CASARES, «Introducción», pág. 120, señala
también la eventual significación peyorativa (o, más bien, irónica) de los diminutivos: una n o c h e c i t a *inolvidable,* 'una
noche terrible'. Está visto que el sufijo *-ito* puede emplearse
en sentido irónico, indicando entonces todo lo contrario de lo
grato o amable: *¡pues sí que llevo una* m a ñ a n i t a *!; ¡vaya
g e n t e c i t a !; ya me están fastidiando los* n i ñ i t o s *estos...*

---

[167] *Caerse como una pelota* se explica como variante perifrástica de
caerse redondo ('redondo como una pelota').
[168] A diferencia de otros americanismos como *ahorita, nomasito, adio-
sito* (portug. *adeusinho*), etc., hoy es corriente, al menos en Madrid, *hasta
lueguito.* C 51 *Hasta lueguito, amigos.*

Comp. el humorístico *la vida es un a s q u i t o*. En ocasiones, hasta el gerundio puede adoptar sufijos diminutivos. EMH 9: *Me levanté a las dos y media, pero muy c a l l a n d i t o* ('muy suavemente') *para que no despertaras.* (Véase también SPITZER, «Aufs.», pág. 109, nota.)

Al tratar del uso estilístico de los diminutivos, debemos mencionar también su función e u f e m í s t i c a o atenuadora, p. ej., en una conversación que, años atrás, sostuve con un español culto. A mis alabanzas de la virtudes de la gente humilde en España, mi interlocutor objetó: —*Pero ¿no le parece que España es un país algo a t r a s a d i l l o?* Otro ejemplo: *La niña es más bien f e í l l a, pero muy salada.* — M. MORREA-LE: «Cuando se llega a formular una petición en son de limosna o ya como simple ruego, la cosa pedida se expresa generalmente en forma d i m i n u t i v a como para insinuar que la molestia ocasionada al dador va a ser pequeña: *¿No tiene usted un v e s t i d i t o viejo que no le sirva?* o *Traiga un m a r t i-l l i t o, Déme unos c l a v i t o s*, que no indican nada acerca del tamaño del vestido, del martillo o de los clavos, y mucho acerca del mecanismo psicológico de la petición» (Res., páginas 123-124).

Por lo demás, el capítulo de los SUFIJOS DIMINUTIVOS (y aumentativos), es el quebradero de cabeza de todas las gramáticas y métodos de español. La Gramática de la Real Academia, páginas 31-32, trae los siguientes sufijos diminutivos:

-ito, -eta, -ete, -eto, -ote	*-illo*	*-ico*	*-uelo, -olo*
-cito	*-cillo*	*-cico*	*-ezuelo*
-ecito	*-ecillo*	*-ecico*	*-zuelo*
-ececito	*-ececillo*	*-ececico*	*-ichuelo*
			-achuelo
			-ecezuelo

A continuación se citan como sufijos despectivos: *-ajo, -ejo, -ijo; -acuajo; -arajo; -istrajo;* y, para remate, los diminutivos regionales *-ín* para Asturias, *-ino* para Extremadura, e *-iño* para Galicia, que coincide con el portugués *-inho.* Al dar ahora unas cuantas «reglas» sobre la formación de los derivados diminutivos, observemos primero las terminaciones antes nombradas, desde el punto de vista de su frecuencia en el uso; pues sólo así lograremos trazar siquiera una como vereda a través de una maraña de formas, comparable con la maleza de una selva tropical. El estudiante extranjero deseoso de aprender español, no se puede orientar en medio de tan desconcertante abundancia de particularidades sin antes obtener esa visión general.

Dejamos a un lado los últimos grupos de sufijos, en su mayoría despectivos, porque tales sufijos no tienen vida, por decirlo así, más que en formas que se han hecho independientes, en expresiones más o menos cargadas de afectividad, y que prácticamente se aprenden mucho mejor como vocablos invariables. Así, por ejemplo, *comistrajo* es 'mala comida', *bebistrajo* un 'brebaje desagradable'; *latinajos* significa 'chapurreo de citas en latín' con que los semiilustrados tratan de dar brillo a su conversación; *lagartija* es el nombre de una especie concreta de saurios; *renacuajo* sólo etimológicamente deriva de *rana*, pero en la práctica se trata de dos vocablos completamente diferentes. *Renacuajo* significa 'cría de la rana' y se aplica preferentemente como palabra cariñosa, entre afectiva y humorística, a los niños pequeños. *Espumarajo* (también dicho *espumajo)* no es propiamente despectivo ni en el sentido de 'espuma(s) del mar' ni en el de 'saliva que le sale de la boca al que está airado': este derivado de *espuma* busca aquí un efecto onomatopéyico. El único sufijo con vitalidad de esta serie es *-ejo*: un *peralejo* 'peral (árbol) raquítico'; *este mal hilvanado a r t i c u l e j o* ('trabajo periodístico deficiente'); *un libro m e - d i a n e j o* (de *mediano:* 'por bajo del término medio, malo'); *una palabreja* ('palabra rara o malsonante'); *un discursejo* ('discurso mediano, mediocre'). Recuerdo haber oído: —*¿Qué tal te parece el artículo de fulano? —¡Pse!, talcualejo nada más.* Y aun: *el enfermo anda talcualejamente.* En A. M.ª DE LERA, «La boda» (ob. cit., pág. 638), leo: —*No es que tenga mucha hambre, chachos, pero sí ganas de echar un t r a g u e j o.*

Muchos diminutivos llevan el infijo [169] *-c-* o *-ec-* como elemento de enlace para agregar las terminaciones *-ito, -illo, -ico*

---

[169] F. GONZÁLEZ OLLÉ, de acuerdo con Y. MALKIEL, lo llama «interfijo».

y -*uelo*. Los sufijos -*ete*, -*eto* y -*ote* que en el cuadro sinóptico figuran junto a -*ito*, tienen preferentemente sentido despectivo, sobre todo -*ete* y -*ote;* este último, por ser aumentativo, no tiene por qué figurar aquí; y -*eto* es tan sumamente raro, que no cabe considerarlo como sufijo vivo. Antes bien habría que citar -*eta*, femenino de -*ete*, por más que las formas *cuneta, bragueta, peseta* [170], por no citar más que tres ejemplos al azar, se han de considerar hoy como palabras independientes, porque se ha perdido en ellas toda conciencia de relación con los respectivos primitivos *(cuna, braga, peso)*. Quedan, pues, -*ito*, -*illo*, -*ico* y -*uelo;* no tiene que entrar aquí -*olo*, pues en *Manolo* como diminutivo de *Manuel*, uno de los pocos ejemplos que se me ocurren, se trata de una regresión jergal secundaria de *Manolito; Bartolo*, que se podría aducir también, es igualmente una abreviación jergal de *Bartolomé*, como *Encarna* de Encarnación, *Reme* de Remedios, y otros muchos. Pero también los cuatro sufijos principales que nos han quedado se reducen a tres ante una atenta observación: y es que -*ico*, hoy, no es más que una variante popular regional de -*ito*. Recordemos que la confusión de [t] y [k] es fenómeno ya propio del latín vulgar, cuando en lugar de «*vetulus*» se pronunciaba «veculus», de donde proceden *viejo, velho, vieil*, etc. Así, *un poquico* es regional junto a *un poquito;* y lo mismo vale para *pobrecico, librico, hombrecico, trajecico*, todas formas regionales frente a las correspondientes con -*ito*. A éstas pertenece *bonico*, en vez de *bonito*, que hoy no es sentido como derivado de *bueno* (como lo fue originariamente), sino como palabra independiente. Se ha introducido en la lengua culta *borrico*, forma regional diminutiva de *burro* y en la que la vocal protónica -*u*- de *burrito* aparece cambiada en -*o*- de modo semejante a la de *usted* en el

---

[170] E. LORENZO (ob. cit., pág. 165) me advierte oportunamente que *peseta* n o se deriva de *pesa*, sino de *peso*, unidad monetaria de varios países sudamericanos. El cambio de género es análogo al de *carro-carreta, vagón-vagoneta*, y otros. Son muy frecuentes también los masculinos en -*ete*: terminación de cariño y afecto cuando agregada a nombres de pila masculinos: *Marianete, Bernardete, Fernandete, Manolete* (de *Manolo*). En cambio son despectivos: un *abogadete* (menos injurioso que *abogaducho*) «que acababa de terminar la carrera» (A. DE LAIGLESIA, CSA, pág. 236).

vulgar *osté*. En cuanto al sufijo *-uelo*, hoy es mucho más frecuente su función despectiva que la diminutiva; también es mucho más raro que *-ito* e *-illo*: *mujerzuela* es declaradamente despectivo ('ramera'), como *vejezuelo, reyezuelo* 'rey ridículo'. Así y todo, también ocurre con función puramente diminutiva, por ejemplo en *arroyuelo, riachuelo* (que, por su parte, nació secundariamente de *riacho*), *pequeñuelo, muchachuelo*. Éste compite con *muchachito* y *muchachillo*, si bien, como no se dan, estrictamente hablando, sinónimos de significación absolutamente idéntica, *muchachuelo*, aun pudiendo significar lo mismo que *muchachito*, 'niño pequeño', tiene cierto matiz de compasividad, quedando entre ambos *muchachillo*. Aquí decide, como en tantos casos, a más de la correspondiente situación, la mentalidad individual del hablante. Comprendemos por qué resulta tan difícil establecer con rigor científico una estilística de diminutivos y aumentativos, o sea esas como excrecencias del lenguaje tan declaradamente afectivas, muy a diferencia del uso francés, lengua más racionalizada en comparación con el español. Ya hemos aludido a la relación de *-ito* con *-illo*. La función de *-ito* es, del modo más inequívoco, diminutiva, es decir, objetivamente empequeñecedora: *un librito* es 'un libro pequeño'; en cambio, *-illo* es sin duda también preferentemente diminutivo, pero al mismo tiempo comporta con frecuencia un valor subjetivo, afectivo [171]: *¡pobrecillo!* ('digno de compasión'). Junto a esto, las formaciones con *-illo* expresan no pocas veces una nueva idea [172] respecto a la forma primitiva, de modo si-

---

[171] A. ALONSO, ob. cit., pág. 202: «*-illo* suena un poco más a pintoresco y a pueblo que *-ito*, preferido por los señores». Según RAMÓN CARNICER, Nrl, págs. 104-105, «[...] en C a s t i l l a hay muy poca inclinación por parte de los h o m b r e s a valerse de las formas diminutivas. [...] existe en el hombre castellano un visible recelo en desdibujar —mediante semejanzas con la mujer— su condición masculina. [...] prefiere decir p e q u e - ñ a mesa, p e q u e ñ o viaje, en lugar de *mesita* y *viajecito*». CARNICER contradice a los gramáticos [...] que afirman que *pequeño viaje* en vez de *viajecito* es calco del francés *petit voyage*.

[172] Para las diferencias semánticas en los sufijos diminutivos, véase DÁMASO ALONSO, en W. VON WARTBURG, ob. cit., pág. 140, n. 104: *gato* frente a *gatillo; libra* frente a *libreta; mesa-mesilla; ventana-ventanilla*, etc. A

milar a como vimos en las formas con *-eta: banquillo de los
acusados* es un término jurídico fijo para 'lugar donde se coloca
al procesado'; *banquito,* en cambio, significa exclusivamente
'banco pequeño'; *colilla* 'resto que queda del cigarro después
de fumarlo' ya no tiene relación semántica con *colita;* y mucho
menos la tiene *rabillo del ojo* 'ángulo donde se juntan los pár-
pados' con *rabito.* Hay muy escasa asociación significativa entre
camita 'cama pequeña' y *camilla* 'cama portátil para conducir
enfermos'. En cambio, son prácticamente sinónimos, *lucecilla*
y *lucecita, crucecilla* y *crucecita, corderito* y *corderillo, trajecito*
y *trajecillo, poquito* y *poquillo, viejecito* y *viejecillo,* y muchos
más. Como sufijos propiamente diminutivos en el sentido más
estricto quedan, pues, solamente estos dos: *-ito* e *-illo.*

   Digamos ahora lo más indispensable sobre los tipos de enlace. Lo que se refiere a éstos vale igual para *-ico,* y aun en gran
parte para *-uelo.* Insisto una vez más en que no se puede tratar
de reglas fijas, sino, a lo sumo, de una más o menos flaqueante
«regularidad», la que a grandes rasgos trataré de exponer. Por
razones de simplificación vamos a distinguir, prescindiendo de
los hechos histórico-fonéticos, dos formas de sufijación: 1.ª, la
unión directa del sufijo a la raíz; y 2.ª, la sufijación mediante
el infijo *-c-* o *-ec-.* La primera forma de sufijación, la «normal»,
es, con mucho, la más frecuente; se da en sustantivos, adjetivos
y adverbios que terminan en *-o* o en *-a,* y cuya vocal tónica no
sea diptongo: *hermano-hermanito;* o *hermanillo; carro-carrito
(carrillo); negro-negrito (negrillo); temprano-tempranito (tem-
pranillo); amigo-amiguito (amiguillo); pájaro-pajarito (pajari-
llo);* en adelante sólo cito la más frecuente de las dos formas:
ambicioso-ambiciosillo; envidioso-envidiosillo. Véase que también a los gerundios ocasionalmente se une en la forma «normal» el sufijo de diminutivo: *callando-callandito,* por ejemplo:
entré muy c a l l a n d i t o ('con mucho silencio'). Sólo algunas
excepciones, no precisamente traídas por los cabellos: *alemán-
alemanito; Gaspar-Gasparito; señor-señorito; inglés-inglesito;*

---

propósito de *mesa-camilla,* es un *mesa* o *mesilla* alta y redonda, provista
de un tapiz que llega hasta el suelo, entre las patas de la cual se halla
colocado un brasero para calentarse manos y piernas los que se arriman.

ángel-angelito; por otro lado, de *mano*, junto a *manita*, es más frecuente *manecita*, mientras *manecilla* significa: 1), 'broche de libro'; 2), 'signo de llamada de atención' (una mano con el dedo índice extendido); 3), 'aguja de reloj' (con este significado también *manilla)*; de *fresco*, por un lado se forma *fresquito* ('frío agradable, de verano': *agua fresquita)* y por otro *fresquecito* ('frío desagradable': *está entrando un f r e s q u e c i t o bastante molesto).*

La presencia del infijo que se observa en los dos últimos ejemplos quebranta a veces las reglas generales que se establecen a continuación, «reglas» por cuanto indican lo que ocurre en la indiscutible mayoría de los casos.

El infijo *-c-* o *-ec-* aparece:

1.º En los bisílabos acabados en *-e* o en *-en* átonas: *traje-trajecito*; *grande-grandecito*; *pobre-pobrecito*; *coche-cochecito*; *noche-nochecita*; *joven-jovencito*; *virgen-virgencita*; *Carmen-Carmencita*. Los que tienen más de dos sílabas no toman infijo: *paquete-paquetito*.

2.º En los sustantivos monosílabos que en español antiguo terminaban muchas veces en *-e* átona, esta *e* reaparece en los derivados diminutivos y determina con ello la misma forma de sufijación que en el grupo anterior: *flor-florecilla*; *cruz-crucecita*; *pan-panecillo*; *luz-lucecita*; *red-redecilla*; *pez-pececillo*; *voz-vocecita*. Igual, *rey-reyezuelo*.

3.º La terminación *-o* o *-a* es sustituida por *-e* + infijo en los diminutivos de las palabras bisílabas en que el acento recae sobre un diptongo *ue* o *ie*: *cuello-cuellecito*; *huevo-huevecito*; *cuerda-cuerdecita*; *viejo-viejecito*; *pliego-plieguecito*; *rueda-ruedecilla*; *muerto-muertecito (de miedo)*; *envuelto-envueltecito*.

4.º En palabras terminadas en vocal acentuada + *n* o *r*, y principalmente en *-ón* y *-or*: *vapor-vaporcito*; *calor-calorcito*; *corazón-corazoncito*; *amor-amorcito*; un niño *mayorcito* ('casi un joven'), *los varoncitos* ('los varones más pequeños'), *l o p e o r c i t o* de Madrid ('los individuos más malos'), *déme usted de l o m e j o r c i t o*. Y así: *traidor-traidorzuelo* (aquí con significado despectivo), *escritor-escritorzuelo* ('mal literato'), *autor-autorzuelo*, a diferencia de *pequeñuelo, ojuelos, picaruelo,* más bien acariciativos. Por el contrario, de _altar_ se hace _altarcillo_, pero también _altarillo_, y de _pilar_, lo mismo que _pilarcillo_, también _pilarillo_; la famosa Virgen del Pilar, venerada en Zaragoza, se llama entre el pueblo la _Pilarica_ (con sufijo regional _-ico_).

La observación de estas cuatro reglas generales permitirá formar correctamente la gran mayoría de los derivados diminutivos en _-ito (-ico), -illo_ y _-uelo_, que son las formas que más frecuentemente se presentan [173].

Como complemento de lo dicho, citemos también los SUFIJOS AUMENTATIVOS. En principio sirven para resaltar el gran tamaño de la cosa de que se trata. CC 18 ...¡qué _f o r t u n ó n!_ '¡qué gran caudal!'. VM 47 _Le he contado el j u e r g a z o_ (de _juerga_) _que nos corrimos anoche._ Observemos que los dos sustantivos _fortuna_ y _juerga_ cambian de género en el grado aumentativo; lo mismo _casa, casón; cabeza, cabezón; voz, vozarrón; boca, bocón; fonda, fonducho;_ etc. Muchas veces los sufijos aumentativos tienen sentido peyorativo: MP 93 _Un poquillo tonto, p r e - s u m i d o t e , amigo de lucir._ EMH 25 ...ese _tío o r d i n a r i o t e_ 'plebeyo'. Se llama _grandote_ a un hombre alto, algo desgarbado, también se habla de _un toro grandote._ A una mujer excesivamente alta se le tilda de _altota._ Una _mujerota_ (o _mujerona_) gorda y robusta suele carecer de gracia física, como de gracia y agilidad un _hombrote._ Sin embargo, ello no impide que un tal hombrote, moralmente, sea _noblote_ o _generosote_ y que con sus _amigotes_ (o _amigachos_), pese a ser físicamente _torpote,_

---

[173] Como excepciones a las «reglas» arriba establecidas, cito, además del ya mencionado _fresquecito_, el popularísimo _cafelito_ (al lado de _cafecito_, poco usado ya); y formado por evidente analogía: _un cortelito_ (= _un cafelito cortado_). A propósito de _cafelito_, véase EMILIO NÁÑEZ, «¿Un nuevo sufijo _-lito_?», en FM, 19-20, 1965, págs. 251-253. A esto añadimos las formas andaluzas con sus infinitos derivados, que llegan hasta el extremo de crear cuartos y quintos diminutivos. De _chico: chiquito_ y de éste _chiquitito_, y de éste, _chiquirritito_ o _chiquitillo;_ y de éstos _chiquirrititito_ o _chiquititillo;_ y de éstos _chiquirrititillo_ o _rechiquititillo;_ y aún de éstos _rechiquirrititillo._ (S. MONTOTO, «Andalucismos», Sevilla, 1915), cit. por FERNANDO GONZÁLEZ OLLÉ, en «Los sufijos diminutivos en castellano medieval» (Madrid, Consejo Sup. de Invest. Cient., 1962), pág. 4, n. 2. Ibid. pág. 265 _tomaría un whiskisito_ (J. M. PEMÁN, ABC, ed. de tarde, 26-VIII-60).

se muestre generosote y «*francote como el oro*». Al que por su excesiva ingenuidad da impresión de hombre primitivo, se le llama *sencillote* (fem. *sencillota);* con *infelizón* o *infelizote* la lengua popular designa al hombre excesivamente bondadoso, sin malicia alguna (véase cap. III, n. 196). En cambio (excepto *aguilucho* = polluelo de águila) tienen matiz invariablemente peyorativo-despectivo los aumentativos en *-ucho*. EUB 67 ¿*Pero estás loca, Claudita? Después de dos años de relaciones con el marqués... ¿vas a caer con ese m e d i cu c h o ?* ('con ese matasanos'). A un mal abogado se le llama *abogaducho*. Una muchacha fea es *feúcha* o *feuchilla*, una casa antigua y fea *una casucha*, y un niño enfermizo *un niño delicaducho*. Además se dan morfológicamente «aumentativos» puros, pero con sentido diminutivo: *islote* es una isla pequeña y *camarote* una cámara o habitación pequeña en un barco. Véase: J. CASARES, «Introducción», obra citada, pág. 116. El sufijo *-azo*, a más del significado que tiene en *botellazo, escobazo*, etc. (véase pág. 259), cumple función de aumentativo auténtico en *bromazo;* el arriba cit. *juergazo; exitazo, artistazo, actorazo, pintorazo, pianistazo,* etcétera, el tan frecuente *pelmazo* y otros muchísimos, a los que añado: el femenino las *manazas* (de un boxeador). Entiéndese en sentido ligeramente peyorativo: fulano es un *buenazo* (= *infelizote* o *infelizón),* y en sentido exclusivamente pesimista: *jefazo* (= jefe engreído y mandón o *mandamás;* p u e d e significar también, en sentido laudatorio, según J. POLO, 'todo un jefe'); *me dieron esquinazo* (= no acudieron a la cita); *dar a alg.* el *cambiazo* (que significa 'cambiarle fraudulentamente un objeto valioso por otro de menos valor'); de *chivato* (= 'soplón', 'sopleta') se deriva *(dar el) chivatazo* (= 'delatar') [174]. — Sospecho que procede de la parte de Bilbao el sufijo *-orro, -orra* en *darse* o *pegarse la gran (buena) v i d o r r a* (= vivir regaladamente). En alguna novela contemporánea recuerdo haber leído un *tiorro*, una *tiorra*, aquí en sentido peyorativo. En CAS-

---

[174] M. L. WAGNER, en «Apuntaciones sobre el caló bogotano», cita *chivato* = 'delator', 'denunciante', igualmente usado (con el mismo valor semántico) en España. El verbo es *chivatear* en Colombia, *chivatar*, con la expresión *dar el chivatazo*, en España.

TILLO-PUCHE, P 40, pág. 445, ocurre: *se asomaron dos t i o r r a s*
(= 'mujerotas vulgares').

En general, puede decirse que se intensifica afectivamente
el sentido meliorativo de los adjetivos con el sufijo diminutivo,
y el sentido peyorativo con el sufijo aumentativo; por ejemplo:
churros calentitos frente a *una cosa sosona* (en *¡qué s o s i t a
es la pobre!* el diminutivo tiene función atenuante); un *niño
delgadito* 'de pocas carnes' frente a un *niño flacucho* (también
delgaducho) 'de aspecto enfermizo'. — Sobre los sufijos diminutivos y aumentativos en el español, puede verse LENZ, ob. cit.,
págs. 64 y sigs.; con más detalles, TORO Y GISBERT, «Los nuevos
derroteros del idioma», págs. 171 y sigs. Véase también M. L.
WAGNER, «Grammatikalisation der Suffixfunktion in den ibero-
romanischen Sprachen», en «Archiv für das Studium der neueren Sprachen», t. 147, págs. 265 y sigs. Merece especial mención
el inmejorable estudio de AMADO ALONSO, citado en la nota 166.
Además, DÁMASO ALONSO, en W. V. WARTBURG, obra citada, nota 93
a las págs. 126-127. Entre los estudios más recientes señalamos
el monumental libro de FERNANDO GONZÁLEZ OLLÉ (cit. en la
pág. 294, n. 179), que abarca toda la evolución, tanto semántica como morfológica, y el empleo estilístico de los diminutivos
a lo largo de toda la edad media; cabe decir que hasta nuestros
días. En la página 205 de su magnífica obra (que bien como
pocas, se puede llamar exhaustiva), el autor dice: «E n e l
e s p a ñ o l m o d e r n o, también en portugués e italiano, lenguas todas de gran capacidad afectiva, la acumulación de sufijos diminutivos, todos ellos en función actualizada de tales,
responde a una tendencia expresiva que trata de garantizar por
este medio la intensidad o la autenticidad del sentimiento».
Más tarde (en 1973) se publicó el voluminoso a par que sustancioso libro de EMILIO NÁÑEZ «El diminutivo», la obra de más
envergadura sobre el fenómeno tan sugestivo como estilísticamente complicadísimo que representa el diminutivo. Tan es así,
que el estudio y debida valoración de dicho libro rebasaría con
mucho los límites señalados por el tipo del mío, de carácter
más general y de conjunto. No quisiera dar por terminado este
párrafo sin mencionar el excelente artículo de JUSTINO CORNEJO

(de la Academia Ecuatoriana de la Lengua), titulado «Vida y pasión del diminutivo», en «Yelmo», n.º 12, junio-julio 1973. Especialmente para el uso argentino (Rosario), véase N. E. Donni de Mirande, ob. cit., págs. 268 y sigs. Véase también Salvador Fernández Ramírez, «A propósito de los diminutivos españoles», en «Strenae», Salamanca, 1962, págs. 185-192, y el monumental libro de Emilio Náñez Fernández «El diminutivo» (Madrid, Gredos, 1973).

La comparación [175]. Uno de los medios expresivos más bellos y populares para realzar lingüísticamente la característica atribuida a un ser es compararlo con un objeto o con una persona que la fantasía del hablante considera como exponente de la aludida cualidad, procedimiento ampliamente usado por todos los escritores verdaderamente populares, incluso el propio Cervantes. «El mayor mérito de Cervantes como épico consiste en haber intercalado en sus novelas, como en mosaico, comparaciones de tanto valor plástico, y en haber procurado una íntima alianza de la visión épica con la fraseología y mundo representativo del pueblo español», dice Hatzfeld, ob. cit., pág. 50.

Para lograr una orientación general, vamos a distinguir primeramente los siguientes grupos principales en que pueden distribuirse los distintos tipos de comparación.

I) La cualidad de que se trata se da en un ser en el mismo grado que en el sustantivo traído a comparación; por ejemplo: VS 26 ...*es b u e n o c o m o u n s a n t o .* «Quijote», II, 13 ...*tan f r e s c a c o m o u n a m a ñ a n a d e a b r i l .*

II) La cualidad es superior en grado al término de comparación; por ejemplo: LP 14 *Si es usted m á s b u e n o q u e e l p a n .* La mayoría de las comparaciones en el español coloquial se presentan en esta forma de exageración barroca [176].

---

[175] Un reciente estudio sobre este estilismo popular es el de R. Olbrich, «Über die Herkunft der übersteigernden Vergleichsform in der spanischen Umgangssprache», en Est. dedic. a Menéndez Pidal, VI, 1956, págs. 77-103. Véase también E. F. Tiscornia, «La lengua de Martín Fierro», Buenos Aires, 1930, págs. 265-283; y Luis Flórez, ob. cit., págs. 183 sigs.

[176] Así, el esp. *más malo que un veneno* se opone al fr. «méchant comme la gale». R. Olbrich (ob. cit. en la n. 175) ve en esta comparación

III) El sustantivo correspondiente se presenta como convertido en el término mismo de la comparación; por ejemplo: «Fr.» 5 *Tengo l a c a b e z a h e c h a u n b o m b o* (es decir, 'tan pesada, que me retumba como un bombo')[177].
IV) El portador de la cualidad aparece identificado con el término de comparación. EUB 34 *Este hombre e s u n C r e s o* ('inmensamente rico').

Ahora bien, si tenemos en cuenta la inabarcable riqueza de giros del tipo comparativo debidos a la inventiva del pueblo, que crea constantemente otros nuevos, el número de los más repetidos en el uso diario, es decir, de los que pertenecen realmente al caudal fijo de la lengua, es relativamente pequeño. Pues solamente persisten aquellos en los que, al omitirse el verdadero adjetivo, el término de comparación ha llegado a convertirse en exponente de la cualidad en cuestión. Así se explican las significaciones figuradas de muchos sustantivos, que de otro modo serían incomprensibles para un extranjero; por ejemplo: *Este tío es u n*[178] *l e c h u g a* ('sinvergüenza'). ¿Cómo llega *lechuga* a significar 'fresco, sinvergüenza'?; sencillamente porque se la asoció como objeto fijo de comparación con *fresco* 'refrescante' pero también 'desvergonzado', y así, se dijo: *fresco*[179]

ponderativa, comprobada también por él en otros países de la Romania, una pervivencia del tipo latino *luce clarior*, de origen literario pero que se propagó al habla refinada y acabó por extenderse, dentro de la Península Ibérica, a la lengua popular, especialmente de las comarcas meridionales. Sin duda contribuyó a ello la afición de los andaluces a las expresiones hiperbólicas. Esta aseveración «romántica» no pretende aminorar en lo más mínimo el gran valor del citado estudio, que viene a complementar históricamente el presente libro, de tipo empírico-descriptivo y limitado exclusivamente a España.

[177] A propósito de *bombo* con la significación de 'elogio exagerado' recuerdo: *darle b o m b o a alg.* Y cuando son dos o varios los que lo hacen mutuamente con fines interesados, se comenta humorísticamente: *Aquello parece una sociedad de b o m b o s mutuos.* Recuerdo haber leído: *la odiosa b o m b i s t e r i a.*

[178] Véase más abajo, pág. 318 y n. 218.

[179] De *fresco* se deriva la voz popular *un frescales,* cuyo sufijo *(-ales)* aparece también en *viejales, vivales, rubiales* y otros. (E. LORENZO, pág. 13.) En RFE, XXV, 1941, pág. 172, M. L. WAGNER comenta: *frescales, mochales,*

como una lechuga, más fresco que una lechuga, comparación señalada como muy antigua ya por Quevedo (FRANCISCO YNDU-RAIN en «Arch. de Filología Aragonesa», VII, 1955, pág. 106).

TIPO I. — Tratándose de la expresión completa del tipo *(tan) bueno como un santo,* apenas habría que separar el grupo I del grupo II, puesto que hoy lo mismo se dice *más bueno que un santo,* sin que esta expresión represente, como podría esperarse, un grado de intensificación respecto a *como un santo.* En su origen el tipo segundo *(más... que)* representaría un refuerzo frente al primero *(como);* hoy, sin embargo, los dos tipos se sienten prácticamente como sinónimos, sólo que el primero representa la forma más antigua, si bien todavía viva, frente a la cual la segunda goza de mayor predilección [180]. MP 88 *...Estaba b l a n c o c o m o u n p a p e l* ('palidísimo'). Añadiré las siguientes variantes, tomadas del DM, sólo por dar una prueba de la riqueza de imágenes del lenguaje: *blanco como la nieve; —como la pared; —como un cadáver; —como un difunto; —como un muerto; —como un mármol;* con sentido meliorativo, no como en los casos anteriores, tenemos: *blanco como el armiño; —como el jazmín; —como el nardo; —como la azucena; —como la leche.* Todas estas expresiones pueden,

---

rubiales y *vivales.* Añado: *viejales,* y que todos se usan únicamente en singular (la [s] final de todos ellos no es signo de plural).

[180] Es la misma diferencia que hay entre el tipo *¡qué cosa tan fina!* y *¡qué cosa más fina!* (tema tratado por G. EBELING, «Probleme der Rom. Syntax», págs. 38 y sig., y por MEYER-LÜBKE, Literatur-Bl., 1907, pág. 15). En sainetistas más antiguos, VITAL AZA, por ejemplo, se encuentra casi únicamente *tan:* SC 38 *Pero ¡qué ideas tan graciosas se le ocurren a este chico!* Ibid. 47 *¡Qué sorpresa tan agradable!* Ibid. 49 *¡Qué aroma tan delicioso!,* etc. En cambio, MUÑOZ SECA, ARNICHES, los hermanos QUINTERO y, en suma, los de la siguiente generación, emplean ya casi exclusivamente *más.* Por otro lado, la elipsis *¡cosa más rara!* es frecuentísima en VITAL AZA (LP 28). SC 57 *¡Cosa más particular!* LP 22 *¡Amores más particulares!* Ibid. 60 *Pero, doctor..., ¡cosa más rara!* ¿No tendremos aquí el primer grado de la construcción ulterior *¡qué cosa más rara!*? Ésta sería entonces un cruce de la exclamación *¡qué cosa!* y la elipsis *¡cosa más rara!* (complétese *no se ha visto).* Véase M. L. WAGNER, «Spanisch *tan* und *más* mit Verblassung der ursprünglichen Funktion», en ZRPh, XLIV, págs. 589 y siguientes, y especialmente pág. 591.

sin más, convertirse en el tipo II. Pero el tipo I tiene sobre el II la ventaja siguiente, razón sin duda de su vitalidad: que el adjetivo puede faltar, y asumir su función el sintagma *como* + término de comparación, de forma que *como un cadáver, como la pared,* etc., acaban por convertirse en sinónimos de *blanco: se puso blanco = se puso como la pared.* Este modo de hablar tiene la ventaja de que exime al hablante de la necesidad de buscar primero un adjetivo apropiado, ya que basta nombrar el correspondiente término de comparación para despertar en el oyente la representación de la cualidad que se pretende expresar. La situación por un lado, y por el otro el uso hacen que, del objeto de comparación respectivo, se abstraiga en cada caso la respectiva cualidad pertinente.

Así, por ejemplo, la combinación *como la cera,* en sí resulta equívoca, pudiendo significar 'blanco' o 'blando'. Únicamente el contexto permite determinar a qué cualidad de la cera se alude: *Fulano se puso como la cera,* no puede referirse más que al color; en cambio, en *el asfalto de las calles estaba como la cera,* el término de comparación *(cera)* sólo puede encarecer la blandura del piso.

La elección de un objeto adecuado para la comparación revela la mayor o menor originalidad del hablante. Téngase siempre presente que también el número de «lugares comunes» en este terreno es bastante grande. En lo que sigue citaré sólo ejemplos que carecen de adjetivo. SC 69 *Ahí abajo me alcanzó la pareja de la guardia civil; dos hombres c o m o d o s c a s - t i l l o s* ('tan grandes'). CC 46 *Un mastín c o m o u n t o r o.* MP 97 *Y usted siempre junto a mí c o m o u n p a l o m i n o a t o n t a d o* ('tan asustado y medroso'). SC 29 *Va a haber unos melocotones c o m o m i c a b e z a* ('tan gordos'). EMH 12 *...tiene dos niñas* ('pupilas de los ojos') *c o m o d o s p e r d i - g o n e s.* Obsérvese la repetición del numeral que acompaña al término de comparación en este último ejemplo (como también en el primero: *dos hombres como dos castillos;* véase abajo, pág. 356), y así igualmente: *cuatro niños como cuatro soles,* procedimiento este, acústico, además, que contribuye a poner de relieve plásticamente la identificación del término real

con el irreal. LP 20 ...*le ha dejado la mejilla c o m o u n t o m a-
t e* ('colorada, de una bofetada'). Comp. *Se puso como un toma-
te, como una guinda, como la grana, como un pimiento*, es decir,
'muy colorado, ruborizado'. EMH 2 *Lo dejo* [181] *c o m o u n f i g u-
r i n* ('tan elegante como un traje de esos pintados en revistas
de modas').

Recojo a continuación algunas de las muchas frases de este
tipo citadas por el DM; se usan también con valor adverbial
(y a veces así exclusivamente): *como abad en oración* 'con hipo-
cresía': *como abarcas* [182] 'ancho' (dicho de un calzado que sienta
mal); *como abeja en flor* 'contento y de buen humor'; *como
abriles* [183] 'lindas, elegantes' (dicho de unas jóvenes); *como acero
bruñido* 'reluciente'; *como acíbar* 'amargo'; *como agua en har-
nero* (también *en banasta, cesta, costal, criba*) 'inseguro'; *como
el agua de un lago* 'quieto, pacífico'; *como el agua por San Juan*
'dañoso'; *(tieso) como un ajo* 'estirado' (alude al comportamiento distanciado, poco familiar); *como ala de mosca* 'delgado,
transparente, incoloro'; *como albardas* (aparejo del asno) 'ordinario y que sienta mal' (dicho de prendas de vestir); *como el
alcalde Ronquillo* (jocoso, sentido como derivado de *ronco)*
'afónico'; *como alforjas* 'que sienta mal'; *como el alma de Judas*
'falso, traidor'; *como alma en pena* 'muy triste'; *como un alma
perdida en un melonar* 'indeciso', 'despistado'; *como una ama-
pola* 'rojo de vergüenza'; *como anillo al dedo* (adverbial) 'a
propósito'; *como un aragonés* 'testarudo, terco'; *como arca
abierta* [184] 'chismoso' (de quien no sabe guardar un secreto; del

---

[181] Para *dejar* en este empleo popular, con el sentido literal 'dejar
hecho', véase también pág. 260 y la nota 7 de este capítulo.

[182] Las abarcas son un tipo rústico de calzado de cuero (o de caucho)
que se sujeta al pie con bramantes o correas.

[183] Abril es, en España, el mes más bello de la primavera; por algo
se oye decir: *una muchacha de 22 abriles* (o *primaveras*). Véase TOMÁS SAL-
VADOR, ob. cit., pág. 186. Y análogamente: *una mujer de 40 veranos; un
hombre de 60 otoños; un anciano de 80 inviernos.* Como expresión achula-
pada de negación se oía en Madrid: ¡*de verano!* (PASTOR y MOLINA la
define como «expresión equivalente a: '*no puedo atenderle a usted*'».
Otro ej.: ¿*me das cinco durillos? —¡De verano!* (ob. cit., pág. 37).

[184] Cf. el refrán *en arca abierta el justo peca*, cuyo significado es 'evita
la ocasión y el peligro'.

que es, al contrario, reservado se dice *como un arca cerrada); como aro de carro* 'grande, desproporcionado' (de un anillo); *como un ascua de oro* 'limpio, brillante'; *como un avestruz* 'voraz, glotón'; *como el azafrán a los loros (como el perejil a los canarios)* 'dañino'; *como el azogue* ('mercurio') 'inquieto, intranquilo'; *como barca sin remos* o *como barco sin timón* 'inconstante'; *como boca de lobo* 'lugar o noche oscurísimos'; *como borregos* 'sumisos'; *como un botijo* 'grueso' (de personas); *como bueyes* 'extraordinariamente grandes' (dicho de insectos); *como buñuelos* (adverbial) 'hecho sin esfuerzo, chapucero, inconsistente'; *como caballo desbocado* (adverbial) 'de prisa, sin reflexionar'; *como el caballo de Don Quijote* 'hambriento, flaco'; *como cabo de escuadra* 'despótico, brutal'; *como cafres, como acémilas* 'brutos, sin cultura'; *como cagada de hormiga (pulga, ratón)* 'insignificante, pequeñísimo'; *como caja de muerto* 'estrecho e incómodo' (dicho de una habitación u otro espacio); *como cajón de sastre* [185] 'desordenado, revuelto'; *como calavera de muerto* o *como un queso de bola,* o *como bola de billar* 'totalmente calvo'; *como un calcetín* 'sin voluntad, sin carácter' (de personas que cambian constantemente de parecer); *como canto de chicharra (grajos, grillos, grullas)* 'monótono, aburrido'; *como el canto de una moneda (de una peseta; de un duro; de una uña; de un papel)* 'muy delgado'; *como caña de estoque* [186] (o *de pescar) 'flaco' (de personas); *como la capa de San Martín* 'partido, rasgado'; *como carámbanos* 'frío'; *como caramelos* 'gordos' (de las piedras del granizo); *como una carraca* 'viejo, achacoso'; *como carreta de bueyes* (adverbial) 'lento y pesado'; *como un cartujo* 'huraño, insociable, de pocas palabras'; *como una casa* [187] (*una catedral, un*

---

[185] A prop. de *sastre* recuerdo: *Soy viejo s a s t r e y conozco el paño.* En sentido pesimista se usa: *a ese le conzco el p e r c a l =* 'sé cómo es, cómo las gasta'. En Asturias oí: *en esa casa hay p e r c a l* (= 'mujeres de mala vida').

[186] Caña delgada a la que va sujeto el paño rojo de la muleta.

[187] Cf. la siguiente construcción: *es un meridional como una casa* 'de lo más típico que darse pueda', y estas otras semejantes: *tiene un corazón como una catedral* (o *...como la copa de un pino); es una verdad como un templo.* Se oye con particular frecuencia el ya citado *como una casa,*

castillo) 'alto y fuerte' (de personas); *como casa sin tejado* 'imperfecto, inacabado'; *como castellano viejo* [188] 'muy honrado'; *como un cementerio* 'solitario'; *como cepillo de alambre* 'áspero'; *como cera de iglesia* 'de poca duración'; *como cerezas* 'de color rojo vivo' (dicho de los labios de una mujer); *como cero a la izquierda* (de origen probablemente erudito) 'nulo, sin valor'; *como chicharra en verano* 'pesado, desagradable'; *como chiquillo con zapatos nuevos* 'contento'; *como chispa eléctrica* 'rápido'; *como una cigüeña* 'cuellilargo' (en al., esta comparación con «Storch» se usa en el sentido de 'pernilargo'); *como el cimborrio* ('cúpula') *del Escorial* 'gordo' (dicho de la cabeza de una persona); *como cojo sin muletas* 'desamparado, sin ayuda'; *como cometa* (juguete) *en el aire* 'inseguro'; *como costal de paja* 'torpe, inhábil'; *como una criba* [189] 'agujereado'; *como el Cristo de Vargas* (alusión a una imagen en tiempos famosa) 'fuerte, enérgico'; *como una cuba* 'muy borracho'; *como cuento de brujas* 'engañoso, mentiroso'; *como una cueva o como boca de lobo* (J. POLO) 'oscuro, inhóspito' (dicho de una habitación); *como culo de pollo* 'arrugado' (dicho de la boca rugosa de una persona vieja); *como una descarga* (salva de armas de fuego) 'inesperado'; *como el escabeche* 'frío' (dicho de un plato culinario); *como el esparto* 'reseco'; *como el evangelio* 'seguro, infalible'; *como una flor* 'bello'; *como una furia (un toro)* 'rabioso, airado'; *como gallina con huevos* 'muy desconfiado'; *como gallo en gallinera* 'bien estimado'; *como gallina en corral ajeno* 'sin libertad de movimientos' y 'tímido, modesto'; *como hacha* ('ci-

---

p. ej., *es un farolero c o m o u n a c a s a ;* en FRANCISCO CANDEL, «Pueblo», pág. 162, leo: *Todo eso de censura* [...] *es un cuento c o m o u n a c a s a .* En «Colmena», pág. 132, ocurre: —(...) *El hijo de la finada es marica.* —*Sí, señor juez, un marica c o m o u n a c a t e d r a l .* Sobre todo *catedral* como c l i s é comparacional aparece en los contextos más inverosímiles, p. ej. —*¡qué vasazo de agua me voy a meter ahora mismo! Como u n a c a t e d r a l* («Jarama», pág. 21).

[188] Los castellanos viejos tienen especial fama de hombres de bien e íntegros a carta cabal.

[189] Para encarecer la mala memoria se dice humorísticamente: *tengo la memoria como una criba* (o *hecha u. c.*). Imagen semejante expresa *está como una regadera* (que también ha tomado el sentido actualísimo de 'chiflado'), o, con plena «identificación», *es una regadera.*

rio') *de muerto* 'débil' (dicho de una luz); *como el hierro* o *como el acero* (según J. POLO más común) 'duro, fuerte'; *como el huevo de Colón* 'sencillo, evidente, fácil'; *como jaca en feria* 'ataviado'; *como un mozo de cuerda* 'muy cargado'; *como el negro de una uña* 'negrísimo'; *como palillos de dientes* 'delgados' (dicho de los miembros de una persona); *como una palmera* 'muy alto, gigantesco' (de personas); *como el palo de una escoba* 'grueso' (dicho de agujas de coser, lapiceros, plumas, y cosas semejantes); *como el papel de estraza* 'sin valor' (dicho de documentos); *como el pez en el agua* [190] 'contento y feliz'; *como el pie de Cristo* (también se dice: *como los pies de un santo)* 'muy duro'; *como una plaza de toros* 'ancho, espacioso'; *como el puerto de Guadarrama* (Castilla) (o también *de Pajares,* al sur de Oviedo) 'muy frío' (dicho de habitaciones); *como una pulga* 'pequeñísimo'; *como Quevedo, que ni sube ni baja, ni se está quedo* [191] 'inalterable, invariable'; *como quintos* (reclutas) 'ingenuos, tímidos'; *como reja de enamorada* (alusión a las ventanas de las casas andaluzas: 'que ofrece resistencia a los intentos de acercamiento de un enamorado') 'reservado, prudente, cauteloso'; *como una sanguijuela* 'que crece y engorda mucho y con rapidez' (de persona; en alemán se refiere la comparación

---

[190] No se confunda *estar como el pez en el agua* (= 'contento' y 'a gusto'), con *estar pez* (= 'm u d o como un pez'), que se dice de un alumno que no sabe contestar a las preguntas del examinador: *en el examen e s t u v o p e z.* El profesor, a su vez, quejándose de la general ignorancia de una clase, a lo mejor exclama: *¡qué p e c e r a aquélla!, ¡menuda* o *valiente p e c e r a !*

[191] Sobre el origen de esta frase (una de tantas atribuidas a Quevedo), se cuenta que el gran satírico, enredado en cierta aventura amorosa, fue inducido por dos guasones —a los que él, en la oscuridad de la noche, había tomado por la amada y su doncella— a que se metiera en un cesto que habían bajado, pendiente de una cuerda, para subirle luego al balcón de la bella. Hecho lo cual, los dos bribones le dejaron colgado a medio camino, contestando con grandes risotadas a los improperios que les dirigía Quevedo. Tantos y tales gritos dio éste que al fin acudió la Santa Hermandad que por allí rondaba, y al preguntarle: *¿Quién vive?,* contestó la víctima de la broma: *Quevedo, que ni sube ni baja, ni se está quedo.* Salida que, difundida entre el pueblo, se convirtió en dicho proverbial con el significado de 'lo de siempre', 'seguimos en las mismas, sin avanzar un paso'.

con «Blutegel» a la acción de chupar sangre); *como sardinas en banasta* 'muy apretados'; comp. alemán «wie die Heringe in der Tonne»; *como (una) seda* 'blando, suave' (también en uso adverbial: *la cosa marcha como una seda* 'con pasmosa facilidad, viento en popa'); *como una vela* 'derecho, erguido'. Añado: C 63 *Yo he visto llorar a tu padre ¡l á g r i m a s c o m o p u ñ o s* [192]*, hija!*

La irreverente expresión *como Dios* es muy corriente en el lenguaje popular para expresar la idea superlativa de lo estupendo, magnífico, extraordinario; se emplea lo mismo como adjetivo que como adverbio, por ejemplo: *estuviste como Dios* 'lo hiciste maravillosamente'. *Este artista trabaja como Dios...* El sintagma está tan consolidado que se dice también *una cosa me sale como Dios* ('maravillosamente'), aun cuando gramaticalmente se esperaría *como a Dios*. SPITZER cita incluso *más rico, más valiente, más feo* (!), *más cobarde* (!!) *que Dios* y observa: «de la función intensificativa de la palabra *Dios* resulta que puede aplicarse también a representaciones peyorativas; no le ha sido concedida a esta palabra ninguna suerte especial, sino que sigue el mismo camino de todas las palabras afectivas, que lenta pero infaliblemente se van desgastando: *...de Dios, ...que Dios* son «queues romantiques» de muy débil significado, como 'nadie', 'solo uno' o algo semejante» («Stilstudien», I, 136).

No olvidemos mencionar la comparación en forma de oración condicional con *como,* cuyo carácter hipotético abre de par en par las puertas al humor. EMH 20 Calixta (criticando el traje de su hijo que ha confeccionado Leonor): *Que fíjense ustés... una manga de pierrot... y la otra, c o m o s i el niño se hubiera remangao pa hacer morcillas.* «Fr.» 31 *Se quedó c o m o s i le hubiera tocado un rayo...* Interpreto como expletivo o un sustituto para una comparación de esta clase que no acude a la imaginación, la fórmula *tal cosa* en el tan frecuente giro: *como si tal cosa.* VM 14 *Y nada, él lo soporta c o m o s i t a l c o s a* ('con toda naturalidad'). (Véase S. FERNÁNDEZ RAMÍREZ, obra citada, página 266, nota 4.)

---

[192] A propósito de puño(s): *fulano es un p u ñ o en rostro* (= 'muy avaro').

Otro tipo más de frases comparativas ha cuajado en el cliché *como quien* + verbo, siempre con sentido adverbial. VS 66 *¡Pobrecillo! Le oiré c o m o q u i e n oye una charanga* ('como si ello no me afectara en absoluto', 'con la mayor indiferencia'). En su lugar se dice con más frecuencia: *como quien oye llover* (DM). — Hacer uno una cosa *como quien se bebe un vaso de agua* (DM), es decir, 'con gran facilidad'; *como quien coge una pulga* (DM) es 'sin ninguna dificultad'. Añadiré: *me quedé como quien ve visiones* ('pasmado, mudo de asombro').

También se prestan admirablemente a particulares efectos humorísticos las comparaciones en forma de oración final (por lo general abreviada). EMH 70 *¡Una cara (de fea) c o m o p a cortar un estornudo!* Ibid. 29 *La paellaza en la Bombi* (abreviatura popular de la *Bombilla*, antiguo lugar madrileño de diversión con merenderos y casas de comidas) *va a ser c o m o p a consternar a un gallinero* [193] ('tanto pollo va a tener la paella que todo un gallinero se va a afligir ante la matanza'). Ibid. 42 *...le dirigí cuatro miradas c o m o p a pasarse el invierno sin cok* 'tan ardientes (se alude al doble significado recto y figurado) que no se necesitaría calefacción'. *Estuvo (c o m o) p a r a matarle*, o bien *estuvo (c o m o) p a r a pegarle un tiro*, significan 'lo merecía por lo detestable de su actuación', hiperbólicamente, claro está. Una cosa (o una mujer) puede ser tan apetecible que esté *(como) para comérsela;* se dice preferentemente de los niños pequeños.

Tipo II. — Las comparaciones del tipo I que acabamos de tratar, es decir aquellas en las que cabe intercalar un adjetivo apropiado, son, en su mayoría, susceptibles de ser traspuestas al tipo II. En lugar de *borracho como una cuba* puede decirse igual *más borracho que una cuba*. Y si en el tipo I falta frecuentemente el adjetivo, en el tipo II se elide en ocasiones el término de comparación: se trata siempre en este caso de una

---

[193] No quiero dejar de mencionar que *gallinero* con sentido humorístico significa también «paraíso», otra expresión jocosa para designar 'la galería' de un teatro, o sea la parte más alta con las localidades más baratas.

aposiopesis, es decir, que el hablante no encuentra de momento ningún objeto para la comparación, y la frase queda sin concluir. PC 23 *Calle usté, que estoy más quemao...* [194]. Este modo de expresión ha terminado por gramaticalizarse, si bien sigue pronunciándose con entonación ascendente, con lo que se ha conservado el carácter de la aposiopesis. EMH 52 *¡Es usted más antipático...!* Los puntos suspensivos en lo gráfico y el tono en la pronunciación demuestran que aún se siente claramente lo incompleto de la frase. LC 8 *Una novia tiene más bonita...* [195].

---

[194] Aquí van implícitas comparaciones como *más quemado que la lumbre, ...que un carbón; ...que un pisto manchego* (humor.), y otros objetos de comparación reducibles al denominador común 'caliente, quemado', como consecuencia de la rabia, la indignación, la ira, etc. También puede pensarse en las banderillas de fuego, a cuya decadencia ya hemos aludido (nota 119). Otras frases semejantes con *caliente* y *calentar: ten cuidado con él, que está muy c a l i e n t e* 'irritado'; *me tienes de un c a l i e n t e que...; ¡te voy a c a l e n t a r!* 'a zurrar la badana'. A propósito de *pisto* recuerdo: *darse pisto* = 'darse importancia', 'darse postín' (ya menos frecuente, como *postinero* = 'farolero').

[195] Con todo, este *más* no equivale exactamente a *muy*, pues por debilitada que esté su función encarecedora, subsiste aún la diferencia de entonación que separa radicalmente *este hombre es más tonto...* (enunciado en tono ascendente) de *este hombre es muy tonto* (con descenso de la voz). A veces puede faltar incluso el adverbio, y entonces aparece como refuerzo enfático el artículo indeterminado. Cf. fr. «c'est d'u n e n n u y é!», que tiene equivalencia perfecta en el español coloquial de hoy: *¡Ese jovencito es de u n c u r s i...!; ¡Ay, hija, la pobre Carmela es de u n a b u r r i d o!* S. Fernández Ramírez, ob. cit., pág. 107, hace arrancar esta construcción del uso con adjetivos de color *(es de un violeta pálido,* etc.). Suposición que se ve confirmada por ejemplos como *ese infeliz Ricardo es de u n c u r s i s u b i d o,* adjetivo éste *(subido)* que en dicha función se aplica preferentemente para determinar graduaciones de color *(un rojo muy subido)* (Sobejano) aun con valor figurado: *verde subido* 'muy obsceno'. De *cursi* se derivan: *cursilería* de una persona, de un novelista malo, de un discurso insípido, etc.; el diminutivo *cursilito* y el substantivo *cursilón(a)* (Pastor y Molina, pág. 36). En A. M.ª de Lera, «Trampa», ob. cit., pág. 1012, leo: *Estás hoy de u n e s t ú p i d o...* (*estúpido* pronunciado aquí con tono ascendente, porque la enunciación queda truncada, faltando una frase consecutiva al tenor de... *eres de un estúpido)* que no se puede hablar contigo.

EMH 49 *¡Hacéis u n a parejita...!* Ibid. *Porque tú también tienes u n tipo...* Palabras que suelen ir acompañadas de la siguiente mímica: el

Otros ejemplos: *¡es más bueno...!*, *¡estoy más contento...!*, *¡juega más bien ese equipo...!* Claro que los puntos suspensivos pueden faltar: *...y escribe cosas también, y poesías. ¡Más bonitas!* (BUERO VALLEJO, ob. cit., pág. 30). Por cierto que la lengua coloquial ha formado tan enorme repertorio de imágenes disponibles que la elección, por lo general, no le plantea ningún problema al hablante, aun cuando le sea familiar sólo una pequeña parte. La frecuencia en el empleo de unas u otras comparaciones varía según las regiones. Por lo que toca a su contenido, la lengua coloquial se basa en observaciones muy certeras unas veces, y otras superficiales o absolutamente erróneas, es decir, en representaciones u opiniones p o p u l a r e s , pues bien sabido es que el lenguaje coloquial está muy influido de subjetivismo y de afectividad, frente al habla culta, más lógico-objetiva (véase BALLY, ob. cit., pág. 292, y A. RABANALES, ob. cit., pág. 277).

Vayan primero unos ejemplos tomados de sainetes, que muestran qué efectos cómicos o de otra índole es capaz de surtir este medio de expresión. VS 12 *...Un sinvergüenza m á s l a r g o q u e e l M i s i s i p í.* El adjetivo *largo*, que en lo coloquial aplicado a personas significa 'astuto, vivo', está empleado aquí, como en todo juego de palabras, en su sentido literal. VS 20 *Para ciertas cosas soy más delicado que una gasa de seda* ('extraordinariamente sensible'). En VS 35 Riverita dice del pobre Bonilla, que apenas puede tenerse en pie de agotamiento: *Debe de está más molío* (molido) *que er porvo* (polvo) *de la canela.* Ibid. 44, dicho del mismo personaje: *parece más infeliz* [196] *que un cangrejo.* Se dice también *más infeliz que un*

---

hablante adelanta los labios abocinándolos, a la vez que acerca a ellos la mano izquierda, cuyos dedos están recogidos como en racimo, y hace sonar entonces un chasquido semejante al de un beso, a la vez que proyecta los dedos hacia adelante y ya ligeramente separados entre sí. Este gesto sólo se produce con frases de tipo elogioso, cuyo sentido se torna así más claro e inequívoco. Distinto es el caso de LP 22 *Necesito u n a paciencia, chica...* 'tan grande que no hay palabras para expresarla'.

[196] *Infeliz*, además de 'desgraciado', tiene el significado coloquial predominante de 'excesivamente bondadoso, apocado', y de ahí 'sin malicia': *es un infelizote* (o *un infelizón*).

cubo: ...era un pobre hombre, un honesto padre de familia, m á s i n f e l i z q u e u n c u b o ... (CELA, ob. cit., pág. 201). PC *Voy más hinchao* ('orgulloso') *que un furúnculo* (!). EUB 83 *Ya sabes que en punto a intereses soy más tirano que Nerón.* NV 37 *Una obrerilla más hermosa que un sol y más bonita que un capullo tempranero.* «Don Quijote», I, 54: *las botas... estaban más enjutas y secas que un esparto* ('vacías'; se refiere a las botas de vino).

Si echamos ahora una mirada a las comparaciones de este tipo propias de la lengua común, citadas en el DM, podremos decir, de un modo muy general, que la mayor riqueza de variantes suele darse al contacto con adjetivos que designan preferentemente cualidades laudables *(blanco, dulce, ligero, listo, blando, limpio, grande)* o vituperables *(duro, feo, largo, loco, negro, pesado* [197], *seco, tonto),* volviendo a aparecer aquí, en su mejor expresión lingüística, los afectos primarios de simpatía y antipatía a que hemos aludido ya repetidamente. Me limitaré en lo que sigue a comparaciones formadas con adjetivos de los que acabo de citar.

blanco

Más blanco que el jazmín; —*que el nardo;* —*que el papel* ('pálido'); —*que la azucena;* —*que la cera* ('pálido'); —*que la nieve;* —*que la pared* ('pálido'); —*que una paloma.* No se trata, como vemos, de variantes semánticamente del todo equivalentes, pues en tres de los casos *blanco* tiene el sentido de 'pálido'.

dulce

Más dulce que el acitrón 'cidra confitada'; —*que el almíbar;* —*que el arrope;* —*que el azúcar;* —*que el mazapán;* —*que la guayaba* ('jalea de una fruta sudamericana de este nombre'); —*que la jalea;* —*que la miel.*

---

[197] *Pesado,* en sentido figurado, significa, como adjetivo: 'aburrido, latoso, engorroso'; como sustantivo: 'pelma, pelmazo' o, en boca de la generación joven, *rollista.*

ligero

Ligero figura en el DM con no menos de catorce comparaciones que subrayan, bien la idea de 'leve, de poco peso', bien la de 'ágil'. Al peso solo se refieren: *más ligero que un corcho*; —*que una pluma*; —*que un plomo* (irónico, para designar al individuo pesado y torpe); a la rapidez de movimientos se refieren: *más ligero que un rayo*; *más ligero que una bala*; *más ligero que el viento*; *más ligero que un cohete*. Tanto la rapidez como el poco peso se realzan en: *más ligero que una ardilla*; —*que una liebre*; —*que un galgo*; —*que un gamo*; —*que un lince* [198] (el alemán «Luchs» (lince), se emplea exclusivamente para hacer resaltar la agudeza de la vista, como también en español: *una vista de lince* (DA), *ojos de lince)*; —*que un pájaro*; —*que un vencejo*.

listo

Más listo que Cardona [199]; —*que el hambre* (porque el hambre aguza el ingenio); —*que el pensamiento* (para el que no hay

---

[198] *Ser un lince* está tomado en sentido figurado: *no hace falta s e r u n l i n c e para verle la antena* 'no hace falta ser muy perspicaz para ver las intenciones que se trae'. Julio Casares, ob. cit., pág. 112, hace notar que el lince es animal desconocido en España, y no digamos el basilisco (aquí, n. 215); trátase probablemente de «tradiciones multiseculares, infiltradas en el folklore indoeuropeo y difundidas principalmente por la vía de la literatura fabulística». Gracián ya lo usa como palabra predilecta con su sign. de «sagaz» (B. Sánchez Alonso, «Sobre Baltasar Gracián», loc. cit., pág. 241). El que tiene *ojo de lince*, suele tener también *ojo clínico* para conocer, sobre todo, debilidades del prójimo. Se refiere originariamente al 'ojo de un buen médico', que suele ver más allá y penetrar más hondo que los demás mortales al diagnosticar alguna enfermedad. De una comedia (creo que de A. Paso): —*¿A que se encuentra usted mejor? —Vaya o j o c l í n i c o, ¿eh?* Un padre, refiriéndose a su hija: —*Mi hija se empeña en salir porque estará citada con el novio; a mí no se me engaña, que tengo m u c h o o j o c l í n i c o.*

[199] El vizconde de Cardona fue íntimo amigo del infante don Fernando, a quien en 1363 hizo ajusticiar su hermano Pedro el Cruel. Cardona escapó de la matanza huyendo oportunamente de Castellón a Cardona (DR, I, pág. 285).

barreras); —*que Merlín*[200]; —*que una ardilla*; —*que una lagartija*; —*que un conejo*; —*que una rata*; —*que un mono*; —*que un ratón.* Mal pueden señalarse estos dos animales como especialmente «listos»; pero les es común una gran movilidad y viveza; y esto recuerda la significación coloquial de *vivo* 'pícaro', 'atento a su propio provecho'. También da el DM: *más vivo que un ratón.*

limpio

Más limpio que el agua clara; —*que el oro* (alusión a la limpieza del oro acrisolado, con la variante: —*que los chorros del oro* 'ríos de oro líquido o fundido al fuego'); —*que una paloma* (se refiere a palomas blancas, naturalmente); —*que una patena*; —*que una plata*; —*que una tacita de plata*[201].

duro

Más duro que los pies de un banco; —*que los pies de un santo (que los pies de Cristo)*, porque de andar descalzos se les han endurecido; —*que una piedra*; —*que un canto* 'corteza de pan', 'piedra'; —*que un pedrusco* 'bloque sin labrar'; —*que un roble.* Añadiré: —*que un mendrugo* 'trozo de pan seco, atrasado'.

feo

Más feo que Carracuca (personaje legendario que sólo aparece en metáforas populares y que es objeto de diversas comparaciones, por ejemplo: *más perdido que Carracuca*; lo mismo que *Picio* y *Tito*, si bien éstos sólo encarnan la fealdad: *más*

---

[200] Merlín, que algunos creyeron personaje histórico que vivió en Inglaterra y se distinguió por su astucia, no es más que una figura legendaria de los libros de caballerías. CERVANTES alude repetidamente a él, y lo mismo, en otras literaturas, ARIOSTO, SHAKESPEARE, RABELAIS, etc. (DR, II, 60).

[201] Cádiz es famosa por su aseo y limpieza, hasta el punto de ser conocida popularmente por el sobrenombre de *tacita de plata.*

feo que Picio o que Tito). Tampoco habrá español que sepa precisar la filiación del célebre sargento de Utrera [202], que en punto a fealdad hace la competencia a los antes citados [203]. Aparte de estos personajes fantásticos, hay una serie de animales considerados como muy feos: *más feo que una cucaracha;* —*que un grajo;* —*que un grillo;* —*que un lobo* [204] (refiriéndose a la fealdad de la cara); —*que un mico* (clase de mono); —*que un mono* [205]; —*que un oso* [204] (especialmente dicho de los que llevan el cabello y las barbas descuidadas y largas, comp. alemán «Zottelbär»); —*que un topo*. Añadiremos: —*que un ogro* (fr. «ogre» 'gigante antropófago, comeniños'); —*que un coco* [206] ('fantasma con que se mete miedo a los niños'). Es especialmente interesante la expresión *más feo que el no tener,* al aplicarse en un sentido totalmente concreto a personas feas, lo mismo que *más feo que una noche de truenos;* —*que una noche oscura,* y: *más feo que un dolor a media noche* [207], de cierta ex-

---

[202] De la ciudad de Utrera nos dice SBARBI que en tiempos antiguos estaba la justicia tan desvalida que quedó por proverbio *mátale y vete a Utrera.*

[203] L. MONTOTO Y RAUTENSTRAUCH, ob. cit. en la n. 74 de este capítulo.

[204] Véase BEINHAUER, «Tier», págs. 94 y 96.

[205] Cosa interesante: *mono,* en función adjetiva, significa 'lindo, bonito' (fr. «mignon»), o sea precisamente el antónimo de *feo: una criatura monísima.* Aquí la imaginación pensaría en los movimientos graciosos y vivos de este animal. Sin embargo, en la conciencia lingüística de los españoles no se establece ya la menor relación entre el *mono* adj. y el sustantivo. Claro que los niños no entienden siempre la diferencia de *mono* (animal) y *mono* (= adjetivo: 'bonito', 'gracioso'). En EPM de FRANCISCO CANDEL, ocurre: —*¡Qué mono!, ¡qué mono! —Nene está indignado. ¿Será un mono? Los monos son feos. Los caballos no* (dice el nene). Véase también BEINHAUER, «Tier», págs. 104-105. *Monada* es el abstracto correspondiente, que puede usarse en función vocativa: *Esta casa es una monada. Hola, m o n a d a , ¿cómo estás?,* etc. Hoy día, *majo* compite casi en popularidad con *mono* y con *salado: ¡Qué m a j a es esta niña!*

[206] En acepción completamente distinta *coco* (= 'fruta del cocotero') se usa para designar humorísticamente la 'cabeza', al lado de *chola* (p. ej. *no me cabe en la c h o l a), chirimoya* (Andalucía), y otros.

[207] LUIS FLÓREZ (ob. cit., pág. 184) cita la variante colombiana: *más feo que un s u s t o a medianoche;* además: *más feo que el diablo* (en España, en vez de *diablo: más f. que el d e m o n i o).*

presividad poética. De manera que la fealdad de la persona en cuestión produce en el espíritu del que la mira un efecto tan desagradable como la indigencia o las otras cosas con que se compara. También la «fealdad» moral [208] es lingüísticamente aplicable a cosas o personas: *una tía más fea que pegar a su padre*; —*que morderse las uñas.* (BEINHAUER, «El humorismo en el esp. hablado», págs. 96, 187).

frío

Más frío que el hielo*; —*que el granizo*; —*que la nieve*; —*que perdiz* (o *sardina*) *escabechada.* Se refieren preferentemente a la frialdad del carácter y de los sentimientos: *más frío que nariz de perro*; —*que mano de barbero*; —*que el mármol. Más frío que un cadáver* tiene sentido material a la par que figurado. Añádase: *más frío que el escabeche.*

negro

Más negro que el azabache*; —*que el betún*; —*que el carbón*; *más negro que el ébano*; —*que el hollín*; *más negro que la endrina*; —*que la mora*; —*que la pez*; —*que la tinta*; —*que una hormiga. Más negro que un avión* (o —*que un vencejo*; ambos, nombres de aves) se aplica a una persona de cabellos negros o tostada por el sol; *más negro que un grajo* se dice de cosas y de personas; tiene el sentido de 'sucio' en: *más negro que la olla de un guarda*, o —*que un tizón.* Entiéndense en un sentido puramente metafórico: *más negro que el alma*

---

[208] Esta identificación de lo estéticamente feo con lo moralmente malo se registra también en otros casos. Al niño reprendido por sus travesuras o impertinencias le impresiona más que se tache su comportamiento de *feo (eso está muy feo)* que no de *malo.* Una mujer muy fea y de carácter áspero, antipático, es *una t a r a s c a .* En Venezuela (AURA GÓMEZ, página 349): *más fea que pegar a su madre; más fea que un tiro.* Ambas comparaciones son igualmente corrientes en España, donde se oye y se escribe también: *(la chica) es fea c o n g a n a s .*

de Judas [209]; —*que el no tener* (véase arriba); —*que la muerte,*
y —*que la pena.*

loco

Es natural que el mero concepto de *loco* dé pie a muchas
comparaciones de índole humorística, con un repertorio tan
vario como locuras pueda hacer o decir quienquiera pertenezca a la «cofradía» de esos seres, dignos de lástima o —según
la rama de locura que les haya dado—, de envidia porque algunos viven en un mundo imaginario tan distinto del nuestro
que al chocar con él provocan hilaridad y mofa. Suelen com-
pararse con animales como la *cabra* y el *grillo.* La *cabra,* de
mirada siempre seria, suele dar los saltos más imprevisibles,
recordando los movimientos o reacciones también imprevisibles de algunos *locos, majaretas* o *locatis* (deformación jocosa
de loco). Es muy usual la comparación: fulano *está más loco
que un c e n c e r r o,* o, sencillamente, *está como un c e n c e -
r r o.*

tonto

No se confunda la *locura* con la *estupidez,* siendo *estúpido*
sinónimo de *tonto.* Adviértase además el paralelismo entre
e s t a r loco — v o l v e r s e loco, de una parte y *s e r tonto
— p o n e r s e tonto,* de otra: *tú e s t á s loco,* frente a *no s e a s
tonto;* es decir, que *l o c o* se conceptúa como *estado,* en cambio *t o n t o* como *defecto* (o sea «cualidad» congénita de una
persona). Un *tonto* rarísima vez se vuelve loco. Y en cambio,
incluso una persona genial sí que puede *volverse loca,* sea
pasajera, sea definitivamente.

---

[209] Ahí se observa igualmente el trueque o juego de palabras entre la
idea concreta del color y la calificación moral abstracta. Para comparaciones, metáforas y otros recursos estilísticos venidos de la esfera religiosa, comp. GEORG WEISE, ob. cit.

seco

Más seco que el tiesto de Inés [210]; —*que una avellana*; —*que una bacalada*; —*que una espátula* (al lado de: *más flaco que una espátula*); —*que una pasa*; —*que un esparto*; —*que un higo* (se explica por el término *higos secos*, junto a *higos pasos*). *Más seco que una paja*; se aplica a las personas delgadas. Para terminar, *más seco que un no*, con el sentido figurado de 'adusto, desabrido'.

Persiguen fines humorísticos las que yo llamaría SEUDOCOMPARACIONES, porque en ellas se remeda el esquema externo de la comparación, a pesar de que adjetivo y sustantivo constituyen una unidad de concepto, siendo por lo tanto inseparables: su disociación ocurre como puro juego de palabras; por ejemplo: EUB 41 *Está visto que los ingleses son m á s o r i g i n a l e s q u e e l p e c a d o*. Los componentes del término *pecado original* (concepto religioso familiar a cualquier español) forman un todo unido, de forma que *original* en ese sintagma no admite ningún grado de comparación. Ibid. 27 ...*el vocablo es del arroyo* (o sea, 'poco decente'), *pero es g r á f i c o c o m o «L a E s f e r a»*. Se juega con el sentido de 'expresivo' que tiene el vocablo *gráfico*, aludiendo al título «La Esfera Gráfica», famosa revista ilustrada de antaño: tampoco en este caso tiene el adjetivo la función de atribuir una característica al sustantivo, sino que forma con él un término inalterable. Lo mismo vale para *más ingenioso que Don Quijote*, alusión al sintagma *el ingenioso hidalgo de la Mancha*, donde el adjetivo figura como un mero epíteto «ornans».

[210] Otro personaje fabuloso. Para la conciencia lingüística es del todo indiferente que bajo estos nombres propios se oculten personas conocidas (como el Cardona de la n. 199) o desconocidas. Basta que el hablante asocie a ellas ideas y aun sentimientos precisos; es decir, que las sienta como realidades l i n g ü í s t i c a s. M. MORREALE (Res., pág. 128) cita: *Habla más que Castelar en el Congreso*, frase que dice haber oído «hasta en pueblecitos donde no queda memoria ni del personaje ni de la institución».

Tipo III.—La cosa o persona de que se trata se da por convertida en el objeto que sirve de término de comparación. VM 14 (Por un criado soñoliento): *Está h e c h o*[211] *u n a j a - l e a*[212]. *Se duerme en todas partes; casi no discurre y está constantemente distraído.* Mientras las comparaciones del tipo anterior se empleaban preferentemente para hacer resaltar las cualidades intrínsecas p e r m a n e n t e s, este nuevo tipo sirve más bien para poner de relieve circunstancias de índole pasajera; es decir que la cualidad en cuestión no aparece presentada como inseparablemente ligada a la esencia de la cosa, sino como recién adquirida o sobrevenida. «Fr.» 29 *Volví a casa h e c h o u n a s o p a* ('empapado, calado' de la lluvia).

Dejábamos consignado antes que la construcción *hecho* + sustantivo se siente en muchos casos como si fuera un solo adjetivo. EMH 14: *...se va a poner h e c h o u n a f i e r a.* «Fr.» 29 *Mi sombrero ha quedado h e c h o u n a c o r d e ó n.* (T. Salvador, ob. cit., págs. 148-149). *Hecho* se funde con el sustantivo en una fórmula sintáctica fija, con el significado de un adjetivo afectivamente reforzado: *hecho una fiera* = 'furiosísimo'; *hecho un acordeón* = 'completamente chafado' (vulg. *apabullado).* Citemos del DM sólo algunos giros. De un hombre bonachón, complaciente o, según los casos, también zalamero, se dice que *está hecho un acitrón* (o *una jalea)*[213]; *un almíbar; un azúcar; un jarabe; unas mieles.* Se emplean aquí, por tanto, los mismos términos de comparación que ya encontramos en los tipos I y II. A un hombre sumido en la indigencia material o moral se le califica con *hecho una calamidad* (o *una lástima,*

---

[211] Hay que sobreentender *hecho* siempre que *estar* vaya asociado con sustantivos; p. ej., P 9 *Valiente pillo está usted* (sobreent. *hecho).* Recuerdo haber oído: *¡Qué caballero está usted!* '¡qué fino!' (véase Spitzer, «Stilstudien», I, 275), expresando lo momentáneo y fugitivo.

[212] El «tertium comparationis» es aquí la inmovilidad de la jalea, referida al dormilón. Cf. la nota siguiente.

[213] La mayoría de estos giros (como *estar hecho una jalea,* del que hablábamos arriba) sólo tienen sentido inequívoco dentro de su contexto respectivo, o al agregárseles determinaciones ulteriores; p. ej., *Fulano está hecho una jalea de puro bueno* ('se muestra en extremo afectuoso y complaciente').

o *una pena)*. En más amplio sentido se dice de un orador o artista: *estuvo hecho una calamidad* ('desacertado, fatal'). Una persona muy delgada está *hecha un alambre* (o *una espátula*; *una flauta*; *una espada*; *un espárrago*; *un estoque*; *un fideo* [214]; *un hilo*; *un palo)*. El niño precoz y sabihondo está *hecho un viejo*. El ya citado *hecho una fiera* se aplica también al hombre muy trabajador: *está hecho una fiera para el trabajo*; a él se contrapone humorísticamente un vago, que *está hecho una fiera para el descanso*. Como variantes (solamente con el sentido literal 'furioso') citamos: *estar hecho una hiena (una pantera*; *un basilisco* [215]; *un león*; *un tigre*; *un toro*; *un miura)*. *Hecho una Magdalena* significa lo mismo 'llorón' (cualidad permanente), que 'lloroso', es decir, que llora con vehemencia (situación pasajera); *hecho una facha (una birria, un adefesio* o *un m a - m a r r a c h o)* (T. SALVADOR, pág. 168); LUIS FLÓREZ, en BACol, XVI, pág. 243: *es una b i r r i a, no vale el agua que se bebe*. *Birria* se usa para calificar, no ya a personas de poco valer, sino también a cosas mal hechas, p. ej. *este violín, este cuadro, esta casa*, etc., etc. *es una b i r r i a* o (sobre todo en Madrid) *está hecho un* (o *es un) c h u r r o*, 'mal vestido o con extravagancia'; *hecho un pellejo* 'muy borracho' (alusión a los pellejos

---

[214] JULIO CASARES, ob. cit., pág. 110, considera de especial interés el problema de por qué la lengua se decide por tal o cual objeto (como para la idea de 'flaco, delgado', p. ej.) de comparación entre los innumerables que se le ofrecen a la fantasía: ¿por qué, en el caso citado, fue precisamente *fideo* el que logró triunfar? Parece —según AURA GÓMEZ, y N. DONNI DE MIRANDE, pág. 277, para Venezuela y Argentina— que se usa en todo el ámbito hispanohablante. Además, JOSÉ POLO me indica para Andalucía: *está hecho un chupáu* o *espiritado* (= 'muy delgado').

[215] ¿Qué saben, los más de quienes emplean esta frase, del *basilisco*, animal fabuloso que los antiguos representaban como una serpiente alada y del que se decía que mataba con la vista (el insectívoro sudamericano de su mismo nombre es completamente inofensivo)? *Hecho un basilisco* significa hoy 'furiosísimo'. Otra comparación puramente verbalista es *más amargo que tueras*. Según los diccionarios, *tuera* es 'coloquíntida' (purgante de sabor amarguísimo). Pero para casi todo el mundo esas *tueras* suponen una sustancia tan imaginaria como los personajes de las comparaciones *más feo que Picio, más perdido que Carracuca*, etc. En A. DE LAIGLESIA, «Racionales pero animales», pág. 226, ocurre: *más m u e r t o que Carracuca*.

de cerdo, que se emplean como recipientes para transportar vino). *Hecho un alma de Dios* [216]; *un bendito*; *un infeliz* (véase la nota 196 de este capítulo); *hecho un pobre hombre* o *un santo* se aplica a la persona ilimitadamente bonachona de quien todos se aprovechan.

TIPO IV. — En este tipo de que ahora vamos a tratar, el poseedor de la cualidad respectiva queda totalmente identificado con el término de comparación [217]. Aquí habrá que buscar el origen de los significados traslaticios de muchos sustantivos como *gallina* 'cobarde', *lechuga* 'fresco, sinvergüenza', *fiera* 'furioso', usados frecuentemente como adjetivos. Por ejemplo: A: *E r e s u n g a l l i n a* [218]. —B: *Más gallina eres tú*. Comprendemos que tales sentidos traslaticios sólo pueden desarrollarlos aquellos sustantivos que se emplean con particular frecuencia para expresar una cualidad determinada y que, por tanto, han llegado a convertirse en exponentes de las mismas.

---

[216] *Alma de Dios* es sintagma sentido y tratado como un simple adjetivo. «Fr.» 51 *...como él es tan alma de Dios siempre le dan gato por liebre.*

[217] Es un recurso expresivo característico de la poesía culterana. De él dice L. PFANDL en su libro «Spanische Kultur und Sitte des 16. und 17. Jahrhunderts», pág. 230, n.: «mientras en el conceptismo existe aún la comparación, el culteranismo hace que la imagen misma sustituya a la comparación, que le parece poco expresiva. El conceptista dice, p. ej., *lágrimas como líquidos cristales*, o *mariposas como flores aladas;* en cambio, el culterano elimina en este caso la noción simple y concreta de lágrimas o mariposas para expresarlas solamente por *líquidos cristales* o *flores aladas*». NÉLIDA DONNI DE MIRANDE (ob. cit., pág. 277) llama a este tipo 'comparaciones condensadas'.

[218] Choca, además, en ese ejemplo, que *gallina*, fem. originariamente, se haya convertido en masculino; para la explicación, véase cap. I, página 51. Cabe decir también *un tío gallina*, donde *gallina* se ha hecho adjetivo, lo mismo que ocurre en *un tío bestia, un tío canalla, un tío cochino, un tío animal*, etc. Dígase igual de *un bocazas, un calabaza, un calandria, un maula*, etc. A un mal cura se le llama *un cucaracha;* a un bribón o pícaro, *un trucha;* a un juerguista, *un calavera*, donde el «tertium comparationis» es la oquedad de esa parte del esqueleto humano, pues la imaginación española no la asocia con la 'estupidez' (como la alemana), sino con la 'irreflexión'. (Véase BEINHAUER, «Der menschliche Körper in der spanischen Bildsprache», RF, t. 55 (1941), pág. 49.)

Muchas comparaciones que dentro de las formas I-III ya habían perdido toda eficacia expresiva, cobran nueva vida en el tipo IV. De una comparación gastada, lo que al fin perdura como elemento vivo es el enriquecimiento semántico del sustantivo empleado como término de comparación. EUB 34 *Este hombre e s u n C r e s o .* «Fr.» 27 *E r e s u n v e l e t a : hoy te da por pitos, mañana por flautas* 'eres inconstante como...'[219]. EUB 76 *...procura dejarme a mí en buen lugar, porque, chico, e s u n a f i e r a .* De un hombre distraído, desmemoriado, se dice que *es una regadera* (y cuando parece algo chiflado, que *está como una regadera).* OM 13 *Las modistas s o n u n a c a l a - m i d a d ... Los zapateros son otra calamidad.* Se dice también de objetos: *esta pluma (este piano; este reloj) es una calami-*

---

[219] En alemán «du bist die r e i n s t e Wetterfahne». La equivalencia española aproximada de esa frase tendría que emplear el adjetivo *verdadero* 'auténtico, real, sin exageración': *eres un v e r d a d e r o veleta.* Como variante cabría considerar *decididamente* en *decididamente, eres un veleta.* Véase también SPITZER, «Stilstudien», I, 106 y sigs.

Otros medios de mantener en toda su amplitud alguna exageración se advierten en EUB 54 *...una morena con dos ojos como dos discos de gramófono, y valga la hipérbole,* o en el aserto *y no exagero,* etc. Para indicar que una cosa es o ha sido tal como se dijo, se usa *ni más ni menos* (véase pág. 228). «Fr.» 19 *Eso ha sido, ni más ni menos.* Lo mismo ocurre en «Fr.» 34 *Ese Pérez es un sinvergüenza en toda la extensión de la palabra,* o, en lenguaje más selecto: *en toda la amplitud* (o *acepción) del vocablo,* y *en el sentido más amplio* (o *lato) del vocablo.* Para decir que algo se ha de tomar tal como suena, el español usa adverbios como *literalmente, materialmente, talmente, mismamente, cabalmente;* p. ej., *es talmente* (vulgarismo) *un demonio; me es literalmente* (o *materialmente) imposible.* Hoy se emplea mucho, entre la gente culta al menos, *textualmente: eso me ha dicho textualmente.*

En cambio, cuando se duda de que lo oído haya de tomarse en toda su extensión, lo usual es *no será (para) tanto.* «Fr.» 51 *El disgusto que he tenido... es para morirse. —Vaya, no será para tanto.* La idea contraria se expresa por *no es para menos,* y a veces también —sin gradación comparativa— *es para ello* o *para ello es.* Citaré aún la frecuente elipsis *tanto como eso...* 'no diría yo tanto'. EMH 12 Leonor (a su padre, empeñado en alabar sólo el buen carácter de su futuro yerno): *No, y físicamente tampoco es despreciable, no creas, papá. —*Antonio: *Mujer, t a n t o c o m o e s o ...* (gesto de duda) = 'hasta ahí no llegaría yo en mis elogios'. CC 12 Bernardo: *...estará loca de amor por usted.* —Melquíades: *No, t a n t o c o m o estar loca por mí, no lo sé.*

dad ('terriblemente malo'). A veces se emplea como v o c a t i v o
entre insultante y burlón, como en «Jarama», pág. 128 (chica a
un joven que se ponía a bailar en un sitio polvoriento): —*Le-
vantas polvo, c a l a m i d a d.* VM 50 *E r e s e l d e m o n i o,
Álvaro,* tiene en español (igual que en alemán «du bist ein
Teufelskerl») un doble significado, según se refiera al carácter
o a las habilidades del sujeto en cuestión. «Fr.» 40 *Estas muchachas de Madrid s o n e l d e m o n i o* ('insoportables' o bien 'ad-
mirables, únicas'). OM 11 *Pues si me hubiera usted conocido
de joven... E r a y o e l m i s m o d i a b l o* ('capaz de las mayores locuras'). Así se dice igualmente de los niños revoltosos,
traviesos, que *son unos diablos* (o *diablillos*).

Ejemplos del DM: *Es una caballería* [220] (dicho de un hombre
bruto y grosero); referido a varias personas en plural, *son unas
caballerías* (oído a un médico rural = 'estas gentes son tre-
mendamente brutas e insensatas'). *Es una avispa* 'astuto' (adj.:
avispado). *Es una víbora* 'malintencionado'. *Es una cabeza sin
seso* 'alocado'. *Es una cabeza hueca* 'sin seso', también: *una
calabaza* (pero en masculino *un calabaza* es un 'hombre torpe,
atolondrado y presuntuoso'); *es una centella;* —*un polvorilla*
'irascible'; también: 'muy nervioso', 'que está en todo', 'de reflejos muy rápidos' (J. POLO); —*un Adán* [221] 'sucio y descuidado'
(también 'mal vestido'); —*una gacetilla andando* [222] 'chismoso';
—*una gaita* 'insatisfecho, exigente'; —*una malva* 'suave de trato'; —*una polilla* 'importuno'; —*un Apolo* 'guapo'; —*un hoten-*

---

[220] *Caballería* es el término genérico rural para toda clase de animales
de carga y cabalgadura.

[221] *Adán*, en el sentido de 'sucio, descuidado, desaliñado', es voz predilecta de los aragoneses (A. BADÍA MARGARIT, «Contribución al vocabulario
aragonés moderno», Zaragoza, 1948), y se usa igualmente en Castilla.

[222] Más popular: *con dos patas.* EMH 69 *Usté que es la virtú c o n
d o s p a t a s* 'la v. personificada'. *Es usted la providencia c o n p a n -
t a l o n e s* (o *con faldas,* si se trata de una mujer). Lo popular de esos
giros está en su especial «fusión de lo abstracto con lo concreto» (véase
HATZFELD, «Don Quijote als Wortkunstwerk», pág. 272). Otros ejemplos de
fusión: CC 37 *Ah, la corte* (Madrid) *sería mi d e l i c i a* 'mi sueño dorado'.
SC 36 *...nos puso Escolástica un estofado de carnero y un arroz con
leche, que aquello era una b e n d i c i ó n de Dios* 'algo delicioso'. OM 21
Aquella tierra es una d e l i c i a.

tote (un cafre) 'ordinario, necio'; —*un Hércules (un Sansón)* 'forzudo'; —*un volcán* 'impulsivo'; —*un bacalao* 'magro, flaco'; —*un caballo desbocado* 'irreflexivo'; —*un cadáver andando* 'muy desmejorado'; —*un cero a la izquierda* 'inútil', 'un don Nadie'; —*un cordero* 'dócil'; —*un cuco*[223] 'astuto'; —*un tenorio* 'aficionado a las faldas, galanteador'; —*un chinche*[224] 'inoportuno, cargante'. En lugar de *es un Creso*, citado páginas atrás, se dice también *es un Fúcar*, locución alusiva a la proverbial riqueza de los banqueros Fugger, de Augsburgo (HATZFELD).

Ejemplos de imágenes originales no generalizadas en el lenguaje. VS 61 *Nada, que en esto del olfato* (se lo han estropeado de un puñetazo en la nariz) *s o y   u n   c a d á v e r .* EUB 44 Primo: *Por lo visto este señor es un pozo de ciencia* (muy corriente). —Ricordi: *¡Qué pozo!*[225]. *E s   u n   a b i s m o   s i n   b r o c a l* (hipérbole, ampliada humorísticamente, del precedente *pozo de ciencia).* VS 2 *Ah, pero ¿aquellos t r o z o s   d e   a n t r a c i t a eran riñones?* EUB 28 Julia: *Ahora escúcheme usted.* —Primo: *Soy u n c a r r a r a* (es decir: 'le voy a escuchar como un trozo de mármol, sin pestañear'). VS 15 *Como bueno e s u n a m a y o n e s a .* Aquí encajan multitud de expresiones hiperbólicas relativas a *frío* o *calor* excesivos: *hace un frío q u e p e l a ; ...que se le h i e l a n a uno l a s p a l a b r a s en la boca; t i r i t a r(se) de frío; estar uno hecho un c a r á m b a n o o un s o r b e t e .* Otra exageración extremada es: *Esto* (= *esta casa, esta habitación, este pueblo,* etc.) *es una n e v e r a .* El *calor* puede ser *a s f i x i a n t e , s o f o c a n t e , i n f e r n a l , a c h i c h a r r a n t e ; hace un calor que s e a s a n l a s m o s c a s (o l o s p á j a r o s), que s e d e r r i t e n (hasta) l a s p i e d r a s ; que s e l e d e r r i t e n a uno l o s s e s o s ; un calor de c u a r e n t a m i l p a r e s d e d e m o n i o s ;* otra exageración humorística

---

[223] Hay una serie de sustantivos de este tipo que funcionan con valor adjetivo y admiten gradación: *Fulano es a l g o t e n o r i o ; Zutano es muy c h i n c h e ; estos gitanos son m u y c u c o s ; los artistas suelen ser a l g o a d a n e s ;* véase arriba, n. 221.

[224] Véase la nota anterior.

[225] Entiéndase aquí '¿Cómo un pozo? Eso es poco todavía' (no en sentido admirativo).

como todas las de esta índole: *este pueblo (esta sala,* etc.) *parece u n a s u c u r s a l d e l i n f i e r n o ,* etc. C o m p a r a c i o n e s r e f o r z a d a s . Se consigue un gran efecto haciendo que el «tertium comparationis» sea presentado, por medio de una segunda comparación, como menor en potencia que la cosa o persona de que se trata, con lo que ésta adquiere proporciones grotescamente gigantescas [226]. VS 56 (Al final del acto 2.º, en una pelea fenomenal, grita doña Nieves desesperadamente): *¡ L a b a t a l l a d e S e d á n f u e u n j u e - g o d e b o l o s !* De modo que ella compara el estropicio del momento con la batalla citada, y a ésta la equipara con un juego de bolos [227]. EUB 61 *Bueno, ese señor Teruel* (un acreedor que no deja en paz a su víctima) *es de una pesadez, que l o s b l o - q u e s d e g r a n i t o resultan p l u m a s d e m i r a g u a n o* (comparados con él). Ibid. 63 *Gracias a que yo, cuando corro, u n a g a c e l a e s u n g a l á p a g o* (comparada conmigo), *que si no, a estas horas cada moflete mío es un timbal...* De otra apariencia, aunque informada por el mismo principio, es la metáfora siguiente: EUB 68 *...vislumbro una tragedia que, vamos, E u r í p i d e s h a c í a s a i n e t e s* ('las tragedias de Eurípides eran juguetes cómicos al lado de esto'). EMH 47 *Bueno, yo no he conocido a N a p o l e ó n , pero debía ser u n a c h i n e l a* (zapatilla) *comparao con este hombre.* Comparaciones corrientes de esta estructura son *ése es un Apolo* (o *un Adonis) comparado con su hermano,* o *esa solterona todavía es una Venus al lado de Juana* (Sobejano).

Emparentado con este tipo de comparación está el siguiente: OM 51 Silverio (creyendo que en su casa ha muerto alguien de un disparo imprudente): *¡Y l u e g o h a b l a n de los dramas!* El sentido es: 'un drama no es nada comparado con esto'. Igual en VS 11 Ismael (a quien doña Nieves ha hecho confidencias sobre su harto novelesco pasado): *Para que l u e g o h a b l e n de los folletines* [228].

---

[226] Muñoz Seca es aficionadísimo en sus sainetes a grotescas exageraciones de este tipo.

[227] Véase lo dicho en la pág. 18.

[228] Con *¡eso son folletines!* o *¡eso son cuentos!,* el español rechaza

Otra posibilidad de comparación: *Fulano parece un*... De este tipo recoge el DM una buena cantidad de locuciones, cuya lista podría ampliarse a discreción con el material arriba citado de términos comparativos; por ejemplo: *parece una ballena* 'es (o está) muy gordo'; —*una caña de pescar, o un alambre,* o *un alfeñique* 'es (o está) muy delgado'; *parece un coco* 'es muy feo'; —*una jirafa* (dicho de personas) 'es muy alto'; —*una leonera* (dicho de una casa o de habitaciones) 'está muy sucio y desordenado'; *parece un juez* 'es muy serio'.

Como resumen de todo este párrafo querría insistir una vez más en que el material aportado constituye sólo una pequeña fracción de lo que la lengua posee en su repertorio inmediato. Para convencerse de que un español medianamente original no se contenta con este ya bastante rico caudal, basta asomarse a cualquier nueva creación literaria, sea novela o comedia. Sin embargo, donde esta tendencia inventiva se observa con más frecuencia es en el habla ordinaria de cultos e incultos [229]. Y es que los fenómenos lingüísticos que acabamos de tratar se desarrollan preferentemente en ese campo donde el sentimiento prevalece sobre la inteligencia.

Otro medio para hacer destacar una cualidad es el expresado por el g e n i t i v o o b j e t i v o (véase KRÜGER, «Einf.», pág. 11); por ejemplo, VS 4 ...*un negocio d e f á b u l a* (corresponde al alemán «ein Bombengeschäft», «ein Riesengeschäft», etc.). SC 26 *La tía, sobre todo, es una andaluza d e p r i m e r o r d e n, de Chiclana.* Hoy se suele omitir *orden* (o *clase*): ...*una andaluza d e p r i m e r a.* En VS 21 *Le ha parecido d e p r i m e r a.* Otro genitivo objetivo suelto o desgajado es *de perlas* 'excelente, su-

---

algo que le parece inverosímil y descabellado; al soñador ausente de la realidad le llama *folletinesco, novelero* o *cuentista* (este último, usadísimo, significa también 'embustero, embaucador').

[229] En España la diferencia entre cultos e incultos es menos acentuada que en Alemania, por ejemplo. Apenas habrá otro país europeo donde tenga tan poco peso y esencia el saber adquirido, pues allí hasta entre los analfabetos se encuentran casos de prodigiosa sabiduría natural. Y esta sabiduría es propia de una personalidad que se siente por encima de las cosas y aun de todo lo espiritualmente adquirido. Véase ENRIQUE RUIZ GARCÍA, «Ensayo sobre la personalidad española», Murcia, 1953.

perior'. VS 10 *Lo del casamiento le parecerá d e p e r l a s* . En
el mismo sentido 'de primera clase, superior', la lengua coloquial, o mejor dicho, el lenguaje popular, emplea *de buten* (del
gitano *but* 'mucho'), *de órdago* [230] y *de rechupete* (sin duda formado con la raíz de *chupar*; comp. *chuparse los dedos*, en alemán «sich die Finger nach etwas lecken»); las tres están tratadas por M. L. WAGNER, «Sobre algunas palabras gitano-españolas y otras jergales», RFE, XXV, 1941, págs. 161-181. H. SCHNEI-
DER (Res., pág. 360) añade *de chipén*. Al lado del expresivo *de
aúpa* [231] *(una tormenta, una cogida, una paliza de aúpa)* se ha
difundido mucho *de miedo* (véase más adelante) [232]. Una buena
salud es *una salud d e b r o n c e o d e r o b l e ;* de un hombre
de buenos sentimientos se dice que tiene *un corazón d e o r o ;*
un traje con pretensiones es un *traje d e p o s t í n* [233]; *tener
cara d e p o c o s a m i g o s* 'mostrar mal humor'. En CASTILLO-
PUCHE, «Paralelo 40», pág. 430, ocurre: [...] *el taxista puso cara*

---

[230] Ocurre también (como variante de ¡de órdago!) *¡la órdiga!: ¡Anda
l a ó r d i g a !,* piropo callejero (no de los más finos) que se dirigía a una
'moza de rumbo' (PASTOR y MOLINA, ob. cit., pág. 52). En A. M.ª DE LERA,
«Los clarines del miedo», (ob. cit., pág. 312), ocurre: *¡Eres la ó r d i g a ,
Raposo!* (dicho a un torero).

[231] *¡Aúpa, aúpa, aúpa!,* exclamación en coro con que los trabajadores
al levantar un objeto de mucho peso se animan mutuamente a hacer un
máximo esfuerzo común.

[232] Con las expresiones populares *de miedo, de espanto,* etc., com-
parten hoy el favor popular *de bandera* o *de bigote* (E. LORENZO, pág. 152):
C 37 *el susto va a ser de bigote;* también: *es una mujer de bandera. De
miedo* se emplea también en función adverbial, p. ej. *Ella lo pasa d e
m i e d o en las reuniones de damas caritativas* (A. M.ª DE LERA, «Trampa», op. cit., pág. 992). También se ha puesto de moda *¡de ole!* admirativo. En OC de ADRO XAVIER ocurre: *Tú nos vas a dar una sorpresa d e
o l e* (= 'la sorpresa *del siglo*').

[233] Del indostaní *pošt,* gitano *postí* 'piel'. El punto de arranque parece
ser el brillo de la piel, que luego se desplazaría hacia la piel misma, por
considerarse el hecho de llevarla como signo de especial elegancia. (M. L.
WAGNER, Reseña, pág. 115.) De *postín* deriva *postinear,* que, como el término de origen taurino *farolear* o *marcarse un farol* significa 'presumir,
alardear sin razón' (J. M. DE COSSÍO, «Los toros», II, 240), y *postinero* (o
farolero) 'presumido en su indumentaria', 'pagado de grandezas'. Según
R. LAPESA (ob. cit., pág. 205), *postín* se halla en decadencia.

d e n o g u s t a r l e e l a s u n t o . Un hombre 'arrojado', 'decidido', *es un hombre d e a g a l l a s (de riñones*, etc., véase capítulo II, nota 80). De acuerdo con esa expresión 'tener valor' se dice *tener agallas (más agallas que un tiburón)*. Un piso, etc., fastuoso es un piso *de locura*, o *de cine*, o *de película*. Otros genitivos frecuentísimos, con o sin sustantivo expreso del que dependan: *Es un cuadro d e r i s a* . *Lo que ocurre aquí es d e p e n a*. Es muy corriente: *hoy he tenido un día d e n o t e m e n e e s* = 'de mucho ajetreo', 'de mucho trabajo', etc. (J. M.ª GIRONELLA, CV, I, pág. 103). Modernamente se ha difundido con particular frecuencia el arriba (véase nota 231) mencionado *d e a ú p a* , p. ej. *anoche hubo una tormenta d e a ú p a* ; y así: un frío, un calor, un tráfico, un follón, un jaleo, etc., etc. *d e a ú p a*. Los picadores en las corridas de toros se llaman (o se llamaban) *l o s d e a ú p a* (PASTOR Y MOLINA, pág. 62). Supongo que de ahí arranca la popularísima expresión.

PARTICULARIDADES. — «Fr.» 50 *Y luego haberlo* (el paño) *confiado a aquel sastrecillo d e m a l a m u e r t e* ... «Fr.» 8 *No es más que un dómine de esos d e m a l a m u e r t e* ... ('que ni siquiera puede morirse decentemente, que es lo único inteligente que podría hacer', o 'al cual se le desea una muerte mala'). «Fr.» 5 *También tengo una sed d e p a d r e y m u y s e ñ o r m í o* ... ('muy respetable'). SBARBI trae además *le dio una bofetada, se comió un plato de guiso, dijo un desatino*, etc., *de padre y muy señor mío* (A. TRUEBA, «El príncipe desmemoriado», capítulo cuarto: *Le sirvieron una comida d e p a d r e y m u y s e ñ o r m í o)*. «La locución *de padre y (muy) señor mío*», según M. L. WAGNER en ZRPh, 49, pág. 21, «parece ser una ampliación de *de padre*, y originariamente se referiría a un regaño o a una severa reprimenda o castigo, de los que sólo un padre está autorizado a dar... Y esta locución, sentida con el significado de 'muy importante'..., se extendería luego a otros casos como una fuerte borrachera, una enfermedad grave, etc.». Hoy, una de las hipérboles más en boga es ... *d e l s i g l o*, p. ej. *Fulano me ha dado el disgusto d e l s i g l o*. En J. M.ª GIRONELLA, «Condenados a vivir», I, 272, leo: *Un sexto sentido la impedía con-*

*siderar a Julián como un intruso capaz de darle de la noche
a la mañana l a s o rp r e s a d e l s i g l o*. A. Melendo, en un
artículo titulado «De las locuciones en español» (en «Les langues néolatines», n.º 173, 1965), llama acertadamente «l o c u -
c i o n e s a d j e t i v a s a todas aquellas que empiezan por la
preposición *de* y un sustantivo», p. ej.: *un éxito loco = un
éxito d e l o c u r a* (A. M.ª de Lera, «Bochorno», ob. cit., pág. 803).
Además: *hace un calor d e a s f i x i a* y los citados por E. Lorenzo: *d e b i g o t e* y *d e b a n d e r a*. En Adro Xavier, ob. cit.,
pág. 44, encuentro: *una destreza d e a n t o l o g í a*.

En el lenguaje coloquial de hoy, sobre todo del vulgo, se
oye mucho *de miedo* en el sentido de 'mucho, muchísimo': *ahí
viene una de gentes d e m i e d o...* 'increíble, inaudita'; *hace
un frío d e m i e d o; una cosa d e m i e d o*[234], etc., y, como variantes intensificativas de ésta, secundariamente: *de pánico, de
espanto, de horror*. Siguen siendo frecuentes las formas derivadas del gitano *de órdago* (DM) y *de buten* (DM) (C. Clavería,
ob. cit., pág. 160), variantes a su vez de *morrocotudo, bárbaro*
y otras citadas en la pág. 279: *Hubo una trifulca de las d e
ó r d a g o*. Según J. M.ª de Cossío (ob. cit., pág. 238), procede
del ámbito taurino el tan corriente *de cuidado* 'peligroso': *un
hombre (una mujer) d e c u i d a d o; este clima es d e m u c h o
c u i d a d o*. El mismo sentido tiene *de abrigo: el jefe de esta
empresa es d e a b r i g o*[235]. En nuestra época deportiva se han
puesto de moda: *de concurso* y *de campeonato*, p. ej., *la chica
tiene unas piernas d e c o n c u r s o*. C 86 *D e c a m p e o n a t o
ha sido la de hoy* (e. d., la «toña» del tío Maravillas). También
es de origen reciente *de antología*, usado primero para ponderar
la buena calidad de una poesía o de un artículo bien logrado,
etcétera, y que, partiendo de ahí, se ha venido difundiendo hasta

---

[234] Cf. García de Diego, «Lingüística», pág. 342: «El vulgo usa la expresión *de miedo* para ponderar diversas cualidades». Julio Casares, ob. cit.,
pág. 62, cita: *¿Es fulana tan guapa como dicen? —D e m i e d o*. Otro
ejemplo de empleo en sentido ponderativo: *Esos lo están pasando d e
m i e d o* (= *muy bien, estupendamente*, etc.).

[235] Véase Tomás Salvador, «Diccionario de la Real Calle Española»
(Edic. 29, Barcelona, 1969, pág. 85).

el extremo de poder decirse: *P. marcaba unos g o l e s d e a n -
t o l o g í a* (Gironella). Úsase siempre en sentido pesimista el
popularísimo *de pronóstico: un choque, un trastazo o porrazo,
un follón* [236], etc., *d e p r o n ó s t i c o* (= *de aúpa, de miedo,*
etcétera), procedente de la terminología médica de los partes
facultativos que suelen publicarse a raíz de algún percance taurino: (el espada) *sufre lesiones... de pronóstico reservado...
grave*, etc. Y aunque fueran *de pronóstico leve*, el pueblo, al no
entender bien el significado auténtico de «pronóstico» (= «juicio que el médico se forma ante la herida y las previsibles consecuencias de la misma»), prescindió del determinativo casi
siempre p e s i m i s t a , dando este sentido al sustantivo, que
antes no lo tenía.

Notemos la gran popularidad que ha alcanzado, para introducir una determinación, el sintagma retardativo *de esos (esas)
de* en expresiones como *una corbata d e e s a s* [237] *d e nudo hecho.*
Otros ejemplos: *una plancha d e e s a s conmemorativas* ('un
chasco de los que hacen época'); *un pobre violín d e e s o s
hechos a troquel...* ('hechos en serie'). Esta interpolación deja
tiempo al hablante para buscar alguna característica difícil de
formular. Véase también S. Fernández Ramírez, ob. cit., pág. 254.
Añádase: *de marras: volvió a visitar al ingeniero d e m a r r a s ...*
('del que ya se ha hablado') (J. A. de Zunzunegui, «La Úlcera»,
pág. 132); *el asunto de marras* (del árabe *márra* 'una vez', con
matiz vulgar ya en la época clásica; J. Corominas, ob. cit.).

---

[236] Julio Casares, en «Cosas del lenguaje» (1961), relaciona el usadísimo *follón* con *hollar* (= 'pisotear') interpretándolo como aumentativo
de *folla* = 'gentes que se agitan en confuso desorden' (ob. cit., pág. 71).
Refiriéndose a un tipo «d e c u i d a d o» (otra «locución adjetiva» muy
corriente), el pueblo dice humorísticamente, recordando el uso de ciertas
medicinas: *agítese antes de usarlo.* (Véase también R. Carnicer, Lh, páginas 140-41).

[237] En lugar de *de esos* se encuentra también *de los (las) de: un bom-
bardeo d e l o s d e cataclismo; una inocentada d e l a s d e niño pequeño*, etc. Añado: *se pegó un trastazo, le atizó un puntapié*, etc. *d e l o s
d e a ú p a o d e l o s d e n o t e m e n e e s.* En «Jarama», pág. 178, ocurre:
—(...) *lo que es yo, me comía ahora un bocadillo de lomo d e l o s d e
a q u í t e e s p e r o.*

A d v e r b i o s empleados como refuerzo de adjetivos. Muchos adjetivos suelen atraer, a modo de clichés fijos, ciertos adverbios determinados; así, no se dice casi más que *exactamente igual; diametralmente opuesto,* aquí mucho más frecuente que *completamente* (o *enteramente) opuesto. Cerrado* se une con *herméticamente: herméticamente cerrado. Completamente* ocurre en esta función con particular frecuencia: EUB 12: *c o m p l e - t a m e n t e arruinado.* SC 36 *...me paso la vida c o m p l e t a - m e n t e solo.* Como variantes mencionaremos *por completo* pospuesto: *arruinado p o r c o m p l e t o.* De *sumo,* que además de en las expresiones eruditas *Sumo Sacerdote, Sumo Pontífice,* se usa en el giro común *a lo sumo,* se ha formado *sumamente: una mujer s u m a m e n t e bonita; un negocio s u - m a m e n t e importante* (también: *de s u m a importancia).* Recordamos que el adverbio de *verdadero* (véase pág. 266, nota 160) es muy corriente para poner de relieve una cualidad. VS 51: *Es v e r d a d e r a m e n t e espantoso.* De acuerdo con su significado, se encuentra siempre en compañía de adjetivos que ya tienen sentido superlativo, junto a los cuales esté indicado el asegurar «no exagero». Pero también figura a menudo como mero elemento retardatario que da tiempo al hablante para encontrar un calificativo especialmente adecuado; por ejemplo: *es un paisaje v e r d a d e r a m e n t e soberbio (regio).* Otros ejemplos: EUB 69 *inmensamente rico;* ibid. *...extraordinariamente avaro.* EUB 12 *¿Qué harías tú si estuvieses profundamente, ciegamente, locamente enamorado de una mujer?* Sobre todo estos últimos tienen un carácter marcadamente culto y por ello se usan con preferencia en el lenguaje coloquial de los ilustrados, que por lo demás, principalmente en las grandes ciudades, también se contamina del modo de hablar del pueblo. Lo mismo vale para *indefectiblemente* o *irremisiblemente perdido; perdidamente enamorado.* Hace algún tiempo se puso de moda *impepinable(mente): si no me lo apunto, se me olvida i m p e p i n a b l e m e n t e.* Véase TOMÁS SALVADOR, pág. 103.

No es muy popular *del todo* + adjet. (cuyo equivalente francés, puramente formal, es «tout à fait»): *del todo* (o *de todo punto) imposible* (como también *íntegramente, enteramente, total y absolutamente)* sólo lo dicen los cultos y otro tanto ocurre con *imposible de toda imposibilidad, falso de toda falsedad,* y otros que ya hemos citado. Véase pág. 355 y nota 270. En cambio es popular la locución adverbial reforzante *de remate.* VM 66 *Anda, convéncele de que es tonto d e r e m a- t e* [238]. También *rematadamente,* que ya aparece en el «Quijote», II, 65 ...*un hombre tan r e m a t a d a m e n t e loco.* «Fr.» 66 *¿Quién iba a pensar que fuese tan r e m a t a d a m e n t e mala?* Ligado a *tonto,* en lugar de *de remate* se oye también *tonto del bote* o *del higo, tonto d e c a p i r o t e,* que se refiere originalmente al 'tonto del circo'. Pero, ¿cómo explicar *tonto d e l b o t e?* Para *t. d e l h i g o* me atrevo a sugerir que el higo es fruto de la h i g u e r a, y *estar en la higuera* = 'estar distraído sin enterarse de nada'. El adjetivo puede también faltar: *está de remate* es decir: 'su locura es tan grande que ya no puede ir a más'. En vez de *loco de remate,* también *loco de atar* [239].

Otros medios determinantes del adjetivo con sentido superlativo son: *a más no poder;* por ejemplo: *estuvo atento a m á s n o p o d e r* 'no pudo estar más atento', y estas concretizaciones: *estoy convencidísimo h a s t a l a m é d u l a* (o *los tuétanos)* ('hasta lo más íntimo'). «Fr.» 3 *Estoy calado h a s t a l o s h u e s o s* [240] (fr. «jusqu'aux os»), 'completamente empapado'.

---

[238] *Rematar,* propiamente 'dar el golpe de gracia al moribundo' (término originariamente taurino), tiene también el sentido de 'dar *remate* o término a una cosa'.

[239] Nótese el valor pasivo del infinitivo, fenómeno muy divulgado en la lengua coloquial; por ejemplo, *la ropa está sin lavar; una cuenta sin pagar; una mesa sin barnizar; un libro sin traducir.* Comp. W. MEYER-LÜBKE, «Romanische Syntax», pág. 24. El mismo valor negativo de *sin,* en dichos ejemplos lo puede tener también *por* + infinitivo: *todo está por hacer.* Modernamente se ha extendido como una plaga, contra la que luchan los puristas, el galicismo *a* + infinitivo: *casas a construir, planes a realizar,* etc. En cambio, está bien dicho: *una casa a medio terminar* = *terminada a medias.*

[240] *Hueso,* muy corriente en el lenguaje familiar, se usa 1) para motejar a una persona de carácter díscolo y difícil, p. ej., *este catedrático es un h u e s o,* e. d. muy severo y exigente; 2) se aplica para designar los más diversos objetos, causas o motivos que pueden originar dis-

Los siguientes giros en forma negativa tienen igualmente valor superlativo: 'no cabe más', 'no se puede más', etcétera. «Fr.» 40 *N o   h a b í a   c o m o   él para echar piropos a las muchachas* ('él era el más dotado para esa habilidad'). «Fr.» 39 *...para pasar un rato de risa n o   h a y   c o m o   Arniches... La carta n o   p u d o   s e r   m á s   e x p r e s i v a.* VM 51 *El resultado... n o   h a   p o-d i d o   s e r   m á s   d e s c o n s o l a d o r.*

Llama la atención desde el punto de vista sintáctico VS 11 *...A   b u e n o   y   h o n r a d o no hay quien lo aventaje,* o «Fr.» 41 *A   b u e n a nadie me gana, pero esto no se puede tolerar.* Dos cosas hay que observar: primero, la preposición *a,* pues en otros casos se dice *aventajarle (igualarle, ganarle, vencerle) a uno e n una cosa.* En segundo lugar, choca que la forma del adjetivo *bueno* se rija por el género del hablante (mujer en el último caso). La preposición *a* se explica por un originario *en cuanto a (ser) buena.* En vez de *no hay quien le gane,* se dice también *no hay quien le meta* (o *eche) mano* o (pop.) *la pata* y *no hay quien le tosa;* o, en positivo: *es el amo (del cotarro)* 'el que más puede, el más hábil'. En «Jarama», pág. 163, ocurre: (...) *no había quien le e c h a s e   l a   p a t a* (= 'quien le metiera mano'). Otra variante: *no hay quien le m o j e   l a   o r e j a* (J. Polo).

Antepuesto a adjetivos o adverbios, tiene alto valor super-lativo el sintagma *pero que,* que se usa bastante en la lengua hablada. MANUEL SECO («Diccionario de dudas de la lengua es-pañola», pág. 262) cita: *Es indispensable tener p e r o   q u e muchísima pupila* (BAROJA, «Silvestre Paradox», 148); *La plaza de indiano que se la tiene p e r o   q u e muy bien ganada* (ZUN-ZUNEGUI, «La úlcera», 25); yo añado «de mi cosecha»: *Es listo el chaval, p e r o   q u e muy listo; Esta vez va de veras, p e r o   q u e muy de veras.* En el diálogo, el hablante sale con *pero que* al encuentro de posibles objeciones restrictivas a su aserto por

gustos y contrariedades, p. ej., *hasta ahora he tenido suerte en el examen, pero aún queda e l   h u e s o ; mañana me examino de latín, que, ya sabes, para mí es el h u e s o   m á s   d u r o   d e   r o e r.* En FJ 74 (un policía a una joven que se hace culpable de desacato a la autoridad): —(...) *Que eres un h u e s o , ¡vamos!*

parte del interlocutor (al tenor de *p e r o ¿es de veras q u e se necesita pupila?* —*p e r o ¿es q u e se la tiene ganada de verdad?* —*p e r o ¿es que es tan listo?,* etc.). Añádase: *...y qué emoción me entró, qué emoción de atontamiento, de las que no te dejan pensar en nada, p e r o q u e en nada, de veras* (V. SOTO, «La zancada», pág. 37).

EXPRESIÓN DE LA IDEA DEL ADJETIVO SUPERLATIVO MEDIANTE FRASE RELATIVA O CONSECUTIVA. Aquí el sustantivo al que se había de atribuir la cualidad en cuestión se convierte en un sujeto agente; por ejemplo, «Fr.» 2 *Hace un f r í o q u e c o r t a la cara;* más frecuente: *...q u e p e l a.* EUB 41 *Hay p a n o r a m a s q u e e s t u p e f a c t a n* (en vez de *estupendos).* NV 55 *Tengo dos s o l i t a r i o s q u e q u i t a n e l h i p o.* El siguiente caso muestra una curiosa mezcla de oración relativa y consecutiva: VS 36 *...Llegamos a un hotel y me hicieron u n r e c i b i m i e n - t o q u e s e l o h a c e n a M e d i n a c e l i y lo atontan.* Hay aquí una oración condicional encubierta (véase más abajo, página 419): 'si se lo hubieran hecho al duque de Medinaceli (tan acostumbrado a tales honores) le hubieran dejado embobado'.

Para ponderar un estado de ánimo, en lugar del adjetivo afectivo correspondiente, sirve una o r a c i ó n c o n s e c u t i v a que lo reemplaza: PC 54 *...s'ha enamorao de una de ellas y está q u e n o v i v e* (comp. alemán «zum Sterben verliebt»). Caso parecido en EUB 65 *En cuanto ofrecen un premio por cualquier cosa ya me tiene usted* (véase cap. II, págs. 168 y sigs.) *q u e n o v i v o hasta que no me lo gano* ('no descanso hasta que...'). VM 35: *...estoy q u e m e a h o g o* 'conmovido', 'inquieto'. Igual significa la variante humorística OM 55 *Estoy q u e s e m e p u e d e a h o g a r con un cabello.* En CASTILLO-PUCHE, P40, pág. 400, ocurre: —*¿No te da esto mala espina?* —*Como que e s t o y q u e a r d o.* Se oye con frecuencia: *¡La vida está q u e h a y q u e v e r!* = 'cada día más difícil, cara' (J. PÓLO). Añado la frecuente expresión elíptica ponderativa *que ya, ya.* IT 70 —*Lleva unos diítas q u e y a, y a* (= 'unos días muy malos, llenos de zozobra y disgustos').

Está visto que ese tipo de frase da pie, una vez más, a la producción de especiales efectos de comicidad. PC 22 *Er señorito debe está q u e e s t o r n ú a* (= estornuda) *y e c h a c h i s - p a s* ... 'debe de estar tan furioso que si estornudara le saldrían chispas'. Generalmente falta el adjetivo que designa el estado de ánimo a que se alude. IT 16 *Estás q u e b u f a s.* Cuando aparece, la frase consecutiva determina el grado (= tanto... que...), y esto explica el empleo de la preposición *de* ante el adjetivo en los siguientes ejemplos: EMH 48 *Estoy d e n e r v i o s o q u e me quiero sonar y no me doy con las narices* 'estoy en tal estado de nerviosismo que si me quiero sonar...' VM 47 *...está d e c o n t e n t a q u e no pega saltos porque con estos tacones de moda es peligrosísimo.* VS 30 *...se puso ella d e c o n t e n t a*[241] *q u e si le piden un cuplé lo canta y lo arsiona* (= acciona). —(...) *no consiguió levantarse d e t a n t a r i s a* («Jarama», pág. 27).

Cuando falta el adjetivo caben combinaciones al tenor de: VM 70 *Aquí me tienes, Alvarito, y q u e v e n g o q u e c r u j o.* El estático *estar* ha sido sustituido aquí por el dinámico *venir;* el primer *que* enlaza con un verbo dicendi elidido («yo te aseguro que» o similar). También puede emplearse el verbo *tener;* en lugar de «(mi cabeza, etc.), está en tal o cual situación», un español ocurrente dice: VS 50 *T e n g o la cabeza q u e e s u n a m e n a s e r í* (fr. «ménagerie»). SC 29 *T e n g o*[242] *la huerta q u e*

---

[241] Aquí encajan expresiones con *de* como *la mar d e contento (contenta)* (véase arriba la pág. 239) y «Fr.» 18: *He visto una serpiente así d e larga y así d e gorda* (en el original, por error, *largo y gordo). Así de...* ocurre también en conexión con adverbios: [...] *estaba convencida de que tener hijos a s í d e f á c i l m e n t e era una ordinariez* (J. L. MARTÍN VIGIL, TB, pág. 19). Además, el empleo de *de* en expresiones como: *¿qué tal está esto d e espectáculos?* (o sea, de cines, teatros, variedades, etc.); *Estoy d e periódicos hasta las narices* 'hartísimo'. Emparéntase con ello el *de* en frases como *tu hermano se ha vuelto insoportable d e mandón y d e entremetido* 'se ha vuelto insoportablemente mandón y entremetido'. Véase a este propósito el magnífico estudio de F. KRÜGER: «El argentinismo 'es de lindo'». C. S. I. C. Madrid, 1960.

[242] Cf. SPITZER: «Cabría quizá decir que el español entiende el ser de las cosas del mundo como propiedad del hombre» («Stilstudien», I, 270). Sin embargo, véanse los siguientes ejemplos: *esto m e t i e n e com-*

es una delicia. VS 46 *Tengo el corazón que es un locomóvil*. La comparación humorística de un corazón agitado con una máquina crepitante, ha dado lugar a variantes como *tengo el corazón que es un tren...*, *que es una máquina de coser...*, *que es una motocicleta*, etc.

Oraciones consecutivas humorísticas para la perífrasis enfática de una cualidad: EMH 70 *Tiene una cara que la ves y no se te olvida*. De la situación se deduce que se trata de una cara extremadamente fea. VS 3 (Los arenques) *me dieron una sed que me pasé toda la noche soñando con el* (Mar) *Cantábrico...* 'una sed (tan horrible) que...' El adjetivo falta igualmente en «Fr.» 5 *Tengo un sueño* (o *un hambre*, etc.) *que no veo*. VS 60 *¿Cómo quiere usted que siga?... con unas palpitaciones en las sienes y unos ruidos sordos en los oídos que parece que tengo dentro del cráneo un gramófono tocando las Walkirias*[243]. De los cuatro ejemplos citados el único divulgado hoy es el de *...que no veo*.

Para final de este párrafo citaremos algunas PARTICULARIDADES. Con la secuencia de *malo* y *peor* en forma de una gradación, se pone de relieve la mala cualidad de dos cosas homogéneas; en realidad se trata de un efecto puramente externo; cuando, por ejemplo, en «Quijote», II, 4, se dice... *después de llevar malos días y peores noches les daban algún título*

---

pletamente acobardado; eso le tiene sin cuidado; esto me tiene muy preocupado; ...me tiene (trae) nervioso, etc., y *esto me saca de quicio* 'de mis casillas'; *...me vuelve loco*, en todos los cuales, al menos formalmente, es la cosa y el ser lo que señorea y «tiene» al hombre. La fuerza expresiva de estos giros reside en que dicen lo contrario de lo que suele ser «normal» y corriente.

[243] Hipérboles semejantes abundan por todas partes en las obras de MUÑOZ SECA y ARNICHES, autores que han influido profundamente en la fraseología popular, tanto que bien puede decirse que el pueblo les imita a ellos, no que ellos imitan al pueblo, pues sus atrevidas creaciones lingüísticas han acabado por ser de todos, al menos en las ciudades. Cf. VENTURA CHUMILLA, a propósito del sainetista madrileño LÓPEZ SILVA: «y hasta tal punto llegaron a ser populares entre los chulos ('tipos castizos de Madrid') muchas frases de LÓPEZ SILVA que se ha dudado y se ha dicho muchas veces si era éste el que espiaba los decires de los chulos, o éstos los de LÓPEZ SILVA» («Literatos y tópicos españoles», pág. 71).

de conde, esto no quiere decir que las noches hubieran de ser
peores que los días, sino únicamente que los héroes tenían que
sufrir calamidades no sólo de día sino también (lo que sin
duda era más desagradable) de noche. El significado de *malo-
peor* se ve más claro aún en el siguiente ejemplo. «Quijote», I,
15: *Dos aventureros de m a l a t r a z a y d e p e o r t a l a n t e*,
que no indica sino que los dos aventureros eran tan malos por
fuera como por dentro. Este medio estilístico se presenta mucho
más a menudo en función adverbial: «Fr.» 60 *Comen m a l y
visten p e o r*. Se podría decir igualmente sin cambiar lo más
mínimo el sentido: *visten m a l y comen p e o r*. Lo mismo
vale para «Fr.» 8 *No sabe más que leer m a l y escribir p e o r;*
«Quijote», I, 9 *...Cosa m a l hecha y p e o r pensada;* «Quijote»,
I, 2 *Una porción del m a l remojado y p e o r cocido bacalao.*
Se trata de un fenómeno puramente formal como lo demuestra
el «Quijote», II, 29: *Canalla m a l v a d a y p e o r aconsejada.*
La primera sílaba de *malvada* no es separable del conjunto
léxico, puesto que, aquí, *mal* no funciona como adverbio atributivo de *«vada»*. Lo que pasa es que la excitación del insultante se aprovecha de esta homofonía *(mal)* para establecer
relación con *peor*. ¿O es que se sentiría aún viva la etimología
de «male elevatus» (fr. «mal élevé»)? Poco probable me parece,
puesto que el español no tiene antónimo correspondiente al fr.
«bien élevé», de «bene elevatus».

También ocurre la pareja *bueno-mejor*, aunque con menos
frecuencia: «Quijote», I, 17 *Con b u e n a f e y m e j o r talante;*
lo mismo que *grande-mayor*: «Quijote», I, 21 *...sus g r a n d e s
fuerzas y m a y o r entendimiento...* ('no menos grande'). Como
vemos, se trata siempre de adjetivos que han conservado en
el comparativo la forma orgánica latina, en cuya expresiva con-
cisión reside su particular efecto.

S u s t a n t i v o s   c o o r d i n a d o s   e n   f u n c i ó n   a d j e -
t i v a . Ya se nos ha presentado con frecuencia el empleo de
sustantivos en función de adjetivos; recordemos ejemplos como
tres c o c h i n o s duros, esta p e r r a vida, en los que el adjetivo figura siempre a modo de epíteto ante el sustantivo, con
el que concierta además en género y número. El elemento ad-

jetival puede también ir pospuesto; por ejemplo: *la culpa la tiene mi sino p e r r o* ... Difieren radicalmente los casos siguientes: EMH 73 *¿Qué vale el dinero ande* (popular por *donde) hay un querer* [244] *v e r d a d?* ('un amor verdadero'). Aunque también se dice corrientemente *un querer (un cariño) de verdad*, donde el epíteto viene expresado por un genitivo objetivo (como vimos más arriba en *un negocio d e f á b u l a, un traje d e p o s t í n)*, supongo que en *un querer verdad* no se trata de la simple elisión de un *de*, sino de una expresión jergal que debemos situar en la misma categoría que la tan oída *un niño bien*, con la que se asocia un sentido totalmente distinto al del literario *un hombre de bien* [245]. Por *niño bien* se entiende un joven vividor, de buena familia, de existencia puramente decorativa por cuanto ni trabaja, ni se prepara para ninguna profesión («porque no lo necesita»), y cuyo único objetivo vital se reduce a dilapidar lo más elegantemente posible el dinero de su progenitor [246]. *Un niño bien* es, pues, casi lo contrario de lo que se

---

[244] Esos infinitivos sustantivados gozan de especial predilección, particularmente entre los andaluces: *el querer, el morir, el vivir*, etc.

[245] Sucede lo mismo con el fr. «messieurs bien», que SPITZER opone a «*gens de bien*, más orientado hacia lo ético» («Stilstudien», I, 10).

[246] Muchachos así, hijos de ricos, y sin oficio ni beneficio (pese a que les gustara ostentar el título de abogado), no eran fenómeno raro hasta la guerra de España, país donde el trabajo se suele mirar más como un medio de vivir que como un fin en sí mismo. Estos retoños degenerados de los viejos hidalgos se sentían atraídos por las clases socialmente inferiores y gustaban de remedar las maneras y frases de chulos, toreros y demás tipos castizos. A su vez, el vulgo consideraba la lengua de aquellos «señoritos» como modelo de refinamiento y de cultura. Cf. GARCÍA DE DIEGO, «Lecciones», pág. 108: «El pueblo bajo procura imitar las maneras lingüísticas más refinadas, como procura imitar los demás modos sociales», y al revés: «a veces el hombre culto acepta para la intimidad voces bajas, y en la familiaridad algunas caen en gracia y se extienden luego en el vocabulario común» (pág. 109). De ese ambiente de los «niños bien» proceden muchas expresiones que, por lo general, han pasado rápidamente de moda. Recordamos que hacia fines del siglo XIX el llamado «flamenquismo» arraigó muy hondo en todas las clases sociales, incluso en la literatura —E. RAMIRO ÁNGEL, C. FRONTAURA, E. CARRÈRE, P. DE RÉPIDE, etc.—, y aun en la de hoy: C. J. CELA, «La Colmena»; D. FERNÁNDEZ-FLÓREZ, «Lola, espejo oscuro»; y otros. Dice CARLOS CLAVERÍA que «los gitanismos came-

designa con *un hombre de bien* ('íntegro, honrado, virtuoso').
VM 61 *Eres lo que se dice un t í o b i e n* ('un tío estupendo').
QNSF 55 *Entre g e n t e b i e n esto quiere decir que ya nos
esperaban* ('entre gente fina'). Un *traje bien* es un traje de primera calidad. El calificativo de que se trata viene, pues, unido
con su respectivo sustantivo de manera anormal, diríase como
pegado a modo de «etiqueta» (SPITZER): *un q u e r e r v e r d a d*
es un querer al que sólo le cuadra la etiqueta «verdad», lo mismo
que la de «bien» (con un matiz entre serio e irónico) al tipo
de «niños» que acabamos de mencionar. En forma idéntica se
dan incluso ciertos adjetivos. EMH 75 *Van ustés a hacer una*

---

lador, chalar, chaladura, pirar, andova, mangante, barbián, etc., son los
que todo el mundo conoce y usa («Nuevas notas sobre los gitanismos del
español», en BRAE, XXXIII, 1953, págs. 73-93, esp. 87-88). — En lugar de
niño bien se oye *niño* (o *pollo) pera;* más raros son *pollo fruta, p. plátano,
p. breva* (alusión a la fácil maleabilidad de estos blanduchos jovenzuelos).
Pollo puede omitirse: *¿quién es ese pera?*, sobre todo cuando *pera* tiene
valor adjetivo: *Chico, qué pera vienes.* De *pera* deriva el humorístico
perancia: ese matrimonio es de una perancia..., aplicado también a cosas:
¡Vaya casa que tienen! De una perancia que da miedo. Hoy es más corriente llamar a ese tipo humano *niño bonito, niño bitongo, niño gótico.*
A propósito de *niño gótico*, véase el magnífico estudio de CARLOS CLAVERÍA:
«Reflejos del 'goticismo' español en la fraseología del Siglo de Oro» (Hom.
a Dámaso Alonso, I, 1960, págs. 357-72), donde, con profusión de citas de
aquella época, queda demostrada la supervivencia de lo que un humanista
italiano llamaba «superbia gothica» de los españoles en tierras america-
nas. *Hacerse de los g o d o s* significaba en aquel entonces: 'presumir de
nobleza'. «La condenación de la presunción 'gótica' podría encontrarse
en muchos moralistas de los siglos XVI y XVII». Dice CLAVERÍA al final de
su artículo: «[...] *niño gótico* = 'señorito malcriado', es otro de los
últimos ecos en el lenguaje del 'goticismo' español» (pág. 372). Para *niño
bitongo* véase ÁNGEL ROSENBLAT, ob. cit., pág. 171: «En las Antillas, *niño
bitongo* es el mimado y consentido, y en Méjico y la Costa Caribe de América Central, el que afecta simpleza». Asimismo *señorito bien* y, con referencia a la profesión que les sirve de escaparate, *abogadillo hecho de prisa*
(Sobejano). Para el influjo de la juventud sobre la lengua coloquial,
véase también GARCÍA DE DIEGO, «Lingüística», pág. 303. Entre los numerosos c u l t i s m o s definitivamente incorporados al léxico incluso de i n -
c u l t o s , merece mención especial la palabra *sistema* (= 'cosa estupenda').
En A. DE LAIGLESIA, CSA, pág. 262, ocurre: *—¿Se lo dijiste así de sopetón?
—Me pareció el mejor s i s t e m a* (= 'lo mejor que se podía hacer').
Esto de trabajar poco para ganar tanto e s u n s i s t e m a e s t u p e n d o.

parejita s ú p e r (abreviación argótica de *superior,* como ya hemos dicho): el plural sería *dos parejitas súper,* dejando, pues, invariable *súper.* Se usa igualmente en la Argentina (N. E. DONNI DE MIRANDE, ob. cit., pág. 267) y presumiblemente en todo el ámbito hispanohablante. — Oído por el autor: *un exitazo p a d r e* 'un éxito colosal': —*Me cogió tan de sopetón* (la aparición tan repentina de la luna) *que me di e l s u s t o p a d r e* («Jarama», pág. 234); el atributo puede ligarse incluso a sustantivos femeninos: *una borrachera p a d r e, una suerte p a - d r e* [247]; *una noticia c a ñ ó n* (también: *b o m b a)* ('sensacional'); *una idea m o n s t r u o* ('fantástica'); *una voluntad c a ñ ó n* ('extraordinariamente fuerte'); *una mujer j a m ó n* [248] (el jamón está considerado como bocado especialmente exquisito; comp.: *¡y un jamón! — ¡jamones con chorreras!;* véase pág. 107 y n. 142) [249] o también *una tía cañón* ('una mujer formidable'); *una chica f e t é n* o *chipén* [250] 'estupenda'; *una nena chanchi* ('íd.'). EUB 86 Primo (hombre del tipo de que hemos hablado): *Van ustedes a ver cómo esta señorita recobra la memoria gracias a una idea f a r o que se me ha ocurrido.* JULIO CASARES, en «Cosas del lenguaje» (Col. Austral, 1961, pág. 69), cita esta frase que sorprendió en una conversación entre jovencitos de la novísima generación: *Me encontré a varios pollos f r u t a*

---

[247] Véase O. DEUTSCHMANN, «Fam.», pág. 350. En JOSÉ M.ª GIRONELLA encuentro: *El Responsable se limitaba a decir que «toda Sudamérica era la juerga p a d r e»* («Ha estallado la paz», pág. 664). —*Te das la vida p a d r e* (F. ÁVALOS, ob. cit., pág. 127). T. SALVADOR, pág. 361: (se arma) *el bollo p a d r e.*

[248] Cuidado con confundir *una mujer j a m ó n* con una *jamona,* o sea 'una tía gorda', que ha perdido toda la gracia (si es que la tuvo jamás). *No ha sido nunca una chica c a ñ ó n* = 'estupenda'. En ADRO XAVIER, ob. cit., pág. 246, ocurre: [...] *cierta ciudad, emporio de chavalas c a ñ ó n.*

[249] Nótese de paso que en Venezuela *un jamón* significa *una ganga* (A. ROSENBLAT, loc. cit., pág. 22).

[250] Tanto *fetén* como *chipén* (en Madrid con la variante lúdica *chipendi)* son gitanismos provenientes de Andalucía (M. L. WAGNER, «Sobre algunas palabras gitano-españolas y otras jergales», en RFE, XVI, 1941, págs. 163-165). Un ej.: *Esa es la pura f e t é n* (= 'verdad') («Jarama», pág. 303).

que iban con unas niñas p e r a en plan c a ñ ó n y lo pasamos c h a n c h i, salvo un f o l l ó n que se organizó a última hora... De todos estos sustantivos adjetivados con sentido exageradamente elogioso o ponderativo, el que con más tenacidad parece perdurar es *padre*. A más de los citados ya, vaya este último ejemplo de F. CANDEL, «Pueblo», pág. 199: [...] *el escenario del salón donde [los invitados] se estaban pegando un banquete p a d r e...* En cambio *cañón* en esta función ponderativa ya se viene oyendo menos. Lo confirma también R. CARNICER (Lh, pág. 15). El tren lento se llama popularmente *tren b o t i j o* [251]. He calificado esta expresión como argótica. Pero lo es sólo en cuanto generalización de un tipo cuyo origen hay que buscarlo en un campo muy alejado: en el lenguaje administrativo y comercial (SPITZER, «Stilstudien», I, 2). A este tipo pertenecen, si bien sólo por su estructura, también los muchos sustantivos empleados como adjetivos en el lenguaje coloquial y en el escrito, para designar un estilo: *una consola L u i s X V, un sillón V o l t a i r e;* o bien expresiones como el *hombre m a s a*, el *hombre m á q u i n a* o el reciente *hombre r a n a, un coche patrulla* y otras por el estilo [252]. (Véase: SALVADOR FERNÁNDEZ RAMÍREZ, obra citada, págs. 118-119.) En el plural de todas estas formaciones, el segundo elemento queda invariable: *noticias cañón, mujeres jamón, trenes botijo,* etc. E. LORENZO (pág. 29) cita *cifras record,* y así en designaciones de colores como *ojos azul claro, labios rosa pálido* (pág. 30), *rubias platino, grandes ojeras color violeta,* etc. Se oye con frecuencia este uso de sustantivos con función de adjetivos: *Las cinco puertas m o l i n o giratorias dan vueltas sin cesar* (F. CANDEL, «Pueblo», pág. 166). Ibid.: [...] *con gestos y ademanes g u a r d i a u r b a n o* (= 'a lo guardia urbano'). Son popularísimas: *Traed dos botellas*

---

[251] Trenes en que iban principalmente labradores y otra gente del pueblo, entre cuyos bártulos pintorescos no faltaba, en el verano, el refrescante botijo. Véase el sabroso artículo de F. RUIZ MORCUENDE, «Tren botijo» en «Homenaje a Menéndez Pidal», II, págs. 205-212.

[252] Estructuralmente encaja aquí el frecuente (aunque más bien literario) atributivo *clave* en *una idea clave, un problema clave,* etc. Refiriéndose a Alemania, un articulista de ABC escribe: *Es un p u e b l o c l a v e en Europa.*

m a r c a (= 'bot. de vino de marca') (F. CANDEL, «Pueblo», página 20). *A ese s e c r e t a* (= 'a ese de la policía secreta') *se le ha caído el pelo* (Ibid., pág. 67). [...] *uno de los p o l i c í a a r m a d a* (pág. 78).

Es curiosa la duplicación de un mismo sustantivo para ponderar la pureza y autenticidad del ser a que da nombre: *un café café* 'café auténtico'. El colmo es repetir tres veces el vocablo en cuestión: *un café café café*. Equivale a decir 'que no sólo lleve ese nombre sino que lo lleve con razón'. Podríamos hablar en este caso de un sustantivo usado en grado superlativo. B. SÁNCHEZ ALONSO (loc. cit., pág. 168) nos señala ya entre algunos detalles estilísticos de GRACIÁN «el uso de sustantivos en función adjetiva»: *hay perfecciones s o l e s* y *hay perfecciones l u c e s; —hecho siempre a objetos m i l a g r o s*. Advertimos, sin embargo, que, a diferencia del uso moderno, esos sustantivos aparecen también en p l u r a l. A este propósito, recuerdo haber leído en un periódico granadino («El Ideal») «*hombres r a n a s*», indudablemente defectuoso (explicándose probablemente por la escasa articulación de la *s* final en andaluz con la consiguiente inseguridad de grafía). — El mismo autor (loc. cit., pág. 173) cita: «*fue r e y r e y*» y añade: «que parece una expresión de hoy» (cf. *café café*).

B. SINTAXIS Y ESTILO

Hemos tratado hasta aquí preferentemente del lado lexicológico de la expresión enfática, subjetiva. Los fenómenos que nos van a ocupar a continuación son de índole más bien sintáctico-estilística.

LA FRASE INTERROGATIVA

Comencemos con el examen de la frase interrogativa, que el lenguaje coloquial emplea en las más variadas funciones. Por ejemplo, una a s e v e r a c i ó n tiene un efecto más vivo y con-

vincente si viene revestida de la forma interrogante, pues se
dirige de modo más directo al oyente que una enunciación, la
que puede resbalar sobre él sin hacerle mella. El tono ascendente de la pregunta tiene algo de apremiante, a lo que el
oyente se sustrae con menos facilidad que a una simple afirmación, la cual —a diferencia de la pregunta— no necesita ser
correspondida por parte del interlocutor para dar la impresión
de algo completo y satisfactorio para ambas partes. Una afirmación no suele plantear absolutamente ninguna exigencia al
oyente; pues éste puede en ciertos casos incluso no haber entendido lo dicho (piénsese, por ejemplo, en el «diálogo» entre
un extranjero con poca práctica del idioma y un nativo que le
dispara un chorro de frases que aquél sólo entiende a medias)
sin que por ello el diálogo salga perjudicado exteriormente. La
situación de ese hablante se asemeja mucho a la de un con-
ferenciante con relación a su público. En cambio, el oyente es
arrancado súbitamente de su pasividad en cuanto su interlocutor
le dirige una pregunta. Ahora no tiene escape y se ve obligado
a reaccionar con una respuesta personal. Si no estaba en lo que
se trataba será despertado de su pasividad como un escolar
distraído lo es por una pregunta que el maestro [253] le dirige sor-
prendiéndole.

De lo dicho se desprende la eficacia psicológica de la pregunta como recurso estilístico del lenguaje afectivo. MP 95
Celso (a Quica): *Pero si según usted lo* (el cuarto) *hemos en-
noblecido y perfumado, ¿q u é m e j o r d e s t i n o podemos
darle en recuerdo de esta aventura que regalárselo a unos novios llenos de ilusiones?* Con el empleo de la interrogación el
hablante pretende asegurarse el asentimiento de su interlocutora: '¿sabe usted acaso un empleo mejor que el que yo propongo?' En lugar de la aseveración *no cabe duda* (vulgar *coge* [254]),

---

[253] Para el sentido de la frase interrogativa en latín coloquial, véase
HOFMANN, ob. cit., pág. 66.
[254] *Coger* 'caber' es vulgarismo, pero tan difundido que el DA no ha
podido menos de darle entrada. En la Argentina *coger* es «voz vitanda»
(= lat. 'futuere'). En su lugar se emplean *agarrar* y *pillar*. Este último
se emplea con particular frecuencia también en España: *p i l l a r una*

resulta más persuasiva la pregunta retórica *¿qué duda cabe* (o *coge)?*, que también se da en forma elíptica *¿qué duda?* De análogo modo *¿qué remedio?* 'qué otra cosa se puede hacer?' se usa en lugar del menos afectivo *no hay* (o *no queda) más remedio.* Estas interrogaciones retóricas se vuelven muchas veces interjectivas, por lo cual aparecen entre signos de admiración: *¡qué duda!, ¡qué remedio!;* y asimismo: *¡qué más quisiera él!* 'no podría desear nada mejor' (fr. «il ne demanderait pas mieux»); *¡qué le vamos a hacer!* 'nada puede remediarse ya'; *¡qué más se puede pedir!* 'no cabe pedir más', etc.

EMH 68 *Pero si no aprendo bien a sombrerera, ¿c ó m o q u i e r e que luego me establezca con el dinerito que tenemos guardado?* Ya hemos señalado la manera del hablante español de interesar al interlocutor asignándole un cierto «papel» en lo que a él le dice. Dirigiéndose a él con una interrogación es como le convierte de oyente pasivo en participante activo, pero también, claro es, en contrincante responsable de lo dicho. VM 29 *Usted ha podido tener una mala tentación. ¿Q u i é n está libre de tenerla?* (= 'nadie').

La interrogación sirve frecuentemente para expresión de la s o r p r e s a y de la d u d a: '¿de veras?', 'no lo concibo'. MP 80 Quica: *Hola, Santaella, ¿u s t e d a q u í?* ('me sorprende que esté usted aquí'). VS 17 Bonilla: *Justamente marcho a Sevilla esta misma tarde.* —Nieves: *¿U s t e d?* ('me parece increíble'). M 41 Tío Jeromo (alegremente sorprendido al ver a Salvador): *¡Sarvaoriyo! ¿E r e s t ú?* Ibid. Salvador: *¡Pero yo no sé lo que veo! ¿U s t e d a q u í?* M 89 *¿U s t e d c r e e?* ('lo dudo'). *¿T ú l o h a r í a s?* ('íd.').

La transición de la pregunta a la exclamación expresa i n - d i g n a c i ó n en EMH 71 Marcos (al confesarle su suegro que

---

borrachera (con sus múltiples variantes: una *cogorza*, una *merluza*, una *pítima*, etc., etc.); *p i l l a r una enfermedad*, un *resfriado*, una *gripe*, etc. Ir a tal sitio *me p i l l a muy lejos*; tal noticia *no me p i l l a de nuevas; el policía pudo p i l l a r al criminal; p i l l a r una ganga* (= 'hacer una compra muy ventajosa'); *a alg. le p i l l a, le atropella un coche; p i l l a r a un ratero con las manos en la masa* (= 'in flagranti'); *una visita le p i l l a a alg. en un mal rato.* En Andalucía (según me escribe J. POLO) se oye: *p i l l a e l t r a s p ó n y te vas* (= '¡lárgate ya!').

ha malgastado en poco tiempo una gran cantidad de dinero):
*Pero ¿qué ha hecho usté, hombre de Dios, qué ha
hecho usté?* ('como ha podido usted obrar así?, ¡es inaudi-
to!'). Lo mismo en EUB 11 *¿Qué has hecho, Guzmán?
¡Qué has hecho!* Aquí la misma pregunta, al ser repetida,
viene señalada también ortográficamente como exclamación;
y es que al enojo sucede la consternación, expresada asimismo
por un tono de voz diferente. Para más detalles sobre el particular remito al libro de BERNARD PY «La interrogación en el
español de Madrid».

LA ENUMERACIÓN

Uno de los fenómenos característicos del lenguaje coloquial
español es su predilección por las enumeraciones. Responde a
la misma necesidad de evidencia gráfica testificada por las innumerables comparaciones de que nos hemos ocupado páginas
atrás. A ello se añade una señalada afición a lo teatral, por lo
que gesto y mímica (sobre todo esta última) desempeñan un
importante papel en el habla. El español de tipo medio suele
relatar las cosas reproduciéndolas de un modo tan plástico que
más bien se podría decir que las está representando directamente. Sobre todo el vulgo no se cansa de narrar pormenores;
su imaginación ve las cosas con tal claridad que el enumerarlas le resulta una necesidad natural, pese a la pérdida de tiempo
que ello supone. Este factor, claro está, nada importa tratándose de una afición, y la conversación lo es ciertamente. Tal
tendencia es observable incluso en diálogos de finalidad puramente práctica: una información tan sencilla como, por ejemplo,
la tercera calle a la derecha, a lo mejor la da un hombre del
pueblo en esta o parecida forma: *Mire usted, baja usted (sigue
usted por) esta calle y luego es, la primera no, la otra
tampoco, la tercera bocacalle a mano derecha.* Claro
que ese modo de hablar circunstanciado no se explica sólo por
el deseo de claridad expresiva; es que para el hablante también
resulta más cómodo que el informe abstracto y conciso *la tercera bocacalle*, resultado del mismo acto mental a que el hom-

bre sencillo da expresión hablada. En alemán se puede oir también «die erste, die zweite, die dritte Strasse rechts», pero aquí los términos intermedios únicamente se articulan como entre dientes, como quien piensa en voz alta (cosa que, por lo demás, también puede ocurrir y ocurre en español). Sin embargo, lo corriente es que el español vaya pronunciando clara y distintamente las sucesivas etapas que llevan al punto de destino; al pasar con la imaginación por ellas le dice a su interlocutor con pausada desenvoltura: 'ésta no es aún; ésta tampoco; ésta de aquí sí'. Modo de expresarse cómodo para él, y a la vez alterocéntrico en cuanto ayuda a la comprensión del oyente con su especial grafismo [255].

Fórmulas de enumeración. — La afición del hablante español por la enumeración llega hasta el punto de que para los casos en que el detallar las distintas cosas o circunstancias supone alguna dificultad, la lengua coloquial tiene a mano determinadas fórmulas comparables a las abstracciones numéricas *(a + b + c)* del álgebra. Por ejemplo: *Ustedes pueden decirles a los lerrouxistas lo que quieran: que Lerroux ha hecho e s t o y l o o t r o y l o d e m á s a l l á* (Julio Camba, «Alemania», pág. 110). El conjunto aparece recapitulado mediante un concluyente *en fin, la mar de cosas,* o algo similar. Con este resultado final se contenta una expresión más abstracta; p. ej., *me contó una serie* [256] *(un sinfín) de cosas;* en buen español: *me contó e s t o y l o o t r o y l o d e m á s a l l á .* Resulta extraordinariamente expresivo este operar con valores generales que encubren la falta de cosas o circunstancias nombrables y concretas.

---

[255] Aquí entra también el giro un tanto primitivo *un día sí y otro no* 'cada dos días', que el humor popular ha transformado en *un día sí y otro también* 'todos los días', para indicar una actividad graciosamente reprobada y puesta al desnudo; p. ej., *ese tío se emborracha un día sí y otro también.* Giros semejantes: *una cosa es que yo no tenga confianza en él y otra que no sea de fiar,* o *la parsimonia es una cosa y la avaricia otra* (en vez de 'la parsimonia y la avaricia son dos cosas distintas').

[256] A propósito de *serie,* está hoy de moda *fuera de s e r i e* = 'extraordinario': *Álvaro es un tipo f u e r a d e s e r i e , hay que reconocerlo* (A. M.ª de Lera, «Trampa», ob. cit., pág. 1009).

Emparentada con ello está la manera de designar personas mediante las formas (anónimas) *fulano, zutano, mengano* y *perengano* (derivadas del árabe). «Si aquí, procediendo indudablemente de círculos jurídicos, se sintió la necesidad de diferenciar varios seudónimos para describir una situación con varios actores hasta cierto punto disfrazados, en el habla popular se ha establecido la diferenciación de al menos dos vocablos de recurso o expletivos: tenía que haber un X y un Y desindividualizados, en lugar de cada uno de los cuales pudiera ponerse cualquier cosa, sin posible intercambio entre sí» (SPITZER, en «Wörter u. Sachen», VI, pág. 208). También puede aludirse en esta forma a nombres y apellidos: *Fulano de Tal* (correspondiente a, por ejemplo, *Pedro de Múgica*), donde *tal* puede cambiarse por *cual;* por ejemplo, *F u l a n a d e t a l se ha casado con z u t a n o d e c u a l. El padrino de la boda fue m e n g a n o, la madrina p e r e n g a n a.* La forma diminutiva tiene un valor más concreto, suprimiendo casi el carácter de anónimo: «Fr.» 36 *...tengo cita con f u l a n i t a de tal.* El diminutivo despierta en el oyente la ilusión de estar viendo a la muchacha en carne y hueso.

De modo semejante, ¡cómo estimulan la fantasía los distintos adverbios demostrativos, en «Quijote», I, 10!: *a q u í sospira un pastor, a l l í se queja otro, a c u l l á se oyen amorosas canciones, a c á desesperadas endechas* [257].

La r e p r o d u c c i ó n b o s q u e j a d a d e u n d i s c u r s o a j e n o se hace muchas veces empleando fórmulas generales de este tipo, con las que se suplen no sólo sustantivos, sino hasta frases enteras. Por ejemplo, A cuenta a B que un amigo se negaba a aceptar más encargos: *No había manera de convencerle: «Mire usted q u e e s t o y q u e e s t o o t r o y q u e t a l*

---

[257] «El empleo exhaustivo de la serie adverbial de lugar *aquí-allí-acullá-acá* es recurso predilecto de Cervantes para describir escenas tumultuosas» (HATZFELD, ob. cit., pág. 215); recurso —añado yo— que el gran escritor tomó prestado a su pueblo. Y es que, en cierto modo, Cervantes era también «pueblo» (en el mejor sentido de la palabra). Se trata, pues, no tanto de un estilismo consciente como de un procedimiento espontáneo y natural en él.

y q u e c u a l »; *total, que no quería.* Las comillas encierran las palabras del amigo a que A se refiere. En realidad con *y que tal y que cual* (variantes: *y qué sé yo qué y qué sé yo cuál; y qué sé yo cuántos*) comienza ya la intervención del propio hablante, que con ello da a entender que no considera convincentes los argumentos del amigo. En ALFONSO PASO, JP, página 79, ocurre: —Ernesto: [...] *¿qué te pasa?* —Juan: *Chico, que no puedo con el Mercedes. Está lleno de gaitas: q u e s i el carburador, q u e s i la bomba de aceite. Un rollo, chico.* En otros casos, *que si* introduce una confirmación reforzada: —*Tienes razón.* —*¡Q u e s i la tengo!* (= 'ya lo creo, ¡qué duda cabe!') (CASTILLO-PUCHE, «Paralelo 40», pág. 303). La respuesta se pronuncia con acento descendente, recayendo en la [e] de *tengo.* Un ejemplo de BUERO VALLEJO: —*Desde las siete estoy dando valsones. Q u e s i abrir el portal, q u e s i el desayuno, q u e s i lavar...* («Hoy es fiesta», pág. 9). En A. PASO, «Veraneando», ocurre: —*Como la carretera es tan estrecha, las camionetas siempre se cargan* (= 'estropean') *algún turismo* (= 'coche de t.') *y q u e s i llevar a los heridos, y q u e s i declarar...* Emparéntase con esta expresión borrosa o impresionísticamente descriptiva: *Señor comisario, aquí hay dos que dicen que han perdido n o s é q u é y que vienen a n o s e c u á n t o s* (F. CANDEL, «Pueblo», pág. 73). Ibid., pág. 80: —*Tú ya sabes cómo entran* [los policías en un local], *chillando, mandando como los amos: q u e s i e s hora de cerrar, q u e s i no es, q u e s i para aquí, q u e s i para allá.* En F. CANDEL, «¡Échate un pulso, Hemingway!», pág. 26, leo: *Cuando* [mi mujer] *huela que he abierto la ventana, va a poner el grito en el cielo. Q u e s i las moscas, q u e s i tal y q u e s i cual* [...]

Es muy característica la introducción del d i s c u r s o d i r e c t o de un tercero. Lo mismo en PC 32 Cerrojito (cicerone, quejándose de su mucho trabajo): *...en cuanto ar gachó le cae un forastero, pa quitárselo de ensima* ('para deshacerse de él'), *me llama a mí. «C e r r o j i t o : e n s é ñ e l e u s t é l a G i r a r d a* (= Giralda) *a e s t e a m i g o».* ¡Mecachis! *A cincuenta forasteros he acompañao hoy.*

Hasta d i á l o g o s   e n t e r o s   son reproducidos en estilo
directo. OM 15 Dolores (cuenta a una amiga los piropos que
le dirigió en la calle un viejo verde): *...escuché sonriente los*
piropos y tonterías que me dijo. —*«¡Es usted encantadora!*
—*Gracias.* —*¿Me permite usted que le acompañe?* —*Haga usted*
lo que guste. —*¡Me hace usted feliz!* —*¡Lo celebro mucho!*
—*¿Puedo saber dónde usted vive?* —*Ahora lo verá usted.* —*¿Me*
permite usted que le lleve el lío? —*¡Tómelo usted!* —*¡Ah, se-*
ñora! —*¡Ah, caballero!»* *Siguió cada vez más acaramelado y yo*
cada vez más expresiva[258].

A veces la reproducción adopta la forma de « h a b l a   v i -
v i d a » (véase E. LORCK, «Erlebte Rede», Heidelberg, 1921):
VS 33 *Pues disen q u e   s i los indurtan* (indultan), *q u e   s i   n o*
los indurtan[259] ('unos dicen que sí, otros que no'). PC 25 *...de*
los señores de esta tierra dise horrores. ¡Josú! Q u e   s i somos
gañanes con levita, q u e   s i no sabemos pronunciá, como er
burro der cuento, q u e   s i aquí los condes y los marqueses se
pasan la vida en las cocheras... ¡qué sé yo! Es notable el empleo de *si;* con lo que el hablante parece indicar que todo eso
no es realmente así, y que él mismo duda: 'si somos señores
o gañanes..., etc.'; es decir, presenta como discutible el poco
lisonjero piropo de don Crótido. Sin embargo, se trata en la
mayoría de los casos de un modo de expresión ya tan gramaticalizado que queda eliminado todo matiz dubitativo, p. ej., *esa*
mujer nunca está contenta; siempre quejándose: que si los hijos,
que si la criada; que si todo está por las nubes, que si no se
puede salir a la calle, que si la vida es un asco y qué sé yo qué
y qué sé yo cuántos; ¡ay, qué tía más antipática!, etc.

---

[258] Cf. SPITZER: «El hombre sencillo no quiere reproducir las palabras
dichas, sino crearlas de nuevo; de ahí que en toda épica popular se omita
el verbo introductorio» («Stilstudien», I, 248).

[259] El acento de intensidad recae, también en el segundo miembro del
período, sobre el verbo, y no sobre la negación, como esperaría un alemán (acentuación del elemento semánticamente esencial). Cf. la diferente
acentuación: esp. *dos m i l , tres m i l* ; al. *z w e i Tausend, d r e i Tausend*.
(Véase BEINHAUER, «Warum span. *setecientos* und *novecientos?*», RF, t. 55,
I (1941), págs. 132-134.)

Con frecuencia los miembros de la oración introducidos con *si* aparecen sólo f r a g m e n t a r i a m e n t e ; por ejemplo: *...aquello fue horroroso: todos gritando al mismo tiempo, q u e s i el padre, q u e s i el hijo, q u e s i el Espíritu santo* (amplificación festiva). *Q u e s i fulano era un tal, q u e s i zutana era una cual, q u e s i éste le había pegado al otro, q u e s i el otro había empezado...; en fin, un lío tremendo.* De esta forma impresionista se describiría una escena de alboroto en que se oyera chillar a todo el mundo. De modo similar explica Malvaloca a su amante las sensaciones y vivencias de un hombre que ama de verdad: M 93: *qué bonito es enamorarse..., toa tu idea es verla aparesé por arguna parte. Q u e viene, q u e no viene; q u e me dijo ayé, q u e no me dijo; q u e se rió, q u e no se rió* (el acento de insistencia recae invariablemente sobre el verbo, no sobre la negación); *q u e llora; q u e se ensela* ('que se pone celosa'); *q u e la grasia con que se pone er sombrero en la siya* (= silla); *q u e se va, q u e no te vayas, q u e se tiene que í; q u e vuervas a la tarde, q u e mira que vuervas, q u e por Dios que vuervas; q u e se fue; q u e hasta luego...; q u e vorvió de pronto pa sorprenderme... ¡Ay, Dios mío! No hay cosa como ésta.* Aquí vemos un *que* genérico como exponente del carácter de la descripción dentro de la cual alternan el discurso directo con el diálogo vivido. Sobre este *que* repetido con cada miembro de la oración, dice SPITZER en los «Stilstudien», II, pág. 196, nota 2: «El español se ha procurado, con un *que* repetido, el exponente de un discurso indirecto, para reproducir el anónimo comadreo, el barullo de muchas opiniones», etc.; y para ejemplo cita el monólogo del Padre Apolinar en «Sotileza», de PEREDA: «*Pae* (= Padre) *Polinar, q u e este hijo está, fuera del alma* ('exceptuando el alma'), *hecho una bestia; pae Polinar, q u e este otro es una cabra montuna...; pae Polinar, q u e esta condenada criatura me quita la vida a disgustos; q u e yo no puedo cuidar de él; q u e en la escuela de balde* ('en la escuela pública') *no le hacen maldito el caso...; q u e éste, q u e el otro, q u e arriba, q u e abajo; q u e usté que lo entiende, q u e para eso fue nacido; q u e enséñele, q u e dómele; q u e desásnele...*» *(desasnar,* humor. = 'educar').

La mayoría de las enumeraciones se cierran con una formulita que r e s u m e   l a   i m p r e s i ó n   t o t a l . Para ello se emplean preferentemente ciertas aposiciones introducidas, por lo común, con un *en fin* o *total* de recapitulación. LC 23 *Apañaos están* (irónico: 'fastidiados') *tos los matrimonios con chicos. Ni puen ir al paseo, ni puen veranear, ni puen moverse de la casa... Llevan a un niño al teatro, se echa a llorar en la escena más fuerte, y ya se armó la bronca:* «*¡Fuera! ¡fuera! ¡A la cama! ¡Biberón a ese niño!*». *El uno que arrea, el otro que reniega del padre...; t o t a l : un disgusto por causa e la cría.* Refiriéndose a un mal violinista me decía un amigo: *No daba una* (sobreentendiendo: *en el clavo): desafinaba, arañaba, le temblaba el arco, le fallaban todos los armónicos; e n   f i n , ¡la catástrofe!* [260]. El artículo determinado con *catástrofe* hace la cosa aún peor: 'la gran catástrofe, junto a la cual todas las otras palidecen'. En lugar de *catástrofe* también se emplea *una hecatombe* (comp. alemán hiperbólico «es gab Mord und Totschlag») y el obsceno *la descojonación* (C. J. Cela, pág. 157 del art. cit. aquí, págs. 240-41). EMH 13 Antonio (refiriéndose a su hija que se había aventurado sin éxito a trabajar de peluquera): *La empezó a ondular ¡y bueno!* (irónico)... *¡qué cabeza la puso!... La achicharró las patillas, la tostó los abuelos; unos pelos los tenía quemados, otros de punta...: ¡ u n   d e s a s t r e !* En lugar de la aposición se dice con más énfasis, *aquello fue la catástrofe (el caos, la hecatombe,* y *la caraba)* [261]; también, aunque preferentemente

---

[260] Cf. *Esto va a ser la catástrofe.*
[261] Derivado de *la* (sobreent. *mula) que araba.* Es expresión, según dicen, nacida en Andalucía, y se le atribuye este divertido origen: Cierto mozo avispado montó un barracón de feria en las fiestas de consagración de una iglesia pueblerina y anunció con grandes letras que allí se encerraba «la octava maravilla» del mundo. Un compinche, de fácil habla, se puso fuera incitando a los transeúntes a contemplar, por sólo 10 cts., aquel formidable «monstruo». Cuál no sería la sorpresa de los incautos visitantes al no ver dentro más que una mula vieja y desollada, cubierta de máculas, que estaba uncida a un arado. Pero el éxito del espectáculo fue mayor de lo esperado, entre el alegre y guasón pueblo andaluz, pues todos los que habían logrado ver la gran «maravilla» iban preguntando a amigos y conocidos: *¿Has visto a la caraba? (la c'araba). Pues tienes que ir.* Con eso la afluencia de gente fue torrencial y la frase se convirtió

en sentido ponderativo, *el acabóse* (cf. pág. 425, n. 2), *el dislo-que*[262] y *la monda: Luego viene lo que viene: los protestos, los líos y l a m o n d a* (CELA, ob. cit., pág. 44). Se oye también *la monda lironda.* Por lo que toca a *la caraba,* pese a los adita-mentos humorísticos de que iba acompañada —*la caraba en taxi, en bicicleta, en avión, en hidroavión,* etc. (véase mi librito «El humorismo en el español hablado», pág. 71)—, ha venido cayendo en desuso, desplazada por *(esto es) la reoca, la repa-nocha, el despipórrense*[263] y otras habidas y por haber, pues se trata de típicas expresiones de moda, efímeras si las hay. Se halla más arraigado: [*es*] *el no va más* (del fr. «rien ne va plus», del lenguaje de los croupiers en el juego de ruleta), el latinismo *el non plus ultra;* añado: [*es*] *el desmigue,* y el muy corriente [*es*] *el colmo de los colmos.* Véase también: BEINHAUER, «El humorismo en el español hablado», pág. 71.

En otros casos bastante frecuentes, lo único que se preten-de con la enumeración es reforzar una misma y sola expresión acumulando varios elementos de significación semejante dis-puestos en forma de g r a d a c i ó n . EMH 16 *Eso de desahogao se lo digo yo a usté a q u í* (donde estamos solos) *y e n l a c a l l e*

---

en dicho popularísimo. — Digamos, ya en serio, que se ha debatido mucho el origen de *caraba.* SPITZER lo cree de tipo jergal, abreviación de *caravana.* JOSÉ M.ª IRIBARREN, ob. cit., pág. 385, recoge la misma historieta que acabo de contar, con alguna que otra variante; ante ella se muestra escéptico M. L. WAGNER (Reseña, pág. 120). Este autor y DÁMASO ALONSO, en su artículo «Esp. *lata, latazo*» (BRAE, 1953, pág. 385) llaman la atención sobre que JOSÉ DE LAMANO, en «El dialecto vulgar salmantino», Salamanca, 1915, registra *caraba:* esta voz procede de la provincia de Salamanca, y unos 30 años atrás penetró en el habla ciudadana, sin que se sepan las causas.

[262] Se entiende que *el disloque* es el resultado de dislocarse a fuerza de aplaudir o de manifestar entusiasmo.

[263] Imperativo substantivado de un verbo «camelo» (en sí inexistente) *despiporrarse.* Me recuerda otra substantivación, ésta del imperativo (tam-bién en 3.ª pers. del plural) del verbo *adelgazar.* Una mamá se quejaba de su hija que no quería comer por el empeño de adelgazar, *por el dichoso a d e l g a c e n,* como decía la señora. Supongo que se trata de la primera palabra de un anuncio al tenor de «Adelgacen Vds. sin privarse de nada tomando el específico tal» o algo por el estilo. Comp. MANUEL SECO, Sobre un sufijo de la lengua popular» [-*en*], «Studia... R. Lapesa», III 453-465.

(donde lo puede oír todo el mundo) *y e n t o o s l o s t e r r e - n o s*. El último miembro es el que surte el efecto principal. EMH 23 Antonio (al preguntarle la hija qué piensa hacer en su mísera situación): *Anunciar* (lo que para él, antiguo empleado, ya supone una humillación), *barrer las calles* (más triste aún), *pedir limosna* (el colmo de cuanto estaría dispuesto a hacer), *t o d o , para que tú vivas*. Este *todo,* que ya lleva en sí «una gran tensión dinámica» (HATZFELD), ha ido tomando cuerpo mediante la enumeración gradual que le precede y adquiere así una mayor fuerza expresiva. Al arrebato de desesperación del padre contesta Leonor: *No, papá, papaíto mío...* (no puedo consentir que hagas eso por mí). *Yo empeñaré mi abrigo..., mis zapatos, t o d o*. Igual cabe decir respecto de la siguiente anáfora: «Fr.» 20 *Han subido los huevos, han subido los garbanzos, ha subido la carne, ha subido t o d o , t o d o , a b s o l u t a m e n t e* [264] *t o d o*. Igual que aquí la idea de 'todo' se va precisando y sólo al fin alcanza la palabra su entera eficacia, encontramos realzada la idea de 'siempre', 'en todo tiempo' en AH 54 *Y lo diré hoy, y mañana, y el mes que v i e n e , y el año que v i e n e , y el siglo que v i e n e*. La triplicación de la forma verbal *viene* (sobre la que recae invariablemente el acento de intensidad) sugiere ya de un modo puramente acústico la idea de lo incesante. CC 31 *Si al menos hubiera algo de variedad..., pero nada. C a b r i t o a s a d o por la mañana, c a b r i t o a s a d o por la tarde, c a b r i t o a s a d o por la noche, y a todas horas c a b r i t o a s a d o*. Aquí se logra un efecto especial por el hecho de que el último miembro, que ha de contener el ele-

---

[264] En vez de *a b s o l u t a m e n t e todo,* el elemento reforzado por el adverbio también puede preceder a éste, diciéndose entonces *todo e n a b s o l u t o*. Esta variante se usa preferentemente en frases negativas: *fulano no sabe nada e n a b s o l u t o*. Tan es así que *en absoluto* no rara vez se emplea como negación reforzada con elisión de *no* (o de *nada),* p. ej., *¿me guarda usted rencor? —¡E n a b s o l u t o!* En ALFONSO PASO, JP, pág. 10, un tal Francisco le pregunta a un fotógrafo: *—¿Usted se sorprende de mí?* Y éste contesta: *—E n a b s o l u t o* (= 'n a d a en absoluto o n o me sorprendo en absoluto'). Otro ejemplo: *—¿No tiene usted frío? —E n a b s o l u t o* (= 'no tengo nada de frío'; 'nada en absoluto').

mento culminante y decisivo, se sale del esquema de los demás por la inversión de sus componentes. Además, así el tan repetido causante del descontento *(cabrito asado)* se coloca en el último lugar de la frase, con lo que queda reforzada aún la impresión del hastío.

No siempre se necesita dar al último miembro distinta forma que a los anteriores. En el ejemplo siguiente lo idéntico en su apariencia externa contrasta tanto más con la diversidad íntima del sentido. VS 48 Talmilla (de pésimo humor por el desorden que reina en el hotel, al no encontrar por ninguna parte con qué escribir una carta urgente): *Ni tinta, ni pluma, ni papel, ni sobre, ni v e r g ü e n z a*[265]. *Esto es una pocilga.* El último miembro *(ni vergüenza)* contiene la «descarga» final, cuyo efecto principal reside en ese modo de enganchar un término abstracto al esquema enumerativo de las otras cosas concretas. Como que el verdadero sentido de la frase es: 'No hay ni recado de escribir; en esta casa no tienen pizca de vergüenza'.

También se da el orden inverso: el resumen de la frase viene colocado a su comienzo, y los especificativos siguen; p. ej.: OM 14: *En t o d a s p a r t e s me lo encuentro: en los teatros, en los paseos, en el tranvía...* EMH 13 *...la pobre hija, por no verme sufrir, se lanza a t o d o. Ella costurera, ella modista, ella planchadora, ella peinadora.* La yuxtaposición del pronombre personal y el sustantivo predicativo sin términos de enlace que observamos en este último ejemplo no ocurre con mucha frecuencia; con la repetición anafórica de *ella* el hablante subraya que su hija en una misma y sola persona ha desempeñado todas esas actividades. A veces la recapitulación del conjunto va expresado dos veces, una al principio de la enumeración y otra como remate de la misma: EUB 12 *...Una mujer, de quien lo ignoras t o d o: su nombre, su estado, su condición social, su actual residencia, t o d o, c o m p l e t a m e n t e t o d o.* La

---

[265] Cf. el capítulo «Construcciones de tipo abstracto-concreto» en el interesante estudio de HELMUT HATZFELD ya citado, donde el fenómeno es denominado «congruencia de lo incongruente», adoptando un término de Dibelius (págs. 30 y sigs.).

misma estructura muestra el siguiente pasaje que cito como particularmente típico: LP 17 Purificación (tía de Julia, a modo de reproche, dice ser muy condescendiente con su sobrina y hacer toda su voluntad): *Ya sabes que desde que vivo contigo, procuro complacerte en todo.* —Julia: *Ya lo sé.* —Purificación (nada contenta con esa aquiescencia de la sobrina que suena poco convincente, se ve en el caso de precisar): *¿Quisiste montar a caballo? Pues monté a caballo. ¿Quisiste patinar? Pues patiné. ¿Te dio luego por andar en bicicleta? Pues ya me tienes hecha una campeona. ¿Se te ocurrió este verano no ir a San Sebastián y alquilar en Asturias la quinta del Castañar que vimos anunciada en los periódicos? ¡Pues ya me tienes en la patria de Don Pelayo!* Todos los miembros de la enumeración vienen construidos de modo totalmente homogéneo; y ahora, como remate, un efecto humorístico, que en su forma se aparta del esquema: *No se te ponga, por Dios, en la cabeza que me vista de ama de cría, porque acabarás por conseguirlo.* Para terminar, Purificación se dirige a los presentes, repitiendo el pensamiento principal enunciado ya al principio de su perorata *(procuro complacerte en todo)*, pero ahora lo hace en otra forma: *Esta chiquilla hace de mí lo que le da la gana.*

La s u c e s i ó n r á p i d a de dos o más momentos de un suceso (comparable a la de una película) se expresa presentándolos como obra de un mismo instante. VS 30 *Miusté* (= mire usted), *escuchá eso la Bisoja con lo supersticiosa que es, subí* (= subir) *ar cuarto der tío con sinco criadas, despertarlo, vestirlo, tirarle la maleta por er barcón y echarle a la calle, t o f u e c o s a d e u n m i n u t o;* EUB 54 *Ver mi padre... a la Castillo y enamorarse como un loco, f u e t o d o u n o.* Aquí los dos momentos quedan identificados. Lo mismo en VS 43 *Los infelices* (los animalitos) *no han de sufrir nada, porque oler los polvos y morirse t o d o e s u n o.*

REPETICIONES

Las repeticiones de palabras aisladas o de oraciones enteras pueden obedecer a diversas motivaciones psicológicas. El tipo de repetición afectiva ocurre sobre todo en el i m p e r a t i v o: *¡c á l l a t e , hombre, c á l l a t e !* Al ir a salir un tren: *¡ S ú - b e t e , hombre, s ú b e t e !* (Véase también Spitzer, «Aufs.», pág. 269). Tales imperativos surten efecto más autoritario aún que la mera repetición literal, cuando ésta viene introducida por un *que* dependiente de un verbo dicendi, por ejemplo: *¡cállate!..., ¡ q u e t e c a l l e s (he dicho)!* EMH 11 Leonor: *Ay, hombre, por Dios, no mires, tapa...* ('echa la cortina'); como Marcos intenta otra vez mirar, dice ella enérgica: *¡ q u e t a p e s he dicho!* [266]. Y también con *decir*, pero sin *que:* Rosa: *¡¡Déjale!!* (...) *¡Déjale, te digo!* (Buero Vallejo, ob. cit., pág. 79).

La repetición mecánica de una palabra o elemento fraseológico delata el nerviosismo del que habla. EMH 18 Antonio (con ansiosa expectación): *Y d i m e , d i m e , ¿le gustó el traje a la señora Calixta?* Recuérdese aquí una vez más el tipo de la negación afectiva *¡qué casino ni qué casino!* (pág. 214), como también la exclamación *¡Dios de Dios!* en lugar de *¡Dios de bondad!, ¡Dios del cielo!,* y semejantes. EMH 22 Antonio (sin poder soportar ya más su miseria y la de su hija): *...esto es preciso que termine, pero que termine hoy mismo. Pero no eres tú la que debe trabajar; soy y o , y o el que es necesario que b u s q u e , que b u s q u e y que encuentre trabajo, s e a como s e a y donde s e a y lo que s e a .* (El acento principal del grupo fónico recae siempre en *sea;* véase nota 259 de este capítulo). Las numerosas repeticiones expresan también la energía que Antonio emplea para imponerse a sí mismo tan dura resolución.

Otra es la motivación que tiene la repetición consciente con finalidad de i n s i s t e n c i a . Es un medio del que se vale el hablante para «meter en la cabeza» del interlocutor lo que le interesa. MP 97 Quica (a Celso, a quien ama): *¡Pero a pesar mío, ayer, al insultarlo a usted con aquel coraje hablaban l o s*

---

[266] Cf. García de Diego, «Lingüística», pág. 333: «La repetición es un recurso eminentemente sensorial... En el que la usa hay una superabundancia afectiva o un interés de claridad que se satisface con este martilleo verbal». F. López Estrada, ob. cit., pág. 276, recoge este ejemplo: *que no pué (= puede) ser y no pué ser y no pué ser.*

c e l o s! ¡L o s c e l o s! ¿Se ha enterado usted, monigote?
¡L o s c e l o s!

A continuación, unas f ó r m u l a s sintácticas f i j a s que con fines reiterativos ha creado el lenguaje. En primer lugar, la tratada por SPITZER en «Aufs.», págs. 135 y sigs., y por EBE-LING en «Probleme der Romanischen Syntax», pág. 114, del tipo *entender, entiendo, pero no hablo.* SPITZER se inclina al parecer de MEYER-LÜBKE de que se debe al principio afectivo de réplica y contrarréplica. Sin embargo, se dice igualmente *lo que es* [267] *entender, entiendo,* o *como entender entiendo,* donde *como* significa 'en lo que toca a'. «Este *como* con infinitivo, dice EBE-LING, pág. 121, no tiene distinta función que el *como* con sustantivo o adjetivo»; al ejemplo que cita: *como pobre ¿quién lo es más que yo?*, añadiré el siguiente, en el que el adjetivo viene repetido: P 3 ...*Y como guapa, es guapa* [268]. *Como g u a p a , había de reconocer que era g u a p a* (L. VILLALONGA, «La muerte de una dama», Barcelona, 1967, pág. 130). F. CANDEL, «Puebla», pág. 43. (Se trata de la compra de un cochinillo que parece no estar en buenas condiciones): *Bueno, pues t i r a r l o no lo t i r o.* Del mismo autor, en «¡Dios, la que se armó!»: *Desde luego, l l o v e r sí que l l u e v e* (pág. 188). En CASTILLO-PUCHE, P40, pág. 328 (refiriéndose a los americanos), alguien dice: *Q u e r e r no los q u i e r e nadie.* Esta expresión es sin duda más primitiva que la preferida por el hablante de ciudad: *guapa sí que lo es.* SPITZER también parece haberse acogido a la interpretación de EBELING: en ambos tipos, *entender, entiendo* y *como guapa, es guapa,* el primer elemento *(entender,* o *guapa)* «aparece colocado en el foco de nuestra atención, y luego afirmado como un hecho por una determinada

---

[267] También lo usa ya Gracián (en «Crit.», II, 1): *l o q u e e s l e e r algún poeta... se les permitió a algunos.* Según B. SÁNCHEZ ALONSO (loc. cit., pág. 225), el giro se iría perdiendo ya.

[268] Adviértase que *guapo,* a más de *bonito,* aplicado a varones, significa también 'valiente', 'fanfarrón', 'bravucón'. JOSÉ VÁZQUEZ RUIZ, en «Sobre la etimología de la palabra *guapo, -a*», lo deriva de la voz árabe *waṭb,* que significa, e. o., «homme dur, inhumain», y de ahí la segunda acepción de 'bravucón', etc., en español y otros idiomas románicos (RFE, XLV, págs. 299-303).

persona, en un determinado tiempo». De manera, pues, que *entender* constituye «el tema general, desarrollado a continuación por *entiendo*» (SPITZER, «Stilstudien», II, 102). Lo mismo en: *¡Espere! Porque h i p n o t i z a d o, está h i p n o t i z a d o ...* (MUÑOZ SECA y P. FERNÁNDEZ, «¿Qué tienes en la mirada?», acto II).

A este propósito recuerdo el siguiente divertido ejemplo del habla rústica: *¿Cómo está la cosecha, Epifanio? —Yo le diré a usted... güena, güena, lo que se dice güena, no es güena. ¡Pero, vamos, es güena!* (Chascarrillo [269] baturro). SPITZER trae esta variante: *Gordos, gordos* (se trata de unos cerdos ofrecidos en venta), *que digamos gordos, no son gordos, pero son gordos,* y lo comenta así: «El examinar, como con una lupa, la aplicabilidad de una palabra para cada caso distinto, se efectúa en varios tramos, observándose cómo el hablante se va adentrando más y más en la esencia significativa de ésta» («Stilstudien», I, pág. 103, nota 1). Otro ejemplo: *—...Oye, ¿y qué hace tu novio? —Pues, mujer, c o m o h a c e r, l o q u e s e d i c e h a c e r, n o h a c e n a d a, pero...* (CELA, ob. cit., pág. 283).

Cabe igualmente calificar de rústico el siguiente modo de expresión que yo he observado mucho en el campo, aunque también se oye en las ciudades: *Tienes que t o r c e r la ropa bien t o r c i d a. Vete a f r e g a r los cacharros bien f r e g a - d o s.* HDP 47 *—Oiga lo que hago. E c h a r b i e n el cerrojo... B i e n e c h a d o, eso es.* De «Tradiciones populares españolas», t. I, pág. 190: *Toma este cuchillo, p í c a m e muy b i e n p i c a - d i t a* [270], *sin que se caiga ningún pedazo de carne al suelo,*

[269] Se da el nombre de chascarrillos a historietas divertidas, de tipo popular, que circulan o circulaban por toda España y cuyos protagonistas solían ser aragoneses (baturros).

[270] Afín a este tipo es *imposible de toda imposibilidad,* que ya aparece en el «Quijote». Se trata de una acuñación personal de Cervantes, como revela la fusión de lo literario *(imposible)* y lo popular (el tipo de reiteración) que en ella se da, y así la considera HATZFELD (pág. 177). Formaciones análogas: *falso de toda falsedad; inepto de toda ineptitud,* etc., la mayoría de ellas expresiones de contenido negativo y devaluador. Sin embargo, en L. VILLALONGA, MD, Barcelona, 1967, leo: [...] *se lo imaginaba m a g n í - f i c o de toda m a g n i f i c e n c i a* (pág. 156).

donde la idea de la acción está expresada dos veces, la segunda
de ellas desde el punto de vista del resultado. Tendríamos aquí,
pues, otro ejemplo más de expresión basada en el «hecho consumado» («fait accompli»), es decir, de «irrupción anticipada
de la fantasía del hablante en el futuro» (SPITZER) [271]; *Te voy
a c o l g a r , pero c o l g a d o !* , le dice el padre airado a su hijo
(J. POLO).

Recordemos también la ya citada r e p e t i c i ó n d e l n u -
m e r a l en las comparaciones: *d o s niños como d o s soles.*
VS 85 *Tienen de repertorio d o s entremeses que están* (sobreentendido: *hechas) d o s monaditas* (de *mono* 'guapo, gracioso').
Comparaciones análogas en alemán, como por ejemplo, «zwei
Kerle wie Bäume» resultan menos plásticas que en español
*d o s tíos como d o s torres; d o s casas como d o s templos;
u n perrazo como u n toro; d o s coches como d o s palacios,*
donde mediante la repetición del numeral se aumenta la ilusión
de la identidad entre el objeto de la comparación y el sustantivo
que lo cualifica.

Tiene efecto semejante la siguiente repetición: *P a s o que
daba, p a s o* [272] *que me parecía inspirado por él* (HERMANOS
QUINTERO, «Doña Clarines»); *...f r a s e que er* (= él) *sortaba*
(= soltaba), *f r a s e que corría por toa Seviya* (MUÑOZ SECA,
«Trianerías», I, 1). En otro sainete encuentro: *F i c h a que
ponía, f i c h a que la raqueta apandaba* ('que la recogía el
croupier'). En todos estos casos resulta particularmente perfilada
la idea de la identidad. En lugar de una expresión sintética
más abstracta, como sería la traducción alemana correspondiente 'cada ficha que ponía me la recogía el croupier', en la
expresión española creemos ver claramente el poner y el des-

---

[271] «Es muy común en la lengua popular chilena la intensificación de
la acción por medio del verbo repetido: *lo lavo bien lavado,* etc.» (Ro-
DOLFO OROZ, «El español en Chile», en «Presente y futuro de la lengua
española», vol. I, pág. 106).

[272] A propósito de *paso* recuerdo: *¡ P a s o prohibido!* o *Se prohibe
el p a s o ;* además: *al p a s o que vamos, no llegaremos nunca.* Variantes:
a este p a s o o o al p a s o que l l e v a m o s... JOSÉ VALLEJO, ob. cit., pág. 387:
cerrarle o *cortarle a alg. el p a s o* = 'no dejarle pasar'; *apretar* o *apre-
surar el p a s o* = 'ir (o caminar) más de prisa'.

aparecer de la ficha en el tapete. M 48 *Porque la gente de aquí se toma mucha confianza. Lo que se les ocurre, lo que suel-tan. Piensan en voz alta.* Recuerdo haber oído: *En Madrid las pulmonías son muy peligrosas. Pulmonía que agarras, pul-monía que palmas*[273]. Se esperaría: «pulmonía de que pal-mas»; el paralelismo con el primer *pulmonía que* lleva a esta violencia sintáctica.

SPITZER, en «Aufs.», págs. 196 y sigs., y KRÜGER, en RFE, IX, 1922, cuad. 2, pág. 189, tratan de lo que ellos llaman «impe-rativo gerundial» en casos como OM 16 *Una noche que él estaba pasea que te pasea, por debajo de los balco-nes... Pasea que te pasea* cabría sustituirlo por el gerundio, con lo que la expresión resultaría mucho más descolorida: como *...él estaba paseando continuamente;* en cambio, la reiteración del verbo da la impresión de lo permanente, de lo incesante. *Estaba espera que te espera, a ver si ven-dría y no vino...* OM 25 *Todo el día de Dios anda que te anda, sudando a mares, a pesar del frío...* En *dale que dale* (junto a *dale que le das,* y *dale que le darás*), SPITZER ve «una asimilación fonética mecánica de la terminación de la segunda forma verbal». EMH 9 *Y me he estado hasta las seis y media dale que dale...* ('trabajando sin parar'). LP 9 *¡Demonio del carretillo! Media hora que estoy dale que le das y no acabo de arreglarlo...* La segunda forma verbal también se presenta, aunque con menos frecuencia, en futuro: *Y el po-briño*[274] *sin apartar de usted el pensamiento, cavila que*

---

[273] *Palmar* (de *palma* 'cara interior de la mano') 'dar por fuerza una cosa' en lenguaje de germanía, ha adoptado en la lengua coloquial el sig-nificado de 'morir', propiamente 'dar por fuerza el alma', que equivale al gitano *diñarla* (C. CLAVERÍA, ob. cit., pág. 145). Añado: *hincarla;* JUAN M. LOPE BLANCH, ob. cit., pág. 76, explica: «como las aves, el que muere, *hinca el pico.* En cambio, *hincarla,* supongo que originariamente se re-fiere al toro de lidia, que antes de morir 'hinca la rodilla'. J. DE ENTRAMBASAGUAS, de acuerdo con GARCÍA DE DIEGO, refiere el verbo *palmar* con la parte interior de la mano, derivando la palabra de expresiones como *le están palmando* [...], esto es 'tomando en palmos al moribundo (o al difunto) la medida para el ataúd'.

[274] El sufijo diminut. *-iño* es típico del gallego (suena igual que el port. *-inho).*

t e c a v i l a r á s, con aquellos ojos tan tristes... (RAMÓN MARÍA
TENREIRO, «La Esclava del Señor», pág. 95). Véase también
H. OSTER, ob. cit., pág. 75. Y además JOSÉ DE ONÍS, «La lengua
popular madrileña...» en RHM, 1949, pág. 359.

Ahora bien, ¿cómo ha llegado *dale que le das (darás)* al
curioso significado que denotan los ejemplos anteriores? *Darle
a una cosa* quiere decir 'dedicarse a ella con insistencia', 'for-
zarla'. El imperativo *dale* tiene en estos sintagmas un sentido
irónico significando algo como 'dale fuerte'; por ejemplo, en
VM 29 Guillermo (un fanático de la veracidad): *A otra persona
no podemos recomendarlo* (se trata de un empleado despedido
por falta de honradez), *padre. Para hacerlo tendríamos o que
descubrir lo sucedido, que él no querrá, como es natural, que
se divulgue, o mentir.* —Dalmacio (enfadado por la manía de
Guillermo): *¡Y d a l e con las mentiras!*, como si dijera 'siempre con tu manía de llamarle mentira a todo'. VS 45 Pedro
Luis: *¿Quién dirás tú que se ha puesto este traje?* (un traje
de romano que le ha proporcionado un anticuario). —Sinapismo (inculto picador): *Espronseda.* —Pedro Luis: *Bruto* (se
refiere al personaje histórico). —Sinapismo (que entiende *bruto*
en su sentido insultante): *Pedro Luis, que no sé historia.* —Pedro
Luis: *Porque sé que no la sabes te digo que Bruto.* —Sinapismo (que sigue sin entender): *¡Y d a l e!* En vez de *dale que
dale*, se oye hoy la humorística variante: *Y dale que te pega,
siempre con lo mismo* (CASTILLO-PUCHE, P40, pág. 269).

Volveremos a encontrar el *y* en las «formas de rematar la
enunciación» (capítulo V). Yo lo interpreto como la misma
partícula que aparece junto al último término de una enumeración; traducido a nuestro ejemplo: 'me llama bruto, otra
vez bruto y siempre bruto', es decir, 'tiene esa idea y no hay
quien se la quite de la cabeza'. Compárese la definición de *dale*
en el DM: «Interjección familiar con que censuramos la pesadez de una cosa, que por su repetición o por la insistencia con
que se hace o dice nos molesta y enoja».

Los GESTOS. — Al tratar de los medios de que se vale el español para dar mayor relieve y vivacidad a un diálogo, hemos aludido a la eficacia de los gestos expresivos y de la mímica. Como no puedo extenderme más en este tan importante como curioso campo [275], me limitaré a rozar brevemente algunos de los fenómenos lingüísticos íntimamente vinculados con el gesto y que sólo a su luz son comprensibles. CC 39 ...*He mandado pintar dos cartelones con letras a s í d e g o r d a s que dicen «Viva el señor Calvo»*. *Así* (con el correspondiente gesto) representa aquí formalmente una medida, por lo que va acompañado de la preposición *de* (comp. *la mar de gordas)*. Sin embargo, es sentido como equivalente al demostrativo *tan*. Pero también se puede interpretar *así* como sustituto de un adjetivo calificativo y la continuación *de gordas* como una precisión ulterior. De modo análogo se dice corrientemente de un hombre bien nutrido y mofletudo: *está así*, al tiempo que se hace el gesto de imitar el temblequeo de los mofletes, con un ligero movimiento de las manos, colocadas con las palmas a poca distancia de la cara para evidenciar la gordura. Ese *está así* puede luego precisarse aún más diciendo a continuación *de gordo* (o *de gorda*, respectivamente). Cabe variar la frase con *tiene* (o *está con) unos mofletes así*, con el correspondiente gesto. PC 47: *Porque el canasto tiene dentro una piedra a s í d e g r a n d e...* La frase se presenta también sin gesto. EUB 19 *¡Pobre Segundo! Las calaveradas* [276] *se pagan. A s í está él d e* [277] *f l a c o:*

---

[275] Sobre la mímica española véase el detenido y excelente estudio de L. FLACHSKAMPF, «Spanische Gebärdensprache», RF, LII (1938), págs. 205-258. Véase también N. E. DONNI DE MIRANDE, op. cit., págs. 251 y sigs. Además: M. WANDRUSZKA, «Haltung und Gebärde der Romanen» en RF, LXXI, 1959.

[276] De *calavera* 'poco juicioso, atolondrado' (véase n. 218).

[277] S. FERNÁNDEZ RAMÍREZ llama a este *de* «causal y limitativo»: *¡Estoy d e n e r v i o s o que no sé cómo no he degollado a este hombre!* (ob. cit., págs. 105-106).

casi se le podía llamar calavera y esqueleto; aquí también podría
variarse: *está* (el pobre) *tan flaco que casi se le podía llamar...*,
etcétera.

La expresión *ni tanto así* se acompaña con el siguiente gesto:
se unen los dedos índice y pulgar de la mado derecha curván-
dolos ligeramente, con lo que se da a entender 'ni siquiera lo
que cabe entre las yemas de estos dedos'. *Así* sería entonces
como una ilustración suplementaria al *ni tanto,* gramaticalmente completo. «Fr.» 17 *Todo eso no me interesa n i t a n t o
a s í .* Véase también H. Oster, obra citada, pág. 80. Y Salvador
Fernández, obra citada, pág. 381, n. 1.

Van acompañados frecuentemente de gestos alusivos los adverbios de lugar, así como los pronombres demostrativos, siempre que las respectivas situaciones permitan al hablante referirse de esa manera concreta a la persona o cosa mentada;
por ejemplo, VS 32 *Ayer y antes de ayer he comprado el tabaco
en el estanco d e a h í* (con el gesto correspondiente) *de la es-
quina.* Señalando el cuello, es como se dice *lo tengo h a s t a
a q u í* [277 bis] para significar 'estoy harto de ello' (comp. alemán:
«die ganze Geschichte steht mir bis hierhin»). Refiriéndose a
alguien, *no me pasa de aquí* (del cuello), significa 'no lo puedo
tragar, no lo soporto'.

Lo mismo que en alemán «hier», se usa en español *aquí*
para aludir a una persona o cosa que se encuentra próxima al
que habla: *aquí este joven.* EMH 76 *¿No le sería a usté posible,
don Antonio, a q u í , con permiso del joven* (que está presente),
darme siquiera pa pagar el recibo de la luz...? Ese *aquí* se refiere al *joven* que está en la misma habitación, y le acompaña

---

[277 bis] El español exterioriza el mismo pensamiento que el alem. «bis
zum Halse», con fórmulas mucho más variadas: *estoy de él hasta más allá
de la coronilla; ...hasta los ojos; ...hasta las narices; ...hasta el coco;* variante obscena: *...hasta los cojones.* Las mujeres dicen: *...hasta el moño.*
Una exageración muy frecuente es: *la (le) encontramos hasta en la sopa* =
'con excesiva y enojosa frecuencia', p. ej. *yo hago todo por evitar el
trato con ese individuo, pero es que me lo encuentro h a s t a e n l a
s o p a* (= 'donde quiera que vaya, siempre coincido con él'). Lo cita
también Pastor y Molina, pág. 58.

un gesto demostrativo que sólo después queda precisado por
la mención del *joven* a que se alude. En esta modalidad expresiva la lengua española va más allá aún. Y es que en ocasiones
el adverbio de lugar queda sin determinante alguno, adoptando
las funciones de pronombre: *Porque a q u í (y señaló a Lulú
con el garrote) ha llamado a mi señora zorra... y a q u í (volvió
a señalar a Lulú) ha dicho que yo soy un cabronazo...* (BAROJA,
«El Árbol de la Ciencia», pág. 108). Alvarito (cogiendo a Celia
del brazo): *Yo me voy con a q u í.* —Martínez (ídem a Mimí):
Y yo con a q u í. —Sarmiento (ídem a Tula): *Y yo con a q u í*
(ARNICHES y ABATI, «La cárcel modelo», III, 9). *A q u í —señaló
al maestro de Pueblavieja— será presidente* (J. L. MARTÍN VIGIL,
TB, pág. 71). *A q u í, dice lentamente, señalando a Sebastián
[...], no sé qué me dijo de que ustedes iban a mirar algo en la
radio* (F. CANDEL, «Pueblo», pág. 239). *Pues yo estoy con a q u í,
con don Luis, que es de menos palabras* (A. M.ª DE LERA, «Bochorno», ob. cit., pág. 906). En un magnífico ensayo sobre «El
valor humano de la literatura española», M. MUÑOZ CORTÉS dice:
«En la lengua española, el *aquí* funciona como demostrativo
personal en el habla vulgar» («Publicaciones de la Universidad
de Murcia», 1971, pág. 10).

El vulgo suele acompañar su palabra con un movimiento
corporal expresivo, aun cuando se trate de cosas que caen fuera
del alcance de los sentidos. El reflejo lingüístico de tal gesto,
que cabe llamar interno, es el expresado por el adverbio de
lugar *allá* en *a l l á en Sevilla*. El hablante indica con *allá* lo
lejano indeterminado; sólo la mención local que sigue precisa
en qué lugar se piensa (SPITZER, «Aufs.», pág. 65). Este *allá*,
trasladado a las relaciones temporales de un modo figurativo-
intuitivo, produce giros como *a l l á en tiempos de los moros,
a l l á por el año 1860*, etc., en los que *allá* significa 'en aquel
entonces', 'una vez'. LORENZO DE VILLALONGA, MD, ob. cit.: [...]
*el director de «El Adalid», de quien se susurraba que a l l á en
sus buenos tiempos amara en silencio a doña O. [...].* El mismo
adverbio apunta al futuro en *a l l á lo veremos* 'entonces, cuando llegue el momento, ya lo veremos'. M 69 (Malvaloca ha
expresado el deseo de ir de penitente en la procesión que va a

tener lugar) Hermana Piedad: *De aquí a l l á* ('hasta entonces')
puede meditarla (la promesa).

Los pronombres demostrativos van acompañados de algún
gesto, unas veces sí, y otras no, según las situaciones. NV 40
Sí, es cierto, me lo dice é s t e (señalando el corazón) *que no
me engaña.* Es frecuente el uso del demostrativo en lugar del
posesivo para designar partes del cuerpo del hablante *(este,
esta =* 'mi') o del interlocutor *(ese, esa =* 'tu' o 'su', de usted),
por ejemplo: *e s t a cabeza* (mía) *está hecha una calamidad.*
SC 36 Feliciano (a un trompeta): *Dios le conserve a usted
e s o s pulmones y e s o s labios.* —Menéndez: *Y a usted e s a
inteligencia.* Para preguntar por la salud se le dice al interlocutor: *¿qué tal va e s a salud?* «Fr.» 1 *¿Y e s e catarro?* SPITZER
cita *¿cómo va e s a humanidad?* («Aufs.», 68). M 82 *¿Cómo
marcha e s e corazón, compañero?* SC 31 *¡Señor Cura, venga
e s a mano!* ('déme usted su mano'); más familiarmente aún:
¡Vengan e s o s cinco! (sobreentendiendo: *dedos).* Ambas fórmulas se usan preferentemente para celebrar enfáticamente la
coincidencia de una opinión del hablante con la de su interlocutor. Para señalar al interlocutor una tercera persona que
está presente, se emplea en lenguaje familiar y llano *éste, ésta.*
EMH 27 Marcos: *¿Pero es amigo de usté ese señor?* —Antonio:
Eso sí, desde niños. Ya ves, es padrino de é s t a (con lo que
indica a su hija, que está presente) [278].

Interpreto como reflejo lingüístico de una representación
particularmente viva el empleo de los demostrativos en construcciones como las siguientes: LP 36 *Toda mi vida tratando
mujeres por e s o s mundos de Dios y sin novedad.* (Tratado
detalladamente por SPITZER, «Aufs.», pág. 62; para *de Dios,*
véase: «Stilstudien», I, 131.) PC 30 *Y qué, ¿no ha habido contra-
tiempos por e s a s carreteras?* Difiere de éstos el siguiente caso:
me han dicho que en Avilés hay muchos indianos [279] *muy ricos.
A ver si pescas uno. Nos vestimos de aldeanas, montamos en*

---

[278] Véase también S. FERNÁNDEZ RAMÍREZ, ob. cit., pág. 244.
[279] Son los emigrantes a América que vuelven ricos a su patria. El
pueblo los tiene en concepto de odiosos y antipáticos; juegan un papel
similar al del nuevo rico alemán de después de la primera guerra mundial.

*las bicicletas y entramos por a q u e l l a s calles llamando la
atención.* Aquí se trata de unas calles determinadas, las de Avilés; en los casos de antes *(por esas carreteras; por esos mundos),*
al contrario, los demostrativos indican no algo que se da en
la realidad objetiva, sino algo impreciso y sólo visto interna,
subjetivamente. *Ese* en su significación concreta ya lo vimos
más arriba *(venga esa mano);* el *ese* subjetivo se encuentra en
el «Quijote», I, 4: *...a buscar las aventuras por e s o s mundos...*
y II, 7: *...según nos lo dicen por e s o s púlpitos.*

El demostrativo alude a algo sólo imaginariamente conocido, en los siguientes ejemplos: *un éxito d e e s o s monumenta-
les. De esos* (también *de estos)* actúa aquí como un oportuno
elemento retardatario que deja tiempo al hablante para encontrar un adjetivo lo más significativo posible. «Fr.» 6 *...dur-
miendo una siesta d e e s a s kilométricas. Kilométrico* es un
epíteto humorístico improvisado, preparado, se puede decir,
por el *de esas* que precede. KRÜGER (en «Archiv für das Studium der neueren Sprachen und Literaturen», 1928, pág. 159)
equipara este giro con construcciones como *se nos echaba
encima una invernada d e l a s g o r d a s, ...he pasado una
noche d e l a s b u e n a s* (citado de PEREDA) «...con las que se
trata de intensificar y realzar en lo posible el epíteto». QNSF 15
Eugenio: *¿Entonces me he tirado una plancha?* ('he quedado
en ridículo'). —Oscar: *D e l a s c o n m e m o r a t i v a s* 'de las
que hacen época'. En lugar del artículo (que, por cierto, históricamente, no es sino un resto del pronombre demostrativo
latino) puede usarse también el demostrativo: *una plancha de
e s a s conmemorativas.*

Está relacionado con ese giro el siguiente: *ahí viene el tío
é s e* ('ése; ya sabes cuál digo'). El íntimo parentesco de este
giro con el tratado antes resalta aún más claro cuando sigue
un atributo: *el tío e s e t a n s i n v e r g ü e n z a que hizo la
cochinada de marras.*

Corresponde como correlato interno de los gestos lo que
WUNDT llama «Lautgebärden» y que traducimos por «MÍMICA
SONORA», otro modo de expresión muy frecuente. En una narra-
ción animada, la imitación directa de ciertos ruidos sustituye

no rara vez a la propia descripción del acto a que el ruido acompaña. Y es que el gesto sonoro estimula la imaginación del oyente de un modo tan inmediato, que cree estar viviendo el incidente que le cuentan. LP 15 Purificación (señora mayor que se ha caído de la bicicleta): *Y es claro, cuando una persona es nerviosa se pierde la serenidad, y, ¡c a t a p l u m!* ('cae'). OM 25 (contando una aventura de caza): *Yo vi una cosa de pelo que se movía, y, ¡p u m!...* , *si llego* [280] *a tener la puntería de éste* (por un amigo) *lo* (al pastor que está presente) *dejo seco.* También se suele precisar posteriormente de qué clase fue el acto que produjo el ruido en cuestión. LP 16 Purificación (la ciclista del ejemplo anterior): *...me asusté yo y ¡p a f! de cabeza a la cuneta.* OM 16 *...Me asomé a la ventana y, ¡z a s!* [281], *le tiré a la cabeza un tiesto de albahaca.* Aquí encajan también las imitaciones de voces de animales, como en VS 2 *...tuve dos perros a la puerta e mi habitasión, más de dos horas, g u a u, g u a u, g u a u, que era el delirio* [282]. La imitación directa del ladrido suple aquí al gerundio *ladrando;* o sea que aquí también se prefirió a la narración objetivamente abstracta, la representación concreta del suceso. Véase también SALVADOR FERNÁNDEZ, ob. cit., págs. 84-89, y KARL BÜHLER, capítulo «La fonction représentative du langage», en «Psychologie du Langage», Paris, 1933, págs. 101 y sigs.

En el ejemplo siguiente tenemos un caso de gesto sonoro en uso figurado para concretizar o simbolizar un inesperado

---

[280] Esta prótasis, irreal y afectiva, va en presente a causa de la especial vivacidad de la representación; equivale, pues, a 'si hubiera tenido la puntería de éste...'. En LMPP, 31 ocurre: —*Me hubiera muerto s i n o l l e g a a s e r p o r t i.*

[281] Según la clase de ruido, se oye en vez del frecuentísimo (al menos en Madrid) ¡zas!, también ¡plaf! (p. ej., al describir una bofetada) y ¡ras! (al romperse una cuerda, etc.). ¡Pum! alterna con ¡pim! y ¡pam! Cf. la alternancia vocálica en *zigzag, tictac,* como en alem. «Singsang», «bimbam» (SPITZER, «Stilstudien», I, cap. 9). Recuérdese: *tirar al pimpampum* 'tirar al blanco'.

[282] Además de delirio, para expresar «el colmo hablando de una cosa», cita PASTOR y MOLINA, ob. cit., pág. 58: *el descuaje, el destroncamiento.* Añado como vulgarismo obsceno el andaluz: *la descojonación.*

incidente afectivo: LP 36 (Nunca me ha causado impresión ninguna mujer) *y ahora, cuando menos lo esperaba, ¡zas!* (comp. alemán «mit einem Schlag», «auf Knall und Fall», renano «päng!»), *la hija de un peón caminero me saca de mis casillas* ('me trae loco'; hay juego de palabras por alusión al sintagma *casilla de (peón) caminero)*.

Manifiesta viveza de la representación el usar, para la descripción de acontecimientos pasados, t i e m p o s p r e s e n t e s en lugar de los pretéritos que se esperarían. El hablante cree volver a vivir lo que está contando. En la oración condicional llamada irreal, ese elemento irreal se le presenta como realidad, por lo cual, la oración principal está en presente aunque el verbo de la cláusula que contiene la condición esté en un tiempo correspondiente al pretérito. SC 69 ...*Yo me temía que me pidieran la cédula, y entonces me g a n o una paliza* ('si me la hubieran pedido, me habría ganado...'). LP 13 *Si no es por mi cuñado que me agarró a tiempo, me m e t o de cabeza por la ventana de la sacristía.*

Sin embargo, lo más corriente es que las dos oraciones, principal y subordinada, estén en presente. EMH 25 *Si e s t o y yo aquí, ¿de dónde* (= cómo) *se a t r e v e ese bocazas...?* SC 24 ...*el año pasado, predicando el día de la Purísima, se hundieron las tablas del fondo, y si no me a g a r r o a la barandilla, a p l a s t o a tres o cuatro feligreses*[283]. [...] *sé cómo hubiera reaccionado si su hijo l l e g a a decirle esas insolencias* (A. DE LAIGLESIA, CSA, pág. 185).

El ejemplo penúltimo, en una manera de hablar más objetiva, sería: *si no me hubiera agarrado a la barandilla, hubiera (habría) aplastado...* En el lenguaje coloquial el tipo *Si no me hubiera agarrado... aplastaba...* representa el intermedio más frecuente, junto al que se da también el uso del presente en lugar del pretérito en la oración principal *(aplasto)*, presente que, en el texto del ejemplo citado arriba, alcanza también al verbo de la subordinada. Estas variaciones en el empleo de los tiempos indican el respectivo grado de afectividad del hablante.

---

[283] Del lat. «filii ecclesiae», port. «freguês», en el sentido de 'parroquiano'.

Constituyen una excepción los casos en que se expresa, mediante la fórmula introductoria *por poco (de poco)*, que una cosa 'casi' hubiera podido ocurrir. En ellos el hablante, aun en los casos de ausencia de toda afectividad, no distingue entre realidad e irrealidad, y el tiempo es siempre el presente: CC 12 *Me tiró un tiesto que por poco me a p l a s t a* ... EMH 14 *Yo me eché a sus pies para aplacarla y de poco me m a t a de un puñetazo.* En lugar de *por poco* y *de poco,* ocurre también *a poco,* p. ej. [...] *a p o c o mata a un chaval* (F. CANDEL, «Pueblo», pág. 131). *¡Qué brutos sois! A p o c o me dislocáis una muñeca* («Jarama», pág. 43). Consignemos un caso chocante de mezcla de tiempos en una misma enunciación: EMH 9 Leonor: *...me levanté a las dos y media... Quería acabar el trajecito del chico de la señora Calixta... Y me he estado hasta las seis y media dale que dale...* (Véase la pág. 357). *Ahora que cuando empieza a clarear entra un cansancio que ya no se puede... y me he quedado...* —Antonio: *¿Completamente Roque?* —Leonor: *Roque y familia*[284]*, porque si tú no me llamas, aún e s t o y roncando.* Y es que el recuerdo del cansancio experimentado en el propio cuerpo continúa, cosa muy natural, haciendo su vivo efecto, por lo cual la hablante, al llegar al punto correspondiente de su narración, cae en el tiempo presente.

Otro de los medios del hablante español para dar animación a lo que dice es el empleo de VERBOS DINÁMICOS [285] en construcciones en que el alemán, por ejemplo, los prefiere estáticos. Mientras en alemán lo corriente es decir 'aquí están cincuenta pesetas' («Hier sind fünfzig Peseten»), o sea que se contenta con señalar la existencia del dinero (están), la expresión española *ahí v a n cincuenta pesetas* apunta al proceso del dar,

---

[284] *Estar Roque,* como ya hemos dicho (pág. 175), es eufemismo humorístico de *roncando* 'profundamente dormido'; la ampliación asociativa y familiar da mayor intensidad a la expresión.

[285] Cf. el importante estudio de AMADO ALONSO «Construcciones con verbos de movimiento en español» (en ob. cit., págs. 230-274), y HARRI MEIER, «Está enamorado — anda enamorado», VKR, 1933, VI, 301-316. Además: M. CRIADO DE VAL, «Fisonomía del idioma español», «Perífrasis españolas con verbos de 'acción'» (pág. 101).

es decir al paso del dinero de A a B. Asimismo en VS 17 *ahí va mi estilográfica*. En perfecta correspondencia con este mismo acto, el que recibe utiliza el verbo *venir*. EMH 21 *Y vengan las seis pesetas*. PC 11 *Ahí van dos gordas* (perras gordas [286]). *Venga un pregón* (se trata de un vendedor ambulante cuyos pregones tienen fama) *de los finos pa esta gachí*. Este tipo de expresión, claro está, es aplicable también a lo inmaterial. SC 38 Rafael: *Una idea felicísima que acaba de ocurrírseme*. —Celestino: *Venga esa idea*. *Ir* alterna con *venir*, según la respectiva situación del hablante. «Fr.» 39 *¿Cuántos iban ustedes? —Íbamos cuatro*. Ibid. 42 *Lo malo es que ya van dos veces que no acepto...* En este caso el verbo refleja, por decirlo así, el paso de un acontecimiento actual al más allá de lo pretérito. — En alemán se dice: 'en el periódico *está* tal cosa' «eine Sache steht in der Zeitung»; en cambio, en español: *Tal cosa viene en el periódico*. EMH 11 *Ya le guardaré a usté el número, don Antonio, que viene bueno*. EMH 17 *¡Tan contenta como yo venía!* SC 50 *¿Pero era usted el que ha venido pisándome toda la noche?...* (durante el viaje en el tren). Ibid. *Yo creí que era aquella rubia que venía a su lado*. «Quijote», I, 23 *...mandóle su amo que viese lo que en la maleta venía*. I, 26 *He perdido el libro de memoria, respondió Sancho, donde venía*[287] *la carta para Dulcinea*. En todos estos casos, a las formas de *venir* (verbo dinámico) corresponden en alemán las de «sein» ('estar', verbo estático). Se presenta una cosa como en progreso continuo mediante *ir* con gerundio, por ejemplo: *van siendo cada vez más raros*. PF 9 *Vayan ustedes colocando por ahí todo eso*. EMH 10 *Mientras me lavo, veme quitando de la blusa los hilvanes*. M 78 *Va a*

---

[286] Ya dijimos que *perras* son, en la lengua cotidiana, las 'monedas de 5 *(perras chicas)* y de 10 *(perras gordas)* céntimos'. Se debe probablemente a que el pueblo tomó el león del escudo que figuraba en las monedas de viejo cuño, por un perro; de ahí el antiguo nombre de *perro* (todavía hoy usual en provincias), que en Madrid se transformó burlescamente en *perra*. Debido a la devaluación de la moneda (por lo demás mundial), tanto «perra gorda» como «perra chica» vienen usándose cada vez menos.

[287] Véase BEINHAUER, «Ortsgefühl und sprachlicher Ausdruck im Spanischen», RF, 54 (1940), págs. 329-334.

sé menesté i (= ir) *preparando ya las flores.* (Véase también LENZ, obra citada, página 347).

A diferencia de *ir haciendo u. c.,* que se dice con miras al presente y futuro de lo que se está haciendo, *venir haciendo u. c.* tiene sentido retrospectivo *(de algún tiempo a esta parte): vengo rumiando una idea* comprende temporalmente el presente tanto como el p a s a d o. Otro ejemplo: *me viene preocupando la salud de mi mujer* indica que la preocupación invadió al hablante ya en un pasado más o menos remoto; a diferencia de *me va preocupando,* que arranca del presente o, si acaso, de un pasado muy cercano, y apunta al f u t u r o.

Mencionamos de paso el uso popular y familiar, *m u y f r e - c u e n t e* (casi general) en España, de *ir a por u. c., venir a por, volver a por,* que también le llamó la atención a LUIS FLÓREZ (ob. cit.): «Uso muy peculiar de los e s p a ñ o l e s, c u l t o s e i n c u l t o s, es el de *a* con verbos de movimiento: *voy a por agua, voy a por más, vuelven a por más, vuelven a por mí, vienen a por más, salió a por mí; soñé que la Virgen había bajado a por el niño,* etc.».

Mientras los verbos *ir* y *venir* expresan la idea de movimiento «hacia» una meta determinada o alejándose de ella, se usa *andar,* cuando se trata de un movimiento s i n d i r e c c i ó n n i m e t a f i j a. Esta misma diferencia mediaba ya en latín entre *ire,* con significado de tendencia a un fin, y *ambulare* 'circular, pasear'. SC 43 *¡Policarpo!... ¿Por dónde a n d a r á ese animal?* «Fr.» 59 *Todo a n d a por el suelo.* Ibid. 38 *Mal a n d a ese negocio.* VM 60 *... a n d o siempre ocupadísimo.* Y aún: *¿qué tal a n d a esa salud?* Comp. más abajo, págs. 403-404.

De modo análogo, el español prefiere el verbo *traer,* de sentido dinámico, al estático *tener.* «Fr.» 26 *¿ T r a e usted algo para mí?* Ibid. 27 *T r a i g o mucha hambre...* Ibid. *Ese tío me t r a e nervioso...* Ibid. *¿Cuánto dinero t r a e usté?...* En Ibid. 44 (El tren) *t r a e cuarenta minutos de retraso,* se deduce que el tren no ha llegado aún; en cambio, *el tren l l e v a retraso,* significa que sale o va a salir más tarde. Comp. más abajo, págs. 402-403.

Para la idea 'algunos', 'unos cuantos', 'unos pocos', etc., el español coloquial prefiere NÚMEROS DETERMINADOS: SC 21 ...*Mejor será que le ponga c u a t r o letras* ('unas líneas'). EMH 42 *La otra noche le dirigí c u a t r o miradas.* Ibid. 71 ...*me ha dicho c u a t r o piropos.* Es corrientísimo *cuatro gatos* para significar 'sólo muy poca gente': *en el concierto no había más que c u a - t r o g a t o s.* (Sobejano). En «esa función» es menos frecuente *dos.* VS 44 *¿S'ha fijao usté en la estilográfica?* (por un bastón). *Pos la traigo pa ponerle d o s letras a un amigo* (comp. alemán «...ein paar Zeilen»). EMH 30 ...*hay que... pegarle d o s patás al hambre.* Ibid. 32 ...*pocas palabras y d o s tiros a tiempo y te haces el amo.* Compárese también francés «Je n'ai que deux mots à vous dire...»; «à quatre pas d'ici» (alemán: «drei Schritte von hier entfernt»); «l'un de ces quatre jours», 'en breve, dentro de poco' (Sachs-Villatte). También *tres* se presenta a veces en el uso fraseológico equivalente a 'unos cuantos', 'algunos'; así en la forma popular de negación afectiva *ni a t r e s tirones,* hoy más corriente: *ni a la(s) de t r e s;* por ejemplo: *si no sale de su concha ni a t r e s tirones,* o *ni a la(s) de t r e s,* es decir, 'por ninguna cosa sale de su soledad'. Asimismo, *esto te lo venden en el Rastro por t r e s perras* (Sobejano). Véase también GARCÍA DE DIEGO, «Lingüística», pág. 343. *Ya sabes que más de una vez la has dicho c u a t r o c o s a s* (F. DE ÁVALOS, «En plazo», pág. 63).

CAPÍTULO IV

ECONOMÍA Y COMODIDAD

ELIPSIS APARENTES

Hemos señalado varias veces el hecho de que, en el español coloquial, es tan grande el prurito de producir a cada paso nuevos efectos que constantemente han de renovarse muchos de sus esquemas sintácticos y estilísticos, en una medida que apenas ocurre en otras lenguas europeas. Esa continua mudanza supone lógicamente la eliminación progresiva de elementos viejos o desgastados por el frecuente uso y que han perdido ya su eficacia primitiva [1].

Así sucede, por ejemplo, con el empleo de los refranes más conocidos, que a menudo quedan apenas esbozados. «Muchas veces —dice SPITZER en IU, 139— el hablante se da perfecta cuenta de la trivialidad que supone el enunciar la frase completa; y es que tales vulgaridades y lugares comunes, lo mismo que los refranes que andan en boca de todos, podrían causar fastidio al oyente». SC 20 Petronila (que ha ahuyentado al molesto pretendiente de su hija echándole encima agua hirviendo): *Y dio su resultado; porque ese tipo no ha vuelto a parecer por la vecindad. —Nicasia: Naturalmente. El gato escaldado...* (sobrentendido: *del agua fría huye*). AH 49 *Cuando el río suena...* (sobrent.: *agua lleva);* es decir, 'cuando tanto se

---

[1] Recordamos, sin embargo, que muchos de ellos tardan más tiempo en desaparecer que en surgir.

habla de ello, algo habrá de verdad'. M 12 *A palabras necias...* (sobrent.: *oídos sordos)* 'cosa tan necia mejor es no escucharla'. Ibid. 18 *Donde candelita hubo... (siempre rescoldo quedó)* 'siempre está vivo el recuerdo del primer amor'. LC 23 *Pero se debe atender a todo: a gozar de la vida y a cuidar la viña, Nicolás. E l o j o d e l a m o...* (sobr.: *engorda el caballo).* «Quijote», I, 30: *...mira, Sancho, lo que hablas; porque t a n t a s v e c e s v a e l c a n t a r i l l o a l a f u e n t e...* (sobr.: *hasta que al fin se rompe) y no te digo más.* Añadiré el tan oído *mal de muchos...* (sobr.: *consuelo de tontos).* M 80 *A enemigo que huye... (puente de plata).* C 104 Juan: *—...¿Qué ha pasao?* —Abuela: *—Lo de siempre, hijo. ¡Que a perro flaco...!* (sobr.: *todo son pulgas).* Por lo demás, son relativamente pocos los refranes que se usan en esta forma elíptica, si tenemos en cuenta la cifra astronómica de los que se han venido coleccionando. Recordamos a modo de homenaje las respectivas colecciones del maestro G. Correas y posteriormente la de Francisco Rodríguez Marín («21.000 proverbios no contenidos en la colección del maestro Correas»). Rafael A. Suárez, en un artículo titulado «Metáforas musicales en el castellano» (en MLJ, XXXIII, 1949, págs. 179-89), dice que los [proverbios] publicados en forma de colección pasan de 59.000. Por cuanto se refiere a su calidad, entre las diferentes opiniones, elogiosas y reprobatorias, F. Yndurain (en ob. cit., pág. 129) menciona la de Sebastián de Covarrubias («tan curioso y fino conocedor del caudal castizo de la lengua», según D. Francisco Yndurain) que, en su «Tesoro de la lengua castellana y española» (1611), hace un decidido elogio del refrán: «Con ninguna cosa se apoya tanto nuestra lengua como con lo que usaron nuestros pasados, y esto se conserva en los r e f r a n e s [...] y así no se han de menospreciar, sino venerarse por su antigüedad y sencillez; por eso yo no me desdeño de alegarlos para provocar mi intención».

En cuanto a l a s c a u s a s que motivan la expresión e l í p - t i c a [2], varían mucho según los casos. Cuando queda incom-

---

[2] Entiéndase que hablamos de elipsis desde un punto de vista general o de gramática normativa, pues en realidad de lo que se trata en los casos siguientes (págs. 371-372) no es de «omisiones», sino de irregularida-

pleta la frase a impulsos de f u e r t e s e m o c i o n e s , es
mejor hablar de «aposiopesis». EMH 22 Leonor (desesperada
por el fracaso de todos los esfuerzos por aliviar su necesidad y
la de su padre): *Yo que pongo el alma en todo para que me
salga bien y ayudarte..., un día que podíamos comer a gusto...
por culpa mía... ¡qué rabia!* Aquí la voz se quiebra sacudida
por los sollozos, sin poder terminar una sola frase. En Ibid. 32
es un miedo espantoso el que impide a Antonio decir precisamente eso que tanto le tiene atemorizado. Su amigo Mariano
le pone en las manos una pistola, advirtiéndole: *...toma. Está
cargada.* —Antonio (la toma con gran terror): *¡Cargada! Oye,
¿y esto no...?* ('¿no se me disparará?'). —Mariano: *No tengas
miedo. Guárdatela...* —Antonio: *Pero con el movimiento ¿no
se me...?* ('¿disparará?').

En otros casos la falta del verbo obedece a la a f e c t i v i -
d a d . Rara vez se trata de omisiones, sino que la idea de lo
que dice se le presenta tan viva al hablante que se le hace
enteramente intemporal, con lo cual sobra el verbo, o sea la
expresión gramatical específica del tiempo. EUB 17 Domingo
(criado cuyo amo, atacado de amnesia, le ha dejado a deber
algunas pagas): *Menos mal que no son más que ocho meses.
Si le da esto de la magnesia* (chiste involuntario por *amnesia)
dentro de un par de años, mi ruina.* La prótasis contiene una
reflexión consciente en la que sin embargo, como demuestra el
empleo del presente, la afectividad es tan grande ya que la frase
pierde su carácter de condicional irreal (véase cap. III, pág. 365).
La oración principal *mi ruina* es la que refleja la impresión del
cuadro i n t e m p o r a l que surge ante la mente del hablante.
En algún caso pueden incluso las dos oraciones estar presentadas de ese modo impresionista, como, por ejemplo, en EUB 64
Claudia en relaciones con Macías... mi ruina. Pero generalmente
el verbo falta sólo en la apódosis, que expresa el resultado de
lo dicho en la subordinada que antecede. EMH 12 *¡Porque si
no nos pagara!* ('figúrate') *...¡Otro día sin nada!* LP 18 *En cuan-*

---

des de construcción determinadas por la «falta» de ciertos elementos
oracionales. Véase a este propósito el interesante estudio de RICARDO
NAVAS: «Pausa, base verbal y grado cero», en RFE, XLV, págs. 273-284.

to canta ésa, lluvia segura. EMH 9 ...*en cuanto me meto en la relojera* (significa aquí 'cama', en conexión con un chiste antecedente), *¡un leño!* (Cf. *dormir como un leño).* Ibid. 73 *Le hago yo dos* (numeral sentido como indeterminado, cf. pág. 369) *caricias a ese tigre, y un borreguito...* ('y se queda más manso que un cordero'). Por lo demás, tenemos aquí ese tipo de oración condicional, tan frecuente en el lenguaje común, en que principal y subordinada aparecen coordinadas. (Véase más adelante, pág. 419).

A veces el verbo se expresa por el i m p e r a t i v o a f e c - t i v o . Aquí la imaginación del hablante se lanza inmediatamente sobre su objeto con tal ímpetu, que la noción del movimiento como tal escapa a la conciencia. SC 39 *Patrona, ¡a la cocina!* Ibid. 37 *¡A trabajar, a trabajar!* Ibid. 40 *¡A la mesa, a la mesa!* (fr. «à table!»). EMH 62 Antonio (con la gran satisfacción del triunfo después de su proeza): *Conque esto se ha acabao. ¡A jugar todo el mundo!* (Al cajero): *Tú a darme las diez mil pesetas, inmediatamente.* (A su hija): *¡Tú a casa con ése!* (A un empleado): *¡Usté, a dar órdenes de que si vuelven esos canallas se me avise!* (A su querida): *¡Tú, a cenar conmigo!* Igual, aunque con alguna variación, Ibid. 17 ...*dentro de media hora vuelvo y me paga usté u* (sic) *escaleras abajo...*

Tampoco hay elipsis en el siguiente tipo de expresión: MP 11 *Si fue jugando* [3] 'sólo fue una broma'. *Si no le conozco,* que interpreto así: 'si no le conozco, ¿cómo quiere usted que le informe sobre él?', o cosa semejante, según exija la situación. Este sintagma sirve para expresar contenidos de tanta notoriedad que se da por supuesto su conocimiento: «Si el caso es éste, o aquél» significa aquí 'el caso es c i e r t a m e n t e éste, o aquél (bien lo sabes tú)'; algo no comprobado aún en la realidad objetiva es presentado, por decirlo así, como premisa. El *sí* acaba por figurar como mero exponente de una a s e v e - r a c i ó n a f e c t i v a [4]. En esta función (a diferencia de otras

---

[3] Véase H. OSTER, ob. cit., págs. 22-23.

[4] Al *se* portugués en el tipo de frase afectiva estudiado por H. KRÖLL: —*Conheceste-los em vida? — S e os conheci? Muito bem* («Estudis Romànics», VIII, págs. 147-156) corresponde en español *que si* en *¿que si los conocí? (¡ya lo creo que los conocí!).*

oraciones condicionales) el verbo puede aparecer en futuro.
LP 9 *¿Si c r e e r á s que no sé que te corteja?* Ibid. 10 *¿Si
p e n s a r á s tú que yo no sé lo que son esas cosas?* En el
ejemplo *¡qué crecidita está! ¡Si no la hubiera conocido!* ('apenas la habría reconocido'), el *si* tiene un sentido totalmente
distinto que en la frase homófona *si no la hubiera conocido, no
se lo confiaba* (= 'si no hubiera sabido cómo es, no se lo habría
confiado') (véase también KRÜGER, «Einf.», pág. 146.)

En lugar de *si* se encuentra en ocasiones *cuando*. PF 41
C u a n d o le digo a usted que éste es un catalán de Triana [5] (es
decir 'un impostor'). El hablante ya lo había dicho antes *(me
parece que este catalán es de Triana). Cuando le digo...* significa 'ya lo había dicho yo antes (y ahí tiene usted la confirmación)'; 'cuando yo lo decía (tenía razón)'.

Las f r a s e s d e s i d e r a t i v a s pueden (como en alemán)
adoptar la forma de condiciones irreales «incompletas» con subjuntivo. M 73 *¡Quién fuera bronse como eya!* (e. d., la campana) (comp. al. «Wenn doch dieses oder jenes der Fall wäre
(wie glücklich wäre ich dann!)»). A diferencia de la expresión
alemana, en la española el deseo del hablante se proyecta sobre
otra persona o cosa imaginaria: 'quién pudiera ser de bronce,
c o m o l a c a m p a n a, qué digno de envidia sería'. M 85
¡Quién pudiera olvidar! Ibid. 95 *¡Quién tuviera podé* (= poder)
pa arrancarte hasta las raíses de esas malas ideas! (Por lo
demás, ese modo de expresión tiene también en alemán un
equivalente, si bien ocasional: «Wer das doch wüsste!»). Al
final del prólogo de sus «Stilstudien», dice SPITZER: «Das
sonnenhafte Auge auf den Ameisenhaufen des Sprachlebens
richten — wer das könnte!»: «Dirigir los ojos henchidos de sol
al hormiguero de la vida del lenguaje... ¡quién lo pudiera!».

---

[5] El barrio sevillano de Triana, situado a la otra orilla del Guadal-
quivir y rico en tipos populares, es para los españoles todos «metrópoli»
o quintaesencia del andalucismo. A este propósito viene a cuento el trabajo de ELISA PÉREZ «Algunas voces sacadas de los Álvarez Quintero»
(«Hispania», XII, 1929, págs. 479-88): «Los andaluces, al calor de su imaginación, improvisan de continuo su lenguaje en giros hiperbólicos que
son proverbiales e imitados en toda España» (pág. 479).

En vez de *quién* puede emplearse *si: ¡si yo me atreviera...!* (= ¡quién se atreviera!...).

También el modismo *¡acabáramos!* [6] se explica como apódosis de una condicional irreal «imperfecta»: 'si me lo hubieras dicho desde un principio, nos hubiéramos entendido hace tiempo'; '(debías) habérmelo dicho antes y ya acabáramos (= hubiéramos acabado)'. QNSF 10 Trambuz (después de muchos rodeos): *Yo soy lo que vulgarmente se llama un acomodador.* —Oscar: *Acabáramos* ('para eso no hacía falta gastar tantas palabras; debió usted haberlo dicho desde el principio'). VS 50 Frasquito: *...¿Cómo se llama ese verdugo?* —Nieves: *Bonifacio Bonilla.* —Frasquito: *Acabáramos.* El DR lo define como: «Expresión familiar que se emplea cuando después de gran dilación, se termina o logra alguna cosa o se sale de una duda».

En ninguno de estos casos, pues, se trata de una «elipsis», de la que únicamente cabe hablar cuando el elemento ausente exigido por la lógica gramatical para entendimiento de la frase existió en un principio y era imprescindible.

ELIPSIS AUTÉNTICAS

De estas elipsis reales y verdaderas nos vamos a ocupar en lo sucesivo. Su origen se debe primordialmente, como ya hemos dicho, a que al hablante le repugna repetir lo ya conocido y por lo tanto s u p e r f l u o para la comprensión. Únase a ello una cierta comodidad que hace preferir una manera de expresión más bien subjetivo-sentimental a la puramente lógica y precisa. Para la explicación de determinadas abreviaciones a veces argóticas hay que tener en cuenta un tercer elemento de orden p s i c o l ó g i c o : la necesidad de hablar con alusiones que sólo el iniciado pueda entender, modo de hablar éste que caracteriza sobre todo la germanía de los pícaros y que en este medio sirve de disfraz encubridor. Pero también se usa con predilección en el lenguaje corriente, de acuerdo con la particular vi-

---

[6] Para la forma del subjuntivo en *-ra*, véase también E. LORENZO, ob. cit., pág. 215; además, TOMÁS SALVADOR, ob. cit., pág. 99.

vacidad de la imaginación española, esa «chispa» propensa a reaccionar con más viveza a lo sugerido levemente que a lo muy pormenorizado. Véase también A. RABANALES, ob. cit., pág. 256. MARGHERITA MORREALE, Res., pág. 126: «Para entender este lenguaje tan vago y tan concreto, hay que suplir a cada momento los nexos faltantes: *¿Estás aburrío? Echa los pies en agua* o *agua hay bastante* (entendiendo que el interlocutor se ha de reavivar como las flores y los tallos verdes). O, para indicar que 'no hay otra salida': *Esto son lentejas* (complétese: *quien quiere las come y quien no, las deja*)». Véase también JOSÉ DE ONÍS, «La lengua popular madrileña en la obra de Pérez Galdós», en RHM, XV, 1949, pág. 361. Otra elipsis de las auténticas es el eufemismo *estar* o *hallarse en estado* (complétese: *interesante*). Es obvio que semejantes elipsis prevalezcan en el lenguaje hablado.

Comenzaré por algunas a b r e v i a c i o n e s   a r g ó t i c a s [7] que se oyen con particular frecuencia, empezando por los nombres de pila [8]. Purificación se abrevia en *Puri;* Encarnación en *Encarna;* Leonor en *Leo;* Federico en *Fede.* Debe notarse la dislocación del acento que aún más señaladamente se muestra en *Feli,* de Felisa; *Bartolo,* de Bartolomé [9]. Purificación, Leonor

---

[7] Véase también RAFAEL LAPESA, ob. cit., pág. 296.

[8] Véase JOSEF STRATMANN, «Die hypokoristischen Formen der neuspanischen Vornamen», Colonia, 1935, y V. GARCÍA DE DIEGO, «Lingüística», ob. cit., pág. 163. RAFAEL LAPESA, en «La lengua desde hace cuarenta años» («Revista de Occidente», año I, 2.ª ép., núms. 8 y 9, pág. 202), menciona: *Rafa, Sole, Doro,* etc. Además: A. RABANALES, ob. cit., págs. 207-208, y AURA GÓMEZ, págs. 148 y sigs. Por fin, JOSÉ JOAQUÍN MONTES en BICC, 1966, págs. 156-71, «Apuntes sobre el español en Madrid», y «Nombres apocopados»: *Maritere* (= 'María Teresa'); *Seba* (= 'Sebastián'). Además: El *Preu* (= 'curso preuniversitario'); *cien por cien* (= 'cien por ciento'). Véase sobre todo la excelente disertación doctoral de ELMAR ULLRICH, «Die marianische Advokation und ihre Funktion als Personalname im Neuspanischen», Würzburg, 1965. A las formas hipocorísticas nos parece oportuno añadir abreviaciones como *la Teo* (= 'Teodora'), *la Leo* (= 'Eleonor'), *la Filo* (= 'Filomena') y otras muchas.

[9] De *Bartolo* se ha formado la locución adverbial *a la bartola* 'sin ningún cuidado, indolentemente', muy usada con los verbos *echarse, tenderse* y *tumbarse (como un Bartolo* 'de modo rústico'). *A la bartola* es formación humorística modelada sobre la pauta de *a la inglesa, a la fran-*

y Federico tienen siquiera un acento secundario sobre la primera sílaba, que se convierte en el principal de la abreviatura; pero hay un cambio radical en la acentuación de *Feli* (Felisa) y *Bartolo* (Bartolomé). Igual sucede con *coci* (= cocido), el (la) *peque* (pequeño); *la propi* (= propina); la Bombilla madrileña (antiguo lugar popular de diversión) queda reducido a la *Bombi*. *Combinación*, frecuente entre jugadores de azar ('composición de varias posturas considerando todas las posibilidades'), se convierte en *combina*, y en esta forma se generalizó hace años en el lenguaje coloquial de Madrid: *este tío me ha estropeado la combina* ('todo el plan'; comp. fr. «la combine»); recientemente *combina* se ha quedado reducido a *combi*, tal vez por el otro significado de *combinación* = 'prenda interior femenina'. Tan curioso tratamiento del acento sospecho que deba atribuirse a influjo culto (acaso estudiantil).

Aparte de las formas apocopadas de términos técnicos, propias también de otros idiomas, como *la moto* (motocicleta), *la foto* (fotografía), *la radio* [10] (radiodifusión), *el auto* [11] (en fran-

---

cesa, etc., en las que originariamente hay que sobreentender *manera* o *guisa*.

[10] Emilio Lorenzo hace notar el peligro que supone la abundancia de femeninos apocopados en -*o*, pues amenazan con borrar el sentido normativo de masculino que tiene esta terminación; hecho, además, incrementado por los muchos nombres de mujer así acabados y procedentes de los que se dan a la Virgen: popularm. *la Socorro* (de la Virgen del Socorro), *la Sagrario*, *la Amparo*, etc. (Véase la interesante y valiosa disertación, citada en n. 8, de Elmar Ullrich.) Es notable que el v u l g o, a quien le disuenan palabras que terminan en -*o* con género femenino, en vez de *l a radio*, *l a foto* y *l a moto*, diga *e l arradio*, *e l afoto* y *e l amoto* (R. Carnicer, Nrl, pág. 259). (E. L., «Notas sobre la morfología del español actual», en «Estudios dedic. a Menéndez Pidal», VI, 1956, págs. 65-76.) Para el fenómeno inverso (subst. de género mascul. con terminación -*a*) véase aquí pág. 318, n. 218; añado: *acusica* (= acusón) y el muy difundido *caradura* cit. por R. Lapesa, ob. cit., pág. 202, hoy también argóticamente abreviado: C 40 *Es un c a r a*. En F. Ávalos (ob. cit.) encuentro: —*Ella no piensa más que en componerse... y él tan fresco.* —¡Q u é c a r a m á s d u r a! (pág. 96); más adelante: —*Mi cuñado es u n c a r a d u r a*. Y, por fin: (ex-querida al ex-amante): —¿*Recordarás... que me habías jurado amor eterno?* (El ex-amante): —*Claro que lo recuerdo, y en las mismas circunstancias, volvería a jurártelo.* (A lo cual dice la

cés, de género femenino, correspondiente al de «voiture»), *el
cine* (cinematógrafo), *la tele* (televisión), citaré *la poli* (la policía) al lado de la *bofia* (FJ 71), frecuentísimo sobre todo entre
gente de mal vivir. Debido a la homonimia con la *Poli* (del
nombre de persona Policarpa), se produce un gracioso malentendido con «¡que viene la Poli!» en «La tragedia de la viña
o El que no come la diña», de MUÑOZ SECA. *Ridículo* se acorta
en *ridi* en el modismo tan corriente [12] *hacer el ridi* 'representar

---

interlocutora:) —*C a r o t a* (pág. 207), evidentemente aumentativo de
cara (= caradura). A propósito de *cara(dura)* véase también TOMÁS SAL
VADOR, ob. cit., pág. 147. Un ejemplo de M. DELIBES, CHM, pág. 66, donde
la protagonista, despellejando a unas «amigas», dice: [...] *nos enseñaban
cuadros con mujeres desnudas; venga de comentar, «éste está muy bien»
o «éste es una maravilla de luz», ¡l a m u y c a r o t a!* A este propósito
cito el interesante artículo de SIMÓN CABIDE publicado en «Estafeta literaria (Papeles para un argot de hoy)», titulado «Cara»: la locución *tener
la c a r a dura*, humorísticamente ampliada: *tener la c a r a de cemento
armado* o *de cemento Portland*, quedó más tarde apocopada en *ser u n
c a r a*. «Luego, dice a continuación, el adjetivo *dura* se convirtió en el
de cantidad *mucha*. [...] Esta sustitución de la c a l i d a d por la c a n
t i d a d es una operación puramente poética que el pueblo ha realizado
insensiblemente —yo diría «inconscientemente»— ignorante siempre de
sus g r a n d e s d o t e s i n v e n t o r a s, e x p r e s i v a s, l í r i c a s».
(Véase también mi libro «El humorismo en el español hablado», pág. 84.)
El proceso de llegar desde el explícito *tener la cara dura* al implícito y
escueto *cara* lo realiza, de una parte, la pereza expresiva, simplificadora
de unos, y el poder sintético, metafórico, de otros. Para *u n acusica* véase
TOMÁS SALVADOR, ob. cit., pág. 165. Añadimos *u n quejica* (ibid., pág. 234)
y el vulgar: *es u n mierda; son u n o s mierdas* (ibid., pág. 63); *ya están
aquí e s o s mierdas* (ibid., pág. 62).

[11] Advertimos que *auto*, en español, se usa con menos frecuencia que
la misma voz en francés y alemán. Al lado de *coche*, es más corriente
automóvil que la forma apocopada, a diferencia de *automobile* y *automobil* hoy anticuados. A este propósito mencionamos *el haiga* = 'automóvil de lujo', forma originariamente humorística remedando la frase
del nuevo rico inculto: *(quiero) lo mejor que «haiga»* (véase M. MUÑOZ
CORTÉS, ob. cit., pág. 17).

[12] Frecuencia que se explica por el modo de ser del español de todas
las esferas sociales, tan preocupado de su honra y dignidad que el temor
a hacer el ridículo juega en su vida un papel importantísimo. De ahí
tantas expresiones con la idea de 'tomar a chacota y burla': *burlarse,
guasearse, pitorrearse, cachondearse, chotearse, hacer chacota, mofarse,
rechiflarse, chuflarse, chunguearse* (y *chungarse*), *chancearse, tomar el*

un papel desairado, quedar mal'. De *milicia* se hace *la mili;* estar de soldado se dice familiarmente *estar en la mili.* Los estudiantes llaman *preu* al curso preuniversitario, y *cole* al colegio. El periódico *La Correspondencia de España* era designado por *La Corres.* De *superior* queda *súper* (véase pág. 337). El plato nacional, *el cocido,* quedó reducido a *coci, la comisaría* a *comi, la taquimecanógrafa* a *taquimeca.* Según EMILIO LORENZO (op. cit., pág. 20) estas tres apócopes resultan hoy algo anticuadas. Del argot escolar recuerdo *profe* (= 'profesor') y *mate* (= 'matemática'). En MARTA PORTAL, «A tientas y a ciegas» (Barcelona, 1966), pág. 150, leo: [...] *en clase de p á l e o* (= 'paleografía').

Ya mencionábamos como otra apócope muy frecuente hoy, *cien* (= 'ciento'), que antiguamente se empleaba sólo a n t e sustantivos (*c i e n casas, c i e n kilos,* etc), al igual de *primer* y *tercer* piso. En cambio se decía únicamente, p. ej., *página ciento,* y sólo más tarde, hoy casi exclusivamente, *página c i e n,* lo mismo que, en lugar de *cien por ciento,* se prefiere hoy, p. ej. *un francés cien por c i e n* a *un fr. cien por ciento, un individualista cien por c i e n,* etc. Dice RAMÓN CARNICER (Lh, págs. 103 y sigs.): «[...] hay una evidente tendencia a abandonar la forma *ciento* (exceptúanse desde luego las c i f r a s c o m - p u e s t a s *c i e n to uno, c i e n t o tres, c i e n t o quince, c i e n - t o ochenta y seis,* etc., etc.)».

La coexistencia de *títere* y *titiritero,* ambos con la misma significación 'acróbata', podría inducir a pensar que *títere* fuera la forma apocopada de *titiritero.* Sin embargo, no es así, sino que *titiritero* se deriva de *títere* (que originariamente significa 'marioneta'), igual que *panadero* viene de *pan.* Junto a *titiritero* existe también la forma esperable *titerero* con la misma significación. La evolución semántica de 'animador de guiñol' a

_____

pelo, etc. (Véase J. CASARES, «Diccionario ideológico de la lengua española», Barcelona, 1941, págs. 76-77) y las numerosas que indican la idea de 'reírse fuertemente' (ibid., pág. 155, y aquí cap. III, págs. 268-69). A los infinitivos citados (burlarse, guasearse, etc.) corresponden como sustantivos: *burla, guasa, pitorreo, cachondeo, choteo, mofa, (re)chifla, chufla* y *cuchufleta.*

'acróbata' (ambos, gentes de feria) no ofrece especial dificultad. Se comprende con igual facilidad que el pueblo dijese en vez de «vienen los titiriteros», simplemente *vienen los títeres*, y de manera análoga, que *títere*, debido a esta identificación, pudiese acabar por asumir la significación de 'acróbata'. La significación originaria 'muñeco de guiñol' explica los frecuentes modismos: *echar los títeres a rodar* (DA), 'provocar abiertamente un rompimiento con alguien'; *no dejar títere con cabeza* (DA) 'destrozarlo todo' (aludiendo sin duda al encuentro de don Quijote con Maese Pedro). *No quedó títere con cabeza* 'no quedó nada (o nadie) sano'. *Títere* se llama también a quien se deja gobernar y mandar por los demás. Un caso parecido es el del moderno *tinte* con la significación de *tintorería: echar un traje al tinte*. Lo curioso es que *tinte* coincide con la voz literaria en *un ligero tinte rojizo*, que se escribe, pero no lo diría el pueblo; en cambio *echar al tinte una prenda de vestir* es de uso general.

Al estudiar las «verdaderas» elipsis [13], siempre conviene preguntarse si en la conciencia lingüística actual son sentidas aún como omisiones o si ya se trata de formas sintácticas fijas. Por lo que respecta a estas últimas, sería casi siempre baldío cualquier esfuerzo por investigar cuáles hayan sido originariamente las formas completas. Pero es que para la conciencia lingüística actual, o sea la que para nuestro objetivo ha de importarnos exclusivamente, no interesa en absoluto si, verbigracia, en *tomar las de Villadiego* se debe sobreentender, según opinan algunos, *calzas* o bien *alforjas* u otro sustantivo por el estilo (comp. más arriba, pág. 276). Dilucidar esto incumbe a la lingüística

---

[13] Sobre la noción de elipsis tratan extensamente Gustav Krüger, en «Arch. f. d. Stud. d. neuer. Spr.», ts. 108-109 («Die Auslassung oder Ellipse»), y K. Vossler, en su «Sprachphilosophie», pág. 162, quien quiere eliminarla por completo de las gramáticas y darle sólo una justificación estilística. Georges Galichet dice algo parecido: «l'on ne doit recourir à l'ellipse, qu'en dernier ressort, lorsqu'il faut absolument dégager un terme implicite pour rendre la phrase compréhensible ou faire apparaître la fonction de tel ou tel terme, et cela sans que la nature de la phrase soit changée» («Essai de Grammaire Psychologique», Presses Universitaires de France, 1950, pág. 192). Y, finalmente, véase V. García de Diego, «Lingüística», págs. 158 y sigs.

histórica, lo que rebasaría los límites de un trabajo de psicología lingüística como el presente, que d e s c r i b e la situación a c t u a l de la lengua. (Véase BALLY, obra citada, pág. 98). Permítaseme añadir como elipsis a u t é n t i c a : *estar en la Modelo* (= 'la cárcel Modelo de Madrid').

A unos s u s t a n t i v o s f e m e n i n o s s o b r e e n t e n d i-d o s se refieren innumerables locuciones en las que tal vez incluso originariamente tal sustantivo estaba sólo «aludido». Y es que el objeto pronominal *la (las)* está sentido muchas veces tan sólo como una especie de neutro [14]; por ejemplo, OM 16 *Ya sabes tú cómo yo l a s g a s t o* (piénsese en el giro *gastar unas b r o m a s muy pesadas)*. Ibid. 18 *Ahora las va a pagar todas juntas* (complétese con sustantivos como por ejemplo, *las fechorías, herejías, faenas,* vulgar *cabronadas* y análogos... *que ha hecho)*. Aquí recuerdo los corrientísimos *pagar el p a t o* y *pagar los c r i s t a l e s r o t o s*. En el caló hondureño *pato* significa 'el tonto de la fiesta' y en Centroamérica, según H. SCHNEIDER (ob. cit., pág. 234), 'persona sencilla, víctima'. Una amenaza muy corriente dice: *Ya me las pagarás todas juntas. Traérselas* significa 'ser de cuidado o de gran dificultad'; por ejemplo: *Las declinaciones en alemán s e l a s t r a e n*. Sería completamente incongruente pretender completar este giro archipopular con una voz literaria como *dificultades,* si bien como idea vaga debe de haber presidido algo por el estilo la formación de la frase VM 34 ...*el contrincante es un espadachín que s e l a s t r a e*... ('peligrosísimo'). VM 21 *El tío s e l a s t r a e* ('es de cuidado'). En EMH 59 dice Mariano (por un trío de matones cuya aparición en la sala de juego no le deja presentir nada bueno): ...*vienen con l a s* (aquí cabe pensar en conceptos como *ganas* [15], *intenciones,* etc.) *d e C a í n* ('con las peores

---

[14] Véase también el trabajo históricamente fundamentado de M. SANDMANN, «Zur Frage des neutralen Femininums im Spanischen», *VKR*, 15 (1956), págs. 54-82.

[15] A prop. de *ganas* recuerdo el muy corriente *con ganas* = 'mucho', 'muchísimo', p. ej. *llovía, llueve, está lloviendo c o n g a n a s*. En FJ 31 una joven acomplejada dice: —*Porque soy fea. Fea hasta la desesperación. Fea c o n g a n a s* (= 'feísima'); reforzándose del mismo modo *tonto,*

intenciones'). Equivale a sufrir horriblemente (tanto en lo físico
como en lo moral) *pasar las de Caín,* aludiendo a las angustias
y remordimientos de Caín después de consumado el fratricidio.
Fulano ha hecho una de l a s s u y a s ('una de sus bien conocidas *fechorías, hazañas, proezas, herejías',* etc.). En LC 26 *Me
largo porque llevo l a s d e p e r d e r* ('las (mayores) probabi-
lidades'). *Pegársela* a uno «chasquearle, burlar su buena fe o
confianza» (DA) se refiere tal vez a *mentira, bola* o conceptos
afines (en alemán, «jemandem eine Lüge aufbinden»); también
cabe pensar en *gorra.* JAIME MARTÍN cita: *¿Tan seguro estás que
no te pega la g o r r a ?* (ob. cit., pág. 134). — Otro es el caso en
MP 85 *No l a p e g u e usted con Hilaria, que no tiene la culpa*
('no la tome usted con H...'). Cabe sobreentender aquí el mismo
sustantivo que en el dicho *pegar con uno la hebra,* que no debe
confundirse con *pegársela uno a su mujer* (= 'engañarla con
otra'). En cambio: [...] *es una furcia. L a p e g a c o n el primero que se arrime* (A. DE LERA, «Bochorno», ob. cit., pág. 775).
Pegar la hebra —al lado de *soltar la palabra*— según STEPHEN
GILMAN (ob. cit., pág. 557, n. 37) «describen una modalidad
básica de la expresión oral en 'Fortunata y Jacinta', de GALDÓS».
Más usual es *pagar, pagarla,* o *tomarla* (con alguien). En vez
de CC 40 *Se armó l a g o r d a , un cacao, una marimorena;* se
dice también *la de Dios es Cristo* (o aun solo *la de Dios*) que
se remonta a las disputas teológicas sobre la persona de Cristo
(concilio de Nicea). VS 53 *¡ L a* (sobreentendido *riña, bronca,
gresca, trapatiesta, trifulca, tracamundana)* [16] *que se va a armar!;*
p. ej.: *¡ l a que se armó!.* En «El otro curso», pág. 71, ocurre:
[...] *Luisa chocó con Adelina,* [...] *y por pelos que no se a r m a
l a del siglo.* Sin embargo, hemos visto que los hay también de
género masculino, p. ej.: *Aquel papel poco lucido* [...] *inyectó
en muchas cabezas la idea de a r m a r b o l i n c h e s* (ADRO

necio, antipático, etc. c o n g a n a s (es decir, adjetivos con sentido p e -
s i m i s t a). Huelga insistir en el matiz humorístico de la expresión.
[16] También se dice corrientemente *armar un escándalo* o *armar un
zipizape* (o *...un jaramillo),* pero las formas femeninas (como las expuestas
en el texto) son muchísimo más frecuentes; de ahí la elipsis *armarla*
(= 'armar un escándalo').

XAVIER, OC, Barcelona, 1968, pág. 317). Añado: *a r m á b a m o s el c i s c o p a d r e* («Jarama», pág. 128). Véase también PEDRO GRASES, «La idea de alboroto en castellano», en BICC, VI, páginas 384-430. Hoy es muy corriente también: *se va a armar (se armó) un f o l l ó n* [17] *espantoso o de aúpa.* CC 31 *En mi vida l a s he visto m á s g o r d a s* ('nunca me he visto en una situación tan difícil'), también *me las he visto* (comp. alemán «es kommt knüppeldick»). *Las* corresponde al partitivo francés *en* (en «j'en ai vu...»); *gordas*, hace referencia tal vez a *cosas*, y recuerda la popularísima frase *se dijeron cosas muy gordas.* También a *cosas* se refiere el giro muy corriente *¿conque ésas tenemos?* (OM 13), y frases que evocan estas otras: *¡qué cosas tiene usted!* y *son cosas de papá* [18]. VM 59 *...Le gustan los hombres que saben c o r r e r l a* ('divertirse y juerguearse'); cf. *correr una juerga* [19]. PC 13 *Se l a s d a de leído y escribido* (sic!); lo mismo significa *echárselas:* EUB 39 *M e l a s e c h a r é de fino* [20] ('haré el papel de hombre educado'). M 27 (es un hombre

---

[17] Véase el artículo «Follón» de JULIO CASARES en «Cosas del lenguaje», págs. 68 y sigs.; además (sobre el origen de la palabra) pág. 70. Añado que en lugar del frecuentísimo follón, en conexión con el verbo *armar,* hay infinidad de sustantivos sinónimos: *armar un zipizape, una trapatiesta, una zalagarda, un zuriburi,* todos significando 'una riña' (con sus modalidades), todos ellos reforzables con *del demonio, de mil demonios, de cuarenta y dos mil demonios, de cuarenta y dos mil pares de demonios,* etc.

[18] Otro giro semejante es *ni por ésas: le prometieron darle todo lo que quisiese, aumento de sueldo, toda clase de facilidades, etc.; pues ¡ni por ésas!* (complétese: quería aceptar el cargo).

[19] *Juerga* es la forma fonéticamente andaluza del primitivo *huelga* 'vagar, ocio', luego convertida en palabra independiente con el sentido de 'diversión, orgía', evolución semántica que se explica por el mal empleo de las horas de descanso. Según M. L. WAGNER (véase Res.) *huelga,* ya en antiguo castellano, significaba 'diversión'. Lo que se ha difundido, por lo tanto, por toda España, es la pronunciación andaluza («*juerga*»).

[20] A propósito de *fino.* Se usa no rara vez en sentido irónico: *¡qué fino!* (según en la situación que se diga) puede significar: 'qué descortesía'!, ¡'vaya grosería'!, etc. A un hombre que presume de *fino,* el pueblo ha dado en llamarle un *finolis; el f i n o l i s de tu hermano se cree que el trabajo manual, para él, es afrentoso.* Existe la variante *finústico* con el mismo sentido algo reforzado (= 'exageradamente remilgado').

de corazón) *aunque s e l a s e c h e de inflexible y de hombre
de acero...* LC 23 *No t e l a s e c h e s de filósofa, tú.* (Sobre el
pronombre personal *se* en *echárselas*, véase también SPITZER,
«Stilstudien», I, página 265: «*se* aparece también cuando se
trata de representar un papel..., el que desempeña un papel hace
resaltar su personalidad»). — *La suya* se refiere a *voluntad* en
PC 26 *...se va a salí con l a s u y a* 'va a imponer su voluntad'. VM 73 *Te has salido con l a t u y a.* En VS 41 *Este tío
me trae l a n e g r a ...*, supongo que debe de sobreentenderse
suerte (o más popularmente, *china*) ('la mala suerte'). Lo mismo
significa EMH 78 *Ese tío viene con l a s n e g r a s.* Otro sustantivo, quizá *las penas*, se sobreentiende en M 21: *Pos sí que
habrá pasao l a s n e g r a s.* De *las negras* se deriva secundariamente *las moradas* (Sobejano); significa lo mismo el vulgarismo *pasarlas p u t a s o c a n u t a s* (J. POLO). En la siguiente
frase aparece *china* [21] con el significado citado de 'suerte'. M 81
Le ha tocao l a n e g r a. El DA dice a propósito de *china:*
«Suerte que echan los muchachos metiendo en el puño una
p i e d r e c i t a u otra cosa semejante, y, presentando las dos
manos cerradas, pierde aquel que señala la mano en que está
la piedra». —VM 70 *Yo no l a s t e n í a todas conmigo,* recuerda
el alemán «ich hatte sie (i. e., meine Sinne) nicht alle beieinan-
der». Puede entenderse aquí acaso *potencias, facultades,* etc.
En PC 14 *No me marra* (en vez de *marra* es más corriente
falla) u n a, hay que sobreentender sin duda *vez* 'no me sale mal
ningún negocio', 'logro cuanto me propongo'. Lo mismo habrá
que sobreentender en EMH 46 *Hasta otra (vez).* En ocasiones
otra puede también referirse a sustantivos como *bronca, refriega, riña,* y semejantes, y entonces significa irónicamente
'hasta el próximo escándalo, etc.'. — EMH 43 *Jugador de ruleta
(a un compañero de juego): En cuanto te veo con el triángulo*
(pañuelo) *tremolante, no acierto una* (probablemente *jugada)*
e igualmente en *no da una (en el clavo)* 'todo le sale mal'. —
EMH 60 *Cuando se enteren que te has ido, que estés lejos;
porque si no, salen a alcanzarte y t e l a g a n a s* (en lugar de
esto, también *te la cargas;* vulgarmente, *te la cobras, te la bus-*

---

[21] J. M.ª IRIBARREN, «Tocarle a uno la china», pág. 51.

cas o te la encuentras), se refiere a la *paliza*. —Ibid. 48 *La* (quizá *brega* o *refriega) que le aguarda. ¡Pobre Antoñito!* A este mismo sustantivo o a otro afín como *bronca, gresca*, etc., alude LC 22 *¿Tú sabes l a que he tenido ahora mismo con el portero?* —Ibid. 51 *Pero m e l a s i n g e n i o muy bien con esta farsa del valor;* equivale *ingeniárselas* al modismo tan oído *arreglárselas* (probablemente *las cosas),* que alternando unas veces con *apañárselas* [22] y otras con *componérselas* significa lo mismo que el francés «se tirer d'affaire» 'salir de un apuro': *Yo no sé cómo s e l a s a r r e g l a (apaña).* EUB 35 *Ahora sí que l a h e m o s h e c h o* (entiéndase: *buena; la cosa).* Similar es (y bastante vulgar) *la hemos pringado* 'hemos hecho una gran tontería' (Sobejano). En T. Salvador, ob. cit., pág. 291, leemos: [El clásico sujeto] *l a s caza al vuelo o l a s corta en el aire; éste se l a s sabe todas; ¡a mí con ésas!* (= 'con esas paparruchas no me engañáis'). En P40 de Castillo-Puche, pág. 303: —*¿Cuánto venís a sacar a los desperdicios?,* preguntan a un basurero y éste contesta: —*E s a es o t r a* (= 'esa es otra cuestión'). Compárese: *De ahora en adelante hay que tener cautela; si no, l a p r i n g a s, Trinidad* (Cela, ob. cit., pág. 27). Véanse también Julio Casares, obra citada, págs. 240 y sigs., y S. Fernández Ramírez, obra citada, págs. 165 y 166. También parece que alude a *cosa* VS 58 *...los animales, cuando quieren, lo hacen bien y cuando no, l a d e s c a c h a r r a n...* El frecuente uso de la expresión *meter la pata* [23] 'cometer una torpeza, un desacierto' ha originado la forma elíptica *meterla,* por ejemplo: *la has metido hasta el codo* [24]. Igual sucede con

---

[22] En vez de *apañárselas*, hoy también se dice *apañarse* (s i n las), p. ej.: *ya me a p a ñ o* (= 'ya me las arreglo'); *tenemos que comer menos carne para a p a ñ a r n o s*. En «Jarama», pág. 106, ocurre: *Ya nos apañaremos.* Luis Flórez, en BACol, XVI, pág. 244, cita: —*¿Sabe Usted escribir a máquina? —Me a p a ñ o.* Apuntemos de paso: *fulano está* (o *va) a p a ñ a d o* (o *arreglado)* = 'está borracho'. En cambio: *¡estamos a p a ñ a d o s!* (= '¡buena la hemos hecho!' = 'la hemos pringa(d)o'). Añado: *buscarse, encontrar un a p a ñ o* (= 'una ocupación asalariada para salir del paso').

[23] Véase Beinhauer, «Tier», pág. 15.

[24] Con variantes humorísticas: *(la has metido) hasta el corvejón, hasta el cuadril, hasta la sisa del chaleco* y otras.

el elíptico *la* que se refiere a *borrachera, tajada,* etc. *Ya la ha cogido* (comp. alemán «er hat schon e i n e n sitzen»); *¡la que llevaba encima aquella noche!* (Sobejano). Y análogamente, *dormirla.* Sobreentiéndese *castaña (darle a alguien la castaña =* engañarle) en el popular *a mí no me la das* (a veces se añade *ni con queso).*   .

Este *la,* que se nos ha presentado tantas veces y que tiene en el italiano una equivalencia perfecta, lo designa SPITZER como «femenino neutro», caracterizándolo como «un neutro más íntimo y más familiar que el expresado por la verdadera forma neutra *(lo).* Así pues, el español tiene dos formas de expresión para el alemán «es», una objetiva *(lo)* y otra más familiar y casi diríamos jergal», IU, 152. Lo mismo cabe decir, si bien con mayores restricciones, respecto del francés, sobre todo para el argot: *il fallait la boucler* (sobreentendido «la ceinture») 'había que apretarse más el cinturón'. HENRI BAUCHE, «Le langage populaire», 201.

Las siguientes elipsis, usuales sobre todo en el lenguaje popular de Madrid para designar horas o m o m e n t o s del día o nombres de c a l l e s, no ofrecen duda sobre el sustantivo que se ha de sobreentender. NV 25 *...al llegar al Campillo del Mundo Nuevo, y a la (hora) que atardecía...* Ibid. 33 *...a la que amanecía.* La construcción *a la que* llega a ser casi totalmente equivalente a *cuando.* Ibid. 36 *...a l a q u e* (cuando) *ponía yo el farolillo en la valla de la obra...* Ibid. 40 *A l a q u e* (= cuando) *subía yo por la (calle) de Embajadores...* Ibid. 59 *Pos, a l a q u e* (= cuando) *bajábamos d'arriba...* También en el «Quijote» aparece *l a* [25] *d e l a l b a sería cuando Don Quijote salió*

---

[25] Según RODRÍGUEZ MARÍN (edic. coment. del «Quijote», Madrid, La Lectura, 1922, t. I, pág. 112, n. 4) ese *la* se enlaza inmediatamente con *hora,* palabra con que acababa el capítulo anterior. Partiendo de ahí, dice, los malos escritores habrían generalizado disparatadamente después la forma *(a la del alba).* Con todo, extraña que la elipsis *a la que* (= 'cuando'), como muestran los muchos ejemplos que he citado de los saineteros, pertenezca al lenguaje coloquial; o, mejor, haya pertenecido a él, pues actualmente es poco usada (Sobejano). Sin embargo, ocurre también en GRACIÁN («Crit.», I, 2): *abrí los ojos a la que comenzaba abrir el día.* (B. SÁNCHEZ ALONSO, ob. cit., pág. 224.)

de la venta (I, 4). — En el lenguaje vulgar de Madrid se ha generalizado también la elisión de *calle*. NV 25 *...Nosotros echamos a correr por la* (calle) *de Arganzuela.* O bien queda eliminada la preposición y se oye la *calle Valencia,* la *calle Toledo* (incluso en boca de los cultos). La *calle de Alcalá* en el lenguaje de gentes incultas se oye pronunciar a veces *calcalá.* Advertimos, sin embargo, que, rigurosamente hablando, se trata aquí más bien de un fenómeno puramente fonético: ya muy relajada la *(d)* de la preposición (en *calle de...*), una vez suprimida del todo, la *(e)* se funde con la *(e)* final de *calle: calle(e) Valencia* [26].

---

[26] E. Lorenzo habla de la «cada vez más frecuente pérdida de la preposición *de*» (pág. 30). Creo que la explicación del fenómeno estriba en lo dicho arriba. Dos ejemplos de «La camisa»: *¿Tiés un cacho pan?* (36). —*Tráeme agua y un cacho esparadrapo* (46). F. González Ollé, en «El habla de la Bureba», corrobora mi suposición arriba manifestada, al decir: «Ocurre con frecuencia la pérdida de la preposición *de* por motivos... de f o n é t i c a sintáctica: *un litro vino, el juego pelota».* Ramón Carnicer, en el capítulo titulado «Preposición *de*», de su libro Lh dice: «Por irradiación del centro de España, y más concretamente de Madrid, se advierte la pérdida de esta preposición *(de)* como enlace entre continente y contenido y entre cantidad y materia: *una copa coñac, un pedazo pan, un kilo peras; calle Alcalá, plaza Cataluña.* Hay abundancia de ejemplos en Sánchez Ferlosio, op. cit. También a Luis Flórez le llamaba la atención esta pérdida de [d] intervocal: *el campo fútbol, la plaza toros, un cacho pan,* etc. (BACol, XVI, pág. 241). Véase sobre todo Rafael Lapesa, «Hist. de la lengua española» (3.ª ed., pág. 291, y n. 2). En «Jarama», pág. 56, ocurre incluso: [vendrá a costar] *de treinta a cuarenta billetes, d e p e n d e e l u s o,* es decir que aquí el [de] ante *el uso* (en vez de *d e l uso*) no es copulativo. Trata del mismo fenómeno en «Dos errores frecuentemente cometidos por hispanohablantes de tipo medio de educación» Eduardo Prado, en «Yelmo», págs. 37 (38), y a continuación: Juan Fonseca, «Darse de cuenta», en «Yelmo», pág. 38. Además: Emilio Náñez: «Construcciones sintácticas del español» (Santander, 1970, pág. 88). En F. Candel «Pueblo», pág. 211, observo dos veces consecutivas la supresión de la preposición copulativa: —*Oye, dame una b o t e l l a c o ñ a c m a r c a.*
A propósito de preposiciones y recordando las llamadas «compuestas» (por las gramáticas al uso), echo de menos en todas ellas: *en plan de* y *a base de,* ambas frecuentísimas de unos decenios acá. P. ej. *un artista viene anunciado e n p l a n d e célebre; fulano trabaja en una fábrica e n p l a n d e meritorio.* —*Componer un programa a b a s e d e música clásica; hacer un premioso discurcejo a b a s e d e lugares comunes;* en

El llamar al marido *el mío* o *el tuyo*, como hacen las coma-
dres de Madrid, refleja, en mi opinión, cierto sentimiento de
comunidad de destinos. NV 13 *Que no, le dijo a l m í o* (en vez
de... *a mi marido*, o más vulgarmente: *a mi hombre*). Ibid. 22
¿Y te cocinea e l t u y o ?
    Algunos c a s o s p a r t i c u l a r e s. SC 36 *La pobre es tuer-
ta del* (sobreentendido *ojo*) *derecho*... El premio mayor de la
lotería se llama generalmente *el gordo;* los vendedores ambulantes de billetes tratan de atraer a los clientes pregonando:
(traigo) e l g o r d o o o e l g o r d o para mañana. — SC 26 *Como
hoy hay* (sobreentendido: *platos) extraordinarios, no me fío de
la muchacha.* — En M 56 *Don Leonardo (hablaba) bien (de
usted) y yo le llevaba l a c o n t r a r i a* ..., se ha de entender
la corriente. El caso inverso ocurre en QNSF 74 ...*l l é v a l e
l a c o r r i e n t e* ('hazle lo que pide') y *luego ya veremos.* El
eufemismo *estar, quedarse una mujer en e s t a d o i n t e r e-
s a n t e* aparece con frecuencia abreviado suprimiéndose el adjetivo: —*Y mi novio dice que ya no usemos nada, que si quedo
en e s t a d o, pues él se casa* («Colmena», pág. 140). — NV 63
...*tomó u n (billete de) t e r c e r a (clase) pa Buenos Aires.* Además se abrevian las denominaciones de hoteles, teatros, cines
y cafés conocidos: *Vamos al* (hotel) *Palace; al* (teatro) *Español;
al* (café) *Gijón; al* (cine) *Capitol.* Sin embargo, se dice *vamos
a l a Comedia,* en vez de *vamos al* (teatro de la) *Comedia,* como
debería esperarse; y como ocurre en *vamos al* (teatro) *Infanta
Isabel,* al *María Guerrero,* al *Beatriz,* etc.
    Los músicos de una orquesta son designados en el lenguaje
profesional según sus instrumentos: *el violín*[27]*; el viola; el
flauta; el chelo; el clarinete; el oboe; el batería; el saxo,* etc.

España se guisa *a b a s e d e aceite. A b a s e d e* alude al elemento
fundamental de algo compuesto.
    [27] Se llama *violín*, por lo común, al músico que forma parte de una
orquesta, y *violinista* al virtuoso concertista. Igual diferencia hay entre
violoncelo (violonchelo) y *violoncelista.* La actividad correspondiente se
expresa por *tocar: t. el violín, la flauta,* etc. *Tocar el violón* es, además,
un modismo: 'decir o hacer tonterías', 'pasar ocioso el tiempo'. P. ej.,
*¡Bueno, y tú qué haces todo el santo día! ¿Tocando el violón, eh? ¡Muy
bonito!* (Sobejano).

(Véase también KRÜGER, «Einf.», pág. 34). — Igual que en otros idiomas románicos, en español las distintas clases de trenes son designados con sólo el determinativo correspondiente = *el* (tren) *rápido*, también *el* (tren) *exprés;* al (tren) *correo* y al (tren) *mixto* ('que transporta personas y mercancías') se le llamó también festivamente *botijo* (véase arriba, capítulo III, pág. 338 y nota 281). *La central* puede significar, a más de *estación central*, la central de una casa comercial por oposición a *sucursal*. También se llama *central* a las de Teléfonos y Telégrafos. Otros ejemplos de «elipsis» auténticas: *un* [sobr.: coche de] *turismo*, de uso general; *la Benemérita* [sobr.: guardia civil], de uso preferentemente periodístico, al igual que *el respetable*, alusivo al vocativo *respetable público:* con que el locutor de un circo, varieté, etc., se dirige a la concurrencia para anunciar o comentar los diferentes números del programa. Se ha especializado en el ámbito taurino.

El *guardia* (policía) representa originariamente una elipsis: *el de la guardia;* el plural *los guardias* muestra que hoy no se siente ya como tal elipsis. Se distinguen *los* (guardias) *civiles* y los *municipales* (o *guindillas).* Como los guardias civiles hacen su servicio siempre de dos en dos (para poderse ayudar mutuamente en caso de necesidad), el pueblo los llama *la pareja: ¡Que viene u n a p a r e j a!* A los vigilantes del tráfico urbano, el pueblo los llama *guardias de la porra*, por este adminículo que les sirve o les servía, según los sitios, para indicar la dirección o dar el alto; también, con término más breve, *el porrita*, así como *guardia urbano* y *guardia de la circulación.* Lo de *porrita* es un ejemplo del origen de los apodos, de los que vamos a tratar a continuación. La designación oficial del guardia urbano es «guardia del orden público». De ahí que también se les llame elípticamente *los del orden* (PASTOR Y MOLINA, pág. 62).

Para terminar este párrafo sobre elipsis «auténticas», vaya esta observación de índole general: donde con más frecuencia se dan es, naturalmente, en el hablar más cotidiano, por la simple razón de que éste va continuamente apoyado y aclarado por la concreta situación respectiva en que se hallan hablantes e interlocutores, circunstancia que favorece un lenguaje a base

de meras alusiones y constantes abreviaciones, ininteligibles
cuando desgajadas de dicho conjunto. Baste con este solo ejemplo de F. Candel, «Pueblo», pág. 209: [Un tal Antonio, supuesto
ganador de un premio literario, ha recibido a tres periodistas,
uno de los cuales, amigo suyo, le presenta los otros dos]
—*Aquí, dos amigos míos* [...] *Puede creérseles* (a ellos) [que
ha ganado usted el premio]. *¡Iba estar yo aquí si no!* (=
'¿*c ó m o iba a estar yo aquí s i n o f u e r a v e r d a d ?*').

Apodos o motes. — El *Copitas* procede de 'el de las copitas'
(relativas a un suceso sólo conocido por el iniciado); 'el de la
joroba' *(chepa)* da *el joroba, el chepa.* En Z 9 tenemos *Patas
Cortas* 'el de las patas cortas'; los mozos de cuerda son llamados
festivamente *soguillas* ('el de la soguilla'); el *botones* 'muchacho
que hace los recados' es 'el chico de los botones' (por los de su
uniforme). Es distinto el caso de la apócope *el limpia,* por
limpiabotas. Característico de los motes propiamente dichos
es que su sentido sólo puede ser entendido por los iniciados,
conocedores o sabedores de la situación a que el sobrenombre
debe su origen. «Tales apodos definitivos, si por un lado tienen
la ventaja de no ser entendidos por los no iniciados, por el
otro dan una nota de familiaridad entre aquellos que conocen
su génesis, sabiendo apreciar el acierto con que se pusieron.
Al usar el apodo en su presencia, el hablante les da a entender
que los considera como pertenecientes al estrecho círculo de
los íntimos [28]. Por otra parte con la frecuencia del uso el apodo
va perdiendo más y más su matiz ingenioso y festivo [29]; al igual

---

[28] Suponen la misma intimidad expresiones como *ahí va ése* ('ya
sabes quién'). Entre estudiantes *el tío* designa al dueño de la casa de
empeños: *Mi abrigo está en casa del tío* 'empeñado'. —*Por ahí* significa
'de juerga' entre los jóvenes de vida alegre: *Fulano ha estado por ahí* =
'F. ha estado de juerga'.

[29] Luis Flórez, ob. cit., pág. 47, acentúa la función del humor en la
formación de apodos y sobrenombres. Recordemos también el conocido
hecho de que muchos apellidos originariamente fueron motes, p. ej.,
Cojo, Cabezón, Orejón, etc. Véase a este propósito también Aura Gómez,
págs. 153 y sigs.

que las blasfemias, una vez estereotipados, pierden cada vez
más de su efectividad» (SPITZER, IU, 147). OM 49 Dolores: *Era
el mismo que asedió este verano a Mercedes, nuestra sobrina.*
—Silverio: *¡E l d e l t i e s t o!* Dolores estuvo a punto de alcanzar en la cabeza con un tiesto al cortejante de que se habla.
A ello alude *el del tiesto,* inteligible sólo para el que conoce el
incidente. En las descripciones de personas, las respectivas características revisten a menudo esta forma de genitivo objetivo:
el del puro, el de las gafas, la de la bata azul, etc. (Véase también
KRÜGER, «Einf.», pág. 19; FERNÁNDEZ RAMÍREZ, pág. 273, y A. RA-
BANALES, ob. cit., págs. 275-276.)

La elipsis del verbo corresponde frecuentemente a una necesidad de expresión más gráfica y concreta. «La nominaliza-
ción mediante la elipsis del verbo —dice SPITZER en IU, 160—
desplaza el centro de gravedad de la frase sobre los portadores
de la acción, es decir, sobre los sustantivos de la frase, per-
maneciendo latente o sólo en segundo término, lo abstracto, la
acción.» QNSF 16: *¿Y qué pasó anoche después de marcharnos
del cine?* —Eugenio: *Un océano de lágrimas, imprecaciones,
ataques de nervios, insultos contra ti, ¿no te chillaron los oídos?*
Aquí lo que le interesa al hablante no es que algo ocurriera
ni tampoco cómo ocurrió, sino únicamente el contenido concreto de lo ocurrido. M 57 Leonardo (al tío Jeromo, obrero que
acaba de despedir): *Puede usted retirarse.* —Tío Jeromo: *¡Eso
es! ¡Como un perro! ¡A la calle un obrero honrado!* Aquí también son omitidos los diferentes detalles de la supuesta injusticia sufrida sin ningún verbo que los una. Ibid. 25 Salvador:
*Las vuertas que da er mundo. En cambio, por ti no pasan días:
sigues tan guapa* (sobreentendiendo, *como siempre*). —Malvaloca: *Tus ojos. Y er cuartito de hora después de lavarme.* Las
dos razones por las que ella le parece tan joven a su amigo se
aducen prescindiendo de toda determinación: 'tus ojos (te lo
hacen creer); y además es que sólo hace un cuarto de hora que
me lavé'. Aquí no hay elipsis en el sentido gramatical. Los ejemplos citados caen más bien dentro de los casos recogidos arriba,
págs. 370 y siguientes.

A continuación van sólo algunos de los más frecuentes casos de elipsis verbal, más o menos estereotipada. Así, por ejemplo, en las siguientes oraciones de sentido negativo (cf. más arriba, pág. 224) suele omitirse el verbo. LP 38 Antón: *Es que ella y yo nos queremos.* —Juan: *Pues c o m o s i n o* (sobreentendido *os quisierais),* es decir: 'me da igual'. QNSF 16 *Toda una enciclopedia de mentiras le conté, pero c o m o s i n o (se las hubiera contado)* ('todo fue inútil', 'no se dejó convencer'). VS 33 *(Se lo he dicho mil veces) pero c o m o s i n a d a (hubiera dicho).* (Dos torerillos novatos comentando la posibilidad de ser contratados): —*¡Quién sabe!* —dijo uno de ellos— *A mí me ocurrió aso alguna vez. Pero c o m o s i n o* [sobreent. *me hubiera ocurrido].* (A. M.ª DE LERA, «Los clarines del miedo», op. cit., pág. 316.) El mismo tipo ocurre también con verbo: LC 35 *Oigo, sí; pero c o m o s i n a d a o y e r a*[30]. En todos estos casos el centro de gravedad recae en la negación, frente a la cual el verbo pierde importancia. Así se explica también EUB 52 *...acabo de decir a los doctores que herejías* ('curas violentas') *con mi sobrino, n o* (sobreentendido: *las consiento).* — Ciertas oraciones condicionales negativas con *si no* también carecen de verbo. CC 36 *Y gracias a que le dije que nos volviéramos... porque s i n o* (sobreentendido: *se lo hubiera dicho), me paso dos horas apeándome contra las reglas de la equitación...* Ibid. 36 *Marchemos pronto porque s i n o (marchamos) nos van a matar a palos...* Difiere de este tipo CC 12 *Las mujeres comprenden perfectamente todo lo que expresamos con nuestras miradas. Dígalo s i n o* (lo crees) *Petronila* ('si no lo crees, P. puede atestiguarlo'). Otro es el caso de *sino* (escrito en una sola palabra) + *que* unido a una elipsis precedente. M 11 *Y usté lo sabe tan bien como yo* (no pasa) *s i n o q u e se gosa* (= goza)

---

[30] Lo notable de esta expresión es que, a diferencia de lo que suele suceder en el habla cotidiana, aquí *nada* precede al verbo, que es el tipo preferido de la lengua literaria o refinada: *nada oigo* (culto) frente a *no oigo nada* (familiar). Lo mismo vale para *nunca,* voz que en el lenguaje coloquial no suele anteponerse al verbo más que en el tipo citado: P 29 *Retiro mi palabra y como si n u n c a nos hubiéramos conocido.* La sencilla explicación del fenómeno es que sólo con las negaciones *(nunca, nada)* antepuestas se hace posible la elipsis.

en oírme... 'usted lo que quiere es oírme hablar'. EMH 66
*Pero él es bueno, (no pasa) s i n o q u e a veces los hombres
más buenos tienen que hacer cosas que parecen malas.*

La construcción *por si* + verbo ('para el caso de que' +
verbo), por ejemplo QNSF 23 *Como siempre tengo la orden de
negarle p o r s i viene a cobrar,* ha dado lugar a una expresión
elíptica estereotipada: *por si acaso* 'en prevención de lo que
pueda ocurrir'. VM 18 *Es que el señor dijo al señorito Guillermo que el té de esta casa no sería tan bueno como el que ellos
traen de Inglaterra y lo están tomando allí p o r s i a c a s o ...*
Ibid. 8 Marqués: *¿Y crees tú que habrá dado a Víctor nuestro
recado?* —Fabia: *P o r s i a c a s o yo encargué a tu hijo Álvaro que dijese...* etc. *Por si acaso* está gramaticalizado, el
acento principal recae en *acaso.* Como variante humorística se
oye frecuentemente *por si las moscas* (ahí de la imaginación
de cada uno para representarse de qué puedan ser capaces las
moscas), por ejemplo: *he dejado cerrada la puerta del des-
pacho p o r s i l a s m o s c a s .* En vez de *las moscas,* hay
otra variante humorística: *(por si) l o s b u i t r e s* (J. Polo).
Véase también: R. Carnicer, Nrl, pág. 145.

Las frases interrogativas se introducen frecuentemente por
un *¿qué?* proléptico que hay que completar con un *es* o un *hay.*
EMH 11 *¿ Q u é , te vas al taller?* (Compárese italiano «che, hai
paura?», citado por Spitzer, IU, pág. 215.) Ibid. *¿Y q u é , la
habéis ganao?* Ocurre también, aunque con menos frecuencia,
con el verbo: EMH 40 *¿Y q u é e s , que te has quedao sin
naa?,* pregunta en cuya forma ya se anticipa la respuesta: *es
que me he quedao sin naa.* (Véase capítulo I, pág. 125.)

Es estereotipada o poco menos, la fórmula elíptica *bueno,
¿y qué?* [31] (completar: *importa; —más da; —tiene que ver*).

---

[31] Eugenio Noel, en su libro «Pan y toros», que encierra una dura
crítica del carácter nacional español, señala la construcción citada, aunque en otro contexto, como típica de la indolencia de su pueblo: «En
1553 un español llevó a la República Argentina siete vacas y un toro. De
veintiséis millones pasan las cabezas de ganado vacuno que hoy posee esa
República. *Bien ...¿y qué?* Os ruego que no extrañe este comentario, porque es perfectamente español. Cuando un español lee un dato estadístico
de esos que en una o dos cifras concretan el estado de un país; cuando

¿A mí qué? (sobreentendido: *me importa* o *más me da*). EMH
36 *Que, últimamente* ('en fin'), *que esté usted dos años u* (sic)
tres sin pagar, ¿a m í q u é ? (complétese: *me importa*). OM 49
Dolores: *...Le hice creer que llegabais en aquel momento y le
obligué a ocultarse en ese armario.* —Silverio (con la mayor
tranquilidad): *Bueno, ¿y qué?* (= *¿qué tiene de particular?*).

La españolísima afición a los juegos de azar, especialmente
a las apuestas, explica el que de la frecuente pregunta *¿cuánto
va*[32] *a que...?*, haya podido nacer la fórmula elíptica *¿a que...?*
(pasando por *¿va a que...?*). SC 23 *¿A q u e le gustan a usted
también las vecinitas?* EMH 27 *¿A q u e no sabes quién es,
papá?* Ibid. 72 *Que no puedes vivir sin tu morucha*[33], *¿...a
q u e no?* En muchas coyunturas este *¿a que no?* se ha de
equiparar a una negación afectiva a la que se opone como
afirmación *a que sí.* MP 93 Celso: *Lo que es yo, estoy dispuesto
a complacerla a usted en todo esta noche.* —Quica: *¿A q u e
n o ?* —Celso: *¡A q u e s í !*[34].

---

un español lee una idea fundamental encarnada en un guarismo, su
comentario es: *bien ...¿y qué?*». Muy frecuente: *¿Y qué tiene que ver
una cosa con otra?*, siendo muy popular: *eso no tié que ver*, con el sentido
de 'no tiene importancia'. José Vallejo, pág. 396, cita: [...] *a mí no me
hables de teatros; llevo luto por mi santa difunta.* —Pero *¿q u é t i e n e
q u e v e r, hombre?*

[32] Cf. EMH 40 Grupier: *No va más* (fr. «rien ne va plus»).

[33] *Morucha* 'muchacha morena, oscura, de pelo rizado' (Gabriel M.ª
Vergara Martín, «Algunas palabras de uso corriente en la provincia de
Guadalajara que no se hallan en los diccionarios», en «Rev. de Dialect. y
Trad. Popul.», II, Madrid, 1946, cuad. I, pág. 137). Es voz sentida indudablemente como independiente, aunque derive de *mora* + suf. *-ucha* (igual
que *tenducho* de *tienda*, *fonducho* de *fonda*, etc.). Que en una palabra
afectuosa aparezca el suf. peyorativo se explica por el principio del «insulto ficticio» (véase pág. 47). Sin embargo, en ob. cit., pág. 271, H. Schneider menciona para San Salvador *morocha* = 'joven morena y guapa', voz
procedente del quechua *muruchu* = 'duro', 'fuerte', 'castaño', 'oscuro'
(Malaret); se encuentra en muchas partes de América y significa 'robus-
to', 'fresco', 'bien conservado'; 'de color bronceado', 'trigueño' (Santamaría).

[34] Véase también L. Spitzer, «Lb. f. germ. u. rom. Phil.», 1914, especialmente pág. 211.

Allá se las arreglen ellos aparece casi siempre en la forma elíptica *allá ellos (allá él, ella, usted, ustedes,* etc.). OM 9 *Y a una ¿qué le importa que la señora sea como quiera? Eso, a l l á* (se las arreglen) *e l l a s* ... VS 35 *En fin, a l l á c a d a u n o*. Sólo esporádicamente se presenta aún la forma plena: SC 63 *Allá se las arreglen ellos* ... [35]. «Don Quijote», I, 22 *A l l á s e l o h a y a c a d a u n o* con *su pecado,* muestra una modalidad más antigua de la expresión. Hoy es popular *allá* solo: *¿No quiere venir con nosotros? ¡Pues a l l á !,* o bien *¡a mí, a l l á !* ('me tiene sin cuidado'). José Vallejo, pág. 378: *éste y su primo Manuel, a l l á se van en gustos y pareceres* (= 'casi no hay diferencia entre uno y otro'). En sentido pesimista se oye con frecuencia: *fulano y zutano, Dios los cría y ellos se juntan* (= 'vaya el uno por el otro').

La omisión de un v e r b o d i c e n d i es fenómeno que ya nos ha llamado la atención más de una vez. EUB 64 *Mire usted, en confianza* (sobrent.: *le digo a usted que*), *de quien está enamorado su sobrino es de la señorita Teruel.* Además del verbo dicendi, es innegable que ahí se ha eludido también el gerundio *hablando,* determinado por la expresión adverbial *en confianza: hablando en confianza.* NV 28 *...me decían cosas que,* (hablando) *f r a n c a m e n t e, me sonaban muy bien.* En lugar de *francamente* se emplea también *la verdad.* VS 3 *...aunque poco, acabo de comer y, vamos, l a v e r d á, no me gusta er bicarbonato.* Véase más arriba, pág. 154.

¿No es verdad? (correspondiente al francés «n'est-ce pas?») se reduce casi siempre a *¿verdad?* M 29 *Esto era un convento, ¿ v e r d a d ?* Este *¿verdad?* puede encabezar también una oración con *que: ¿ v e r d a d q u e tú viajas poco?* Y así también *¿verdad que sí?, ¿verdad que no?* y *¿verdad usted (tú)?,* todos usadísimos en el lenguaje popular: *Hay algunas personas que tienen muy mal carácter, ¿ v e r d a d u s t e d ?* (Cela, ob. cit., pág. 211). *¿Por qué va a importarme, v e r d a d u s t e d ?* (MA 55). Véase también Braue, ob. cit., págs. 63-64. Ocasionalmente

---

[35] En lugar de *se las arreglen,* también: *se las compongan, se las apañen,* y en un plano más elevado, *se las ingenien* o *se las industrien.*

se encuentra, en lugar de *¿verdad?*, la negación sola: M 26 *Es muy serio, ¿ n o ?* (sobrent.: *es verdad?*). Este *¿no?* en sustitución de *¿verdad?* lo he observado con especial frecuencia en el habla de los sudamericanos.

CASOS PARTICULARES. — Entre ellos cito en primer lugar la abreviación *¡las ganas!* (también: *¡las ganitas!*), que procede de *te vas a quedar (se va a quedar) con las ganas* (de hacer o de obtener eso que te hubiera gustado). Se oye frecuentemente de boca de los niños que están jugando: el que lo dice suele sacar la lengua en son de maliciosa burla. Otra elipsis auténtica es: *decir (u. c.), obrar con segundas* (sobr.: intenciones). C 48 *...Y que nadie se arrasque* [36], *que no va* (= no se ha dicho) *con segundas.* — En *casarse, estar casado en segundas* se sobreentiende: *nupcias.* — En F. ÁVALOS (ob. cit., pág. 7) encuentro: *...con esta modita de dejar aquí los tranvías la hacen a una la santísima* (sobr.: *pascua).* — Ibid., pág. 157: *...como sea capaz de no ayudarte la aplaco los humos para los restos* (sobr.: *de sus días).* A propósito de *humo(s)* en sentido figurado, véase T. SALVADOR, pág. 307.

La frecuente determinación adverbial *como las propias rosas,* aparece ocasionalmente apocopada en *como las propias:* —*¿Cómo vamos con ese estomaguete?* —*C o m o   l a s   p r o - p i a s* («Jarama», pág. 137). — El conocido giro *no me da la gana,* corrientemente reforzado en *no me da la real gana* (y aun *la realísima gana),* aparece en la forma elíptica: *¡Ya he dicho que no voy! ¡No me da l a r e a l í s i m a !* (R. SÁNCHEZ FERLOSIO, «El Jarama», pág. 74). PASTOR Y MOLINA, en su ya citada obra, anota: *no me cabe la menor* [sc. duda]. En cambio, recuerdo la advertencia de un amigo mío de que el imperativo (tantas veces oído) *no le quepa a Vd. la menor duda* está en decadencia de uso. (Sobre este detalle, me atrevo a insinuar que a mí sí que me sigue «cabiendo una ligera duda»). A veces, aun tratándose de una evidente elipsis «auténtica», resulta difícil

---

[36] *Se arrasque* (= se rasque) alude al dicho popular *a quien le pica que se rasque.*

determinar el sustantivo que haya de suplirse para completar la frase, p. ej. [...] *a l a m á s m í n i m a* [?] *arma un follón de padre y muy señor mío* (F. DE ÁVALOS, ob. cit., pág. 10). Cabría pensar en *razón* o *causa*, aunque se dice con mayor frecuencia: *por tal o cual m o t i v o* (¡de género m a s c u l i n o!). Creo, sin embargo, que aquí el hablante no elide ningún sustantivo determinado y que se trata de un típico caso de «femenino neutro», como diría M. SANDMANN en *VKR*, 15 (1956). En cambio es «auténtica» a todas luces la elipsis en la frase siguiente: —*Con esta modita de dejar aquí los tranvías la hacen a una la s a n t í s i m a* [sobreentiéndase: *p a s c u a*] (F. DE ÁVALOS, ob. cit., pág. 7). — VM 73 Pitter: *Siempre que me tiro a matar me lastimo.* —Fabia: *¡Claro, hombre de Dios! ¿Q u é m e - n o s?* (sobreentendido: *puede esperarse).* Corresponden a esta pregunta en un modo de expresión menos afectivo las frases enunciativas *no esperaba yo menos, no se podía esperar menos* (DL). — La aseveración de que una cosa es tal como el hablante la dice, va muchas veces revestida con la fórmula elíptica *no creas, no crea usted, no vaya usted a creer,* sobreentendiéndose un *que no* + concepto verbal. PF 35 *Ya están* (los guantes). *¡Y n o c r e a u s t e d!* (que no). *Son muy buenos...* ('le aseguro que son muy buenos'). M 81 *Yo a solas conmigo, muy a solas, comprendo a mi hermano. N o c r e a u s t e d* (sobreentendido: *que no le comprendo).* IT 38 —*Trabajo mucho, n o c r e a s* (sobreent.: *que no).* En estas fórmulas el hablante se anticipa nerviosamente a la posible mala opinión del otro. [...] *Pero de mozo, n o c r e a s* [compl. *que no*], *también tuvo sus resabios* (A. M.ª DE LERA, pág. 353). En lugar de *creer* se hallan ocasionalmente otros verbos que expresan opinión como *figurarse, imaginarse.* M 62 Salvador (que tuvo que echar al tío de Malvaloca): *Lo hemos tenío que plantá en la calle.* —Malvaloca: *Era naturá. Y me alegro, n o t e f i g u r e s* (que no). — De modo similar se explica *no digo* en *Siendo para los pobres n o d i g o* [37] (sobreentendido *que no* + verbo). *¡Pero vaya usted a saber...!*

---

[37] *No digo que no* es el equivalente usual del alemán, menos popular, «ich will das gar nicht bestreiten». Como expresión de asombrada incredulidad es muy corriente: *¡no me diga(s)!,* con fuerte acento tónico en la

Es curiosa la omisión del adverbio *bien* en el modismo *si a usted le parece* (bien). OM 53 *Bueno; pues si a ustedes l e s p a r e c e* (bien), *jugaremos un tresillito*. Otro ejemplo, sin *si: Vamos al cine, ¿te parece?* La especial curiosidad del fenómeno estriba en que lo elidido *(bien)* tiene sentido diferenciador, pues en la forma enunciativa se da *me parece b i e n* frente a *me parece m a l*. Pero esto sucede sólo en frases aseverativas. En cambio, *si a usted le parece* significa siempre 'si le parece bien'. (Comp. alemán «wenn Sie meinen, könnten wir dies oder jenes tun».) PF 25 Palau: *...unos postrecitos y dos botellitas de Medoc. ¿N o l e p a r e c e a u s t e d ?* Con sentido semejante se ha difundido mucho *¿hace?* = *¿estás (está Vd.) conforme?, ¿te (le) convence?*, también invariablemente interrogante, p. ej., *Siéntese un ratejo con nosotros, ¿ h a c e ?* (C. 49). Ibid. 73 Agustinillo: *¡Hoy me toca a mí el muslo!* (A su hermana) *Lolita, ¡te lo cambio por la pechuga! ¿ H a c e ?* Otro ejemplo: *Solita, ¿por qué no cenamos juntos un día de éstos? ¿El sábado, por ejemplo? ¿ H a c e ?* (GIRONELLA). En ocasiones, este *¿hace?* aparece completado para introducir una frase interrogativa con el sentido de '¿te (le) parece bien que...?', p. ej. *—¿Te h a c e que vayamos a tomar unas copas?* («Colmena», pág. 131). Familiarmente *hacer* se emplea también con el sentido de *resultar*: (...) *él sabe que tuerce la boca. Y que eso h a c e feo* (M. DELIBES, «El camino», pág. 153). Otro ej. (de los muchos que he oído): *Con flores la mesa h a c e más bonito* (= 'hace o produce un efecto más b.'). En todos estos ejemplos *¿hace?* tiene afinidad con el de EMH 73 Antonio (a Sole): *Oye, encanto, búscame otro animal comparativo. Eso de borrego no me h a c e* [sobreentiendo: *tilín* o *gracia*], *la verdad.* (Véase cap. I, n. 32.) En vez de *¿hace?* se usa con variantes semánticas mucho más amplias *¿vale?*, aplicable a las más diversas situaciones, tam-

---

negación. P. ej. *¿Sabe Vd. que hemos encontrado trozos de cerámica ibérica?* A lo cual el interlocutor, gran aficionado a la arqueología, contesta: *—¡No me diga!* (J. M.ª GIRONELLA, CV, I, pág. 105). Según R. CARNICER, Lh, pág. 14, la clausulilla fue introducida por JARDIEL PONCELA en «Blanco por fuera y rosa por dentro». En A. BUERO VALLEJO, «Aventura en lo gris», pág. 40, Georgina: *—¿A qué hora sale el tren de mañana? —*Alejandro: *—Tal vez a ninguna, señora. —*Georgina: *—¡N o m e d i g a !*

bién para expresar asentimiento y conformidad, p. ej.: *¿Tienes bastante con veinte duros? —V a l e .* En vez de *basta* (al camarero que está llenando un vaso, se le dice), *vale*, a veces repetido, *v a l e , v a l e .* «De origen proletario y ascendido acaso al lenguaje general», dice R. CARNICER, en Nrl, pág. 117, «es *¡vale!* [...]. Ahora puede expresar toda clase de asentimientos [...] y de conformidad. En esta función significa hoy: *¡de acuerdo!,* *¡conforme!»*. Es muy curioso que en Venezuela, según AURA GÓMEZ, se usa incluso a modo de tratamiento general en casi todo el país, entre amigos y aun desconocidos, con más frecuencia entre hombres que entre mujeres: *mira, v a l e , ¿vamos a ir a la fiesta?; Ven acá, v a l e, ¿qué es lo que te pasa?* También con el nombre de pila: [...] *Adiós, v a l e Antonio* (ob. cit., pág. 77). Otro ejemplo español: *—¿A qué hora? —¿ V a l e mañana a las cinco de la tarde?* (A. M.ª DE LERA, «Bochorno», ob. cit., pág. 828). En vez de *¿vale?* interrogativo, se usa con valor de imperativo *¿quieres?,* p. ej. *—Deja de darme consejos... ¿ q u i e r e s ?* (UF 18).

En el capítulo III, págs. 295, n. 180, y 307, n. 195, hemos tratado ya de la elipsis como medio para r e a l z a r u n a c u a l i d a d . Muchas veces resulta difícil decidir qué es lo que debe sobreentenderse en casos como SC 6 Celestino: *¿Y la tía? —Clotilde: Tan buena, gracias,* si una frase consecutiva *(tan buena) que da gusto verla,* o un término comparativo *(tan buena como siempre).* Y es que el hablante no piensa ni en una cosa ni en otra: ¿cómo cabría «completar» frases como VS 48 *Crea usted que estoy m á s h a r t o de ir de aquí para allá dando estos espectáculos...?* Y sin embargo, aunque sólo sea de un modo impreciso, la oración es sentida como elíptica. Lo atestiguan incluso ortográficamente los puntos suspensivos. En lugar de *más*, se encuentra, si bien con menos frecuencia, *tan;* recordemos que el tipo de comparación *(tan) blanco como el papel* es menos frecuente que el de *más blanco...* (Compárese: *¡qué cosa tan rara!* frente a *¡qué cosa más rara!)* VM 67 *¡A lo mejor suceden cosas t a n r a r a s !* ... (Comp. a este propósito, M. L. WAGNER, «Spanisch *tan* und *más* mit Verblassung der ursprünglichen Funktion», ZRPh, 44, pág. 589.) Surte un efecto semejante al de *más* y *tan* el artículo indeterminado en plural, en MP 88 *Le* [38] (sic) *pide una a los hombres u n o s sacrificios...* (Probablemente habría que completar *que* + oración consecutiva; por ejemplo: *...que verdaderamente es demasiado,* o *que ya, ya,* o algo por el estilo.) «Fr.» 57 *Ya sabes que el maestro te tiene u n a s ganitas...* (de pegarte); (complétese: *que* + consecutiva). OM 62 *Yo siento u n o s m a r e o s... y u n a s s o f o c a c i o n e s...* (que todo me está dando vueltas). PC 25 *...Hay que tener cuidado con él porque es un tío de u n a s f u e r z a s...* (súplase una comparación «que ni las de Sansón», u otra similar; o bien una oración consecutiva, pues ambas sirven para poner de relieve una cualidad). La oración consecutiva queda tan sólo iniciada en VS 2 *Fue una nochecita de perros que y a , y a* (puede usted imaginárselo).

Merece mención especial el siguiente tipo de oración, seguido o no de oración consecutiva: VM 8 *...y es claro, hace c a d a atrocidad* (que...). EUB 8 *Organizaba c a d a juerga que hacía fruncir el ceño a un retrato de Zorrilla que había en un testero...* Probablemente se trata de un cruce entre *organizaba unas juergas (que* + consecutiva) y *c a d a j u e r g a que organizaba...* «Fr.» 40 *Nos corríamos c a d a j u e r g a...* VM 38 *¡Uf! Es un punto* (= individuo) *terrible, lleno de deudas, con no sé cuántos hijos naturales, y toma c a d a melopea...* VM 62 *...Se tira c a d a plancha...* M 21 *Misté* (= mire usted) *que en estos pueblos hay a lo mejor c a veterinario...* ('médicos sólo capaces para tratar animales, o que tratan a los hombres como si lo fueran'). M 76 *...Se ve c a d a irrisión de barcón* (= balcón) *adornado...* Ibid. *¡ C a d a mamarracho* [39] *se ve!* No siempre queda eliminada la oración consecutiva: «Fr.» 51 *Se lleva c a d a chasco que es una pena...* Ibid. 51 *Se dicen c a d a cosa que se le ponen a uno los pelos de punta.* NV 28 *Pos ahora la dicen a una c a frase que hay que contestarles con el Código Civil. Y da:1 c a d a fiesta los fulanos esos...* (A. M.ª DE LERA, «Bochorno», pág. 769). Véase también A. CARNICER, pág. 137.

---

[38] Para el dativo proléptico del pronombre personal en singular, pero referido a palabras que le siguen en plural, véase luego, págs. 420-421.

[39] En vez de *mamarracho* es también muy corriente *birria*.

«VERBA OMNIBUS»

La misma ley de economía o comodidad explica el frecuente empleo de ciertos «verba omnibus» de los que he tratado en unos capítulos de mi librito «Frases y Diálogos» (en vías de reedición). *Decir* está estudiado en el capítulo 15 (Frases); *saber* en el 18; *conocer* en el 20; *querer* en el 25; *poner* en el 43; *meter* en el 44; 45 *sacar*, 46 *llevar*, 47 *ir*, 48 *llegar*, 49 *salir*, 50 *traer*, 51 *dar*, 52 *echar*, 53 *hacer*, 54 *tener*, 55 *quedar*, 56 *dejar*, 57 *tocar*, 58 *pegar*, 59 *estar*.

Añadiré aquí ahora lo siguiente: Al capítulo 43: *se p u s o igual que unas castañuelas de contento* ('extraordinariamente'); *p o n e r freno a las malas lenguas; p o n e r l e el cascabel al gato. La sala está acabada de p o n e r de nuevo...* (aquí *poner* tiene sentido pasivo); *p o n e r l e tacha a una cosa;* en vez de *tacha,* también *p o n e r reparos (peros, pegas, objeciones, dificultades); p o n e r lo blanco negro* (en alemán, al revés, «aus schwarz weiss machen»); *p o n e r el grito en el cielo* 'indignarse excesivamente'. *P o n e r l e a uno el puñal al pecho* = 'coaccionarle con graves amenazas' (J. VALLEJO, pág. 390); es menos fuerte: *p o n e r l e a uno entre la espada y la pared* = 'en un grave conflicto'; *P o n e r l e pegas a un asunto* = 'poner toda clase de dificultades y obstáculos para impedir su logro' (*muy* popular).

Al capítulo 44. *Meter* no se usa en español con la misma frecuencia que el fr. «mettre», al que en la mayoría de los casos corresponde esp. *poner.* En vez de *se conoce que le ha m e t i d o el dedo en la llaga,* es preferible decir *...que le ha puesto el...* Pero *m e t e r los dedos en la salsa,* o *m e t e r s e los dedos en la nariz. M e t e r s e con alg.* (muy frecuente) = agredirle de palabra', p. ej. *ese tío está medio loco. Más vale no m e t e r s e con él* = 'no contrariarle, diga lo que diga'. Es popular: *m e - t e r s e a* = 'dedicarse a una profesión', 'aprender un oficio', p. ej. *mi hijo quiere m e t e r s e a boticario. No te m e t a s en camisa de once varas* (muy corriente) = 'no te metas en lo que no te importa'.

En el cap. 45 (sacar), corríjase, en vez de *todo lo sacan a punta, a todo le sacan punta.* Añádase: *s a c a r a paseo* (a los niños); *s a c a r a bailar* ('invitar a bailar'); *s a c a r una copia* 'copiar', 'hacer un traslado'; *s a c a r los colores a la cara; s a - c a r faltas* 'señalar defectos'. Es muy corriente el uso popular de *sacar = ganar: de este negocio no se saca ni para tabaco.* Con esta sign. ocurre ya en GRACIÁN («Crit.», II, 9): *para su mujer no saca el honesto vestido* (B. SÁNCHEZ ALONSO, ob. cit., pág. 221). *Sacó una cátedra* (en oposiciones) (J. POLO). En «Jarama», pág. 31, ocurre: —*Estos del minuto* (= 'los fotógrafos ambulantes') *es tirar el dinero. Te s a c a n fatal.*

Al capítulo 46: en vez de *este dependiente se ha l l e v a d o muy bien* ha de decirse: *...se ha portado muy bien.* Añádase: *l l e v a r adelante un propósito; una cosa l l e v a buena traza* (buen camino); *l l e v a r l e a uno el genio* 'no contradecirle', en el mismo sentido de *l l e v a r l e a uno la corriente* citado arriba (pág. 388); *l l e v a r una empresa a feliz término...; l l e v a r a la práctica; estos hermanos se l l e v a n muy bien* 'viven en buena armonía'. Es muy frecuente: *¿cuántos años l l e v a usted en España? = '¿cuántos años hace que está Vd. en Esp.?'.* En una oficina que tiene varios negociados, refiriéndose a uno de ellos pasajeramente desocupado, en vez de *¿quién es el encargado de esto?,* se pregunta más sencillamente: *¿quien l l e v a esto?* El encargado de los trabajos de escritorio es *el que l l e v a la correspondencia. L l e v a r o tomar las cosas por la tremenda = 'excitarse excesivamente por cualquier contrariedad',* p. ej. —*¿que has perdido un duro? ¿Y qué? No es cosa de l l e v a r l o por la tremenda.*

Al capítulo 48: *Con ese dinero no va usted a l l e g a r...* 'no va a tener bastante'; *parece que te he l l e g a d o a lo vivo* 'te he tocado en un punto sensible'; *este libro no me l l e g a* 'no me dice nada'; *el pobre está que no le l l e g a la camisa al cuerpo = 'está lleno de miedo'.* Algunos usos muy frecuentes: *E. h a l l e g a d o a escribir bien el francés; ¡si l l e g o a saberlo* (= 'si lo hubiera sabido'), *no lo habría permitido!; si l l e g o a s a b e r l o, no te hubiera contado todo ese rollo* (A. DE LAIGLESIA, «Morir juntos», pág. 70); *anda, l l é g a t e a la taberna*

de enfrente y que te den una botella de tintorro (= 'vino tinto
barato'); *si l l e g o a saberlo, te dejo el cuerpo negro* (= 'si lo
h u b i e r a sabido, te doy una paliza de las de aúpa'); recuérdese también el conocido proverbio: *a cada puerco le l l e g a
su San Martín; nos hubiéramos acostado antes si no l l e g a
a ser por ese camión.* En este último ejemplo, como en otros
anteriores, se ha desdibujado casi por completo el carácter de
llegar como verbo de movimiento; como en este último: —*Me
apuesto lo que quieras que l l e g a m o s a traer paraguas y
no llueve* (F. CANDEL, «Pueblo», pág. 139).

Al capítulo 49: *Le ha s a l i d o el tiro por la culata* 'ha resultado lo contrario de lo que pensaba'. *Siempre s a l e s con
lo mismo* 'con la misma historia'. *S a l i r de naja* (argot) 'marcharse' (véase arriba, capítulo III, pág. 276).

Al capítulo 50: *T r a i g o un negocio entre manos* (que promete ser bueno). *Se t r a e usted unos ojitos que no hay Dios
que los resista* (piropo)... *¿Ha leído usted lo que t r a e hoy la
gacetilla?... Eso me t r a e sin cuidado,* en vez del *me tiene,*
menos afectivo; igualmente, *eso me t r a e (tiene) muy preocupado; eso me t r a e (tiene) completamente acobardado; me
t r a e a mal traer; t r a e r a alguien por la calle de la amar-
gura.* Comp. págs. 306-307.

También el verbo de movimiento *andar* desempeña un papel
idiomático que rebasa con mucho el que corresponde a su significado fundamental. Frente a *ir,* que expresa el mero movimiento (en combinación con la mención de un medio de transporte: *ir en* (el) *tren, en automóvil, en coche,* etc., corresponde
al alemán «fahren»), *andar* significa 'ir a pie'; *desandar lo anda-
do* 'volverse atrás de un camino equivocado'.

En lugar de un estático y prosaico *estar,* el habla coloquial
prefiere en muchos casos *andar* para dar mayor viveza a una
representación íntima (AMADO ALONSO, obra citada, págs. 261 y
siguientes). *Anda enamorado,* frente a *está enamorado,* despierta la viva representación del hombre inquieto a quien el
enamoramiento le acompaña, por decirlo así, a todas partes.
(Véase también HARRI MEIER, obra citada en el capítulo III,
nota 285). La diferencia entre *¿cómo e s t á el enfermo?* y *¿cómo*

a n d a el enfermo? la puntualiza A. ALONSO certeramente cuando dice que *¿cómo está...?* expresa la pregunta en un sentido meramente clínico, mientras *¿cómo anda...?* manifiesta, además, un solícito interés personal por el enfermo [40]. —*A n d a muy ocupado* (en lugar de *está...*) tiene presente el ir y venir del hombre muy atareado; lo mismo que *a n d a muy nervioso* su falta de sosiego. Y así, *todo a n d a por el suelo* dinamiza a los diferentes objetos que están desparramados por el suelo. Otro es el carácter semántico de andar en *no es eso aunque cerca le a n d a; lo tienes casi adivinado, pues lo que dices le a n d a muy cerca de la realidad.* (Lo menciona también JOSÉ VALLEJO, ob. cit., pág. 363.) — El reflexivo dinámico *andarse con cuidado* produce igualmente un efecto más vivo que *tener cuidado* o *estar con cuidado. A n d a r (s e) con pies de plomo* = 'obrar con mucha cautela y prudencia sin precipitar nada'. (Véase también BEINHAUER, RF, 54, págs. 229-334). Añádase lo dicho más arriba, pág. 368.

Al capítulo 51: *No me ha d a d o* (impersonal) *tiempo de hacerlo; hoy no d o y una* 'nada me sale bien'; *d a r que hablar* 'dar motivo a hablillas'; *d a r que reír a...* 'ponerse en ridículo ante...'; *la piedra le d i o a un chico* 'le alcanzó'; *d a r mimos a una criatura* 'mimar a un niño', 'maleducarle'; *d a r s e prisa* = 'apresurarse'; *d a r s e por entendido,* o *por aludido; d a r s e con la badila en los nudillos* = 'perjudicarse a sí mismo el que quería hacer daño al prójimo'; *d a r l e a alg. gato por liebre; este reloj no d a la hora; fulano hace lo que le d a la gana; no me d a la gana* = 'no quiero en absoluto'; *d a r l e a la lengua* = 'chismorrear'.

Al capítulo 52: *E c h a r leña al fuego* (al. «Öl (aceite) ins Feuer giessen»); *e c h a r un párrafo con alguien* 'conversar con alguien'; *e c h a r el quilo* ('jugo intestinal') *(los hígados, el bofe)* 'cansarse excesivamente', 'derrengarse'; *e c h a r un vistazo; e c h a r l e tierra a un asunto* 'procurar que se olvide'; *e c h a r-*

---

[40] Dirigido al enfermo, resultaría más personal y afectuoso *¿cómo andamos?*, pues al formular así la pregunta, el médico se hace solidario con el destino del interrogado por medio del «plural inclusivus».

s e una novia 'entrar en relaciones con una muchacha'; *e c h a r - s e un pitillo* (a la boca), 'fumarlo'; *e c h a r un trago* = 'beberse una copita'; *e c h a r s e al coleto media botella de coñac* = 'bebérsela'; *e c h a r a correr* = 'largarse corriendo'; *e c h a r s e a llorar* = 'prorrumpir en llanto'; *esta fruta se e c h a a perder, está e c h a d a a perder; este niño está e c h a d o a perder* = 'corrompido'; *e c h a r una canita al aire* = 'correr una juerga' (de las que a un viejo le hacen perder más de una cana); *e c h a r l o todo a rodar* = 'perder los estribos', 'estropearlo todo'; *e c h a r la casa por la ventana* = 'gastarlo todo a tontas y a locas'; *e c h a r de menos a alg. o u. c.* o *e c h a r en falta,* según R. CARNICER, Nrl, pág. 75, *echar* aquí = port. o galleg. *achar* (= 'hallar'), es portuguesismo o, mejor dicho, galleguismo, teniendo en cuenta que en los comienzos de la literatura castellana el gallego era la lengua lírica de Castilla. —*E c h e usted un cálculo aproximado* («Jarama», pág. 56). Sobre *echar humo, echar chispas* con sus variantes, véase capítulo III, página 266. Recuérdese aquí también el giro elíptico *echárselas de...* (véase arriba, págs. 383-384).

Al capítulo 53: «El uso de *facere* como verbo universal se ha generalizado ya en el latín tardío» (SPITZER, «Stilstudien», I, 225). *H a c e r las paces* 'volver a ser amigos'; *h a c e r el hatillo* (hoy más frecuente: *preparar* (o *hacer) la maleta)* 'prepararse para marchar'; *h a r é por ver a tus padres* 'procuraré...'; *h a c e r prodigiosas curas* 'operar curaciones extraordinarias'; *h a c e r dinero* y *h a c e r fortuna (ha hecho cincuenta mil pesetas;* como en fr. «faire») 'ganar'; *h a c e r la vista gorda* 'disimular'; *se me h a c e la boca agua; h a c e r s e de nuevas; se h a h e c h o usted un siete* ('un roto' en el traje); *h a c e r l e a uno buenas ausencias* 'hablar bien de él cuando está ausente'; *u. c. no me h a c e tilín* = 'no me gusta' (muy popular); *se me h a c e cuesta arriba creerlo* = 'me cuesta trabajo...'; *h a c e r s e a un lado para dar paso a un coche.* Es curioso el uso «defectuoso» (?) de la preposición *de* en el frecuente *no se h a g a usted d e rogar* (= fr. «ne vous faites pas prier»); en «Jarama», pág. 308, ocurre: (...) *nada más que por h a c e r l e d e reír.* Está visto que por la débil articulación de la [d], sobre todo entre vocales (también dentro de los grupos fónicos), la preposición, en el lenguaje hablado, unas veces cae (p. ej. en *la Plaza la Cebada*) y otras, como en los ejemplos citados, aparece «parasitaria». Volviendo al empleo de *hacer:* en «Jarama», página 17, ocurre: (...) *se me h a c e* (= 'me parece') *a mí que no eran novios todavía.*

Al capítulo 55: *Q u e d a r s e con una cosa* 'retenerla'; en el lenguaje p o p u l a r se emplea *quedar* como transitivo, por ejemplo: *el traje me gusta; me lo voy a q u e d a r ...*

Al 58: *Se me h a n p e g a d o las sábanas* 'me he levantado demasiado tarde'; *no h e p e g a d o ojo* 'no he dormido'; *se h a p e g a d o el arroz* ('quemado en el fondo de la cazuela'); *p e g a r un sello* 'fijarlo al sobre'; *p e g a r una enfermedad* a alguien: 'contagiarla'. — *P e g a r l e a uno una bofetada (una paliza, un puntapié,* etc.), véase capítulo III, pág. 256. — Sobre *p e g á r s e l a a uno,* véase arriba, página 382. *P e g a r s e a uno como una lapa* 'no dejarle ni a sol ni a sombra'. *A este joven se le ha p e g a d o el acento inglés* (francés, portugués, etcétera); *la cerveza no p e g a con tal o cual plato; este armario no p e g a con los demás muebles* (humorísticamente se diría: *eso no p e g a ni con cola*); *M. se ha p e g a d o un tiro.*

Al capítulo 59: *e s t a r en la higuera* o *en el limbo* ('ausente en espíritu, distraído'); *mi madre e s t a r á con cuidado...* ('preocupada'); *e s t á de trampas hasta los ojos* ('lleno de deudas'); *e s t á en siete sueños* ('profundamente dormido'). — *E s t á para llegar de hoy a mañana* 'puede llegar en cualquier momento'; *e s t a r de cuerpo presente* (un cadáver: 'amortajado para enterrar'). *¡E s t á t e quieto!; e s t o y de un humor de cuarenta y dos mil demonios; con ese traje e s t á s muy feo; e s t a m o s i g u a l que antes* = 'no hemos conseguido nada'; *ese actorzuelo e s t u v o como para matarle* = 'ha trabajado malísimamente' (el antónimo es: *...e s t u v o muy bien* o, más fuerte, *hecho un coloso*); *¿Cómo se llama la capital del Uruguay? —Asunción; E s t á s tú fresco* (= 'no tienes ni idea'); *en el examen e s t u v o pez* = 'no supo contestar a una sola pregunta'; *pero tú estás en la luna* (= 'muy distraído').

El verbo *pasar* merecería otro capítulo. *P a s a r el rato* [41] 'dejar correr el tiempo'. — *P a s a r mal rato* 'vivir un momento desagradable', por ejemplo, *¡qué mal rato h a b r á p a s a d o el pobre!* — *¿Qué le parece a usted este retrato? ¡Pschs! Puede p a s a r* 'no está mal'. *No p a s a n de cincuenta las personas que estuvieron en el concierto* 'lo más que había eran 50 personas'; *este duro no p a s a* (es falso); *pasar* (vulgar *colar*) *una moneda falsa* 'lograr dársela a otro'; *de hoy no p a s a (sin) que le escriba* 'hoy mismo le escribiré'; *de esta* (sobreentendido: *vez)* *no p a s a* ('esta vez es la última'); *lo que p a s a es que no quiere; no me ha p a s a d o otra en mi vida* 'nunca me ocurrió nada igual'; *¡ p a s e usted!* 'entre usted' (en la casa, en la habitación); *la carne está p a s a d a* (ya no está en buenas condiciones); *p a s a r hambre (sed, frío, calor*, etc...) 'sufrirlo'; *no h e p a s a d o* (o *probado) bocado en todo el día* 'no he tomado nada'; *fulano p a s a por español* 'podría ser tenido por español'; *huevos p a s a d o s por agua* 'huevos a medio hervir'; *eso p a s a ya de castaño oscuro* 'es demasiado oscuro: negro ya', 'no se puede tolerar'.

En el lenguaje vulgar el verbo *colar* tiene aplicaciones múltiples. Así, por ejemplo, en *el niño estaba a la entrada de la plaza de toros a ver si se podía c o l a r*..., significa 'pasar sin pagar'; otro sentido que aparece con frecuencia es el de 'equivocarse': *te has c o l a o, chico (una coladura padre* 'un chasco fenomenal'). — *C o l a r un sevillano* 'hacer pasar un duro falso' (ya citado arriba). — *Apenas se le nota ya que es valenciano si no fuera por algún que otro «che»* [42] *que se le c u e l a en la conversación* (algún «che» que se le escapa por descuido).

---

[41] Modernamente se oye con frecuencia p. ej. *de esto mi hermano entiende u n r a t o = '...* mucho'. E. LORENZO, pág. 47, cita: *sudaron u n r a t o ; está u n r a t o cansado.* En FRANCISCO CANDEL, «Pueblo», pág. 34, encuentro la variante (jocosa): *Yo de cine entiendo u n t r a y e c t o largo.*

[42] Interjección característica del valenciano y también difundida en Hispanoamérica (especialmente en la Argentina).

Tirar(se) es otro verbo muy usado con los más variados significados. Empezando por el conocido proverbio: *la cabra siempre tira al monte*, recordamos: *a fulano le tira mucho la familia*; en cambio: *tirar de una cuerda; el caballo tira de un coche; tirar una colilla* = 'echarla con descuido (p. ej. al suelo)', a diferencia de *arrojar* o *lanzar* una piedra (violentamente a una dirección determinada); *tirar el dinero* = 'gastarlo sin ton ni son'; *tirarse de un tranvia, del tren en marcha; ¡No se tire!*, grita el público a un torero en trance de lanzarse o arrojarse sobre un toro que está aún muy entero; es vulgarísimo: *tirarse a una mujer* (= 'cohabitar con ella'); *tirarse una plancha* = 'caer en ridículo' (de palabra o de obra); *un azul tirando a violeta; una severidad tirando a crueldad; [...] con la piel tirando a chocolate, como si la hubiera cocido* (L. VILLALONGA, MD, Barcelona, 1967, pág. 64).

Para terminar, recordaré nuevamente el múltiple empleo del obsceno *joder: ya no me jode usted más* 'no me dejo molestar más'. Sobre *no me jodas*, véase cap. III pág. 261, nota 118. *Se ha jodido la función* ('ha fracasado' o 'no se ha llegado a celebrar'); *ese tío quiere joderte la plaza...* (pretende arreba-tarte el puesto); *estoy jodido* (fr. «je suis foutu») 'estoy hecho polvo, reventado'; *está jodido el pobre* (le va [o está] muy mal); *son ganas[43] de joder* ('de molestar': 'de poner di-

---

[43] *Son ganas de* + *infinitivo* es formulita muy frecuente. JOSÉ VALLEJO (pág. 377) cita: *ganas de hablar* (que tiene la gente); añado: *son ganas de enredar, ...de fastidiar, ...de amolar, ...de presumir*, etc., es decir, que los verbos de relleno que encajan en la formulita casi siempre tienen sentido p e s i m i s t a. El vulgarismo obsceno *ganas de joder* queda «adecentado» por los eufemismos *g. de jorobar, ...de moler* o *...de amolar*. En CASTILLO-PUCHE, P40, pág. 266, leo: *Moler, ¿que quiere decir? —preguntó uno de los chicos [...] —Moler quiere decir joder —contestó G. ¿Qué tal? —Jodido, pero contento* (J. POLO). En lugar de *jodido* se oye a veces el atenuante diminutivo h u m o r í s-t i c o *jodidete*. Véase también T. SALVADOR, pág. 266. En CASTILLO-PUCHE, P40, pág. 369, ocurre: *¿Qué tal van las cosas? [...] —Pues ya ves: jodi-dete, jodidete, como siempre*, donde el diminutivo pretende ate-nuar irónicamente la obscenidad de la expresión.

ficultades'); *se j o d i ó todo* 'se echó a perder'; *un pasaje j o - d i d o* (muy difícil); *le ha j o d i d o porque no le elogiaste* 'le ha molestado'; *no vino ni una j o d í a vez* (más frecuente: *ni una p u ñ e t e r a* [44] *vez)* 'ni siquiera una vez'; *no tiene ni una j o d í a peseta* 'ni una triste o cochina peseta'. Ya hemos dicho muchas veces que las expresiones de este tipo sólo se emplean entre hombres. Además, tratándose de gentes educadas, su uso presupone siempre una cierta intimidad. Pero son de uso general en la jerga estudiantil, que en España es una mezcla multicolor de elementos cultos, populares y aun vulgares. Y es que el estudiante español suele estar en más íntimo contacto con el pueblo que, por ejemplo, el típico «Akademiker» alemán de antiguo cuño. A propósito de *joder* remito a J. MAR-TÍN, ob. cit., pág. 152.

El lenguaje popular ha creado un sinnúmero de expresiones más o menos humorísticas para designar el acto de morir: *hincarla* (que supongo se refiere originariamente al toro de lidia, que antes de morir «hinca la rodilla»), *liársela* (que, según J. DE ENTRAMBASAGUAS, originariamente se refiere al «petate», o sea la cama de esterilla de los indios mejicanos, que luego pasó a la marinería española, comprendiendo todo el ajuar, llegando a significar 'marcharse', y metafóricamente *'morir'*), *diñarla* (que en caló significa «entregarla», es decir, el alma a Dios), *tomar el tole para el otro barrio* (= el más allá), *estirar la pata*, C 20: *y el que no sea hombre que e s t i r e l a p a t a y no nos haga vivir jorobás;* el muy pintoresco *enfriársele a uno el cielo de la boca* (= paladar), *espichar* [45]; *ir a criar malvas* (en el cemen-

---

[44] En C 26: *...sin un p u ñ e t e r o ladrillo que agarrar* (se queja un albañil en paro forzoso).

[45] En «El idioma nuestro de cada día» (n.º corresp. al 1 de enero 1967) hay un interesante artículo de J. DE ENTRAMBASAGUAS titulado «Frases mortales», con un párrafo sobre *espichar*, «menos frecuente y con igual significado que *despichar*». Por la tendencia fonética a la caída de la [d], tanto intervocálica como a principio de palabra, ambos verbos, si bien de origen etimológico distinto, llegaron a confundirse, prevaleciendo *espichar*.

terio), p. ej. C 25 *¡De a metro vas a c r i a r   l a s   m a l v a s !*
(amenaza)* [46].

Por el mismo principio de la comodidad que determina el
uso tan frecuente de los verbos arriba nombrados, se explica
también el empleo de ciertas palabras expletivas, vacías de
significado concreto, que generalmente actúan sólo como muletillas o comodines. FRANCISCO YNDURAIN las caracteriza acertadamente de «palabras desprovistas, mejor dicho, despojadas de
sentido, y utilizadas como mero soporte en la conversación».
(«Más sobre lenguaje coloquial»; Rev. «Español Actual», núm. 6,
pág. 3). Tales son *pues* y *vamos*. La primera se emplea introduciendo una respuesta para cuya formulación el hablante necesita reflexionar un momento: para colmar ese vacío sirve la
muletilla. VS 11 *Dice* ('manda preguntar') *Modesta que cuál
va a ser el menú de esta noche.* —Nieves (tras corta reflexión):
P u e s ... , sopa de sémola, la tortilla de siempre..., etc. Del
mismo modo los escolares suelen preludiar su contestación a
una pregunta difícil con un *pues* más o menos dilatado, que no
es sino una especie de carrerilla que toman para el esfuerzo
que han de realizar. Este uso de *pues* en las respuestas, es
general en el habla corriente. EMH 44 Antonio: *¿Y qué le falta,
hija, qué le falta?* —Leonor: *P u e s* (corta vacilación) *una cos-
tura del pantaloncito.* Ibid. 47 Mariano: *¿A qué te refieres?*
—Paco: *P u e s que aún tiene que ponerse cara a cara con los
de cuidao.* SPITZER lo interpreta: '(como me preguntas) pues
(te contesto)'; corresponde al fr. «eh bien», alemán «nun» (Arch.

---

[46] Todo lo que se refiere a la muerte ha proliferado (en todo el
ámbito hispanohablante) en innúmeros circunloquios más o menos humorísticos, de los que AURA GÓMEZ cita y comenta: *pasar a mejor vida;
llegarle a uno su hora; emprender el último viaje* (págs. 314 y sigs.).
Véase sobre todo JUAN M. LOPE BLANCH, «Algunas expresiones mexicanas
relativas a la muerte» (NRFH, XV, 1961), de las que muchas coinciden con
el uso peninsular, p. ej. *hincar el pico* o *hincarla* (pág. 76); *ya estiró la
pata* (= 'ya murió') y otros.

f. d. Stud. der neueren Spr., 142, págs. 270 y sigs.). *Pues* sirve también para iniciar un relato: *P u e s el otro día iba yo camino de casa, cuando...*

En las oraciones condicionales y en las causales cuando van precedidas de la respectiva subordinada, el hablante a veces tiene cierta dificultad en recordar lo que iba a decir en la frase inicial. Para estos casos le viene de perilla un *pues* intercalado, que le permite coordinar sus ideas. EMH 15 *...si no tomase las penalidades de la vida con cierta resignación, p u e s ya me había muerto.* Este uso se ha generalizado tanto en el habla corriente que muchas veces se observa incluso en frases de esta estructura tan cortas que no cabe en ellas tal «pérdida del hilo». *Si no quieres, p u e s déjalo.* Si este *pues* cabe calificarlo de parásito, tratándose de oraciones cortas, resulta, en cambio, absolutamente imprescindible cuando la subordinada que precede es larga. EMH 8 *Y como me pagó en seguida, ¿sabes? ...y yo estaba tan impaciente por traerte estas cositas, p u e s me fui a comprarlas.* Ibid. 41 *...si no me voy al tocador y me hago la distraída, p u e s que me expulsa.* VM 31 *Como el padre se opone a nuestras relaciones y coincide que es sereno, p u e s resulta que no podemos vernos más que de una a cinco de la mañana.* «Fr.» 36 *No es eso, pero como no sabía si ella cumpliría su palabra, porque ya sabe usted lo que son las mujeres..., p u e s menuda plancha me tiro yo si no viene.*

También en las aposiopesis, el *pues* que debía introducir la oración principal ya frustrada queda como testimonio del malogrado esfuerzo expresivo. EMH 13 *...como el patrón era para un niño mayorcito, si no he calculado bien las medidas, p u e s ... En fin, ¡sea lo que Dios quiera!* Caso semejante en Ibid. 66 *¡Pobre papaíto!... Porque él es bueno... Ahora, que desde que se metió en esas cosas de juego y de matonerías... y como alrededor de eso siempre andan mujeres, p u e s ... ¡claro!* A Leonor se le hace duro declarar abiertamente la triste verdad del decaimiento moral de su pobre padre. — En los casos que cito a continuación se explica igualmente *pues* como enlace con una premisa ya expresada. EMH 13 *No cenó anoche, no ha desayunado...; p u e s ni una lágrima, ni una queja* ('aunque..., pues...'; 'no..., y sin embargo'). Ibid. 44 Paco (hablando de Antonio): *Ya ves, conmigo no puede estar más cariñoso; p u e s hay noches que viene a decirme: «usté descanse» y me da miedo* ('a pesar de que..., pues...') [47].

Otro es el caso de los *pues* (vulgar *pos)*, apenas perceptibles, precursores de réplicas cortas, rápidas y continuas, sobre todo en las diferencias de opinión entre dos o varios interlocutores. Yo interpretaría: '(si tú dices tal cosa), pues (entonces yo contesto con esta otra)'. (Este *pues* me recuerda el ligero puñetazo sobre la mesa con que exponen sus triunfos los jugadores de cartas.) SPITZER llama a este *pues* «palabra parachoque» *(Pufferwort)*. M 59 Salvador: *Yo te hasía en Seviya.* —Malvaloca: *Y yo a ti en Roma, besándole al papa la babucha.* —Salvador: *P o s yo me fui de las Canteras y he vuerto.* —Malvaloca: *P o s yo ni he vuerto ni me fui.* LC 24 Blanca: *Y lo digo muy alto, sí, señor: quiero tener hijos cuando me case.* —Nicolás: *¡P u e s yo no!* —Blanca: *P u e s yo sí.* —Fernandita: *P u e s deben ustedes ponerse de acuerdo.* —Blanca: *P u e s por eso ha sido la pelotera.* Véase también R. CARNICER, Nrl, pág. 112, y de la misma obra el cap. 16, titulado: «Pues sí» (págs. 79 y siguientes). C. llama la atención sobre la frecuencia de *pues* ante *sí* y *no*: *¿Jugará usted esta noche?* —preguntan a un delantero centro. —*P u e s sí.* —*¿Actuará usted en el próximo festival de la canción?* —preguntan a una señorita. —*P u e s no.* LUIS FLOREZ, en BACol, 1966, pág. 241, también habla del frecuente *pues*

---

[47] F. YNDURAIN nos recuerda como «bordoncillo regional» el *pues* de los vascohablantes bilingües, que explica «por la premiosidad en el manejo del español». (Artíc. cit., ibid.). En la pág. 108 nos advierte que QUEVEDO ataca «el abuso de *bordoncillos* y toda suerte de fórmulas idiomáticas hechas, tanto e n l a l e n g u a h a b l a d a como en la escrita». Creemos, sin embargo, que en su hablar diario, el mismo Quevedo las habrá empleado como cualquier hijo de Adán y Eva. Donde más abundan tales elementos «parásitos» es en el lenguaje de los campesinos, comprobable en la novísima novela dialogada de M. DELIBES «Las guerras de nuestros antepasados». Pacífico Pérez, el protagonista, emplea a cada paso expletivos como *o sea, a ver, que hacer, tal cual, por mayor, aguarde* y otras locuciones semejantes: «están ahí (...) como exponentes (...) de una manifestación del léxico campesino de Castilla...» (Prólogo del autor, pág. 13).

como muletilla: *p u e s sí*, *p u e s no; p u e s mire, si tocan una marcha movida, p u e s la bailarán.* —*Dos desayunos* —pedimos por teléfono en el hotel —*P u e s ahora mismito*, contesta la empleada.

Es enteramente distinto el *pues* interrogativo, por ejemplo: *Voy a hacerte una confidencia.* — *¿ P u e s ?* ('¿y eso?'). Spitzer cita: *Esta noche no voy a la tertulia.* — *¿ P u e s ?*[48] (originariamente se sobreentendía '¿por qué no?'). «La pregunta sobre la razón de una conducta, que siempre significa una incursión en el recinto personal del prójimo, una intromisión, es discretamente evitada; la entonación interrogativa basta para dar a entender al otro claramente la intención del que pregunta». A este propósito recuérdese una vez más el *pues nada* citado ya (cap. I, págs. 119-120), en el que *pues* sirve de enlace con el total de la situación.

El significado causal de *pues* 'porque', conocido de cualquier estudiante de gramática elemental española, es de uso común sólo en Asturias (donde tantos arcaísmos se han conservado)[49],

---

[48] Modernamente, en lugar de *¿pues?*, se dice mucho *¿por?* P. ej., A: *Hoy no salgo.* —B: *¿Por?* —A: *Porque está enfermo mi hermano.* También se oye modernamente *¿y eso?* P. ej.: —*Hoy no voy con usted* —*la dijo.* —*¿Y e s o ?* (F. Ávalos, pág. 10). Ibid., pág. 28: —*Yo no tengo ganas ni de abrir la boca.* —*¿Y e s o ?* J. Polo: Hay un *y* argentino muy característico: alguien está contando algo y se detiene sin llegar a lo importante; el interlocutor pregunta: —*¿Y?* (= '¿y qué pasó?'). En la Argentina he observado con frecuencia *y* en lugar del peninsular *pues.* A prop. de *¿y?, ¿por?, ¿pues?* interrogativos, añado *¿para?* con la misma función: —*Oye, Darío, te vengo a buscar a las diez y media.* —*¿P a r a ?* —*Dar una vuelta.*

[49] Característico de Galicia y Asturias es el uso exclusivo del pretérito indefinido en casos en que el castellano emplearía el perfecto compuesto: p. ej., *se me olvidó traer el libro* (en Madrid se diría: *se me ha olvidado...*). Otra particularidad regional es la colocación enclítica de los pronombres personales; p. ej., *díjomelo ayer* (en vez de *me lo dijo ayer*). Otro ejemplo: *¿Hay naranjas?* —*Haylas* (en vez de *las hay*). Véase a este propósito el estudio de Harri Meier «Die spanische Pronominalenklise als Stilphänomen» en RJ, XXIII, 1972, págs. 271-273. Por último la terminación diminutiva *-in*, *-ina* (gallego *-iño*, *-iña*) en lugar del castell. *-ito*, *-ita*. Amado Alonso llama la atención sobre la fuerza de evocación que tienen estos sufijos regionales (ob. cit., pág. 233).

mientras en las demás partes pertenece más bien al lenguaje literario. Como conjunción causal, al menos en Madrid, lo corriente es *porque* o sencillamente *que*. «Fr.» 44 *Anda, date prisa, que se nos va el tren.* —*Pues que se vaya con mil demonios, q u e* (también *porque*) *yo ya no corro más, ¡ea!* El uso de *que = porque* es antiquísimo y muy frecuente, p. ej., en GRACIÁN (véase B. SÁNCHEZ ALONSO, ob. cit., pág. 219). El sintagma *de que* + subjuntivo equivale popularmente a *en cuanto* + subj., p. ej. *d e q u e llegue su amigo, se lo diré; d e q u e mi hermano traiga el coche, lo llevaré a arreglar*, etc.

La partícula expletiva *vamos* se explica psicológicamente por la necesidad que experimenta el hablante, cuando se ha atascado en su discurso, de estrechar el contacto con el oyente; a éste le hace partícipe, diríamos, de su turbación. Con *vamos* le invita a un esfuerzo en común, para continuar (véase también págs. 75-76). EUB 13 Guzmán (a su amigo): *De manera que todas tus deudas son de boquilla; v a m o s , de palabra.* La primera expresión *de boquilla* tiene un matiz algo molesto: «dícese, familiar y metafóricamente, de las cosas que se ofrecen o dicen y no se cumplen ni se sienten» (DM). Sin duda Segundo habrá dado a entender con un gesto su disconformidad con ella; entonces Guzmán se ha visto obligado a sustituir *de boquilla* por *de palabra*, expresión ya nada ofensiva. Pero esta nueva expresión tuvo que buscarla antes, para lo cual *vamos* funcionó de elemento retardatario, con un significado de 'o más bien', o 'mejor dicho', o 'por mejor decir' (comp. fr. «bien voyons»). Lo mismo en OM 20 *...lo que a ella le incomoda, no es que usted la pretenda sino que lo haga usted de un modo tan descarado; v a m o s , con tan poca vergüenza;* también aquí *vamos* media entre una expresión ofensiva y otra que la suaviza un poco. En EUB 16 *Yo consigo un éxito personal que, v a m o s, me hago célebre,* el *vamos* introduce una oración consecutiva que pretende realzar en lo posible la magnitud del éxito esperado por Guzmán y cuya formulación le exige un esfuerzo especial; por otra parte, esa oración contiene una alabanza propia que por el *vamos* queda algo atenuada. En Ibid. 68 *Vislumbro una tragedia que, v a m o s , Eurípides hacía sainetes* (véase página 322), también *vamos* precede a una oración consecutiva con la que el hablante pretende conseguir un efecto particular.

En casos de habla titubeante, *vamos* sirve de estímulo propio, teniendo en cuenta al mismo tiempo la impaciencia de los demás. En el fondo, nace del mismo principio arriba expuesto, sólo que aquí el empeño del hablante por continuar la frase fracasa a pesar del nuevo impulso tomado. CC 24 Felipe (presentando un proyecto a Bernardo, en la creencia de que está tratando con un profesional): *Creo que no está mal escrita* (la memoria). —Bernardo (forzado a disimular su total desconocimiento): *Non*[50], *señor, solu que yo...* (Aparte: *¡Ay, qué apuro!). V a m o s , que non... ¿Está usted?* LP 34 (habla un ingeniero): *Y mira así, con unos ojillos tan...* (no encuentra expresión que le satisfaga). *V a m o s , que me parece que hoy no rectifico la rasante.* También esta oración con *que* se ha de entender como consecutiva y ligada a ese adjetivo sin expresar *(tan...)* y cuya falta ha tenido que ser suplida con el *vamos.* PC 71 *Pasar unas cuantas horas como usted las pasó al lado de Pepe Conde es... v a m o s , no sé. Como si las hubiera usted pasado al lado de un perro de lanas.* En el fondo se trata de una sola oración sin solución de continuidad; el *vamos, no sé* interpolado no hace sino poner de manifiesto el esfuerzo que le cuesta al hablante encontrar la comparación que le parece adecuada.

Vamos forma frecuentes unidades sintácticas con *y, pero* y *porque,* VM 41 *Para mí, decir la verdad es algo así como cometer un crimen, y v a m o s , yo no quiero manchar una historia tan limpia como la mía. — Y vamos* significa aquí tanto como el alemán «und offengestanden» ('y francamente'; 'y, la verdad'). *Pero, vamos* tiene cierto matiz conciliatorio (o de transigencia) cuando va enlazado con una manifestación desagradable para el interlocutor o cuando la introduce: *¿Qué tal el concierto? —Hombre, no fue ninguna cosa del otro jueves, p e r o , v a - m o s , no estuvo mal.* VS 20 Sinapismo: *¿Ve usté, hombre de*

---

[50] Caracteriza el matiz dialectal del gallego de tipo medio al hablar castellano la fuerte nasalización del adverbio negativo (aquí representado gráficamente por *non)* y la pronunciación de *o* átona como *u (solu).*

Dios? A mi lado, en cuatro días, acababa usté sanguinario.
—Bonilla: *Sanguinario, no; p e r o , v a m o s , esto de darle un
estacazo al verdugo me ha gustado.* La contradicción de Bonilla
queda muy dulcificada con el *pero, vamos,* equivalente a 'pero
hay algo de verdad en lo que usted dice'. EUB 34 *Yo celebraré
con el alma que su sobrino cure pronto, primero por él, y segundo p o r q u e , v a m o s* (la razón principal que viene ahora
es muy delicada: eso explica el *vamos* dilatorio), *no debía hablar
de ello, porque es una mezquindad, una pequeñez, una insignificancia* (se anticipa ya a toda posible crítica con una hipócrita
autoacusación), *p e r o , v a m o s , me adeuda un piquillo.* Lo
principal, que no hubo más remedio que decir al fin, tras tanto
preámbulo, viene introducido por su parte con el *pero, vamos*
conciliatorio: 'en fin, qué le vamos a hacer, hay que decirlo'.
Cuando el hablante tiene que aducir una razón que contiene
una verdad para él vergonzosa o molesta la introduce con
porque, vamos: EUB 14 *Busco a Ricordi y no me separo de él
por nada en el mundo. P o r q u e , v a m o s , tengo miedo: lo
confieso, tengo miedo.*

Modernamente se ha venido difundiendo cada vez más un
parásito *digamos,* p. ej.: *a mí, d i g a m o s , esto no me gusta
nada; lo que conviene, d i g a m o s , es que tu hermano diga
la verdad* (RAMÓN CARNICER, NRL, pág. 15). Aquí también se trata
de un mero comodín retardatario. Recordemos por fin el igualmente parasitario *luego* en combinación con *después,* p. ej.:
*ahora vamos a cenar y l u e g o d e s p u é s vamos al teatro;
tengo que terminar este trabajo y l u e g o d e s p u é s vamos
a echar un trago.* En ambos ejemplos *luego,* lógicamente, está
de más. Me recuerda la analogía francesa: «et puis alors»
donde *puis* también sobra «lógicamente».

En ocasiones el hablante no da con la designación precisa
del objeto a que se refiere, y entonces el lenguaje corriente
echa mano de una palabra de recurso, o mejor dicho, sucedáneo
para salir del paso: *chisme, cacharro, cosa,* etc. (comp. al.
«Ding», fr. «truc, machin»). VM 32 *A los toros no le llevaría
usted e l c h i s m e ese.* (Se trata de un calentador de pies,
objeto de uso poco extendido en España). — En una juguetería:

A ver, ¿me enseña usted u n c h i s m e de esos? La *pinza pica-dora* de los revisores de ferrocarril, término técnico poco cono-cido y menos empleado por la gente, en FRANCISCO CANDEL, «Pueblo», pág. 106, es simplemente *el c h i s m e para taladrar.* Tratándose de individuos distraídos [51] o de lento discurrir, se oye frecuentemente un *esto* más o menos alargado, como recurso momentáneo en los atascos: es decir: 'esto que tengo en la punta de la lengua', por ejemplo: *Oiga usted..., e s t o ... , ¿le ha escrito a usted ya fulano?* Es como si quisiera sugerir al interlocutor como cosa ya palpable *esto* que quiere decir. A: *¿Quién se lo ha dicho?* —B: *Pues... me lo ha dicho..., espere usted..., e s t o ..., ¿cómo se llama? ¡Ah, ya! Echevarría.* Com-párese el empleo del fr. «ça» y del italiano «ecco»: «El *ça* se convierte en palabra de recurso o muletilla que nos miente una visión de conjunto en el espíritu del hablante, antes de que ésta se haya verificado; es una palabra «para hacer boca», como el italiano *ecco* que simula responder a una pregunta antes de que el objeto de tal respuesta haya cuajado en la mente del hablante» (SPITZER, «Das synthetische und das symbolische Neutralpronomen im Französischen», en «Idealistische Neuphi-lologie». «Festschr. f. K. Vossler», Heidelberg, 1922, pág. 127). Aquí encajan como comodines también clausulillas al tenor de *¿qué quiere usted que le diga?* (JOSÉ VALLEJO, pág. 391), pregunta puramente formularia que no exige respuesta. Lo mismo que p. ej.: *¡qué remedio!,* que significa en realidad 'no hay más re-medio' o 'no queda otra solución', *¡qué le vamos a hacer!, ¡qué quiere usted que le haga!,* cuyo empleo respectivo, claro que siempre depende del contexto o de la situación en que se diga: Otro comodín, muletilla o expletivo es la frecuente. intercala-ción de *resulta que,* con su casi vacío semántico, p. ej.: *iba a su casa a verle, pero r e s u l t a q u e había salido; como el padre de la chica es sereno, p u e s r e s u l t a q u e nos pode-mos ver sólo de noche.* O sea que en este ejemplo el *pues* re-trasa aún más la enunciación de lo que sigue; último ejemplo:

---

[51] No se confunda ser uno distraído con hacerse el distraído o, po-pularmente, *hacerse el longuis* (ÁLVARO DE LAIGLESIA).

*iba a pedirle dinero, pero r e s u l t a q u e se le había acabado
también, y el banco estaba cerrado.* En LT 13 ocurre: —(...) *eso
era cuando estaba soltero* (...) —*Pero como r e s u l t a q u e
ahora se ha casado y va con su mujer a la verbena* (...).

Como último miembro de una enumeración somera, suele
aparecer con frecuencia *y tal,* relajadamente articulado, que
corresponde a la idea de «y qué sé yo qué y qué sé yo cuál»;
por ejemplo: *yo los vi que estaban arreglando la casa, fre-
gando, poniéndolo todo nuevo y t a l; pero, no crea usted,
a mí no me engaña nadie...* También puede servir de muletilla expletiva al reproducirse sucintamente lo dicho por
una tercera persona, por ejemplo: *¿Qué te ha dicho?* —*Pues
que le habías gustado mucho, que estaba muy contento, que
habías adelantado y t a l; ahora, claro, que no se podía decir
nada en concreto todavía.* Se trata ahí de informar a un alumno
de lo que ha dicho al hablante sobre él, su profesor de música;
y tal significa algo así como etcétera. Otro ejemplo: [...] *a ti
que tienes prestigio y oportunidades y t a l* (ADRO XAVIER, OC,
pág. 18). En lugar de *y tal* se encuentra también *y todo*[52]: 'y
todo lo demás que ha dicho'; el hablante no se detiene en ello,
porque le queda otro punto importante por alegar, introducido
por *ahora que* (véase capítulo I, págs. 128-29) y, en el ejemplo
anterior, por un *pero, no crea Ud.,* anuncio de algo grave. En
cuanto a *y todo,* lo he observado también en frases exclamativas.
Un amigo mío al ponderar las cualidades de un concertista de
violín: *¡Qué bárbaro estuvo! ¡Qué afinación, qué sonido y q u é
t o d o !* Aquí, a diferencia de *y todo = y tal,* el último miem-

---

[52] Cf. el catalán *i tot* (tratado por SPITZER, «Aufs.», pág. 260); el ejemplo *un castell de moros, amb el rei i tot* rezaría en castellano: *un castillo
de moros, con su rey y todo,* cuyo significado es 'un c. d. m., con su rey
y todo lo que le corresponde'; por tanto, se trata aquí también de una
enumeración abreviada. El *así y todo,* cit. ibid., pág. 261, se explica de
análoga manera: *así y too eres un güen mozo,* 'así como eres (o sea con
esa especial cualidad de que se habla, y con todas las otras que no enu-
mero), eres un buen mozo'. LP 59 *¿Conque le dio un desmayo y todo?*
'¿C. l. d. un desmayo y todo lo demás?'. Véase también S. FERNÁNDEZ
RAMÍREZ, ob. cit., pág. 442, y A. BRAUE, ob. cit., pág. 117, así como A. CASTRO
y S. GILI GAYA en RFE, 1917, págs. 285 y sigs.

bro *(y qué todo)* es articulado con el mayor énfasis, pudiendo
por lo tanto añadirse a los ejemplos de las páginas 349-350. Del
mismo modo LC 11 *¡Y qué pan, y qué agua... y qué cielo, y
q u é t o d o !*

Hay que hablar ahora de ciertas particularidades sintácticas
que también se explican por el principio del menor esfuerzo.
Mencionemos, en primer lugar, un curioso tipo de f r a s e
c o n d i c i o n a l privativo del lenguaje hablado, donde se da
con suma frecuencia. En él las dos partes de la oración condicional, en vez de subordinada una a otra, van coordinadas.
Y es que, en el lenguaje coloquial, el *orden paratáctico* prevalece
con mucho sobre el *hipotáctico*. (Para el latín coloquial véase
HOFMANN, obra citada, págs. 106 y siguientes.) PC 39 *A ese
conde de Arcoluego se le zamarrea y echa bellotas,* es decir 'si se
le zamarrea, echa bellotas' (alusión a *es un alcornoque,* que,
metafóricamente, significa 'bruto'). VS 60 Ismael: *¿Pero tan
grande fue el puñetazo?* —Talmilla: *Yo creo que se lo da a un
acorazado y lo abolla...* VS 20 *Ya ve usted, a mí me pica una
pulga y hasta que no salte no me rasco...* EMH 36 *...usted ya
sabe lo tiranos que son los caseros, don Antonio, que va uno
sin cobrar y le ponen verde.* EMH 33 *¿Usté entre matones?...
Usté, que el otro día salimos de paseo y le tuve que ayudar a
llevar el bastón porque se cansaba.* Aquí se han cruzado dos
construcciones distintas: El hablante probablemente iba a decir:
usted que el otro día se cansaba tanto que... (donde el *que*
primero sería de frase relativa). Pero al decir *el otro día* vincula
con dicha expresión adverbial las circunstancias cuyo recuerdo
le viene a la memoria y tenemos otra vez el tipo de oración
paratáctica de que estábamos tratando: *el otro día salimos de
paseo y...,* construcción notablemente más cómoda para el hablante que la hipotáctica al decir *el otro día, cuando salimos
de paseo, tuve que...* Ibid. 41 *Mueves, sin querer, una peseta
que no sea de tu propiedaz y te echa una mirada que te mustia
hasta las flores del sombrero.* Otra ventaja, a más de la mayor

comodidad, consiste en que permite expresar la celeridad con que una acción trae consigo sus respectivas consecuencias. EUB 19 *Eso lo mandas al «Blanco y Negro» y te hacen redactor,* en vez de 'si mandas eso... te hacen redactor'. M 60 *No es... que tenga selos* (= celos) *de ti, ¿lo oyes?, pero te nombro y se pone verde* = 'si te nombro, ya se pone verde'.

Otro fenómeno propio exclusivamente del lenguaje coloquial es el curioso tratamiento del p r o n o m b r e r e l a t i v o en PC 36: *Es ese niño q u e le dicen el intérprete de los pavos,* expresión indudablemente más cómoda que la gramaticalmente más correcta *el niño a quien (le) dicen...* Psicológicamente se explica por el principio de analogía, siendo idénticos el pronombre relativo *que* nominativo y el *que* acusativo, teniendo en cuenta que *quien* (nominativo) y *a quien* (acusativo) se usan preferentemente en la lengua escrita [53] (y en la hablada únicamente en conexión con preposiciones que constan de más de una sílaba: *para quien, contra quien,* etc.). Pues bien: por ley de analogía, el *que* nominativo y el acusativo se emplean igualmente para el dativo. Mejor dicho: la idea del dativo se expresa p o s t e r i o r m e n t e mediante el pronombre de dativo *le.* Esta construcción cómodamente popular ocurre ya en CERVANTES, «Quijote», II, 17 *...no parece sino estatua vestida q u e el aire le mueve la ropa.* En el lenguaje coloquial de hoy es de lo más corriente. «Fr.» 59 *Peor es el otro, ese q u e le dicen el «Barbas»...* PC 22 *...er tío de Mari-Gloria, ese q u e le disen Paco er sinvergüensa.* También se usa esta construcción en Suramérica (LUIS FLÓREZ, obra citada, pág. 221). Y así el culto *cuyo* + sustantivo, el pueblo lo sustituye por el mucho más cómodo *que su* + sustantivo, p. ej., *una vecina q u e s u marido está empleado en el gas;* en vez de *el pobre niño cuya madre ha muerto,* el pueblo dice o *el niño que se le ha muerto la madre* o *el niño que su madre se le ha muerto.* L. FLÓREZ (ob. cit., pág. 221) cita varios ejemplos colombianos. — En cambio, es popular el uso de *cuyo* en la pregunta del tipo de *¿ c ú y o es*

---

[53] Excepto en raros casos, como en la construcción *(no) hay quien, (no) había quien...* P. ej., EMH 44 *A mí no hay quien* (sobreent. *me eche del local).*

este cuchillo?; según Flórez, se trata de un arcaísmo, conservado también en Colombia (pág. 243). Para la sustitución de *cuyo* relativo, véase también E. LORENZO, ob. cit., págs. 206 y sigs. Está visto que el lenguaje popular, en el fondo, no conoce sino un solo pronombre relativo: *que,* diciéndose incluso: *la señora q u e ha vivido en su casa* (= 'en cuya casa...'). El abuso de *quien* (relativo), para el que LORENZO cita buen número de ejemplos, no recuerdo haberlo observado con excesiva frecuencia en el lenguaje coloquial: *la señora a q u i e n le he entregado la llave,* alterna con: *la señora q u e le* (más popular: *la) he dado la llave.* El ejemplo citado por LORENZO en la pág. 208: [...] *son los violonchelos q u i e n e s presentan el motivo,* a más de literario, puede referirse también a los que manejan el instrumento, como sucede con todos los demás de una orquesta: *en el compás n.° 20, entran l o s v i o l i n e s* (= 'los violinistas'; es uso general en todos los idiomas europeos).

Los siguientes ejemplos muestran cuánto se ha generalizado en el lenguaje hablado el *que* relativo. EMH 32 *Más cornás da el hambre*[54], *q u e decía el otro,* donde *que* hace las veces de *como*[55]. EUB 32 ...*la curación de mi sobrino urge y como el tiempo es oro, q u e dicen los albiones* (= ingleses), *debemos determinar sobre la marcha.*

Otro fenómeno propio preferentemente del lenguaje coloquial y que también nace del principio del menor esfuerzo es la a n t i c i p a c i ó n d e l p r o n o m b r e de dativo (o acusativo) *le,* que ocasionalmente se observa incluso en la lengua escrita; por ejemplo en *tengo el gusto de participarle a U d.* (en vez de... *participar a Ud.).* Ahora bien: lo curioso es que el *le* anticipado a veces aparece en singular también en aquellos casos en que el sustantivo a que apunta se halla en plural (particularidad ésta sobre la que llamó ya la atención FRITZ KRÜGER en RFE, XI, 1924). VS 69 *Las cosas que l'ocurren a e s t o s i n g l e s e s.* El papel desempeñado por *le* no pasa aquí de apuntar v a g a m e n t e a un dativo que sigue. VS 2 ...*que guar-*

---

[54] Dicho divulgadísimo, sobre todo en relación con los toreros y su origen tantas veces humilde.

[55] Lo único posible en la lengua literaria.

de estos filetes para echar l e tapas a l o s t a c o n e s . VS 39 *Que l e he preguntao a c u a r e n t a p e r s o n a s .* Por lo demás, esta incongruencia entre pronombre y su correspondiente sustantivo, aun tratándose del lenguaje hablado, debemos calificarla de vulgarismo [56], que siempre (?) atestigua un bajo nivel de cultura en el hablante. Cónstame como única excepción MP 88 *L e pide una a l o s h o m b r e s unos sacrificios...*, puesto en boca de una señora de ambiente c u l t o . Todos los restantes ejemplos, como el siguiente de QNSF *Hay que dar l e tono a l a s c o s a s ,* se atribuyen a hablantes incultos. TORO Y GISBERT, «Los nuevos derroteros del idioma», pág. 162, cita un solo ejemplo de «autor muy correcto por lo común» [57]: *l e daba ciento y raya a l a s m o z u e l a s de Fuentemayor.* Pero ¿por qué no ha de poder ese «correcto escritor» imitar incidentalmente el lenguaje vulgar cuando le parezca oportuno? El carácter puramente coloquial de la expresión, a más de por lo que en ella se vitupera, nos parece comprobado ahí por el archipopular modismo *darle a uno ciento y raya.*

---

[56] Los rasgos característicos del habla vulgar pueden verse expuestos en RAFAEL LAPESA, ob. cit., págs. 288-296; R. PASTOR Y MOLINA, «Vocabulario de madrileñismos», en «Rev. Hispanique», XVIII, 1908, y F. LÓPEZ ESTRADA, ob. cit. Además, M. MUÑOZ CORTÉS, «El español vulgar», Madrid, 1958; para el fenómeno arriba tratado *(le* seguido de plural), véase ibid., página 96.

[57] También RAFAEL DOMÍNGUEZ (en el t. II del libro de FRANCISCO J. SANTAMARÍA, «Ensayos críticos de lenguaje», México, 1946, pág. 178) señala que la prolepsis del dativo singular, referido a un nombre en plural, aparece en la lengua literaria: *la conveniencia o inconveniencia de abrir l e las puertas de nuestro país a l o s m i e m b r o s de la facción derrotada...* (falta la indicación de autor). LUIS FLÓREZ, en «Temas de castellano», dedica todo un capítulo al «uso impropio de *le* por *les*» (págs. 258 y sigs.), citando numerosos ejemplos de casi todo el ámbito hispanohablante sudamericano, allegados por CHARLES E. KANY (ob. cit. más abajo, en la Bibliografía). Añado de P. BAROJA, «Las noches del buen retiro» (Col. Austral, pág. 113): [...] *no l e daba importancia a e s t a s c o s a s .* Y este último ej. de F. CANDEL, EPH, pág. 212: [...] *sacar l e el árbol genealógico a e s t o s g i t a n o s sería un conflicto.* Por lo demás, aun en pronunciación castellana (o «correcta») de la [s] final, ésta suele debilitarse a veces hasta enmudecer por completo, y entonces el problema no pasa de ser de índole puramente f o n é t i c a .

Capítulo V

FORMAS DE REMATAR LA ENUNCIACIÓN

Entendemos por formas de rematar la enunciación aquellas expresiones que en el fondo no indican otra cosa sino que el hablante ha dicho lo que quería decir, y no tiene nada que añadir. Por una parte, como dice SPITZER, tales expresiones proceden «de un principio de cortesía para con el interlocutor a quien se le da la señal para que hable, y con ello se le evita la desagradable contingencia de una interrupción prematura y descortés»; por otro lado —y esto vale sobre todo para el español— comunican a lo dicho cierto aire de seguridad y firmeza, despertando en el oyente la ilusión de algo completo y hasta —en cuanto se trata de afirmaciones— incontrovertible. La inmensa mayoría de estas fórmulas de conclusión, como miembros últimos de una enumeración, van precedidas de la conjunción *y*, que responde a la necesidad de completar y redondear el conjunto. De modo que el final de un discurso, como el remate de un edificio, no pasa muchas veces de elemento puramente decorativo, como, por ejemplo, con frecuencia el *etcétera* de las enumeraciones (en alemán «und so weiter»), con el cual a veces el hablante solamente simula que aún podría nombrar muchas cosas más, cuando en realidad ha dicho cuanto tenía que decir. (Recuérdese aquí también el *y todo*, citado en el capítulo IV, págs. 418-419.)

FÓRMULAS RELATIVAS AL ACTO DE HABLAR

Comencemos por algunas de las fórmulas más frecuentes de esta clase, que se aplican a la actividad hablante. Al it. «basta» corresponde el español *y basta con lo dicho* (DM). Lo mismo significa el más erudito humorístico *y punto final* (DM) (que recuerda a la expresión berlinesa «nu mach aber 'n Punkt», si bien ésta tiene una aplicación algo diferente). Como final de una enumeración, para poner en evidencia que ya se ha terminado, sirve la invitación (puesta en boca del interlocutor) *y pare usted de contar* (DM) 'no siga, porque no queda más que contar'. Por ejemplo: *la comida era una calamidad: un poco de carne, otro poquito de pan, un trago de vino barato y p a r e u s t e d d e c o n t a r* ('y no hubo más', 'y eso fue todo'). RAMÓN MARÍA TENREIRO, «La esclava del Señor», pág. 176: (Yo no tenía interés en vestir con riqueza) *Limpia, aseada y p a r e u s t e d d e c o n t a r*. Fórmula equivalente, más sencilla, menos graciosa, es la frecuente *y nada más*. Para expresar que no hay que perder más tiempo en hablar de un asunto, se dice *y no hay más que hablar*. «Fr.» 42 *Para usted esto es sagrado y n o h a y m á s q u e h a b l a r*. PC 37 Gaspar: *...Le mete dentro la piedra, la tapa muy bien y lo pone ahí a la vera e la puerta e la calle.* —Ana: *Sí, señó.* —Gaspar: *Pos n o h a y m á s q u e h a b l a r*. Parecido es *¡Pues ni una palabra más!* 'estoy completamente de acuerdo'. EMH 32 Mariano: *...porque pagan adelantao.* —Antonio: *¿Adelantao?... N i u n a p a l a b r a m á s* ('acepto, sin vacilar, esa colocación'). Tiene un efecto más personal *y no te (le) digo más* (DM) 'ya estás (está usted) enterado'; o también: *conque ya lo sabes*. PC 56 *No; si yo seré un bruto, pero anda que tú...; tú vas a llevarte el segundo premio. C o n q u e y a l o s a b e s* [1] (ob. cit., pág. 20 y n. 3).

---

[1] Añado el frecuente *(y) nada más*, a cuyo propósito dice E. LORENZO, que gana hoy terreno *eso es todo*, fórmula que sin tildarla de anglicismo, se ve indudablemente favorecida por su equivalente inglesa *that's all* y la francesa *c'est tout*. Recuerdo además la construcción familiar *n a d a*

He dicho (que no tiene correspondencia en alemán) se emplea como remate de una disertación, o también después de recitar una poesía o en casos semejantes (it. «ho detto»). «El que este *dixi*, dice SPITZER, se use exclusivamente para el discurso en público y no se dé en la conversación privada, se explica por las distintas condiciones acústicas de la conversación, pues aquí el hablante le da a entender al interlocutor, por medio de la entonación, que pronto va a terminar».

Fórmulas de remate como *y se acabó el cuento* («Tradiciones Populares», I, pág. 120) «se explican por el hecho de que originariamente los cuentos se relatan ante amplios círculos de oyentes, y también quizá porque éstos, niños principalmente, han de ser devueltos del reino de la fantasía al mundo de la realidad». (Lo mismo: *y colorín colorado, este cuento se ha acabado*). Ese final usado en los cuentos de todas partes, parece haberse generalizado en la forma abreviada *y se acabó*[2]. «Fr.» 35 *Nada, está dicho: esta noche sin falta me voy y s e a c a b ó*. Dice SPITZER: «el español es muy dado a interpretar una cosa como «acabada» aun cuando pertenezca al futuro». «Stilstudien», I, 260. En lugar de *y se acabó* se usa con igual valor y casi con la misma frecuencia *y a s u n t o c o n c l u i d o*. LMPP 72 *Si*

---

m á s volver de su viaje, se puso a trabajar; yo, n a d a m á s meterme en la cama, me quedo dormido como un tronco. LMPP10 *Hay algo que quería decirle n a d a m á s entrar* (= 'en cuanto hubiera entrado').

[2] La forma verbal sustantivada *el acabóse* significa lo mismo que *el colmo* 'el no va más'; p. ej., *aquello era el acabóse* 'lo peor que podía pasar'. Sólo la situación concreta permite determinar el matiz de cada caso: 'lo más fantástico que he visto u oído', etc. La fantasía, o mejor dicho el humor popular, ha creado hasta un «santo» llamado *San Seacabó (se acabó)*. LC 13 *Madrí, ¿qué tiene Madrí? Más cazas que Jeré; más torres; más cayes... Va usté ar pazeo: más coches; va usté ar Muzeo: más cuadros. Y z a n z e a c a b ó*. Igualmente: *Al que se muere, lo entierran y s a n s e a c a b ó* (J. A. DE ZUNZUNEGUI, «El barco de la muerte», pág. 208). Véase también G. WEISE, ob. cit. Otro ejemplo: *Pues firmas ¡Arriba España!... y sanseacabó* (GIRONELLA). Está visto que el «santo» de *s a n - seacabó*, ya completamente vacío de su sentido primitivo, también ha acabado de pasar a ser un puro elemento de r e f u e r z o como el del ejemplo siguiente: HDP30 Elena (enfadada): *¡Oye!* —Julia: *—Ni oye ni s a n oye.*

hay que internarlo, se le interna, y a s u n t o   c o n c l u i d o.
Añado de pasada que en lenguaje erótico se usa *asunto* también
como eufemismo (en lugar de 'coito'): *a esa mujer parece que
no le gusta e l   a s u n t o*. Es muy corriente el dicho popular
y se acabó lo que se daba (JOSÉ VALLEJO, ob. cit., pág. 362). Para
terminar este párrafo, cito una fórmula de remate usada, según
J. COROMINAS, preferentemente en Aragón —aunque yo la he
oído también en Madrid y otras partes—: *...y no hay t u   t í a*,
p. ej. *lo ha ordenado el jefe y n o   h a y   t u   t í a* (= 'y no hay
más remedio que obedecer'). Corominas comenta: «es frase
vulgar para decir que algo malo es inevitable o algo bueno es
imposible». En «Pueblo» de F. CANDEL, pág. 212, ocurre: *El
otro estuvo aquí a telefonear, y luego se largó, pues por teléfono n o   h a b í a   t u   t í a* (= 'no había forma o posibilidad').

ESTRIBILLOS

Cabe suponer que en otras fórmulas de esta índole habrá
influido el recuerdo del estribillo con que acaban algunos cuentos. Sospecho tal modelo en ejemplos como *y todo quedó en
paz y en gracia de Dios* («Tradiciones Populares», I, 177), donde
el tan frecuente *y en paz* muestra que podría remontarse directamente al latín coloquial «pax» 'listo', 'basta' («fertig, genug»,
HOFMANN, obra citada). «Fr.» 37 *Hoy están reñidos, mañana se
vuelven a reconciliar, luego se casan y e n   p a z*. Es muy corriente la fórmula ampliada *y tengamos la fiesta en paz:* (...)
*ahora retírense de aquí todo el mundo y t e n g a m o s   l a
f i e s t a   e n   p a z* («Jarama», pág. 314). Aparece una fórmula
latina que parodia el lenguaje eclesiástico en PF 6: *Tomo las
cosas como vienen y p a x   C h r i s t i*. Al final de otro cuento
popular (pág. 195) se dice: *...y se reunieron, quedándose otra vez
juntos y v i v i e n d o   t a n   f e l i c e s;* en lugar de esto último
(o abreviado: *y tan felices)* también *y (pasándolo) tan rica-
mente,* muy popular, tanto en esta forma elíptica como en la
plena. EMH 82 Leonor: *...trabajaremos. —Marcos: Y t a n   r i-
c a m e n t e*. SC 18 *Nos tomamos nuestro café... y l o   p a s a-*

r e m o s t a n r i c a m e n t e . LP *En cuanto os caséis, vivire-mos toos juntos y l o p a s a r e m o s t a n r i c a m e n t e .* En los dos últimos ejemplos podría haberse omitido *lo pasaremos,* siendo muchísimo más frecuente la forma elíptica *y tan rica-mente.* — La fórmula rimada *y aquí dio fin la vida de Perimplín* (DM) es una parodia de final de cuento, y no significa más que 'aquí se acaba la historia': «Frase familiar o irónica con que denotamos haber terminado una cosa cualquiera y cuya con-clusión nos proporciona contento».

TIPO «Y YA ESTÁ»

Cualquier dificultad que haya que vencer, se le presenta al interlocutor como ya superada, con la fórmula *y ya está.* EUB 72 Segundo (a Clara, de quien él cree que ha perdido el andar): *Pues mire usted, señorita..., sírvase adelantar el pie izquierdo y y a e s t á .* «Fr.» 31 *Nada más fácil que eso: se le manda un telefonema y y a e s t á .* Esta frecuentísima expresión (a la que corresponde el port. «e prompto!») tiene las siguientes varian-tes: EUB 71: *eso del desafío lo arreglaba yo muy bien, avisaba a la policía para que nos sorprendiera y l i s to* (al. «und fertig ist die Kiste»). *En seguida te lo firmará mosén Garrido, y l i s t o* (= 'y ya está'). (F. CANDEL, «Pueblo», pág. 54). La misma función conclusiva tiene el gerundio imperativo *¡y andando!* (SPITZER, «Aufs.», 226)[3], sólo que éste va algo más allá y significa '(el asunto está acabado) y podemos pasar a otra cosa'; recordemos de paso la también divulgadísima fórmula *...y a otra cosa.* Algo semejante significa *y al avío.* PEDRO DE MÚGICA, «Eco de Madrid», capítulo 36: *Señores, elijamos el merendero menos indecente, y a l a v í o . (Avío* quiere decir 'lo que se necesita'.) Encontra-

---

[3] *¡Andando!* con pleno valor de imperativo se usa modernamente con la coletilla popularmente festiva *que es gerundio* (E. LORENZO, pág. 95). Yo lo oí, hace poco, también en Granada. El imperativo en forma de gerundio se emplea sobre todo en el lenguaje popular: *¡ya te estás ca-llando!* (E. LORENZO, pág. 105). Dos ejemplos más: T. SALVADOR, ob. cit., pág. 308: *aligerando q u e e s g e r u n d i o .* F. CANDEL, EPH, pág. 154: *—Salieron arreando, que los graciosos dicen q u e e s g e r u n d i o .*

mos esta misma estructura en fórmulas ocasionales como EUB
33 *Yo saldré luego a comprar unas cosillas que necesito, y a l
S a n a t o r i o*. En lugar de una fórmula general de remate,
tenemos aquí una intimación concreta, determinada por la
situación. En cambio, resulta más formularia la conclusión de
la frase: VS 19 *Otro cualquiera se echa a la calle, las vende a
bajo precio, y a v i v i r*, con la variante: *y viva la vida*. EMH 32
¡Hay que vivir!... Cuando no se pué (= puede) *de un modo, de
otro, ¡qué demonio! Lo mío* ('como yo digo'): *«pecho alante* (=
adelante), *¡y v i v a l a v i d a !»*. De una carta: *Yo soy así, ¡y
v i v a A r a g ó n !* ('yo soy así y no hay que decir más'); fórmula
arrancada al estribillo de una canción popular. Semejante a
éste es *¡y viva la Pepa!* [4], fórmula humorística (FRANCISCO J.
SANTAMARÍA, «Ensayos críticos de lenguaje», México, 1946, página 128), y derivada probablemente de la más corriente y di-
fundidísima por toda España *¡y viva la Virgen!* (por cierto que
un vivalavirgen es designación del hombre ligero de cascos y
al que todo le importa poco).

FÓRMULAS BÍBLICAS

De los Evangelios procede *y adivina quién te dio*. En el uso
profano significa 'nadie averiguará el autor de esto'. OM 60
*Bajáis conmigo, abrís la puerta de la calle, a estas horas de-
sierta, dejo a ese desdichado joven en medio del arroyo, y
a d i v i n a q u i é n t e d i o* ('y ya pueden buscar al autor', con
el sentido de 'no nos pasará lo más mínimo'). VS 36 Sinapismo
cuenta cómo piensa dejar inútil al presunto verdugo que ha
de ajusticiar a sus parientes: *Entro cuando él no esté en el
cuarto; cierro las maderas; me escondo detrás dé la puerta;
en cuanto vea asomar una cabeza, le endiño; sargo* (= salgo)
de naja, y a v e r i g u a q u i é n t e d i o. Se oye mucho, con casi
el mismo valor, *y aquí no ha pasado nada*, que el DR define
así: «significase la solución favorable que se da a alguna cues-

---

[4] Según F. RUIZ MORCUENDE («Hom. a Menéndez Pidal», II, pág. 210),
se refiere originariamente a la primera constitución española en 1812.

tión ruidosa, contra lo que se debía esperar por tal concepto, aludiendo a lo que se verifica frecuentemente entre matones, cuyas pendencias suelen terminar por quedar amigos». El origen de la frase se explica por lo que protagonistas y espectadores de una riña suelen decir a la policía para evitarse disgustos: *aquí no ha pasado nada.* Un conocido mío español, hablando de las atrocidades de sus exaltados paisanos durante la guerra de la Independencia, me contaba: *entra un soldado francés: «¿Me da usted un poco de agua? —Sí, señor, pase usted». Lo agarra, lo tira al pozo, echa la tapa encima y a q u í n o h a p a s a d o n a d a ,* contestación ya estereotipada a la pregunta de los policías.

Y ahora citemos dos fórmulas elípticas muy populares como muletillas de conclusión: *...y hasta hoy, ...y tan amigos.* Ejemplos: *le escribí lo menos tres o cuatro veces ¡y h a s t a h o y!* ('no he recibido contestación'); *me prometió pagar en enero ¡y h a s t a h o y!* ('no me ha dado ni una perra'); *aquí te dejo el libro; si quieres leerlo, lo lees, y si no, t a n a m i g o s .* Es decir, 'y (quedaremos) tan amigos (como antes)'. Aquí encajan también: *Todo eso se lo pierde y t a n c o n t e n t o* (R. SÁN-CHEZ FERLOSIO, «El Jarama», pág. 115); *se le murieron la madre y dos hermanos y é l t a n c a m p a n t e* ('parece que apenas le impresionó'). O bien: *...y como si tal cosa* (sobreentiéndase: *fuese lo más natural del mundo).*

FÓRMULAS DE SALUDO

Lo mismo que en italiano (SPITZER, IU, 287), se usan en español ocasionalmente, para terminar un discurso, f ó r m u - l a s d e s a l u d o , por ejemplo: *y adiós, que te guarde el cielo* o también, *y adiós, que te vaya bien* (DM), modismos que han de interpretarse como irónicos, igual que el remate de la siguiente cláusula: PL 24 *Que llegará el de América, te agradecerá tu honradez sin tacha, te besará las manos... y v a y a u s t e d c o n D i o s ,* en la que se imita en estilo directo el saludo de despedida del aludido (el sentido es: 'y ahí quedará todo', 'ya podrás volverte a casa con todos los honores a cuestas'). (Comp. al. «es hat mich sehr gefreut», dicho irónicamente.)

Como fórmulas ocasionales de esta misma estructura, citaré: *¿Estás conforme? — Si no, te mato y s a n t a s p a s c u a s* («Tradiciones populares», II, pág. 21). El DR explica: «Algunos añaden: ...*dijo el cura, por catar de la asadura*. Frase equivalente a decir que todos están contentos con la resolución tomada, la explicación dada, el reparto hecho». Su sentido es 'en Pascua [5] hay que poner buena cara, aunque se tenga muy poco que comer'. El DM trae simplemente: «conformidad; resignación». Lo que llevado a nuestro ejemplo sería: 'te mato y tendrás que conformarte, quieras o no'. Un pasaje del «Quijote», II, 23: *La sin par Dulcinea es quien es y la señora doña Belerma es quien es y quien ha sido, y q u é d e s e a q u í*, contiene cierta fórmula que recuerda al dicho alemán «und dabei bleibt es».

Los que llamábamos gestos sonoros, precedidos de la conjunción *y*, también aparecen a veces como fórmulas de terminación: OM (es un relato de caza): *Yo vi una cosa de pelo que se movía, ¡y p u m ¡* Caso análogo en NV 29 Petrilla: *...El capítulo de una novela romántica. —Carmen: Me lo figuro: una noche oscura, una calleja, un silbido; tú que sales embobalicá* (loca de amor), *él que te espera; ¡y t r a n l a r á n!* El final imita el tarareo de una canción alegre, de donde el sentido 'y todo será felicidad'.

En CC 46 el hablante se dirige humorísticamente a sus propios pies y les dice: *una vez abajo, saltamos la tapia, y p i e s p a r a q u é o s q u i e r o* ('y a echar a correr').

No siempre logra el hablante concluir la frase con palabras apropiadas. De un tal intento frustrado encontramos vestigios en VM 62 *Yo te respondo de ello: trazaré mi plan y... nada, confía en mí*, que interpretamos: '...y... (pequeña pausa de vacilación) no necesito añadir más'.

---

[5] Los españoles distinguen la Pascua de Navidad de la de Resurrección o Florida y de la de Pentecostés; en las tres festividades se desean unos a otros *¡felices Pascuas!* Recuerdo a este propósito el frecuentísimo giro popular *hacerle a uno la pascua* = 'fastidiarle', explicado y comentado acertadamente por MANUEL RABANAL, en «El lenguaje y su duende», pág. 363. En vez de *hacerle a una la pascua*, se oye en ocasiones *hacerle la c u s - q u i* (J. POLO).

Para expresar conformidad con lo precedente (bien sea lo dicho por uno mismo, bien lo dicho por el interlocutor), o, en términos más generales, con el conjunto de la situación, el español emplea frecuentísimamente el conclusivo *bueno*. (Lo mismo vale para el port. «bom».) Pero es que casi siempre «el espíritu inquieto del hombre pasa en seguida del bien que acaba de lograr, al deseo de otro nuevo bien» (SPITZER). Este hecho se expresa en el lenguaje con los sintagmas *bueno, y..., bueno, pero...* y *bueno, pues,* todos muy frecuentes.

En el caso de *bueno y,* se da con *bueno* por despachado lo que sólo le interesaba al interlocutor; *y,* en cambio, sirve para pasar a tratar de aquello que particularmente le importa al hablante. Recuérdese aquí el giro elíptico citado en el capítulo precedente, nota 31, *bueno... ¿y qué?* (allí en la forma menos frecuente: *bien... ¿y qué?).* Lo que tanto irritaba a Noel de esta, según él, típica expresión española era el que acontecimientos de tanta importancia para su pueblo se soslayasen con ese despreciativo *bueno,* lo único que al español medio se le ocurre por todo comentario, introduciendo, acto seguido, con el *y,* una pregunta que equivale a '¿qué quiere usted decirnos con todo eso?', '¿qué nos va en ello?'. VM 61 Víctor: *...luego mediaron los amigos, nos dimos las manos y se arregló el asunto.* —Álvaro: *Menos mal. B u e n o , y* (aquí comienza lo que le interesa a Álvaro) *¿qué haces aquí tan solo?* Este *bueno* se pronuncia con voz apenas perceptible, y a veces falta por completo, como, por ejemplo, en EMH 35 Antonio: *Ya estamos encerrados, y mano a mano, señor Társilo.* —Társilo (con la mayor serenidad): *¿Y q u é pasa?*

En *bueno, pero...,* también el *bueno* es una mera concesión al interlocutor. Se ha de interpretar: 'no quiero estropearte el gusto'; mas a continuación, introducida por *pero,* viene la objeción del hablante. VM 61 *Hoy vengo decidido* (a declararme por fin a Fabia). *Sé que Buitrago estrecha el asedio, sé que don David lo estrecha también, y no quiero llegar tarde, Alvarito.*

De hoy no pasa. —Álvaro: *B u e n o , p e r o , ¿cómo vas a plantearle la cuestión?*

Bueno, seguido de *pues*, puede, en principio, ratificar igualmente lo dicho por el interlocutor (comp. al. «dann»). VM 67 Álvaro: *No te engaño más que una vez al mes.* Hortensia: *¡¡Álvaro!!* —Álvaro: *B u e n o , p u e s ... cada tres meses. De ahí no rebajo.* El hablante admite, con *bueno*, la protesta de Hortensia contenida en el vocativo *¡¡Álvaro!!* —Ahora bien: *bueno*, seguido de *pues*, puede referirse también a lo dicho por el propio hablante, y entonces no suele representar más que una muletilla de relleno, particularmente frecuente después de paréntesis y de otras desviaciones que amenazan distraer al hablante del objetivo de su plática. Puede observarse a menudo este recurso especialmente en boca de incultos que construyen mal; entonces, sobre todo el segundo elemento, *pues*, suele articularse alargando mucho la vocal. VS 2 Sinapismo: *¿Ustedes saben lo que me pasó a mí er jueves... que pusieron pa almorsá riñones?* —Tresolls: *¿Ah, pero aquellos trozos de antracita eran riñones?* —Sinapismo: *Eso me dijo doña Nieves; b u e n o , p u e s a la hora y media tenía yo unos dolores en toā̃ la tragaera* (= tragadera) *que no tuve más remedio que di* (= ir) *a casa der médico.* La pregunta incidental de Tresolls había distraído a Sinapismo de lo que iba a contar; una vez que éste le ha contestado, reanuda su tema con *bueno, pues.* VS 6 (Los huéspedes se han dejado la carne, porque estaba dura. Doña Nieves trata de hacerles creer que si no han podido comer la carne, ha sido porque el plato de arroz servido antes llenaba mucho; con la verbosidad característica de las de su oficio, dice:) *Como que he tenido aquí de huésped a Papús recién salido de la urna, con una debilidad que me fue a decir: «la comida, por favor», y dio un bostezo que tuvo la boca abierta treinta y cinco minutos.* (Acabada la digresión vuelve ahora a lo que iba a decir:) *B u e n o , p u e s le puse arró* (arroz) *y tampoco pudo comerse el filete.* En el hablar inseguro y titubeante es frecuente el simple *bueno*: el hablante pone fin bruscamente a su incómoda situación, como diciendo: 'dejémoslo estar'. VM 70 Víctor (señor otoñal que trata de hacer a Fabia

una declaración de amor): *...pue sí, la edad está... eso es.*
Bella es la planta cuando el verdor la... la... adorna; pero no
es menos bella cuando, marchita por el tiempo, deja lucir la
dorada espiga. —Fabia: *Muy bonito, Víctor.* —Víctor: *¿Verdad*
que es muy bonito? Mm (gruñido característico en él), *de que*
porque la espiga es el... Es decir la espiga es lo... b u e n o,
vamos al grano [6]. EMH 49 Antonio (en soliloquio): *¡Dios mío!*
Que no se me verdevezcan (quiere decir *reverdezcan,* las pasiones), *digo, redrevezcan, digo, verde..., b u e n o, ¡que no lo*
digo! Aquí *bueno* tiene un fuerte matiz de resignación: 'lo de-
jaré, ya que no consigo decirlo', el mismo matiz que tiene el
bueno precursor de una rectificación a la que el hablante se ve
precisado a avenirse, obligado por alguna objeción del interlocutor. VS 12 Ismael: *Pero,* cómo ('no es posible'), *¿Bonilla*
le adeuda a usted esa cantidad? Me deja usted aterido. —Valenzuela: *Sí, señor; b u e n o, no fueron para él, pero el caso*
es igual, porque él garantizó su pago. La interpretación de
bueno es: 'la objeción de usted es justa'. VS 53 *Llégate al nú-*
mero trece y dile al... (quiere decir *verdugo,* pero el fondista,
supersticioso como él solo, no se atreve a pronunciar esta palabra), *b u e n o, al caballero que lo ocupa que aquí lo buscan.*
Naturalmente, sólo a regañadientes le llama *caballero* al verdugo; ahí *bueno* equivale a 'vaya, llamémosle así por una vez'.

Lo que dice Spitzer del italiano «ebbene», en IU, 212, es
aplicable también al esp. *bueno:* «la conformidad en él impli-
cada se convierte a veces en ironía». VS 14 *Tiene usted razón;*
pero vamos, cuando se entere de que es verdugo, con lo apoca-
dísimo que es, b u e n o, no va a haber en las farmacias anties-
pasmódicos bastantes para hacerle volver del desmayo. PC 20
Gaspar: *Ten cuidao con él* (con el niño), *Pepe Conde.* —Pepe:

---

[6] Aquí, *al grano* produce mayor hilaridad (involuntaria), porque el
hablante (un cincuentón), al formular su premiosa declaración de amor,
había usado tres veces seguidas la palabra *espiga,* y, por otra parte, se
usa también la expresión plena *vamos al grano de la espiga.* Con emplear
una variante como *al asunto* o (más popular) *al toro* (en vez de *al grano),*
Víctor se hubiera evitado el ridículo. A propósito de *al toro,* véase Cossío,
ob. cit., pág. 239.

Bueno: Si yo tuviera un niño así, cogía un garrote, y b u e n o . EMH 15 (Antonio, hablando de su hija que intentó colocarse de peluquera y fracasó desastrosamente): *La empezó a ondular ¡y b u e n o !, ¡qué cabeza la puso!* (Sentido de *bueno*: '¡qué horror!'). El sintagma *y bueno* tiene la misma estructura que casi todas las fórmulas de remate tratadas en la primera mitad de este capítulo. VM 36 *Me aseguró Izaguirre que su caballo «Ladislao» iba a ganar la carrera de obstáculos porque saltaba muy bien. Yo lo creí, me metí en firme ¡y b u e n o !* ('¡qué fracaso!'). *Tuve que venirme desde el hipódromo a pie.*

BIBLIOGRAFÍA

1. Estudios

ALEMANY Y BOLUFER, JOSÉ: «Diccionario de la lengua española» (= DL).

ALONSO, AMADO: «Estudios lingüísticos. Temas españoles», Madrid, 1951.

ALONSO, DÁMASO: véase WARTBURG.

ALONSO PERAZ, MARTÍN: «Enciclopedia del idioma», 3 vols., Madrid, 1958.

BALLY, CHARLES: «Traité de stylistique française», Heidelberg, 1921.

—: «Le langage et la vie», París, 1926.

BAUCHE, HENRI: «Le langage populaire», París, 1928.

BEINHAUER, WERNER: «Frases y diálogos de la vida diaria», Leipzig, 1925 (= «Fr.»).

—: «El humorismo en el español hablado», Madrid, 1973 (= Humorismo).

—: «Spanischer Sprachhumor», Bonn y Colonia, 1932 (= «Sprachhumor»).

—: «Über Piropos», en VKR, VII, Heft 2-3, págs. 111-164 (= «Piropos»).

—: «Das Tier in der spanischen Bildsprache», Hamburgo, 1949 (= «Tier»).

BELLO, ANDRÉS, Y CUERVO, R. J.: «Gramática castellana», París, 1925.

BESSES, LUIS: «Diccionario de argot español», Barcelona, 1909.

BEYM, RICHARD: «Two phases of the linguistics Category of Emphasis in Colloquial Spanish», «Orbis» (Lovaina, Bélgica), III, 1954, págs. 99-122.

BRAUE, ALICE: «Beiträge zur Satzgestaltung der spanischen Umgangssprache», Hamburgo, 1931.

CABALLERO, RAMÓN: «Diccionario de modismos», Madrid, 1905 (= DM).

CARBALLO PICAZO, ALFREDO: «Español coloquial», Madrid, 1962.

CABIDE, SIMÓN: «Cara», en «Estafeta literaria».

CARNICER, RAMÓN: «Nuevas reflexiones sobre el lenguaje», Madrid, 1972 (= Nrl).

—: «Sobre el lenguaje de hoy», Madrid, 1969 (= Lh).

CASARES, JULIO: «Cosas del lenguaje», Madrid, 1961.

—: «Diccionario ideológico de la lengua española», Barcelona, 1954.

—: «Introducción a la lexicografía moderna», Madrid, 1956 (= Introducción).

CASTILLO DE LUCAS, ANTONIO: Véase Lucas, Antonio de.

CELA, CAMILO JOSÉ: «Diccionario secreto», 2 vols., Madrid-Barcelona, 1968-1971.

—: «Sobre España, los españoles y lo español», en «Cuadernos de Educación», 1959, págs. 9-18.

CLAVERÍA, CARLOS: «Algunas designaciones jergales del dinero», en «Correo erudito», V, 1952.

—: «En torno a una frase en 'caló' de Don Juan Valera», en «Hispanic Review», XVI, 1948.

—: «Estudios sobre los gitanismos en español», Madrid, 1951.

—: «Gitano-andaluz *devel Un debel*», en «Romance Philology», II, 1948-1949, págs. 33-61.

—: «*Menda* y *mangue* en el sistema pronominal español», en NRFH, III, págs. 267 y sigs.

—: «Miscelánea gitano-española», en NRFH, XI, 1948, págs. 373-376.

—: «Notas sobre el gitano-español», en «Strenae», 1962, págs. 107-117.

—: «Nuevas notas sobre gitanismos en español», en BRAE, XXXIII, 1953.

—: «Reflejos del 'goticismo' español en la fraseología del Siglo de Oro», en «Homenaje a Dámaso Alonso», I, 1960, págs.

—: «Sobre el estudio del 'argot' y del lenguaje popular», en «Revista Nacional de Educación», I, 1941, págs. 65-86.

CORNEJO, JUSTINO: «Vida y pasión del diminutivo», en «Yelmo», n.º 12, junio-julio 1973.

COROMINAS, JOAN: «Diccionario crítico etimológico de la lengua castellana», 4 vols., Madrid, 1954-1957.

COSERIU, E.: «Sobre las llamadas construcciones con verbos de movimiento. Un problema hispánico», Montevideo, 1960.

COSSÍO, JOSÉ M.ª DE: «Los toros», II, Madrid, 1953, págs. 238-242.

CRIADO DE VAL, M.: «El verbo español», Madrid, 1969.

DEUTSCHMANN, OLAF: «Untersuchungen zum volkstümlichen Ausdruck der Mengevorstellungen im Romanischen», III. Teil, Hamburgo, 1953 (= «Mengevorst.»).

—: «La familia en la fraseología hispano-portuguesa», en VKR, XII, páginas 328-400 (= «Familia»).

—: «Formules de malédictions en espagnol et en portugais», Centro de Estudios Filológicos, Lisboa, 1942 (= «Malédictions»).

Donni de Mirande, Nélida E.: «Recursos afectivos en el habla de Rosario», Universidad Nacional del Litoral, Santa Fe, Argentina, 72/1967.

Entrambasaguas, J.: «Frases mortales», en «El idioma nuestro de cada día», 1967.

Fente y Fernández Feijoo: «El subjuntivo», Madrid, 1972.

Fernández Ramírez, Salvador: «A propósito de los diminutivos españoles», en «Strenae», Salamanca, 1962, págs. 185-192.

—: «Gramática española», Madrid, 1950.

Flachskampf, Ludwig: «Spanische Gebärdensprache», en RF, LII (1938), págs. 205-258.

Flórez, Luis: «Apuntes sobre el español de Madrid», en BACol, XVI, págs. 239 y sigs.

—: «Lengua española», Bogotá, 1953.

García de Diego, Vicente: «Lecciones de lingüística española», Madrid, 1951 (= «Lecciones»).

—: «Lingüística general y española», Madrid, 1951 (= «Lingüística»).

Gómez, Aura: «Lenguaje coloquial venezolano», Universidad Central de Venezuela, Caracas, 1969 (= Gómez).

Gooch, Anthony: «Diminutive, augmentative and pejorative suffixes in Modern Spanish», 2.ª ed., Pergamon Press, Oxford, 1970.

Gorgas, Jutta: «Begleitformen des Gesprächs im Französischen und Spanischen» (tesis), Freiburg, 1969.

Grases, Pedro: «La idea de alboroto en castellano», en BICC, VI, págs. 384-430.

Hanisch, Wilhelm: «Stierkampf und Sprache», Colonia, 1931.

Hanssen, Friedrich: «Gramática histórica de la lengua castellana», Halle, 1913.

—: «Spanische Grammatik», Halle, 1900.

Hatzfeld, Helmut: «Don Quijote als Wortkunstwerk», Leipzig, 1927. (Hay versión española.)

Hofmann, J. B.: «Lateinische Umgangssprache», Heidelberg, 1926. (Hay versión española.)

Hultenberg, H.: «Le renforcement du sens des adjectifs et des adverbes dans les langues romanes», Upsala, 1903.

Iribarren, José M.ª: «El porqué de los dichos», Madrid, 1955.

Janucci, James: «Lexical Numbers in Spanish Nouns», Philadelphia, 1952.

Jiménez: «Picardía mexicana», Méjico, 1967.

Kany, Charles E.: «American Spanish Eufemisms», Univ. of California Press, Berkeley-Los Ángeles, 1960.

—: «American Spanish Syntax», 2.ª edición, Chicago, 1951. (Hay versión española.)

KÄRDE, SVEN: «Quelques manières d'exprimer l'idée d'un sujet indéterminé ou général en espagnol», Upsala, 1943.

KOLBE, WILHELM: «Über den Einfluss des Stierkampfes auf die spanische Umgangssprache», Hamburgo, 1929.

KRÜGER, FRITZ: «Einführung in das Neuspanische», Leipzig, 1924.

LAPESA, RAFAEL: «Historia de la lengua española», 3.ª edición, Madrid, 1955.

—: «La lengua desde hace cuarenta años», en «Revista de Occidente», 1963, págs. 193-208.

LENZ, RODOLFO: «La oración y sus partes», Madrid, 1920.

LOPE BLANCH, J. M.: «Algunas expresiones mexicanas relativas a la muerte», en NRFH, XV, 1961.

—: «Vocabulario mexicano relativo a la muerte», México, 1963.

LÓPEZ ESTRADA, F.: «Notas del habla de Madrid», en CLC, VII (1943).

LORENZO, EMILIO: «El español de hoy, lengua en ebullición», Madrid, 1966; 2.ª edic., 1971.

LUCAS, ANTONIO DE: «Refranes y dichos madrileños», en RDTP, I, 1945, págs. 628-638.

LLORENS, E. L.: «La negación en español antiguo», Madrid, 1929, págs. 185-192.

MARTÍN MARTÍN, JAIME: «Diccionario de expresiones malsonantes del español», Edic. Istmo, Madrid, 1974 (= Martín).

MELENDO, A.: «De las locuciones en español», en «Les langues néolatines», n.º 173, 1965.

MOLINER, MARÍA: «Diccionario de uso del español», 2 vols., Madrid, 1966-1967 (= DU).

MONTES, JOSÉ JOAQUÍN: «Apuntes sobre el español en Madrid», en BICC, 1966.

—: «Nombres apocopados», en BICC, 1966, pág. 159.

MORAWSKI, J.: «Les formules allitérées de la langue espagnole», en RFE, XXIV, cuad. 2.º.

—: «Les formules rimées de la langue espagnole», en RFE, XIV, 1927.

MORREALE, MARGHERITA: Reseña de la 1.ª edición española, en «Quaderni Ibero-americani», XXXI (1965), págs. 115-134 (= Res.).

—: «El idioma español y la progresiva internacionalización del lenguaje», en «Presente y futuro de la lengua española», II, págs. 51-62 (= IE).

MUÑOZ CORTÉS, M.: «El español vulgar», Madrid, 1958.

—: «El valor humano de la literatura española», Public. de la Univ. de Murcia, 1971.

NAGEL, INGO: «Die Bezeichnungen für 'dumm' und 'verrückt' im Spanischen», M. Niemeyer, Tübingen, 1972.

NÁÑEZ FERNÁNDEZ, EMILIO: «El diminutivo», Madrid, 1973.

—: «¿Un nuevo sufijo -*lito*?», en FM, 19-20, 1965.

NAVARRO TOMÁS, T.: «Manual de pronunciación española», 6.ª ed. Madrid, 1950.

ONÍS, JOSÉ DE: «La lengua popular madrileña en la obra de Pérez Galdós», en RHM, XV, 1949, págs. 353-363.

OSTER, HANS: «Die Hervorhebung im Spanischen», Zurich, 1951.

PASTOR Y MOLINA, R.: «Vocabulario de madrileñismos», en RHi, XVIII, 1908, págs. 51-72.

PÉREZ, ELISA: «Algunas voces sacadas de las obras de los Álvarez Quintero», en «Hispania», California, XII, págs. 479-488.

POLO, JOSÉ: «El español familiar y zonas afines». (Extensísima bibliografía, poco menos que exhaustiva, de cuanto se refiere al español coloquial, que viene publicándose en sucesivos fascículos de la revista «Yelmo» desde el número 10, abarcando los 23 aparecidos hasta este momento.)

—: «Las oraciones condicionales en español», Universidad de Granada, 1971.

—: «A propósito de los diminutivos» («Español actual», 29, págs. 9-36).

—: «El español como lengua extranjera, enseñanza de idiomas y traducción». Soc. General Española de Librería, Madrid, 1976.

—: «Lenguaje, Gente, Humor...», Madrid, 1972.

PY, BERNARD: «La interrogación en el español hablado de Madrid», AIMAV, Bruselas, 1971.

QUILIS, ANTONIO: «Estudios madrileños», I, Madrid, 1966.

RABANALES, AMBROSIO: «Introducción al estudio del español en Chile», Universidad de Chile.

—: «Recursos lingüísticos, en el español de Chile, de expresión de afectividad», en «Boletín de Filología», Universidad de Chile, X (1958), páginas 205-297.

REAL ACADEMIA ESPAÑOLA: «Diccionario de la lengua española», Madrid, 1925 (= DA).

RESTREPO, FÉLIX: «Diseño de semántica general. El alma de las palabras», 5.ª edición, Bogotá, 1958.

RICHTER, ELISE: «Wie wir sprechen», Leipzig y Berlín, 1925.

ROMERA-NAVARRO, M.: «Apuntaciones sobre viejas fórmulas castellanas de saludo», en RRQ, XXI, 1930, págs. 218-223.

ROSENBLAT, ÁNGEL: «Buenas y malas palabras», Caracas y Madrid, 1956.

—: «El castellano en España y el castellano en América».

RUIZ MORCUENDE, F.: «Perro chico y perro grande», en «Homenaje a Menéndez Pidal».

—: «Tren botijo», en «Homenaje a Menéndez Pidal», II, págs. 205-212.

SAINZ DE ROBLES, FEDERICO CARLOS: «Los alegres corruptores», en «Yelmo», n.º 17, 1974, pág. 37.

SALILLAS, RAFAEL: «El lenguaje», Madrid, 1896.

SALVADOR, TOMÁS: «Diccionario de la Real Calle Española», Barcelona, 1969.

SBARBI, JOSÉ M.ª: «Diccionario de refranes, adagios, proverbios, modismos, locuciones y frases proverbiales», Madrid, 1922 (= DR).

SCHNEIDER, HANS: «Algunas curiosidades del lenguaje coloquial de los trabajadores españoles en Alemania», La Haya, 1966.

—: «Notas sobre el lenguaje popular y caló salvadoreños», en RJ, XII-XIV, 1961-1963.

—: Reseña de la 2.ª ed. alemana, en «Romanistisches Jahrbuch», IX (1958), págs. 357-360 (= Res.).

SECO, MANUEL: «Arniches y el habla de Madrid», Madrid-Barcelona, 1970.

—: «Diccionario de dudas de la lengua española», Madrid, 1964.

—: «Sobre un sufijo de la lengua popular» [-en], «Studia Hispanica... R. Lapesa», III, 453-465.

SLABY-GROSSMANN: «Wörterbuch der spanischen und deutschen Sprache», 3.ª edición, Wiesbaden, 1953.

STEEL, BRIAN: «A manual of colloquial Spanish», Soc. General Española de Librería, Madrid, 1976.

SPITZER, LEO: «Aufsätze zur romanischen Syntax und Stilistik», Halle, 1918 (= «Aufs.»).

—: «Italienische Umgangssprache», Bonn y Leipzig, 1922 (= IU).

—: «Stilstudien», tomos I y II, Munich, 1928.

TINEO REBOLLEDO, J.: «Diccionario gitano-español», Barcelona, 1909.

TISCORNIA, ELEUTERIO F.: «La lengua de *Martín Fierro*», Buenos Aires, 1930.

TORO Y GISBERT, MIGUEL DE: «Los nuevos derroteros del idioma», París, 1918.

TRINIDAD, FRANCISCO: «Arniches: un estudio del habla popular madrileño», Madrid, 1969.

ULLRICH, ELMAR: «Die marianische Advokation und ihre Funktion als Personalname im Neuspanischen» (Tesis doctoral), Würzburg, 1965.

VALENZUELA CERVERA, JOSÉ A.: «Las actividades del lenguaje», Madrid, 1971.

VALLEJO, JOSÉ: «Papeletas para el diccionario», en BRAE, 1952, págs. 361-341.

VAN WIJK, H. L. A.: «Algunos arabismos semánticos en el español y el portugués» (Homenaje a J. A. van Praag en «Norte», XII, 2, 1971).

WAGNER, M. L.: «Apuntaciones sobre el caló bogotano», en BICC, VI, 1950.

—: Reseña de la 1.ª edición de: W. BEINHAUER, «Spanische Umgangssprache», en VKR, II. Jahrg., I. Heft (= Reseña).

—: «Mexikanisches Rotwelsch», en ZRPh, XXXIX (1919), págs. 513-550.

—: «Sobre algunas palabras gitano-españolas y otras jergales», en RFE, XXV (1941), págs. 161-181.

WANDRUSZKA, M.: «Haltung und Gebörde der Romanen», en RF, LXXI, 1959.

WARTBURG, W. VON: «Problemas y métodos de la lingüística», Madrid, 1951. Anotado para lectores hispánicos por Dámaso Alonso.

WEISE, GEORG: «Das religiöse und kirchliche Element in der modernen spanischen Umgangssprache», en RJ, VI (1953-1954), págs. 267-314.

WUNDERLICH, HERMANN: «Unsere Umgangssprache», Weimar, 1894.

YNDURAIN, FRANCISCO: «Sobre 'madrileñismos'», en FM, VII, 1967.

2. Obras literarias

ÁLVAREZ QUINTERO, S. Y J.: «Así se escribe la Historia», Madrid, 1917 (= AH).

—: «La consulesa», Madrid, 1914 (= LC).

—: «El duque de Él», Madrid, 1916 (= EDE).

—: «Malvaloca», Madrid, 1920 (= M).

—: «El mundo es un pañuelo», Madrid, 1920 (= MP).

—: «Pedro López», Madrid, 1918 (= PL).

—: «La zahorí», Madrid, 1903 (= Z).

ARNICHES, CARLOS: «Es mi hombre», Madrid, 1922 (= EMH).

Avalos, Fernando de: «En plazo», Barcelona, 1961.

AZA, VITAL: «Calvo y compañía», Madrid, 1909 (= CC).

—: «El oso muerto», Madrid 1891 (= OM).

—: «Parada y fonda», impresa en P. DE MÚGICA, «Spanische Umgangs- und Geschäftssprache» (= PF).

—: «Perecito», impresa en la colección «La novela teatral» (= P).

—: «La praviana», Madrid, 1914 (= LP).

—: «El señor cura», Madrid, 1897 (= SC).

BUERO VALLEJO, ANTONIO: «Aventura en lo gris», Madrid, 1955.

—: «Historia de una escalera», Barcelona, 1950 (= HE).

—: «Irene, o el tesoro», en Col. Teatro, n.º 121, Madrid, 1955 (= IT).

CANDEL, FRANCISCO: «¡Dios, la que se armó!».

—: «Échate un pulso, Hemingway» (= EPH).

—: «Pueblo».

—: «Temperamentales», Barcelona, 1960.

CASERO, ANTONIO: «La noche de la verbena», Madrid, 1919 (= NV).

CASTILLO-PUCHE, J. L.: «Paralelo 40», ed. Destino, Barcelona, 3.ª ed., 1963 (= P40).

CELA, CAMILO JOSÉ: «La colmena», 3.ª ed., Barcelona-México, 1957.

—: «Nuevas escenas matritentes», 1.ª y 2.ª series, Madrid, 1965.

DELIBES, MIGUEL: «El camino», Barcelona, 1974.

—: «Cinco horas con Mario», Barcelona, 1966 (= CHM).

DÍAZ DE ESCOBAR: «Cuentecillos de mi tierra».

DONOSO, JOSÉ: «Coronación», 1951.

FERNÁNDEZ-FLÓREZ, P.: «Lola, espejo oscuro».

GARCÍA ÁLVAREZ, ENRIQUE, Y MUÑOZ SECA, PEDRO: «El verdugo de Sevilla», Madrid, 1918 (= VS).

—: «El último Bravo», Madrid, 1917 (= EUB).

GIRONELLA, JOSÉ MARÍA: «Los cipreses creen en Dios», Barcelona, 1956.

—: «Condenados a vivir» (= CV).

—: «Ha estallado la paz», Barcelona, 1966.

—: «Un millón de muertos», Barcelona, 1961.

GUTIÉRREZ-ROIG, ENRIQUE F., Y RÍOS, LUIS DE LOS: «Que no lo sepa Fernanda», Madrid, 1922 (= QNSF).

JARDIEL PONCELA, ENRIQUE: «Espérame en Siberia, vida mía», Madrid, 1929.

LAIGLESIA, A. DE: «Concierto en 'sí amor'» (= CSA).

—: «En el cielo no hay almejas», Barcelona, 1970.

—: «Morir juntos».

—: «Racionales pero animales», Barcelona, 1964.

—: «Cuéntaselo a tu tía», Barcelona, 1969.

LERA, ÁNGEL MARÍA DE: Novelas («Los olvidados», «Los clarines del miedo», «La boda», «Bochorno», «Trampa»), Madrid, 1964.

LÓPEZ RUBIO, J.: «Una madeja de lana azul celeste», en Col. Teatro, n.º 14, Madrid, 1950 (= MLC).

LÓPEZ SALINAS, A.: «La mina», Barcelona, 1960.

MARTÍN VIGIL, J. L.: «Tierra Brava» (= TB).

MATUTE, ANA MARÍA: «Primera memoria», Barcelona, 1959.

MIHURA, MIGUEL: «Melocotón en almíbar», col. Teatro, n.º 233, Madrid, 1962 (= MA).

—: «Milagro en casa de los López», en col. Teatro, n.º 484, Madrid, 1965 (= ML).

—: «Ninette y un señor de Murcia», en col. Teatro (= NSM).

—: «La tetera», en col. Teatro, n.º 479, Madrid, 1965 (= LT).

Muñoz Seca, Pedro: «La verdad de la mentira», Madrid, 1919 (= VM).

Muñoz Seca, Pedro, y Pérez Fernández, Pedro: «Pepe Conde», Madrid, 1920 (= PC).

Olmo, Lauro: «La camisa», Madrid, 1963 (= C).

Paso, Alfonso: «La fiebre de junio», en col. Teatro, n.º 469, Madrid, 1965 (= FJ).

—: «La fiesta de San Antón» (= FSA).

—: «Hay alguien detrás de la puerta», en col. Teatro, n.º 237, Madrid, 1959 (= HDP).

—: «Juan Pérez» (= JP).

—: «Juegos para marido y mujer», en col. Teatro, n.º 366, Madrid, 1963 (= JMM).

—: «Las mujeres los prefieren pachuchos», col. Teatro, n.º 409, Madrid, 1964 (= LMPP).

—: «Un 30 de febrero», en col. Teatro, n.º 399, Madrid, 1964 (= UF).

—: «Veraneando» (= Ve).

Payno, J. Antonio: «El curso», Barcelona, 1962.

Portal, Marta: «A tientas y a ciegas», Barcelona, 1966.

Sánchez Ferlosio, Rafael: «El Jarama», Barcelona, 1956 (= «Jarama»).

Villalonga, Lorenzo: «La muerte de una dama», Barcelona, 1967 (= MD).

Xavier, Adro: «El otro curso», Barcelona, 1968; 3.ª ed., 1969 (= OC).

ABREVIATURAS

AH	= S. Y J. Álvarez Quintero, «Así se escribe la Historia», Madrid, 1917.
Aufs	= Leo Spitzer, «Aufsätze zur romanischen Syntax und Stilistik», Halle, 1918.
BACol	= «Boletín de la Academia Colombiana», Bogotá.
BFUCh	= «Boletín de Filología de la Universidad de Chile», Santiago de Chile.
BICC	= «Boletín del Instituto Caro y Cuervo», Bogotá.
BRAE	= «Boletín de la Real Academia Española», Madrid.
C	= Lauro Olmo, «La camisa», Madrid, 1963.
CC	= Vital Aza, «Calvo y compañía», Madrid, 1909.
CCLC	= «Cuadernos del Congreso para la Libertad de la Cultura», París.
CHM	= Miguel Delibes, «Cinco horas con Mario», Barcelona, 1966.
CLC	= «Cuadernos de Literatura Contemporánea», Madrid.
CSA	= A. de Laiglesia, «Concierto en 'sí amor'».
CV	= J. M.ª Gironella, «Condenados a vivir».
DA	= Real Academia Española, «Diccionario de la lengua española», Madrid, 1925.
DL	= José Alemany y Bolufer, «Diccionario de la lengua española».
DM	= Ramón Caballero, «Diccionario de modismos», Madrid, 1905.
DR	= José M.ª Sbarbi, «Diccionario de refranes, adagios, proverbios, modismos, locuciones y frases proverbiales», Madrid, 1922.
DU	= María Moliner, «Diccionario de uso del español», 2 vols., Madrid, 1966.
EDE	= S. Y J. Álvarez Quintero, «El duque de Él», Madrid, 1916.

EMH	= Carlos Arniches, «Es mi hombre», Madrid, 1922.
EPH	= Francisco Candel, «¡Échate un pulso, Hemingway!».
EUB	= Enrique García Álvarez y Pedro Muñoz Seca, «El último Bravo», Madrid, 1917.
Familia	= Olaf Deutschmann, «La familia en la fraseología hispano-portuguesa», en VKR, XII, págs. 328-400.
FJ	= Alfonso Paso, «La fiebre de junio», en col. Teatro, n.º 469, Madrid, 1965.
FM	= «Filología Moderna», Madrid.
Fr	= Werner Beinhauer, «Frases y diálogos de la vida diaria», Leipzig, 1925.
FSA	= Alfonso Paso, «La fiesta de San Antón».
Gómez	= Aura Gómez, «Lenguaje coloquial venezolano», Universidad Central de Venezuela, 1969.
HDP	= Alfonso Paso, «Hay alguien detrás de la puerta», en col. Teatro, n.º 237, Madrid, 1959.
HE	= A. Buero Vallejo, «Historia de una escalera», Barcelona, 1950.
HR	= «Hispanic Review», Filadelfia.
Humorismo	= Werner Beinhauer, «El humorismo en el español hablado», Madrid, 1973.
IE	= Marguerita Morreale, «El idioma español y la progresiva internacionalización del lenguaje», en «Presente y futuro de la lengua española», II, págs. 51-62.
Introducción	= Julio Casares, «Introducción a la lexicografía moderna», Madrid, 1956.
IT	= A. Buero Vallejo, «Irene, o el tesoro», en col. Teatro, n.º 121, Madrid, 1955.
IU	= Leo Spitzer, «Italienische Umgangssprache», Bonn y Leipzig, 1922.
Jarama	= Rafael Sánchez Ferlosio, «El Jarama», Barcelona, 1956.
JMM	= Alfonso Paso, «Juegos para marido y mujer», en col. Teatro, n.º 366, Madrid, 1963.
JP	= Alfonso Paso, «Juan Pérez».
LC	= S. y J. Álvarez Quintero, «La consulesa», Madrid, 1914.
Lecciones	= Vicente García de Diego, «Lecciones de lingüística española», Madrid, 1951.
Lh	= Ramón Carnicer, «Sobre el lenguaje de hoy», Madrid, 1969.
Lingüística	= Vicente García de Diego, «Lingüística general y española», Madrid, 1951.
LMPP	= Alfonso Paso, «Las mujeres los prefieren pachuchos», en col. Teatro, n.º 409, Madrid, 1964.
LP	= Vital Aza, «La praviana», Madrid, 1914.

LT   = Miguel Mihura, «La tetera», en col. Teatro, n.º 479, Madrid, 1965.
M   = S. y J. Álvarez Quintero, «Malvaloca», Madrid, 1920.
MA   = Miguel Mihura, «Melocotón en almíbar», en col. Teatro, n.º 233, Madrid, 1962.
Malédictions = Olaf Deutschmann, «Formules de malédictions en espagnol et en portugais», Centro de Estudios Filológicos, Lisboa, 1942.
Martín   = Jaime Martín, «Diccionario de expresiones malsonantes del español», Ediciones Istmo, Madrid, 1974.
MD   = Lorenzo Villalonga, «La muerte de una dama», Barcelona, 1967.
Mengevorst = Olaf Deutschmann, «Untersuchungen zum volkstümlichen Ausdruck...», III, Teil, Hamburgo, 1953.
ML   = Miguel Mihura, «Milagro en casa de los López», en col. Teatro, n.º 484, Madrid, 1965.
MLC   = J. López Rubio, «Una madeja de lana azul celeste», en col. Teatro, n.º 14, Madrid, 1950.
MLJ   = «Modern Language Journal», Menasha.
MP   = S. y J. Álvarez Quintero, «El mundo es un pañuelo», Madrid, 1920.
NRFH   = «Nueva Revista de Filología Hispánica», Méjico.
Nrl   = Ramón Carnicer, «Nuevas reflexiones sobre el lenguaje», Madrid, 1972.
NSM   = Miguel Mihura, «Ninette y un señor de Murcia», en col. Teatro,
NV   = Antonio Casero, «La noche de la verbena», Madrid, 1919.
OC   = Adro Xavier, «El otro curso», Barcelona, 1968.
OM   = Vital Aza, «El oso muerto», Madrid, 1891.
P   = Vital Aza, «Perecito», impresa en la colección «La novela teatral».
PC   = Pedro Muñoz Seca y Pedro Pérez Fernández, «Pepe Conde», Madrid, 1920.
PF   = Vital Aza, «Parada y fonda», impresa en P. de Múgica, «Spanische Umgangs- und Geschäftssprache».
Piropos   = Werner Beinhaur, «Über *Piropos*», en VKR, VIII, Heft 2-3, págs. 111-164.
PL   = S. y J. Álvarez Quintero, «Pedro López», Madrid, 1918.
P40   = Castillo-Puche, «Paralelo 40», ed. Destino, Barcelona, 3.ª ed., 1963.
QNSF   = Enrique F. Gutiérrez-Roig y Luis de los Ríos, «Que no lo sepa Fernanda», Madrid, 1922.
RDTP   = «Revista de Dialectología y Tradiciones Populares», Madrid.

Res(eña)	= Véase, en este libro, Bibliografía (Estudios): Morreale, Schneider, Wagner.
RF	= «Romanische Forschungen», Erlangen.
RFE	= «Revista de Filología Española», Madrid.
RHi	= «Revue Hispanique», Nueva York-París.
RHM	= «Revista Hispánica Moderna», Nueva York.
RJ	= «Romanistisches Jahrbuch», Hamburgo.
RRQ	= «Romanic Review», Nueva York.
SC	= VITAL AZA, «El señor cura», Madrid, 1897.
Sprachhumor	= W. BEINHAUER, «Spanischer Sprachhumor», Bonn y Colonia, 1932.
TB	= J. L. MARTÍN VIGIL, «Tierra Brava».
Tier	= WERNER BEINHAUER, «Das Tier in der spanischen Bildsprache», Hamburgo, 1949.
UF	= ALFONSO PASO, «Un 30 de febrero», en col. Teatro, número 399, Madrid, 1964.
Ve	= ALFONSO PASO, «Veraneando».
VKR	= «Zeitschrift für Volkstum und Kultur der Romanen», Hamburgo.
VM	= PEDRO MUÑOZ SECA, «La verdad de la mentira», Madrid, 1919.
VS	= ENRIQUE GARCÍA ÁLVAREZ Y PEDRO MUÑOZ SECA, «El verdugo de Sevilla», Madrid, 1918.
Z	= S. Y J. ÁLVAREZ QUINTERO, «La zahorí», Madrid, 1903.
ZRPh	= «Zeitschrift für romanische Philologie», Halle (luego Tubinga).

ÍNDICE DE AUTORES

ÍNDICE DE MATERIAS Y EXPRESIONES

el hijo; ¡*que te calles*!; *que bus-que, que busque*; *que termine, pero que termine hoy mismo*, etc.) 344-347, 352-353; — + verbo + *y* + verbo (*que estornuda y echa chispas*) 332; — relativo (*que le dicen*, etc.) 186-187, 231, 331-333, 419-421; ¿*a* —...?, ¡*a* —...! 394; — *de ninguna manera* 198; — (*usted*) *descanse* 164, 212 n. 29; — *diga-mos* 70, 355; — *esto y que esto otro* 344; — *le entienda la Rita*, — *lo haga el Nuncio* 116 n. 160; — *no pué* (= *puede*) *ser* ... 353 n. 266; — *no*, — *no* 198; — *no sea nada* 163; ¿— *no*... (+ ver-bo)? 203 n. 16; — *se alivie* 163; — *se divierta* 163; — *se lo dé Rita* 116 n. 160; — *se mejore* (*pronto*) 163; — *sea por muchos años* 156; — *si*..., — *si* (*no*)... 345-346; ¿— *si*...? 202 y n. 15, 203, 371 n. 4; — *sí, mujer* 40, 198; — *si quieres* 166 n. 45; — *si quieres* (*arroz, Catalina*) 224-225; — *siga el alivio* (o *la mejoría*) 163; — *tal y* — *cual* 344-345; — *te* + subjun-tivo plural (— *te afeiten*, — *te aspen*, — *te devuelvan los cuar-tos*, — *te emplumen*, — *te frían un huevo*, — *te fumiguen*, — *te monden*, — *te ondulen*, — *te ri-beteen*) 221-222; — *te crees tú eso* 89; — *ya, ya* 331, 400; — *yo sepa* 71

ahora — 128; *corre* — *se las pela* 277; *cuidado* — 73; *dar* — *hablar*, etc. 404; *está* — *bota*, — *muerde* 243; *está* — *no vive* 231; *está* — *trina* 243; *estoy* — *me ahogo* 331; *un frío* — *corta la cara*, — *pela*

321, 331; *un hambre* — *no veo* 333; *más* + adjetivo — ... 297, 308-313; *poquito* — ... 232; *por cierto* — 129; *razón* — *le sobra* 243; *vamos* — 76; *y usted* — *lo vea* 156

véase el siguiente

qué 213; ¿—? 95 n. 118, 393; — + adjetivo o adverbio (*qué raro, qué bien*, etc.) 109-111; — + sus-tantivo (¡*qué miedo*!, etc.) 100-101, 109-111, 231; — + sustantivo (con valor negativo: ¿*qué demo-nios?*, ¿*qué concho?*, etc.) 94-95, 103 n. 129, 105 n. 138, 166, 212-217, 321, 341; — + sustantivo + *tan* (o *más*) + adjetivo (*qué cosa tan fina*) 290 n. 180, 399-400; — + sustantivo *ni* — + sustantivo 214; ¡— *cosa*! 229 n. 180; ¿*a mi* —? 394; ¡— *cosas*...! 179, 203 n. 16, 383; ¿— *dice usted de bueno?* 155; — *digo* 70; ¿— *duda*...? 340; ¿— *es esto?* 190; ¿— *es que*...? 125; — + *haber de* + infinitivo (¿*qué ha de ser igual?*, etc.) 207, 212 y n. 26; — *ha*... 89 n. 101, 207; — *hacer* 412 n. 47; — + *ir a* + infinitivo (¿*qué voy a descansar?*, etc.) 210, 212 y n. 26, 221, 341; ¿— *has hecho?* 342; ¿— *hay?* 192; ¿— *hay de bueno?* 155; ¡— *lástima*! 236; ¿— *le digo?* 168; ¡— *le vamos a hacer*!, ¡— *quiere usted que le haga* (*diga*)! 186 n. 77, 187, 212, 417; ¡— *más*...! 341; ¿— *menos?* 397; —... *ni* — 113, 187-188, 214 y n. 33, 215, 353; —... *o* — 214 n. 33; ¡— *remedio*! 212, 417; *resulta* — 417-418; ¿— *se debe?* 162; ¡— *sé yo*! 213, 346; — *sé yo qué* (*cuál*)

ÍNDICE GENERAL

BIBLIOTECA ROMÁNICA HISPÁNICA

Dirigida por: DÁMASO ALONSO

I. TRATADOS Y MONOGRAFÍAS

II. ESTUDIOS Y ENSAYOS

Homenaje Universitario a Dámaso Alonso. Reunido por los estudiantes de Filología Románica. 358 págs.

Homenaje a Casalduero. 510 págs.

Homenaje a Antonio Tovar. 470 págs.

Studia Hispanica in Honoren R. Lapesa. Vol. I: 622 págs. Vol II: 634 págs. Vol III: 542 págs. 16 láminas.

Juan Luis Alborg: *Historia de la literatura española.*

    Tomo I: *Edad Media y Renacimiento.* 2.ª edición. Reimpresión. 1.082 págs.

    Tomo II: *Época Barroca.* 2.ª edición. Reimpresión. 996 págs.

    Tomo III: *El siglo XVIII.* Reimpresión. 980 págs.

José Luis Martín: *Crítica estilística.* 410 págs.

Vicente García de Diego: *Gramática histórica española.* 3.ª edición revisada y aumentada con un índice completo de palabras. 624 págs.

Marina Mayoral: *Análisis de textos (Poesía y prosa españolas).* Segunda edición ampliada. 294 págs.

Wilhelm Grenzmann: *Problemas y figuras de la literatura contemporánea.* 388 págs.

Veikko Väänänen: *Introducción al latín vulgar.* Reimpresión. 414 págs.

Luis Díez del Corral: *La función del mito clásico en la literatura contemporánea.* 2.ª edición. 268 págs.

Étienne M. Gilson: *Lingüística y filosofía (Ensayos sobre las constantes filosóficas del lenguaje).* 334 págs.

PRINTED IN SPAIN